CB040254

Tragédias

Ésquilo

TRAGÉDIAS

Os persas
Os sete contra Tebas
As suplicantes
Prometeu cadeeiro

Estudos e traduções
Jaa Torrano

ILUMINURAS

Coleção Dionísias
Dirigida por Jaa Torrano

Projeto gráfico da capa
Fê (Estúdio A Garatuja Amarela)

Capa
Eder Cardoso / Iluminuras
sobre estátua de *Hécules* (Museu Pio-Clementino, Sala Rotunda).

Revisão técnica
Jaa Torrano

Revisão
Ana Luiza Couto

Digitação do grego
Ariadne Escobar Branco

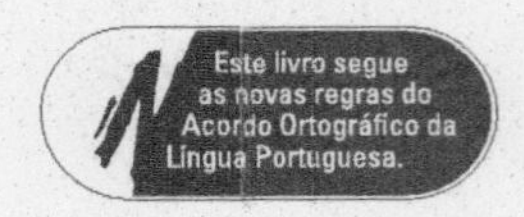

CIP-BRASIL. CATALOGAÇÃO-NA-FONTE
SINDICATO NACIONAL DOS EDITORES DE LIVROS, RJ

E81t
Ésquilo, ca. 525-456 a.C.
Tragédias / Ésquilo ; estudos e tradução Jaa Torrano.
[2.Reimp] - São Paulo : Iluminuras, 2019.

Tradução dos originais gregos
Edição bilíngue português-grego
Conteúdo: Os persas - Os sete contra Tebas - As suplicantes - Prometeu cadeeiro
Inclui bibliografia
ISBN 978-85-7321-310-2

1. Teatro grego (Tragédia). I. Torrano, Jaa. II. Título. III. Título: Os persas.
IV. Título: Os sete contra Tebas. V. Título: As suplicantes. VI. Título: Prometeu cadeeiro.

09-5501. CDD: 822
CDU: 821.14.02-2

20.10.09 27.10.09 015885

2019
EDITORA ILUMINURAS LTDA.
Rua Inácio Pereira da Rocha, 389 - 05432-011 - São Paulo - SP - Brasil
Tel./Fax: 55 11 3031-6161
iluminuras@iluminuras.com.br
www.iluminuras.com.br

SUMÁRIO

PROMETEU CADEEIRO

Posfácio

AGRADECIMENTOS

Aos Deuses Olímpios,
por Olímpia — genéthlios dósis —
e os dias olímpios, convividos e a conviver.
Aos Deuses Ctônios,
por estarem embaixo e estarmos em cima,
pelo bem que nos mandam para cima
e o mal que retêm nas trevas embaixo.
Ao Nume a quem laboro e adoro,
por tudo que sei e sou.
Ignoto Deo,
por ser ignoto.

Ao CNPq,
pela bolsa Produtividade em Pesquisa
que resultou neste estudo e tradução.

Aos queridos amigos,
por nossa participação comum em Zeus Phílios
e o sentido divino de nossa bela amizade,
festejado, com discrição, ou estardalhaço.
À querida família,
por nossa participação comum em Zeus Herkeîos
e o sentido divino de nosso âmbito comum.
À minha dócil dona,
pelos dons eudemônicos da suave posse
e pelas plenas bênçãos da beatitude
cotidiana.

Aos perdidos e esquecidos:
a uns, pela esperança de reencontro,
e a outros, pelo obsequioso olvido.
E aos mais e aos excessivos,
pelo mais, o ex- e o
cessante cessivo.

CRÉDITOS

Partes e versões deste trabalho foram anteriormente publicadas em livros, em atas de congressos, e em periódicos, a saber:

Os Persas

ÉSQUILO. "*Persas*". Tradução integral de Jaa Torrano. *Letras Clássicas*. São Paulo: Humanitas, n. 6, 2002, pp. 197-228.

———. "Párodo e Primeira Cena do Primeiro Episódio de Ésquilo, *Persas*" vv. 1-248. Tradução de Jaa Torrano. *Cadernos de Literatura em Tradução*, n. 4, pp. 225-34.

TORRANO, Jaa. "Mito e Política na Tragédia *Persas* de Ésquilo", *Letras Clássicas*. São Paulo: Humanitas, n. 6, 2002, pp. 25-35.

———. "O fraudulento logro de Deus: a noção de *apáte* na teologia de Ésquilo", in CARDOSO, Zelia de Almeida e DUARTE, Adriane da Silva (orgs.). *Estudos sobre o Teatro Antigo*. São Paulo: Alameda, 2009, pp. 15-23.

Os Sete contra Tebas

ÉSQUILO. "*Sete contra Tebas*", vv. 1236-1419. Tradução de Jaa Torrano. *Estudos Avançados*. São Paulo: IEA-USP, 7 (18), pp. 185-6.

TORRANO, Jaa. "Mito e Filosofia: Homologia estrutural" in CABRAL FERREIRA, Acylene Maria (org.). *Leituras do Mundo*. Salvador: Quarteto Editora, 2006, pp. 187-98.

———. "Mito y dialéctica en la tragedia *Siete contra Tebas* de Esquilo", *Limes*, Santiago/Chile: Universidad Metroplolitana de Ciências de la Educación, 16/2004, pp. 27-34.

———. "Mito e dialética na tragédia *Sete contra Tebas* de Ésquilo", in GONZÁLEZ DE TOBIA, A. M. (org.). *Ética y Estética. De Grecia a la Modernidad*. La Plata: Universidad Nacional de La Plata, 2004, pp. 125-31.

Prometeu Cadeeiro

ÉSQUILO. *Prometeu Prisioneiro*, Tradução de Jaa Torrano, apresentação de José Cavalcante de Souza. São Paulo: Roswitha Kempf, 1985.

TORRANO, Jaa. "O Grande Juramento dos Deuses", *O Sentido de Zeus*. São Paulo: Roswitha Kempf, 1988, pp. 51-65 (Iluminuras, 1996, pp. 56-69).

————. "Prometheùs Desmótes", *Boletim do CPA*. Instituto de Filosofia e Ciências Humanas, Unicamp, 1(1) : 13-26, jan./jun. 1996.

————. "Traços teológicos comuns às tragédias de Ésquilo: A teologia de Ésquilo no drama Prometheùs Desmótes", in GONZÁLEZ DE TOBÍA, Ana M. (org.). *Lenguaje, Discurso y Civilización. De Grécia a la Modernidade*. La Plata: Universidad Nacional de La Plata, 2007, pp. 333-42.

————. "*Ió*! Condição feminina, humana e heroica: o itinerário de Io em cena e no mitologema" in CARDOSO, Zelia de Almeida e DUARTE, Adriane da Silva (orgs.). *Estudos sobre o Teatro Antigo*. SãoPaulo: Alameda, 2009, pp. 149-164.

ESTUDO E TRADUÇÃO DAS TRAGÉDIAS DE ÉSQUILO

Tomando as tragédias de Ésquilo — que nos chegaram avulsas: *Os persas*, *Os sete contra Tebas*, *As Suplicantes* e *Prometeu Cadeeiro* — como documento literário da permanência e transformação do pensamento mítico arcaico dentro do horizonte político e do contexto cultural de Atenas no século V a.C., estuda-se o uso sistemático de imagens e noções do pensamento mítico arcaico na elaboração do pensamento teológico e político relativo às relações de poder e à questão da Justiça na *pólis*. A tradução — solidária com o estudo, metódica pela coerência de seus procedimentos, e sistemática pela transposição das figuras mitopoéticas reiterativas ou inter-referentes e das noções e do movimento próprios ao pensamento teológico e político de Ésquilo – visa exemplificar concretamente a interpretação anunciada e indicada no estudo. A nova tradução, intitulada *Prometeu Cadeeiro*, refaz a anterior, intitulada *Prometeu Prisioneiro*, com vista a (re-)integrá-la à dicção e perspectiva hermenêutica deste presente conjunto das tragédias de Ésquilo traduzidas.

Guiado pelos vestígios da homologia estrutural entre a noção mítica de *Theós* ("Deus(es)") e a noção filosófica de *eîdos/ideia* ("forma(s) inteligível(is)"), o estudo de cada uma dessas quatro tragédias mostra como nelas se elabora a reflexão sobre os limites inerentes a todo exercício de poder, no horizonte dos mortais, numa *pólis*, como Atenas no séc. V a.C.

Em *Os persas*, no párodo, o coro de "fiéis" — anciãos guardiães, escolhidos pelo rei Xerxes para vigiar a região —, depois de descrever a extraordinária riqueza e grandeza do exército persa como "incombatível onda do mar: irresistível exército e tropa intrépida", evoca como inelutável para homem mortal o "fraudulento logro de Deus" e o descreve a Deusa Erronia (*Áte*) — acolhedora benévola ao mortal em suas redes inextricáveis — de modo a coincidir manifestação divina e comportamento de mortais na execução penal da justiça de Zeus rei, punitivo, severo juiz (*eúthynos barýs*). A trama do drama mostra como se associam as noções de grande riqueza, soberbia (*hýbris*), erronia (*áte*) e o caráter penal da justiça divina.

Em Os *sete contra Tebas*, a interlocução de Etéocles — no governo de Tebas — com o povo tebano e com o coro de mulheres tebanas desdobra-se na interlocução com a Deusa Imprecação (*Ará*), com a Deusa Rixa (*Éris*) furiosa e, assim, com a execução penal da justiça divina. A Deusa Rixa é a face sombria da Justiça penal, que no entanto ressurge entre os sobreviventes na cidade salva.

Em *As suplicantes*, o coro de Danaides, aportadas em Argos, invoca primeiro Zeus Suplicante, e depois os pátrios Numes — cuja categoria inclui tanto os Deuses supremos quanto os mortos venerados como heróis locais — e terceiro Zeus Salvador. A prece a Zeus se desdobra na súplica ao rei Pelasgo e na interlocução indireta, mediada pelo rei Pelasgo, com o povo argivo. A prece e a súplica recorrem à persuasão violenta (cf. *Ag*. 385), que parece — e é — chantagem e coação tanto a Zeus Olímpio quanto ao rei Pelasgo e a seu povo. No entanto, no exercício mesmo dessa persuasão pelas Danaides manifesta-se fatídica tensão conflituosa entre os interesses de Ártemis e os de Afrodite.

Em *Prometeu Cadeeiro*, o prólogo é o diálogo — com o silêncio de Prometeu — entre os Deuses Poder, que manda Hefesto pregar Prometeu na pedra, e Hefesto, que o lamenta. O coro de Oceaninas — atendendo à invocação de Prometeu — apresenta-se como testemunha do grande juramento dos Deuses, pronunciado por Prometeu. Os Deuses invocados nesse juramento são o divino Fulgor, o inúmero brilho das ondas marinhas e Terra mãe de todos - ondas marinhas revelando-se a seguir como o coro mesmo e o pai Oceano. Nessa função de Estige (cf. HESÍODO — *Teogonia*, 231-2, 383-403 e 755-806) é que o coro testemunha o diálogo múltiplo de Prometeu com Oceano, com o coro de Oceânides, com a mortal Io e com o Deus Hermes, mensageiro de Zeus. Nesse diálogo múltiplo, definem-se os limites da sofística (a sabedoria de Prometeu) em face da tirania (o poder exercido por Zeus) e mostra-se a unidade enantiológica entre mentira e privação de poder e de ser, por um lado e por outro, verdade e participação em ser e em poder. Nesse encadeamento da unidade de contrários, o Deus "Cadeeiro" (*Desmótes*) — no sentido de "senhor das cadeias e carcereiro" — se descobre "Cadeeiro" — no sentido de "privado de seus poderes sobre cadeias e assim confinado na cadeia".

Se a um olhar perdido as tragédias que nos chegaram avulsas de Ésquilo parecem fragmentárias e dilaceradas pela corrupção da tradição, a sinopse do sistema de imagens e de noções próprias do pensamento mítico grego arcaico e clássico, documentado nessas tragédias, descobre uma unidade complexa. Este estudo e tradução se propõe descrever e reproduzir em sua complexidade e em sua dinâmica essa unidade múltipla de Deuses, Numes, heróis e homens mortais.

OS PERSAS

MITO E POLÍTICA NA TRAGÉDIA *OS PERSAS* DE ÉSQUILO

Jaa Torrano

A soberbia, ao florescer, produz a espiga
de erronia, cuja safra toda será de lágrimas.
(Ésquilo, *Pe.* 821-2)

O GÊNERO TRÁGICO

A tragédia surge e desenvolve-se em Atenas, num período que começa com o início do desenvolvimento político, econômico e social que a cidade conhece nos finais do século VI a.C., período que se prolonga pelo século seguinte. Sabemos que as representações trágicas se inscreviam no calendário das festas cívico-religiosas, celebradas nas Grandes Dionísias, no início da primavera, e também posteriormente nas Dionísias Rurais, durante o inverno. Patrocinadas pelo estado, as representações trágicas eram custeadas por impostos específicos, chamados *khoregía*. Os coros trágicos se compunham exclusivamente de cidadãos atenienses em gozo de seus direitos políticos, e havia isenção de serviço militar para quantos estavam envolvidos nos ensaios visando às representações. Esses dados são relevantes porque apontam a importância e o interesse da tragédia para a cidade-estado de Atenas.

Confluíam na tragédia o legado da epopeia, que contribuía com os temas legendários e as personagens heroicas, e o legado da poesia lírica coral, cuja linguagem e espírito foram incorporados aos coros trágicos. Com esse legado e nesse contexto político, configuram-se na tragédia as forças do passado aristocrático ou tirânico, cujas lembranças ainda perduram temidas no interior da *pólis*, e as forças do presente democrático. Na tragédia *Os persas* de Ésquilo, o tema e as personagens não são tirados da epopeia, mas da história política recente; mesmo assim, são ainda vistos e tratados numa perspectiva e em termos herdados da epopeia, e que a ela remetem como a um paradigma inevitável.

Representada em 472 a.C., e considerada hoje a mais antiga das tragédias que nos chegaram, a tragédia de Ésquilo intitulada *Os persas* suscita alguns problemas hermenêuticos, a desafiarem hoje — e talvez sempre — a inteligência dos quem a leem com atenção. Esses problemas se delineiam e configuram entre as aporias, em que está perdida toda possibilidade de compreensão, e os múltiplos vínculos, pelos quais os termos desses problemas reciprocamente se implicam e suscitam. Para evitarmos as aporias e lograrmos compreender os termos desses problemas em seus nexos recíprocos e necessários, talvez pudéssemos, se quiséssemos, agrupá-los em três constelações, a saber:

1) Nessa tragédia, investiga-se o sentido de fatos da história política recente com o imaginário e as noções próprias do pensamento mítico. Recentes eram então a invasão da Ática pelos persas e a inesperada vitória dos gregos comandados por atenienses sobre as forças invasoras (480 a.C.). Como explicar essas derrota e vitória inesperadas? Certamente, com o imaginário e as noções próprias do pensamento mítico, com os quais a piedade tradicional dos gregos compreende a vida e o mundo. Como, pois, com esse imaginário e noções se dá a reflexão política? Quais os termos dessa reflexão e que conclusões ela aponta?

2) Ainda nessa tragédia, apresenta-se a surpreendente doutrina do "fraudulento logro de Deus", de que nenhum homem pode escapar, "com um bem dado salto". Se é assim, de que noção de "Deus" se trata? Que se entende por "Deus", como se entende a responsabilidade que cabe ao "homem" pelos seus atos, e que relação entre "Deus" e "homem" se estabelece?

3) A terceira constelação de problemas diz respeito ao coro, à sua natureza e função, e à estrutura mesma desta tragédia. Se não há personagem que diz o prólogo, o coro, em seu canto ao entrar e marchar para a orquestra, deve preencher a função do prólogo, e assim indicar as personagens e descrever as circunstâncias locais e temporais do drama. Se o coro é a personagem que diz o prólogo, e se assim se delimita o seu ângulo de visão e o seu horizonte de ação nesse drama, como o coro se situa em cada caso perante seus interlocutores, divinos e humanos, presentes e ausentes? Como o coro corresponde aos ideais e à moralidade políticos, por ele mesmo representados?

Dada a homologia estrutural e a equivalência de sentido entre mito e dialética, o uso de recursos próprios ao pensamento mítico permitiu à tragédia de Ésquilo a elaboração da reflexão sobre os limites inerentes à distribuição do poder na *pólis*, antes que a teoria política filosófica fosse construída conceitualmente nos *Diálogos* de Platão.

Essa homologia estrutural e equivalência de sentido se dá mais precisamente entre a noção mítica grega arcaica de *theós/theoí*, que se traduz por "Deus(es)", e a noção filosófica platônica de *eîdos/ eíde* ou *idéa(i)*, que se pode traduzir por "ideia(s)" ou "forma(s) inteligível(is)". Essa homologia e essa equivalência se explicam histórica e filologicamente pelo fato de que, nos *Diálogos* de Platão, essa noção filosófica platônica se elabora e se apresenta segundo o paradigma da noção mítica grega arcaica de "Deus(es)", e mediante a transferência dos epítetos tradicionais da noção de "Deus(es)" para a nova noção filosófica que se elabora. O que têm em comum ambas essas noções, a mítica e a filosófica, é que ambas designam o fundamento e, assim, a ordem da causalidade, e ambas podem, pois, ser explicadas como "formas-fundamento" e "aspectos fundamentais do mundo". Podendo, pois, ser entendida como "formas-fundamento" e "aspectos fundamentais do mundo", a noção mítica de "Deus(es)" funda a compreensão mítica do mundo em seus diversos aspectos e assim funda a compreensão mítica dos diversos acontecimentos que se observam no cotidiano dos homens e na ordem do mundo.

Os fiéis e o ímpeto pressago

Na tragédia *Os persas*, considerada hoje a mais antiga das remanescentes, não há um prólogo formal, e o párodo se divide em três partes: 1) os versos anapestos (*Pe.* 1-64) com que o coro se apresenta e caminha para a orquestra; 2) uma parte lírica compreendida pela sequência de seis pares de estrofe e antístrofe (*Pe.* 65-139), e 3) os anapestos (*Pe.* 140-154) com que o coro, assumindo o seu lugar de conselheiro, resume suas inquietações e anuncia a entrada da rainha.

Nos anapestos iniciais do párodo, o coro se apresenta como os "fiéis" (*pistá*, *Pe.* 2), anciãos escolhidos pelo próprio rei Xerxes para vigiarem a região, durante a ausência do rei e de seu exército, que partiram em expedição contra a Grécia. Já no primeiro verso, uma ambiguidade ominosa ressoa no particípio *oikhoménon*, cujo significado hesita entre "que partiram", ou ainda "que se foram", e "os finados". Embora imediatamente rechaçada com o adjunto adverbial "à terra grega" (*Hellád' eis aîan*, *Pe*. 2), essa ambiguidade ressurge como um "maligno pressago ímpeto íntimo" (*kakómantis... thymòs ésothen, Pe*. 10-11), que pela falta de notícias invade os corações com as inquietantes e temerosas saudades dos que partiram de Susa, de Ecbátana e "da antiga torre císsia" (*Pe*. 16-17). Como nefasto agouro, repete-se o mesmo verbo, ambíguo por falar tanto de partida quanto de falecimento (*óikhoke*, "se foi", *Pe*. 12; *oíkhetai*, "se foi", *Pe*. 60).

Nesses anapestos iniciais, o catálogo dos chefes persas e a descrição de seu exército insistem tanto na opulência e riqueza quanto na magnitude do poder militar. O palácio real, o exército, a capital Sárdis e a aliada Babilônia se descrevem como "multiáureo" (*polýkhrysos*, *Pe*. 3, 9, 45, 53). No entanto, tão extraordinárias riqueza e grandeza, ao invés de tranquilizar o coro, parecem antes aumentar a sua ansiedade e angústia; e assim se fecha o catálogo dos chefes persas com o retorno ao pranto e à dor das saudades (*neòn d' / ándra baúzei*, "por jovem / marido uiva", *Pe*. 12-13; *póthoi sténetai malerôi*, "chora / com muitas saudades", *Pe*. 62).

O párodo lírico (*Pe*. 65-139), dividido em seis pares de estrofes e antístrofes, abre-se com o anúncio da primeira extraordinária proeza desse exército: a travessia do Helesponto,

> lançada multicravejada via: jugo
> ao redor do pescoço do mar (*Pe*. 71-72).

O rei Xerxes e seu exército se descrevem como uma epifania de Ares, o Deus que se manifesta na carnificina. Ao rei se atribui o epíteto épico de Ares "impetuoso" (*thoúrios, Pe*. 74); assinala-se a sua origem em Zeus através de Perseu ("de áureo sêmen / nascido", *Pe*. 79-80), e assim lhe cabe o epíteto épico "varão igual a Deus" (*isótheos phós*, *Pe*. 80). Ele conduz o seu exército como ao "hábil arqueiro Ares" (*toxódamnon Áre, Pe*. 80), "a grande vaga de varões", "incombatível" e "irresistível" (*Pe*. 89-92).

Essa sobreposição de poderes humano e divino na figura do rei e de seu exército suscita no coro de conselheiros persas um temor inevitável:

teme-se que essa opulência e grandeza tão extraordinária, a ponto de deixar-se confundir com a manifestação mesma de Deus, revele-se afinal o "fraudulento logro de Deus" (*Pe.* 93).

A terceira estrofe e antístrofe do párodo (*Pe.* 93-101) apresenta a doutrina arcaica da "recusa dos Deuses" (*Theôn phthónos*), sem usar essas palavras, mas os termos equivalentes "fraudulento logro de Deus" (*dolómetin d'apátan Theoû, Pe.* 93). Essa doutrina, bem difundida no período arcaico e bem documentada em Heródoto, aparentemente teológica, tem um caráter eminentemente político. Muitos ilustres helenistas creem erroneamente que Ésquilo tivesse refutado essa doutrina nos versos 750-762 de *Agamêmnon*, onde — a meu ver — em verdade reitera e confirma essa doutrina, dando-lhe límpida expressão:

> "Prístino entre mortais velho provérbio
> diz: quando grande
> a opulência humana
> procria e não morre sem filho.
> De boa sorte, na família
> a insaciável miséria floresce.
> Mas sem os outros a sós penso:
> que o ato ímpio
> depois se multiplica
> símil a sua origem,
> pois nas casas com reta justiça
> belo filho é o quinhão sempre." (*Ag.* 750-762)

Para que se compreenda corretamente o sentido reiterativo e confirmatório desses versos, é preciso que se atente para o sentido pejorativo da palavra *mégan*, "grande", no verso 751 de *Agamêmnon*, e para o sentido existencial da verificação empírica definitiva, no verso *díkha d' állon monóphron ei(mí)*, "mas sem os outros a sós penso" (*Ag.* 757).

Desde Homero, nas expressões *méga eipeîn*, "falar com soberbia", e *méga phroneîn*, "ter pensamentos soberbos", a palavra *mégas*, "grande", tem o sentido pejorativo de "soberbo". Desde Homero, na poesia lírica e na tragédia, desenvolve-se a doutrina da *hýbris*, "soberbia", que vê a grandeza excessiva como uma usurpação de atribuições divinas indevida e imprópria para a condição humana. Na tragédia e no contexto político da democracia ateniense, essa doutrina ganha um caráter eminentemente político, ao mostrar as formas de agir compatíveis e não compatíveis com a vida e com a viabilidade política dos homens mortais no horizonte do governo do país.

No primeiro estásimo da tragédia *Agamêmnon*, o crime de Páris — rapto e ultraje às leis da hospitalidade — é explicado como *áte*, "erronia", decorrente da riqueza excessiva da cidadela de Príamo. Como a vitória do rei Agamêmnon sobre Príamo implica a superação deste por aquele, o coro de anciãos, em sua observação isenta e lúcida, pode por si mesmo prever as consequências de uma grandeza excessiva. É essa previsão, que faz por si mesmo o coro observador isento e lúcido, que confere às palavras com que o coro se refere a si mesmo no verso *díkha d' állon monóphron ei(mí)*, "mas sem os outros a sós penso" (*Ag.* 757), o sentido existencial de uma verificação empírica tão definitiva que permite prever o porvir.

No párodo de *Os persas*, a descrição da magnitude extraordinária do exército do rei provoca no coro de conselheiros do rei o temor de que tamanha grandeza se converta em *áte*, "erronia", por um "fraudulento logro de Deus". Note-se que *áte* é uma das figurações do divino, e que nessa expressão "logro de Deus", ainda que qualificado de "fraudulento", "Deus" é o sujeito e não o objeto do "logro". A noção mítica de "Deus(es)" se refere sempre ao fundamento e assim ao sujeito dos acontecimentos e das ações, mas isso não isenta absolutamente o mortal da responsabilidade por ter incorrido no "fraudulento logro de Deus", como deixa claro o desenvolvimento deste drama. Ao incorrer nesse "logro de Deus", o mortal revela a sua afinidade com essa figuração sombria do divino, e por isso pode-se considerar culpado de ter caído nesse "logro".

A doutrina da *hýbris*, tal como aparece disseminada nos coros trágicos, ensina que a grande prosperidade (*ólbos*), riqueza (*ploûtos*), boa sorte (*agathâs týkhas*) ou boa situação (*eû prássein*) induz os mortais nessa situação à soberbia (*hýbris*), e suscita a recusa dos Deuses (*Theôn phthónos*), quando os mortais prósperos e soberbos se tornam presa de erronia (*áte*), de modo agirem em detrimento de seus próprios interesses, ignorando-os e arruinando-se (*ólethros*). Essa doutrina pressupõe que a grande riqueza ou felicidade é intrinsecamente má, iníqua e prejudicial a quem a desfruta. Por isso, a rememoração do quinhão divino que agraciou os persas com o arrojo e as vitórias militares e com a competência e o bom desempenho nas aventuras marítimas angustia e apavora o coro de conselheiros reais, e torna a suave dor e lânguidas saudades das esposas persas, solitárias desde a partida do grande exército, um pressentimento maligno no coração dos conselheiros (*Pe.* 103-139).

A rainha é anunciada pelo corifeu como "esposa de Deus de persas" e "também mãe de Deus / se o Nume antigo hoje não abandonou o exército." (*Pe.* 157-158). Essa reiterada confusão entre o soberano e o Deus, mais do que um traço eloquente do despotismo pérsico, soa blasfema à piedade grega, e assim indica uma soberbia contumaz, fadada certamente ao desfavor divino e à desgraça, que se anunciam ominosamente na cláusula condicional "se o Nume antigo hoje não abandonou o exército" (*Pe.* 158).

O sonho e o auspício

O que no párodo ainda é um pressentimento difuso, ainda que insistente, torna-se no primeiro episódio, na primeira cena do primeiro episódio, um claro sinal numinoso no sonho que a rainha conta ao coro, pedindo-lhe um conselho. Desde a partida do exército, a rainha também convive com a ansiedade que lhe multiplica os sonhos, mas nenhum tão claro quanto este, que ela conta:

> "Pareceu-me que duas mulheres bem vestidas,
> uma paramentada com véus pérsicos,
> outra, com dóricos, viessem à vista,
> mais notáveis que as de hoje no porte
> e na beleza perfeita, irmãs do mesmo tronco,
> uma habitava a Grécia, outra, a terra
> bárbara, no sorteio recebidas por pátria.
> Ao que me parecia ver, houve entre ambas
> uma querela, e meu filho, quando soube,
> tentava conter e acalmar, e sob o carro
> atrela as duas, e põe-lhes o jugo

no pescoço. Uma se orgulhava dos jaezes
e nas rédeas tinha a boca dócil ao mando,
a outra esperneia e despedaça os arreios
com as mãos, arrebata com violência,
desenfreada, e quebra o jugo ao meio
Cai o meu filho e aproxima-se o pai
Dario a lastimá-lo. E quando o vê
Xerxes rasga as vestes sobre si mesmo.
Isso é o que vos digo ter visto à noite." (*Pe.* 181-200)

O sonho — como a rainha mesma o diz — é em si mesmo claro, e a sua exposição pela rainha nos permite ver no próprio sonho uma interpretação do sentido e das consequências da proeza perpetrada pelo rei Xerxes e seu exército ao unir Ásia e Europa, lançando sobre Helesponto uma "multicravejada via" como "jugo / ao redor do pescoço do mar" (*Pe.* 70-73).

O caráter premonitório do sonho se verificará na violenta e bem sucedida recusa dos gregos ao jugo imposto por Xerxes, e na queda do rei e na dilaceração de suas vestes. Bastante claro, o sonho entretanto é acompanhado de um auspício que lhe consigna o valor inequívoco de uma revelação numinosa. Quando a rainha se prepara, após esse sonho, para fazer oferendas aos Numes protetores, vê uma águia refugiar-se junto ao altar de Febo, perseguida por um falcão, que em seguida a ataca sem encontrar resistência.

Diante desse auspício e do pavor que infunde, resta à rainha, como último recurso para reaver a tranquilidade de ânimo, a proclamação do caráter despótico da soberania de seu filho, não sujeito à prestação de contas de seus atos à comunidade política (*oukh hypeúthynos pólei*, *Pe.* 213), e além disso saber que conselhos para ela os anciãos conselheiros teriam. Outra marca despótica da realeza pérsica se mostra na extrema cautela com que os anciãos lhe respondem, aconselhando-a a fazer preces e súplicas aos Deuses e ao finado rei Dario.

Ainda que decidida a proceder conforme aconselhada, um breve diálogo com o corifeu retém a rainha, que pergunta sobre Atenas, a cidade que move a cólera e vingança de seu filho. Nessa *stikhomythía*, a importância de Atenas se delineia contraposta à expectativa da rainha e realçada muito acima do que teria sido antes da vitória de Salamina.

Alude-se à batalha de Maratona como "muitos males aos medos" (*Pe.* 236), às minas de Lâurio e Tórico como "fontes de prata, tesouro do solo" (*Pe.* 238), e à liberdade política dos atenienses como causa da destruição do "vasto e belo exército de Dario" (*Pe.* 244), com o que se reitera a alusão à batalha de Maratona. Essas notícias de Atenas, recebidas pela rainha como "terríveis falas afligentes aos pais dos que foram" (*Pe.* 245), preparam o relato do mensageiro, dando prévias referências sobre os inimigos e as calamidades que se anunciarão.

O mensageiro de más notícias

A entrada do mensageiro marca o início da segunda cena (*Pe.* 249-531) do primeiro episódio, longa e variada, na qual se podem distinguir nitidamente seis seções bem definidas.

Anunciado pelo corifeu como portador de um relato completo, verídico e claro, bom ou mau de ouvir (*Pe.* 246-248), o mensageiro primeiro desfaz essa indecisão e ambiguidade sobre a natureza de seu relato terrível de ouvir, com a notícia de súbita e completa perdição trazida pela derrota do exército persa. Nesta primeira seção (*Pe.* 249-255) da segunda cena do primeiro episódio, tão breve e concisa quão terrível, a voz do mensageiro dá uma confirmação humana tanto ao que no párodo o pressentimento dos anciãos e a análise da situação já lhes diziam quanto ao que na primeira cena o sonho ominoso e o sinal numinoso reiteravam para o pavor da rainha. Desse modo, desde o primeiro momento, já se entrelaçam e se confundem na voz do mensageiro o saber humano e a revelação numinosa.

Na segunda seção (*Pe.* 256-288) da segunda cena do primeiro episódio, o *kommós* é o diálogo em que o canto coral dá voz à dor panteada e a fala do mensageiro pontua os motivos de dor e de pranto. O mensageiro ressalta a sua autoridade de testemunha ocular ("presente e não por ouvir falas alheias, / persas, posso dizer que males se deram" *Pe.* 266-267), e converge com o coro no reconhecimento de que Salamina e Atenas são para os persas nomes funestos e lembranças odiosas e hediondas (*Pe.* 284-289).

A terceira seção (*Pe.* 290-349) da segunda cena do primeiro episódio se constitui de catálogos de nomes persas, que, completados com descrições de naufrágios e massacres, retomam em tom lutuoso os catálogos de tom saudoso do párodo.

A quarta seção (*Pe.* 350-434) da segunda cena do primeiro episódio descreve a batalha de Salamina. A rainha indaga "que princípio teve a batalha naval", se a principiaram os gregos ou seu filho "ufano de tantos navios" (*Pe.* 350-352). A longa resposta do mensageiro mostra a sobreposição em que coincidem "um ilatente ou mau Nume dalgures surgido" (*Pe.* 354) e "um grego vindo do exército ateniense" (*Pe.* 355), e ainda "a fraude do grego" (*Pe.* 361-362) e "a recusa dos Deuses" (*Pe.* 362). Como antes, no párodo, o poder e a grandeza do rei Xerxes e de seu exército se deixavam confundir com a epifania do Deus Ares, agora essa fusão favorece os inimigos, pois é na astúcia e vitória dos inimigos que se manifesta a malícia e o poder dos Deuses. Pela extensão da ruína, o relato do mensageiro ecoa os termos do cantor épico:

> "tantos males, nem se por dez dias
> eu os narrasse, não poderia contar todos" (*Pe.* 429-430)

> "A multidão eu não poderia contar nem nomear
> nem se tivesse dez línguas e dez bocas" (*Il.* 2.488-489).

A quinta seção (*Pe.* 435-477) da segunda cena do primeiro episódio, ao descrever o massacre na ilhota chamada (em Heródoto VIII, 76) Psitália, amplia e ressalta a ironia divina. "Os persas que estavam no máximo vigor, / os mais corajosos e os mais nobres, / os que sempre foram os mais leais ao rei" (*Pe.* 441-443), enviados por Xerxes à ilhota para que "se náufragos / inimigos tentassem fugir para a ilha / facilmente pudessem matar o exército grego, / e salvassem os amigos dos caminhos do mar" (*Pe.* 450-453), após a vitória naval dos gregos, foram todos massacrados à vista de Xerxes, "pois de seu posto via bem todo o exército, / num alto monte perto da planície do mar" (*Pe.* 466-467).

O comentário da rainha à notícia desse massacre aponta o "hediondo Nume" (*stygnè Daîmon*, *Pe.* 472) como o autor da "fraude do grego" (*Pe.* 361-362), ao acusá-lo de ter ludibriado os persas (*hos ar'épseusas phrenôn / Pérsas*, *Pe.* 472-473). No entanto, essa causalidade da autoria divina, aos olhos da rainha, não isenta o seu filho Xerxes de responsabilidade pelo infortúnio ("Crendo que cobrava reparação, meu filho / atraiu sobre si tão numerosos males" (*Pe.* 476-477).

A sexta seção (*Pe.* 478-531) da segunda cena do primeiro episódio descreve a fuga desordenada dos persas após a derrota. Nessa retirada, multiplicam-se as perdas do exército persa, por fome, sede, fadigas e desastres, com o que se ressalta o desfavor divino. A rainha reconhece a veracidade de sua "visão noturna, manifesta em sonho" (*Pe.* 518), diz que fará as oferendas à Terra e aos mortos, recomendadas pelos anciãos, e pede-lhes que consolem e conduzam seu filho ao palácio, temerosa de que, acabrunhado pela derrota, ele se matasse. Não obstante esse pedido, o coro o receberá com dureza e sarcasmo.

Tenebroso luto por Salamina

No primeiro estásimo, o prelúdio anapéstico (*Pe.* 532-547) primeiro atribui a Zeus rei a causa da derrota persa e do luto sombrio que cobre as capitais do império, Susa e Ecbátana, e depois descreve a dor e o pranto das viúvas persas, enlutadas e saudosas. Na primeira estrofe (*Pe.* 548-557) do primeiro estásimo, uma tríplice anáfora (*Pe.* 550-552) põe Xerxes como sujeito da condução e destruição completa do exército persa, contrapondo-o a Dario, descrito como "incólume arqueiro rei", "condutor querido de Susa" (*Pe.* 555-557), o que implica um súbito esquecimento da desastrosa batalha de Maratona, antes aludida pelo corifeu (cf. *Pe.* 236 e 244). No entanto, na primeira antístrofe (*Pe.* 558-567), a tríplice anáfora correspondente substitui o nome de Xerxes pelo de "navios" (*nâes*, *Pe.* 560-562) como sujeito da condução e destruição da infantaria e da marinha; e assim os navios e os "braços dos jônios" (*Iaónon khéres*, *Pe.* 563) se dizem a causa do desastre, e "o rei ter escapado por pouco" (*tytthà d'ekphygeîn ánakt'*, *Pe.* 564), pelas planícies da Trácia e por caminhos tempestuosos.

A segunda estrofe (*Pe.* 568-576) do primeiro estásimo evoca Salamina, descrevendo-a como os "pontais de Cicreu", lá onde mortos persas rodopiam, e contrapõe a essa evocação o pranto doloroso e prolongado entre os persas. Ampliando o tema dos mortos e do luto fúnebre, a segunda antístrofe (*Pe.* 577-583) evoca os cadáveres arrastados pelo mar e dilacerados pelos peixes, e as mortes pranteadas em casa pelos pais privados de filhos e aquinhoados com numinosas dores.

O terceiro e último par de estrofe e antístrofe (*Pe.* 584-597) do primeiro estásimo prevê as consequências políticas da derrota persa: rebeliões e insurreições, a desmoronarem o império, e conclui com outra evocação dos despojos persas, sepultados na lavoura sangrenta de Salamina.

Oferendas funerárias

No segundo episódio (*Pe.* 598-622), a rainha mesma assinala o contraste entre a sua primeira entrada, luxuosa e magnificente num carro real, e esta segunda, despojada de todo luxo e pedestre, a refletir a diferença entre o que era então tensa expectativa e o que agora se sabe que são fatos consumados. Prepara-se o rito invocatório dos Deuses ínferos, entre os quais se inclui o finado rei Dario, pai do infausto rei Xerxes; enumeram-se as oferendas: leite, mel, água, vinho, azeite e flores; e a rainha pede ao coro que entoe os hinos propiciatórios.

A invocação dos Ínferos

No segundo estásimo (*Pe.* 623-680), no prelúdio anapéstico (*Pe.* 623-632), o coro deixa à rainha a tarefa de fazer as libações funerárias e assume o ofício da invocação com os hinos. Primeiro se invocam os "santos Numes ctônios, / Terra e Hermes, e o rei dos ínferos" com o pedido de que enviem "dos ínferos a alma à luz" (*Pe.* 628-630). Aqui "alma" (*psykhèn*, *Pe.* 630) tem o sentido homérico de "espectro", condizente com a classificação do finado rei entre os "mortais" (*thnetôn*, *Pe.* 632), ainda que entre eles se distinga como o único que poderia dizer o termo dos presentes males, caso tenham remédio. Em seguida, na primeira estrofe, o coro se dirige ao "venturoso / rei igual a Nume", perguntando-se se ele o ouve nos ínferos (*Pe.* 633-638). Na segunda antístrofe, reiteram-se a invocação "à Terra e outros / condutores dos ctônios" e o pedido do envio do rei morto à luz, reclassificado agora como "Nume grandíloquo, / Deus dos persas nascido em Susa". Essa aparente flutuação da categoria emprestada ao morto não contradiz com a inclusão inicial do rei morto entre os mortais, mas antes condiz com a sabedoria e a felicidade que se reconhecerão a seu reinado, em contraste com o presente infortúnio. É em nome dessa sabedoria e felicidade que se justifica a invocação, de modo que a sabedoria resgatada pela manifestação do rei morto possa amenizar as dores das calamidades atuais. Desse modo, de todo se esquece agora o desastre militar de Maratona, antes aludido e mencionado (cf. *Pe.* 236 e 244).

O espectro do rei e os oráculos

No terceiro episódio (*Pe.* 681-851), o espectro do finado rei Dario interpela o coro, reconhecendo os anciãos persas como "fiéis de fiéis, coetâneos de minha juventude" (*Pe.* 681), e perguntando-lhes "por que dor o país padece, / geme, golpeia e faz uma fenda no chão" (*Pe.* 682s.) O espectro reconhece as circunstâncias de invocação junto ao túmulo, cheias de prantos e de gemidos psicagógicos (*psykhagogoîs... góois* "gemidos condutores de alma", *Pe.* 687); reconhece a esposa junto ao túmulo, e as libações, acolhidas de bom grado; encarece a sua irrupção entre os vivos, tanto por atribui-la a seu poder junto aos Deuses subterrâneos, quanto pela relutância e brevidade com que esses Deuses lhe concedem estar com os vivos; sabe que essas presentes circunstâncias significam "novo grave mal", e indaga ao coro "qual é entre os persas o novo grave mal" (*Pe.* 693).

Antigo temor reverencial impede o coro de falar diante do antigo rei para dizer-lhe as desditas dos seus (*Pe.* 694-702). O espectro do rei então interpela a rainha como "nobre mulher, anciã companheira do leito" (*Pe.* 704), instando-a a cessar prantos e gemidos e a dizer-lhe algo claro, e emite um juízo pessimista sobre a condição humana, aparentemente para reconfortá-la e animá-la a falar (*Pe.* 705-708).

Interpelada, a rainha saúda o espectro do rei como "o mais feliz dos mortais todos" (*Pe.* 709), pela "longeva vida vivida como Deus entre os persas" e por ter morrido "antes de ver o fundo dos males" (*Pe.* 710-712), e anuncia a presente dor: "perdeu-se o poder dos persas" (*Pe.* 714).

Numa breve *stikhomythía* (*Pe.* 715-738), a rainha resume os fatos anunciados pelo mensageiro, e o espectro do rei revalida e explicita a interpretação dos fatos dada pela rainha: Xerxes, dito por ambos — a rainha e o espectro — "impetuoso" por transferência e por deslocamento do epíteto do Deus Ares (*Pe.* 718), pôs um jugo no pescoço do Helesponto, assistido por um Nume. O espectro do rei exclama: "*Pheû*! Veio grande Nume, de modo a não pensar bem!" (*hoste mè phroneîn kalôs, Pe.* 725). A rainha analisa e descreve os fatos: a destruição da marinha e da infantaria conduzidas por Xerxes deixa a Ásia viúva, mortos os varões, mas Xerxes enfim "chegou bem à ponte jugo das duas terras" (*Pe.* 736) e ainda "não há sedição"(*Pe.* 737).

O espectro do rei vê nos fatos o cumprimento de oráculos (*kresmôn prâxis, Pe.* 739), e reitera e revalida a interpretação, já dada pelo coro no primeiro estásimo (*Pe.* 532), que atribui a destruição do exército persa tanto a Zeus (*Pe.* 532-533), quanto a Xerxes, "Xerxes... e as barcas marinhas", *Pe.* 552-3). O espectro do rei diz que Zeus incumbiu Xerxes de "cumprir ditas divinas" (*teleutèn thesphâton, Pe.* 740), e explica como se deu essa incumbência: pela audácia juvenil ("quando por si se apressa, Deus ainda ajuda", *Pe.* 742; "com nova audácia", *néoi thrásei, Pe.* 744). Essa audácia juvenil se configura na construção da ponte de navios a jungir o pescoço do Helesponto, e na imprudência de pensar que "sendo mortal superaria / Posídon e todos os Deuses" (*Pe.* 749-750). Esta doença da mente dominou Xerxes e a vasta riqueza custosa, que pertenceu ao finado rei, está indefesa à mercê da sanha alheia (*Pe.* 750-751).

A rainha acusa as más companhias que instruíram o impetuoso Xerxes, incitando-o à guerra de conquista e à expedição contra a Grécia (*Pe.* 753-758).

O espectro do rei afirma que nenhum dos reis asiáticos anteriores fez perecer tanta gente quanto Xerxes, e elenca os reis, para confirmar, e conclui que ninguém antes causou tanta dor quanto Xerxes, seu filho, por ser novo, pensar novidades, e não se lembrar das instruções paternas (*Pe.* 760-787).

Quando o espectro se mostra inteiramente informado das circunstâncias presentes, e da presente dor e de suas razões, o coro interroga o espectro do rei com a questão que nessas circunstâncias se impõe aos conselheiros persas: "Como depois ainda / estaríamos bem, o povo persa?" (*Pe.* 788-789). Tendo sido invocado como "conselheiro divino" (*theoméstor, Pe.* 654-655), que "bem conduziu o exército" (*stratòn eû podoúkhei*, *Pe.* 656), o espectro do rei corresponde à expectativa de que a invocação o investiu, desaconselhando ataques à Grécia e a manutenção de um exército tão numeroso, que a terra mesma se tornasse aliada dos inimigos de modo a matar de fome os numerosos demais (*Pe.* 790-794).

Quando o coro aventa a hipótese de que boa seleção e boa munição pudessem servir de garantia a um novo ataque (*Pe.* 795), o espectro do rei retoma as "ditas divinas" ou, por outra, os "oráculos de Deuses" (*thesphátoisin*, *Pe.* 8001), não mais para desvendar o sentido das circunstâncias presentes, mas para revelar o dos fatos futuros; e prevê que poucos teriam a salvação do regresso, dentre a selecta facção do exército que Xerxes, persuadido por vãs esperanças, abandona na Grécia continental. Tantos males e tantas mortes constituem a "paga de soberbia e de planos sem Deus" (*Pe.* 808), que se descrevem como "pilhar / imagens de Deuses... queimar templos" e fazer desaparecer "altares e estátuas de Numes, / arrancadas a esmo, reviradas dos pedestais" (*Pe.* 809-812). O espectro do rei não só mostra conhecer os "oráculos de Deuses", mas ainda os atos e fatos pelos quais esses "oráculos de Deuses" se cumpririam, pois prediz a "grande libação de sangue / no chão de Plateia, sob a dórica lança" (*Pe.* 816-817).

A doutrina, que orienta a interpretação dos atos de Xerxes e os fatos vividos por seu extraordinário exército, apresenta-se como a conclusão da narrativa em que se analisam esses atos e fatos:

> "que mortal não deve ter soberbo pensar.
> "A soberbia, ao florescer, colhe a espiga
> "da erronia, onde a safra será de lágrimas" (*Pe.* 820-822).

Essa condenação da "soberbia" (*hýbris*, *Pe.* 811) se funda na noção de que "Zeus punitivo vigia os demasiado / soberbos pensamentos, severo juiz" (*Pe.* 827-828). Assim se fecha o círculo: o rei, senhor do cetro ao qual se prestam contas (*Pe.* 746), se não presta contas ao país (*Pe.* 213), presta-as no entanto a "Zeus punitivo", "severo juiz" (*Zeús toi kolastès... eúthynos barýs*, *Pe.* 827-828). A soberba audácia é ofensiva aos Deuses (*theoblaboûnt' hyperkómpoi thrásei*, *Pe.* 831).

Além dessa teoria político-teológica, o espectro do rei tem ainda palavras de desvelo para com a mãe de seu filho e para com os anciãos:

àquela, recomenda os cuidados com as indumentárias reais e com o conforto moral do filho; a esses, recomenda que "entre males, concedam à vida o prazer de cada dia" (Pe. 832-842).

Os pretéritos dias felizes

No terceiro estásimo (852-908), o coro louva a grande e boa vida administrativa do país, sob o governo do velho rei Dario, qualificado *ad hoc* "sem mal, incombatível" e "igual a Deus" (*Pe*. 854-856), porque "observava" (*epeúthynon*, *Pe*. 860) as normas consagradas pelo uso em fortificações, e assim os retornos das guerras reconduziam sem sofrimentos nem lutos o bem estar ao lares. Elencam-se as cidades continentais e ilhas conquistadas e dominadas pelo antigo rei "com o seu pensamento" (*Pe*. 900); entre elas, Salamina (cidade da ilha de Chipre, fundada por Teucro, proveniente de Salamina, vizinha de Atenas), "cuja metrópole hoje é causa destes prantos" (*Pe*. 895), quando "esta indiscutível revirada divina / hoje suportamos, dominados / na guerra por grandes / derrotas no mar." (*Pe*. 904-907)

O louvor do reinado do antigo rei contrasta com o luto e o pranto das circunstâncias presentes no reinado de Xerxes, e consolida a doutrina, comum ao coro, à rainha e ao espectro do rei, de condenação da soberbia no governo do país.

Os presentes males

O êxodo (*Pe*. 909-1076) põe em cena Xerxes, como se prestando ao coro contas pelos seus atos, respondendo ao coro que lhe pede notícias dos nobres persas e aliados que Xerxes, ao levar à Grécia, conduziu à destruição. O coro assim mostra extensamente, nessa longa última cena, que o rei, por poderoso que seja, se se dispensa de prestar contas de seus atos ao povo, não pode dispensar-se de prestar contas a "Zeus rei" (*Zeùs basileús*, *Pe*. 532), dito ainda "Zeus punitivo" (*Zeús toi kolastés*, *Pe*. 827) e "severo juiz" (*eúthynos barýs*, *Pe*. 828), nem pode se dispensar de confessar aos seus essa prestação de contas a tal juiz, como Xerxes ao coro de anciãos.

O extenso e pranteado êxodo mostra que, dando-se todo exercício de poder por participação em Zeus, há um limite inerente a toda participação e a todo exercício de poder, e que esse limite não é franqueável senão ao preço da própria destruição, ainda que se trate do Grande Rei, que se considera — sob um ponto de vista político e humano — não submetido a esse procedimento habitual da democracia ateniense, a prestação de contas de seus atos.

A NOÇÃO DE *APÁTE* NA TEOLOGIA DE ÉSQUILO

A palavra *apáte* — cujo primeiro significado os dicionários definem como "logro", "engano", "fraude" — aparece em duas das tragédias supérstites de Ésquilo (*Su.* 111 e *Pe.* 93), a descrever a relação entre Deus e homem. Parece-nos hoje um paradoxo muito desconcertante e incômodo que essa palavra possa descrever a relação entre Deus e homem, de modo a caracterizar a parte de Deus nessa relação como "logro", "engano" e "fraude". No entanto, é isso o que diz não só a teologia de Ésquilo, mas também a piedade que se documenta nesses versos de Ésquilo e, na perspectiva dessa teologia e piedade, não há nisso nenhum paradoxo, nem dificuldade. A noção de *apáte* integra a teologia e a piedade esquilianas como um elemento constitutivo da justiça divina.

Talvez pudéssemos explicar o aparente paradoxo, o desconcerto e o desconforto que hoje nos suscitam essa teologia e piedade esquilianas por influência de uma leitura mal-encaminhada e descontextualizada da crítica aos poetas, que se lê na *República* de Platão, onde se diz que: "Deus é absolutamente simples e verdadeiro em palavras e atos, e nem ele se altera nem ilude os outros, por meio de aparições, falas ou envio de sinais, quando se está em vigília ou em sonhos." (PLATÃO, *República* II, 382 e. Tradução de Maria Helena da Rocha Pereira.)

Se nessas palavras de Platão, mal compreendidas e deslocadas de seu contexto, está a origem do paradoxo e do conseqüente mal-estar com que nos deparamos ao ler os versos de Ésquilo, impõem-se as questões: 1) por que e como a noção de *apáte* integra a teodicéia pré-filosófica e mitológica de Ésquilo? 2) em que e como a compreensão desse traço da teodicéia esquiliana poderia servir-nos de auxílio ao bom entendimento do que possa ser o sentido contextual da crítica de Platão aos poetas?

Hýbris, *apáte* e *áte* em *As Suplicantes* de Ésquilo

Consideremos primeiro a passagem de *As suplicantes*, de Ésquilo, onde se tem uma das duas ocorrências da palavra *apáte*. As Danaides invocam Zeus como testemunha da transgressão (*hýbrin*, *Su.* 104) perpetrada por seus primos Egipcíades, ao perseguirem-nas com o objetivo de impor-lhes núpcias contra a vontade delas próprias e do pai delas. A caracterização dessa perseguição como "transgressão" (*hýbrin*) desdobra-se na imagem de um "tronco" (*puthmén*), que se renova pelo desejo das núpcias, e cujo viço se deve ao espírito imprudente, sob o aguilhão inevitável da louca intenção. Nesse açulamento do desejo, dá-se por engano a mutação de conhecimento em erronia (*átan d'apátai metagnoús*, *Su.*110-1).

> Contemple a transgressão
> de mortais: o tronco se renova
> por nossas núpcias, túrgido
> de espírito imprudente,
> e com furioso intento
> de inevitável aguilhão,
> levado iludido a erronia. (*Su.*104-11)

Nesses versos, a imagem do tronco, renovado de desejo e crescido de imprudência, associa-se — de modo inesperado para nós, mas característico do estilo imaginoso de Ésquilo — com a do aguilhão, que, por metonímia, remete tanto ao desejo sexual quanto à obstinação de um intento louco. Essa complexa e complicada imagem se fecha com uma oração simples, reduzida de particípio, que retoma e resume os elementos principais: *átan d'apátai metagnoús*, que traduzi por "levado iludido a erronia", mas que poderia mais demarcadamente ser explicada como "a conceber, por engano, a erronia (ou: a ruína)". O particípio *metagnoús* ("levado" / "a conceber") tem por sujeito a palavra *puthmén* ("tronco"), e retoma esse processo mental descrito pelas palavras *dysparaboúloisi phresín* ("de espírito imprudente") e *diánoian mainólin* ("furioso intento"), resumindo-o com duas palavras-chave: uma no dativo instrumental *apátai* ("iludido" / "por engano") e outra no acusativo de objeto direto *átan* ("erronia" / "ruína"). Comparando esse emprego da palavra *apátai* com a ocorrência em *Pe.* 93-98, H. Friis Johansen e Edward W. Whitle entendem que esse "engano" se dá pela atuação de Zeus (FRIIS JOHANSEN, H. e WHITLE, E. W. *Aeschylus. "The Suppliants"*, edited by. 2 v. Copenhagem: Gyldendalske, 1980, p. 97.); e, a propósito disso, W. J. Verdenius observa que "determinação divina e iniciativa humana são aspectos complementares de uma única e mesma ação" (VERDENIUS, W. J. "Notes on the parodos of Aeschylus, *'Suppliants'"*, Mnenosyne, v. XXXVII, fasc. 3-4, 1985, p. 301.). De modo similar, a palavra *átan* descreve os aspectos contrapostos e complementares de uma única e mesma situação: por um lado, o estado mental e as consequências ruinosas do desvario; por outro, a configuração numinosa pela qual o divino se revela no curso dos acontecimentos.

A invocação a Zeus pelas Danaides para que contemple a transgressão dos Egipcíades constitui, pois, uma prece e súplica para que a justiça divina, distribuída por Zeus, se revele no interior mesmo da situação em que elas se encontram e no curso mesmo dos acontecimentos em que estão envolvidas. A noção mítica de *Theós* ("Deus"), por entender o divino como um aspecto fundamental do mundo, permite pensar e distinguir essa ambiguidade pela qual toda situação, toda ação e todo acontecimento podem ora confundir ora revelar aspectos contrários e complementares como decisão humana e determinação divina.

Apáte e *Áte* em *Os persas* de Ésquilo

Na tragédia *Os persas*, de Ésquilo, uma outra ocorrência da palavra *apáte* mostra ainda com maior clareza os elementos dessa unidade complexa em que ora se confundem ora se distinguem a ação humana e a manifestação divina.

Nessa tragédia, o coro dos "fiéis", anciãos conselheiros do rei Xerxes, reflete sob o peso da ausência do rei e de seu extraordinário exército, que, levados a invadir a Grécia, constituem tal demonstração de riqueza e de poder bélico que se confundem com a epifania do Deus Ares. Antes de se tranquilizarem com o caráter irresistível da incombatível força desse exército, os anciãos mais se angustiam e se preocupam com a sorte do rei e de seu exército.

Espera-se que ninguém resista
à grande vaga de varões
nem repila com torres fortes
incombatível onda do mar:
irresistível é o exército
persa e tropa intrépida.

Do fraudulento logro de Deus
que homem mortal há de escapar?
Quem com rápido pé salta
um salto bem dado?

Erronia acolhe benévola
o mortal nas redes,
quando não há para ele
como evitar nem fugir. (*Pe.* 87-101)

O "fraudulento logro de Deus" (*dolómetin d'apátan Theoû*) colhe homem mortal, sem possibilidade de escape nem fuga, nas redes de amistosa e acolhedora Deusa, cujo nome — Erronia (*Áta*) — designa ambiguamente tanto um comportamento humano e suas consequências, quanto uma figuração do divino, em que inequívoca e inevitável se mostra a justiça divina.

Se a grande opulência e a extraordinária grandeza de suas forças guerreiras induzem o rei a crer que pode mais do que permitem os limites próprios da condição humana, levando-o a agir como se os seus poderes superassem os dos Deuses (cf. *Pe.* 749-50), então a sua sina se torna previsível a um observador arguto.

Tanto em *Os persas* quanto em *Agamêmnon*, a lógica inerente a imagens próprias do pensamento mítico, ao ser aplicada à análise dos fatos (sejam eles a invasão da Grécia por Xerxes, ou a destruição de Troia por Agamêmnon), revela-se um instrumento tão eficaz que, em uma e outra tragédia, permite ao coro pressentir ou prever o curso dos acontecimentos: o coro de *Os persas* pressente e teme a derrota e destruição do exército persas, o coro de *Agamêmnon* pressente e teme que os Atridas sejam punidos na qualidade de "matadores de muitos" (*tôn polyktónon*, *Ag.* 461).

A complexão, na qual iniciativa humana e determinação divina se unem, de modo a ora confundirem-se ora discernirem-se, descreve-se com clareza e simplicidade nestes versos:

> A soberbia, ao florescer, colhe a espiga
> de erronia, onde a safra será de lágrimas. (*Pe.* 821-2)

A "soberbia" (*hýbris*), enquanto forma que a ação humana pode assumir, enlaça-se com "erronia" (*áte*), na qual a forma divina da Justiça se configura e se revela como a situação ruinosa a que por sua própria iniciativa os homens mortais podem conduzir-se.

Se essa aproximação dos versos citados de *As suplicantes*, *Os persas* e *Agamêmnon* e essa leitura deles permitem-nos responder à questão inicial — a saber: por que e como a noção de *apáte* integra a teodiceia pré-filosófica e mitológica de Ésquilo? — poderíamos, então, tentar responder à segunda das duas questões iniciais — a saber: em que e como a compreensão desse traço da teodicéia esquiliana poderia servir-nos de auxílio ao bom entendimento do que possa ser o sentido contextual da crítica de Platão aos poetas?

Apáte na crítica de Platão aos poetas

Não poderíamos, em hipótese nenhuma, chegar a bom entendimento do que possa ser o sentido da crítica de Platão aos poetas, quanto à representação dos Deuses, se não levarmos em consideração os seguintes pontos relevantes dessa crítica:

1) Não se trata, absolutamente, de uma condenação definitiva e irrevogável dos versos dos poetas; trata-se, antes, da confirmação da poesia como primeiro elemento da educação fundamental. O que se condena é, sim, um modo — muito difundido, mas de todo néscio — de se lerem e entenderem esses versos.

2) De que modo néscio de se lerem os versos, então, essa crítica trata? O ponto de vista adotado na crítica aos versos é o de sua recepção pelos jovens em idade pré-escolar, cujo horizonte gnosiológico é o da *eikasía* ("elaboração de imagens"), e cujo grau de conhecimento é insuficiente para distinguir entre o que é imagem e isso de que há

imagem; essa leitura infantil e néscia dos versos se difunde e se perpetua e é, justamente, sobre essa leitura que incide a crítica de Platão.

3) Os mitos mesmos, também, não são objetos de uma condenação completa e definitiva, mas considera-se, antes, a ambiguidade que, do ponto de vista gnosiológico, há nos mitos, como mostra e demonstra a definição de mito como mentiras em que há também verdades.

4) Este enfoque da ambiguidade gnosiológica dos mitos e a definição deles como mentiras em que há também verdades permitem a distinção entre mentir bem (*kalôs pseudesthai*) e não mentir bem (*mè kalôs pseudesthai*).

5) Estabelecem-se, então, os *týpoi perì theologías* como critério dessa distinção entre mentir bem e não mentir bem. *Týpos* significa "marca"; e a palavra *theologia* tem aí o sentido de "narrativas cujas personagens são Deuses"; *týpoi perì theologías* são as marcas que devem ostentar as narrativas a respeito de Deuses para que possam ser consideradas verdadeiras.

São dois os *týpoi perì theologías*: 1) "Deus é essencialmente bom", e portanto "causa unicamente de bens" (PLATÃO, *República* II, 379 b-380 c), e 2) "Deus é absolutamente simples e verdadeiro em palavras e atos, e nem ele se altera nem ilude os outros, por meio de aparições, falas ou envio de sinais, quando se está em vigília ou em sonhos." (PLATÃO, *República* II, 382 e. Trad. Maria Helena da Rocha Pereira.)

Na formulação do primeiro *týpos*, a noção de "bem" é esclarecida apenas por um jogo de sinonímia e antinonímia (PLATÃO, *República* II, 379 b-c), e somente no final do livro VI, ao construir-se a imagem do sol, "a ideia de bem" é determinada por tríplice causalidade, a saber, como causa do ser, da verdade e do conhecer.

Por outro lado, ao formular-se o segundo *týpos perì theologías*, dizer da noção mítica de "Deus" que "é simples e menos que todos abandona a sua própria forma" (*haploûn te eînai kaì pánton hékista tês heautoû idéas ekbaínein*, PLATÃO, *República* II, 380 d 5-6) trai a descrição da noção filosófica de "ideia" que se lê em PLATÃO, *Fédon* 78 d-e.

A atribuição à noção mítica de "Deus" de qualificações próprias da noção filosófica de *idéa/eîdos* — a saber, a participação na ideia de bem, no primeiro *týpos*, e a forma simples e inalterável, no segundo *týpos* — é, a meu ver, um indício de que, para Platão, a noção mítica de "Deus" corresponde no pensamento mítico ao sentido e função que a noção filosófica de "ideia" tem no discurso filosófico. Ambas as noções, a mítica e a filosófica, têm em comum a referência ao fundamento, que se diz "Deus" no pensamento mítico, e que diz "forma" ou "ideia" no discurso filosófico platônico.

Se a crítica de Platão aos poetas, em *República* II, se faz do ponto de vista da recepção desses versos por jovens em idade pré-escolar, essa crítica corresponde a uma compreensão dos versos situada no nível da *eikasía*, que é o estado da mente limitado ao contato com imagens (*eikónes*) e, portanto, incapaz de distinguir entre o modelo e a cópia, entre o divino e o humano.

Nessa perspectiva, a compreensão de *apáte* como um traço da teodiceia esquiliana poderia servir-nos de auxílio ao bom entendimento do que possa ser o sentido contextual da crítica de Platão aos poetas? Em que e como?

Poderíamos dizer que a crítica de Platão aos poetas, nessa leitura que propusemos, busca resgatar o sentido originário da doutrina de *apáte* como um traço da teodiceia esquiliana.

No pensamento mítico, que se atualiza na tragédia, a noção de *hýbris* consiste na transgressão pela qual o homem mortal ultrapassa os limites inerentes à condição humana, de modo a agir em detrimento de seus próprios interesses e assim arruinar-se. A noção de *apáte Theoû*, "o engano por Deus", descreve sob o aspecto da determinação divina o que a noção de *hýbris* descreve sob o aspecto da iniciativa humana: em ambos os casos, seduzido pelos apelos da grande opulência e do poder, o homem mortal deixa-se levar além dos limites permitidos pela prudência. Na *hýbris*, como na *apáte Theoû*, o homem mortal, ao falar ou ao agir, deixa-se confundir com a figuração do divino, e arroga-se atribuições que constituem privilégios divinos interditos aos mortais.

Na crítica de Platão aos poetas, tal como se expõe em *República* II, trata-se de prevenir – mediante a utilização pedagógica da poesia – que o jovem em idade pré-escolar, por estar restrito ao horizonte gnosiológico da *eikasía* e por ser ainda incapaz de distinguir a imagem do modelo e por conseguinte o humano do divino, tome o imaginário mitológico como modelo de suas ações, ao invés de ver nesse imaginário apenas imagens e não mais que imagens da transcendência divina.

SINOPSE DO ESTUDO DA TRAGÉDIA *OS PERSAS* DE ÉSQUILO

Delineamento dos principais problemas hermenêuticos da tragédia: 1) reflexão sobre acontecimentos políticos da história recente mediante recursos próprios do pensamento mítico arcaico; 2) a noção mítica de dolo de Deus; e 3) a relação entre a personagem dramática do coro, as demais personagens do drama e a função própria do coro. Hipótese de trabalho: a coincidir manifestação divina e comportamento de mortais na execução penal da justiça de Zeus rei, punitivo, severo juiz (*eúthynos barýs*), verifica-se nos cantos corais e nos episódios a necessária associação entre as noções de grande riqueza, soberbia (*hýbris*), erronia (*áte*) e o caráter penal da justiça divina.

Párodo (*Pe.* 1-154): Nos **anapestos** iniciais (*Pe.* 1-64), o coro de anciãos se apresenta como " fiéis" — guardiães, escolhidos pelo rei Xerxes para vigiar a região — e ao maligno presságio ao pensar no regresso do rei e do exército; descreve esposas saudosas e a falta de mensageiro (cf. Heródoto VIII, 54, 98-9), primeiro catálogo dos chefes do exército persa, reiteração do *klédon* (*oikhoménon* "se foram" / *oíkhetai* "se foi" *Pe.* 1/60). **Primeira estrofe**: (*Pe.* 65-72): Travessia do Helesponto em ponte sobre navios (cf. Hdt. VII, 34-6). **Segunda antístrofe** (*Pe.* 73-80): Impetuoso (*thoúrios*) guia da infantaria e da esquadra, varão igual a Deus (*isótheos phós*). **Segunda estrofe** (*Pe.* 81-6): Com olhar de mortífera víbora, conduz em carro sírio o Deus Ares (cf. Hdt. VII, 140) arqueiro contra ínclitos lanceiros. **Segunda antístrofe** (Pe. 87-92): Incombatível onda do mar, irresistível exército persa. **Terceira estrofe** (*Pe.* 87-92): O fraudulento logro de Deus. **Terceira antístrofe** (*Pe.* 97-101): Erronia inelutável e inevitável. **Quarta estrofe** (*Pe.* 102-7): Por Deus a parte dos persas são guerras de conquista. **Quarta antístrofe** (*Pe.* 108-13): O domínio persa da navegação marítima. **Quinta estrofe** (*Pe.* 114-8): Pavor pelo exército persa e temor de cenandria em Susa. **Quinta antístrofe** (*Pe.* 119-24): Presságio de pranto e luto em Susa e Císsia. **Sexta estrofe** (*Pe.* 125-32): Cavalaria e infantaria persa transpuseram o jugo comum às duas terras (Hdt. VII, 34-6). **Sexta antístrofe** (*Pe.* 133-9): Ominoso pranto das esposas persas saudosas dos maridos ausentes. Nos **anapestos** finais (*Pe.* 140-54), o coro medita na sorte do rei e do exército — do arco contra a lança — e anuncia a entrada da rainha.

Primeiro episódio (*Pe.* 155-531): **Primeira cena**: Rainha e corifeu (*Pe.* 155-248): Anunciada pelo corifeu como esposa de Dario — Deus dos persas — e também mãe de Deus (*scilicet* Xerxes), a rainha diz temer pela ausência do dono do palácio, e aflita pela clareza do sonho — em que viu violenta Grécia quebrar o jugo, o seu filho Xerxes cair do carro, o pai Dario lastimá-lo e Xerxes rasgar as vestes — sonho confirmado pelo ominoso auspício da águia acuada pelo falcão; o coro aconselha que faça libação e preces a seu finado esposo, visto no sonho; na esticomitia (*Pe.* 232-45), a rainha pergunta onde é Atenas, e qual sua importância, motivo do elogio de Atenas como salvadora da Grécia (cf. Hdt. VII, 139) e da menção à derrota de Dario em Maratona. **Segunda cena** (Pe. 249-531) contém seis seções: **primeira seção** (*Pe.* 249-55): o mensageiro dá a terrível notícia da derrota completa do exército persa, confirmando o sombrio pressentimento do coro, ominoso sonho, numinoso auspício e o pavor da rainha; **segunda seção** (*Pe.* 256-88): o *kommós* entre coro e mensageiro pranteia os mortos e lamenta o nome de Salamina e a lembrança de Atenas (cf. Hdt. V, 105, a ira de Dario pelo incêndio de Sárdis); **terceira seção** (*Pe.* 290-349): a rainha recobra-se e pergunta quem não morreu e quem prantear, Xerxes vive, e o segundo catálogo dos chefes persas, mortos; **quarta seção** (*Pe.* 350-434): o mensagem descreve a batalha de Salamina (cf. Hdt. VIII, 83-84) ilatente ou maligno Nume, um grego do exército ateniense (cf. Hdt. VIII, 75,80), a recusa dos Deuses (cf. Hdt. I, 32), a vigília noturna e o ataque na alvorada (cf. Hdt. VIII, 83-4); **quinta seção** (*Pe.* 435-477): o mensageiro descreve o massacre de Psitália (cf. Hdt. VIII 76, 95) e o trono de Xerxes no Egáleo (cf. Hdt. VIII, 90), rainha lamenta mortos de Salamina e de Maratona: a causalidade da autoria divina não isenta Xerxes da responsabilidade pelo infortúnio; **sexta seção** (*Pe.* 478-531): o mensageiro narra a fuga desordenada dos persas após a derrota, a rainha reconhece a veracidade do sonho e, ao retirar-se para as preces e oferendas aos Deuses e aos finados, pede ao coro que acolham bem o seu filho.

Primeiro estásimo (*Pe.* 532-97): **Anapestos** (*Pe.* 532-47): Invoca Zeus rei como causa da derrota militar persa e do luto das viúvas na cidade de Susa e de Ecbátana, e enaltece a morte dos que se foram, com severo luto. **Primeira estrofe** (*Pe.* 548-57): Tríplice anáfora põe Xerxes ao lado das barcas marinhas como autores da destruição de todo o exército, contrapondo Xerxes a Dario condutor querido de Susa. **Primeira antístrofe** (*Pe.* 558-67): Outra tríplice anáfora põe navios e os braços dos jônios (*scilicet* dos gregos) como causa da mesma destruição do mesmo exército, da qual o rei por pouco escapou através da Trácia. **Segunda estrofe** (*Pe.* 568-77): Lamenta os mortos de Salamina, dita pontais de Cicreu com gemidos e lacerações. **Segunda antístrofe** (*Pe.* 568-83): Lamenta os mortos no mar devorados por peixes, pranteados em casa pelos pais sem filhos, com numinosas dores. **Terceira estrofe** (*Pe.* 584-90): Consequências políticas da derrota do exército persa. **Terceira antístrofe** (*Pe.* 591-7): O povo falará livre, rompido o jugo da força, retidos os despojos persas na ilha de Ájax.

Segundo episódio (*Pe.* 598-622): Veem-se reveses dos Deuses e golpe de males: contraste entre a primeira entrada da rainha, com o carro e luxuosa, e esta, segunda, sem carro e pedestre; preparação do rito invocatório dos Deuses ínferos e do finado rei Dario.

Segundo estásimo (*Pe.* 623-80): **Anapestos** (*Pe.* 623-32): O coro ecoa as ordens da rainha, segundo as quais ela faz as libações e ele invoca com hinos. **Primeira estrofe** (*Pe.* 633-7): Invoca o venturoso Rei igual a Nume. **Primeira antístrofe** (*Pe.* 638-46): Reitera a invocação a Terra, Deuses ínferos e a Dario — dito "Nume grandíloquo, Deus dos persas nascido em Susa". **Segunda estrofe** (*Pe.* 647-51): Prece a Edoneu — recondutor — reconduzisse somente o rei Dario. **Segunda antístrofe** (*Pe.* 652-6): Elogio de Dario, pelo reinado pacífico e como conselheiro divino. **Terceira estrofe** (*Pe.* 657-63): Invocação de Dario como "pai sem mal" (*páter ákake*, *Pe.* 663). **Terceira antístrofe** (*Pe.* 664-71): Reitera a invocação a Dario. **Epodo** (*Pe.* 672-80): Continuando a invocá-lo, lamenta as presentes consequências da destruição das trirremes.

Terceiro episódio (*Pe.* 681-851): O espectro do rei reconhece os anciãos do coro como os "fiéis de fiéis" e pergunta que dor o país sofre, reconhece a anciã como a sua esposa junto ao seu sepulcro e valoriza sua irrupção entre os vivos por excepcional permissão dos Deuses subterrâneos. Impedido de falar o coro por antigo temor reverencial, a rainha diz que perdeu-se o poder dos persas; na esticomítia (*Pe.* 715-38) entre a rainha e o espectro, jungir com engenhos o passo de Hele de modo transpô-lo é visto como manifestação de grande Nume de modo a não pensar bem; Xerxes cumpriu antigos oráculos, por incumbência de Zeus e por audácia juvenil, e ainda por conselhos de homens maus (cf. Hdt. VII, 5-6, Mardônio); catálogo dos reis persas: nenhum causou tanta dor quanto Xerxes; indagado do futuro pelo corifeu, o espectro desaconselha outro ataque à Grécia (cf. Hdt. VII, 49, argumento de Artábano), prevê severas perdas do exército persa na retirada da Grécia, a ruinosa derrota em Plateia (cf. Hdt. IX, 63,70, 83); soberbia (*hýbris*) e erronia (*áte*), Zeus punitivo severo juiz (*eúthynos*); recomendações e despedidas do espectro.

Terceiro estásimo (*Pe.* 852-908): O louvor do antigo rei contrasta como o luto e o pranto presentes, e consolida a — comum ao coro, à rainha e ao espectro — condenação da soberbia no governo do país. **Primeira estrofe** (*Pe.* 852-6): Evoca a felicidade do reinado de Dario. **Primeira antístrofe** (*Pe.* 857-62): Campanhas militares gloriosas atendiam a exigências estratégicas, com regressos ao lar felizes. **Segunda estrofe** (*Pe.* 863-70): Inicia catálogo das conquistas militares asiáticas e jônicas do rei Dario: Trácia. **Segunda antístrofe** (*Pe.* 871-8): Obedeciam ao Rei Propôntida e Ponto. **Terceira estrofe** (*Pe.* 879-87): As ilhas e cidades: Lesbos, Samos Quios, Paros, Naxos, Micenas, Tenos e Andros. **Terceira antístrofe** (Pe. 888-95): Lemnos, sede de Ícaro, Rodes, Cnidos, e as cidades cipriotas Pafos, Solos e Salamina. **Epodo** (*Pe.* 896-907): Cidades jônias o antigo rei dominava com o pensamento, até a revirada divina ter imposto aos persas grandes derrotas no mar.

Êxodo (*Pe.* 909-1076): Xerxes lamenta o cruel ataque do Nume ao povo persa e a idade dos cidadãos sobreviventes, e impreca a Zeus que tivesse morrido com os que se foram; o corifeu lamenta os varões persas massacrados pelo Nume e mortos por Xerxes, que povoa de persas o palácio de Hades; ao longo de sete estrofes, sete antístrofes e epodo do *kommós* final, o rei Xerxes presta conta ao coro. **Primeira estrofe** (*Pe.* 931-8): o rei lamenta ter-se tornado a ruína da pátria; o coro saúda o retorno do rei com luto e pranto. **Primeira antístrofe** (*Pe.* 939-48): O rei lamenta a revirada do Nume contra ele, o coro lamenta junto. **Segunda estrofe** (*Pe.* 948-61): O rei acusa Ares jônio pelo desastre naval, o coro inicia o terceiro catálogo dos chefes persas, pedindo notícias deles ao rei. **Segunda antístrofe** (*Pe.* 962-71): O rei deixou-os perdidos nas costas de Salamina; com mais nomes de chefes persas, o coro onde estão. **Terceira estrofe** (*Pe*. 972-87): Morreram numa praia defronte de Atenas. **Terceira antístrofe** (*Pe*. 988-1002): Com ainda mais nomes de chefes persas, o coro pede contas. **Quarta estrofe** (*Pe*. 1003-6): o rei deplora, o coro lamenta mortes inglórias e dons inesperados de Numes e Erronia. **Quarta antístrofe** (*Pe*. 1007-13): Rei e coro lamentam má sorte na guerra com jônios. **Quinta estrofe** (*Pe*. 1014-25): A completa derrota dos persas mostra a coragem dos jônios. **Quinta antístrofe** (*Pe*. 1026-37): Derrotada a força naval, resta dilacerar vestes e carpir a lúgubre alegria dos inimigos. **Sexta estrofe** (*Pe*. 1038-45): O rei incita o coro ao pranto ritual. **Sexta antístrofe** (*Pe*. 1346-53): O rei reitera a incitação. **Sétima estrofe** (*Pe*. 1354-9): Reitera. **Sétima antístrofe** (*Pe*. 1360-5): Reitera. **Epodo** (*Pe*. 1366-77): Reitera.

OS PERSAS

Tradução segundo texto estabelecido por Paul Mazon.

As personagens do drama:
C(oro) formado de anciãos, altos dignatários do rei.
R(ainha), mãe de Xerxes, viúva de Dario.
M(ensageiro).
(Espectro de) D(ario), rei falecido.
X(erxes), rei dos persas.

ΠΕΡΣΑΙ

ΧΟΡΟΣ

Τάδε μὲν Περσῶν τῶν οἰχομένων
Ἑλλάδ' ἐς αἶαν πιστὰ καλεῖται,
καὶ τῶν ἀφνεῶν καὶ πολυχρύσων
ἑδράνων φύλακες, κατὰ πρεσβείαν
οὓς αὐτὸς ἄναξ Ξέρξης βασιλεὺς 5
Δαρειογενὴς
εἵλετο χώρας ἐφορεύειν.
ἀμφὶ δὲ νόστῳ τῷ βασιλείῳ
καὶ πολυχρύσου στρατιᾶς ἤδη
κακόμαντις ἄγαν ὀρσολοπεῖται 10
θυμὸς ἔσωθεν — πᾶσα γὰρ ἰσχὺς
Ἀσιατογενὴς ᾤχωκε — νέον δ'
ἄνδρα βαΰζει, κοὔτε τις ἄγγελος
οὔτε τις ἱππεὺς
ἄστυ τὸ Περσῶν ἀφικνεῖται· 15
οἵτε τὸ Σούσων ἠδ' Ἀγβατάνων
καὶ τὸ παλαιὸν Κίσσιον ἕρκος
προλιπόντες ἔβαν, οἱ μὲν ἐφ' ἵππων,
οἱ δ' ἐπὶ ναῶν, πεζοί τε βάδην
πολέμου στῖφος παρέχοντες· 20
οἷος Ἀμίστρης ἠδ' Ἀρταφρένης
καὶ Μεγαβάτης ἠδ' Ἀστάσπης,
ταγοὶ Περσῶν, βασιλῆς βασιλέως
ὕποχοι μεγάλου, σοῦνται στρατιᾶς 25
πολλῆς ἔφοροι, τοξοδάμαντές τ'
ἠδ' ἱπποβάται, φοβεροὶ μὲν ἰδεῖν,
δεινοὶ δὲ μάχην
ψυχῆς εὐτλήμονι δόξῃ·
Ἀρτεμβάρης θ' ἱππιοχάρμης
καὶ Μασίστρης, ὅ τε τοξοδάμας 30
ἐσθλὸς Ἰμαῖος Φαρανδάκης θ',
ἵππων τ' ἐλατὴρ Σοσθάνης.

PÁRODO ANAPÉSTICO (1-64)

C. Estes, dos persas que se foram
à terra grega, são chamados "fiéis",
e das opulentas e multiáureas sedes
guardiães, que, por antiguidade,
o próprio senhor rei Xerxes 5
nascido de Dario
escolheu para vigiar a região.
Ao pensar no regresso do rei
e do multiáureo exército, já
um maligno pressago ímpeto 10
sobressalta íntimo, pois toda força
nascida da Ásia se foi, e por jovem
marido uiva. Nenhum mensageiro,
nenhum cavaleiro
chega à cidade dos persas. 15
Eles, de Susa e de Ecbátana
e da antiga torre císsia,
partiram e foram, uns a cavalo,
outros em navio, e peões a pé,
dando linha de combate. 20
Assim Anistres e Artafernes
e Megabates e Astaspes
chefes dos persas, do grande rei
vice-reis, avançam, vigias
de vasto exército, hábeis arqueiros 25
e cavaleiros, terríveis de ver,
temíveis em combate,
na nobre glória da vida.
Artembares, árdego cavaleiro,
e Masistres e o hábil arqueiro 30
bravo Imaios e Farandaces
e o condutor de cavalo Sostanes.

Ἄλλους δ᾽ ὁ μέγας καὶ πολυθρέμμων
Νεῖλος ἔπεμψεν· Σουσισκάνης,
Πηγασταγὼν Αἰγυπτογενής, 35
ὅ τε τῆς ἱερᾶς Μέμφιδος ἄρχων
μέγας Ἀρσάμης, τάς τ᾽ ὠγυγίους
Θήβας ἐφέπων Ἀριόμαρδος,
καὶ ἑλειοβάται ναῶν ἐρέται
δεινοὶ πλῆθός τ᾽ ἀνάριθμοι· 40
ἁβροδιαίτων δ᾽ ἕπεται Λυδῶν
ὄχλος, οἵτ᾽ ἐπίπαν ἠπειρογενὲς
κατέχουσιν ἔθνος, τοὺς Μητρογάθης
Ἀρκτεύς τ᾽ ἀγαθός, βασιλῆς δίοποι,
καὶ πολύχρυσοι Σάρδεις ἐπόχους 45
πολλοῖς ἅρμασιν ἐξορμῶσιν,
δίρρυμά τε καὶ τρίρρυμα τέλη,
φοβερὰν ὄψιν προσιδέσθαι·
στεῦται δ᾽ ἱεροῦ Τμώλου πελάται
ζυγὸν ἀμφιβαλεῖν δούλιον Ἑλλάδι, 50
Μάρδων, Θάρυβις, λόγχης ἄκμονες,
καὶ ἀκοντισταὶ Μυσοί· Βαβυλὼν δ᾽
ἡ πολύχρυσος πάμμεικτον ὄχλον
πέμπει σύρδην, ναῶν τ᾽ ἐπόχους
καὶ τοξουλκῷ λήματι πιστούς· 55
τὸ μαχαιροφόρον τ᾽ ἔθνος ἐκ πάσης·
Ἀσίας ἕπεται
δειναῖς βασιλέως ὑπὸ πομπαῖς.
Τοιόνδ᾽ ἄνθος Περσίδος αἴας
οἴχεται ἀνδρῶν, οὓς πέρι πᾶσα 60
χθὼν Ἀσιῆτις θρέψασα πόθῳ
στένεται μαλερῷ, τοκέες τ᾽ ἄλοχοί θ᾽
ἡμερολεγδὸν
τείνοντα χρόνον τρομέονται. 64

Outros o grande e multinutriente
Nilo enviou: Susiscanes,
chefe de fontes nascido de Egisto, 35
e o governador da sagrada Mênfis
grande Ársames, e da prístina
Tebas mandatário Ariomardos,
e os pantaneiros remadores de navios,
  terríveis, e em número incontáveis, 40
e segue a turba dos lídios luxuriosos
junto: eles contêm toda nação
nativa do continente: Metragates
e o bravo Arcteus, reis vígeis,
e a multiáurea Sardes os enviaram 45
montados em muitos carros
de duas e de três rédeas,
  visão terrível de ver.
Dizem os vizinhos do sagrado Tmolo
que lançarão jugo servil sobre a Grécia: 50
Márdon, Taríbis, bigorna de dardo,
e lanceiros mísios. E Babilônia
a multiáurea envia a diversa
turba copiosa, posta em navios,
fiéis à vontade vulnerante do arco. 55
A nação cimitarreira de toda
a Ásia segue
  sob terríveis séquitos do rei.
Tal flor da terra pérsica 60
se foi, de homens, que toda
a terra asiática nutriz chora
com muitas saudades, pais e esposas
ao contar os dias
  temem o alongante tempo. 64

Πεπέρακεν μὲν ὁ περσέπτολις ἤδη Str. 1
βασίλειος στρατὸς εἰς ἀντίπορον γεί-
τονα χώραν, λινοδέσμῳ σχεδίᾳ πορθμὸν ἀμείψας Ἀθαμαντίδος Ἕλλας, 70
πολύγομφον ὅδισμα ζυγὸν ἀμ-
φιβαλὼν αὐχένι πόντου·

πολυάνδρου δ' Ἀσίας θούριος ἄρχων Ant. 1
ἐπὶ πᾶσαν χθόνα ποιμανόριον θεῖ-
ον ἐλαύνει διχόθεν, πεζονόμοις ἔκ 75
τε θαλάσσας ὀχυροῖσι πεποιθὼς
στυφελοῖς ἐφέταις, χρυσογόνου
γενεᾶς ἰσόθεος φώς· 80

κυάνεον δ' ὄμμασι λεύσσων Str. 2
φονίου δέργμα δράκοντος,
πολύχειρ καὶ πολυναύτας,
Σύριόν θ' ἅρμα διώκων,
ἐπάγει δουρικλύτοις ἀν- 85
δράσι τοξόδαμνον Ἄρη·

δόκιμος δ' οὔτις ὑποστὰς Ant. 2
μεγάλῳ ῥεύματι φωτῶν
ὀχυροῖς ἕρκεσιν εἴργειν
ἄμαχον κῦμα θαλάσσης· 90
ἀπρόσοιστος γὰρ ὁ Περσῶν
στρατὸς ἀλκίφρων τε λαός.

Δολόμητιν δ' ἀπάταν θεοῦ Str. 3
τίς ἀνὴρ θνατὸς ἀλύξει;
τίς ὁ κραιπνῷ ποδὶ πηδή- 95
ματος εὐπετέος ἀνάσσων;

φιλόφρων γὰρ παρασαίνει Ant. 3
βροτὸν εἰς ἄρκυας Ἄτα,

PÁRODO LÍRICO (65-154)

O turrífrago exército do rei — EST.1
já transpôs a fronteira terra
vizinha, em nau de línea corda,
percorrido o passo de Hele Atamântida, — 70
lançada multicravejada via: jugo
ao redor do pescoço do mar.

O guia impetuoso da Ásia multiviril — ANT.1
tange por toda terra a tropa
divina em duas frentes: a pé — 75
e por mar, fiado em fortes
acerbos guias, de áureo sémen
nascido varão igual a Deus. — 80

Brilhando negro nos olhos — EST.2
o olhar de mortífera víbora
de muitas mãos e de muitas naus,
instigando o carro sírio
conduz o hábil arqueiro Ares — 85
contra ínclitos lanceiros.

Espera-se que ninguém resista — ANT.2
à grande vaga de varões
nem repila com torres fortes
incombatível onda do mar: — 90
irresistível é o exército
persa e tropa intrépida.

Do fraudulento logro de Deus — EST.3
que homem mortal há de escapar?
Quem com rápido pé salta — 95
um salto bem dado?

Erronia acolhe benévola — ANT. 3
o mortal nas redes,

τόθεν οὐκ ἔστιν ὑπὲρ θνα- 100
τὸν ἀλύξαντα φυγεῖν.

Θεόθεν γὰρ κατὰ Μοῖρ' ἐκράτησεν Str. 4
τὸ παλαιόν, ἐπέσκηψε δὲ Πέρσαις
πολέμους πυργοδαΐκτους διέπειν ἱπ- 105
πιοχάρμας τε κλόνους
πόλεών τ' ἀναστάσεις·

ἔμαθον δ' εὐρυπόροιο θαλάσσας Ant. 4
πολιαινομένας πνεύματι λάβρῳ
ἐσορᾶν πόντιον ἄλσος, πίσυνοι λεπ- 111
τοδόμοις πείσμασι λα-
οπόροις τε μηχαναῖς.

Ταῦτά μου μελαγχίτων Str. 1
φρὴν ἀμύσσεται φόβῳ, 115
« ὀᾶ Περσικοῦ στρατεύματος »,
τοῦδε μὴ πόλις πύθη-
ται, κένανδρον μέγ' ἄστυ Σουσίδος,

καὶ τὸ Κισσίων πόλισμ' Ant. 1
ἀντίδουπον ἔσεται, 120
« ὀᾶ », τοῦτ' ἔπος γυναικοπλη-
θὴς ὅμιλος ἀπύων,
βυσσίνοις δ' ἐν πέπλοις πέσῃ λακίς. 124

Πᾶς γὰρ ἱππηλάτας Str. 2
καὶ πεδοστιβὴς λεὼς
σμῆνος ὣς ἐκλέλοι-
πεν μελισσᾶν σὺν ὀρχάμῳ στρατοῦ,
τὸν ἀμφίζευκτον ἐξαμείψας 130
ἀμφοτέρας ἅλιον
πρῶνα κοινὸν αἴας·

λέκτρα δ' ἀνδρῶν πόθῳ Ant. 2
πίμπλαται δακρύμασιν·

quando não há para ele 100
como evitar nem fugir.

Por Deus, Parte prevaleceu EST.4
antiga e impôs aos persas
perseguir guerras rompe-torre, 105
tumultos de árdegos cavaleiros
e derrocadas de cidadelas.

Souberam do latívio mar ANT. 4
grisalho com veemente vento
ver o prado marinho confiantes 111
nas sutis tramas de cordames
e engenhos de transportar gente.

Assim vestido de negro o meu EST. 5
coração dilacera-se de pavor,
oâ!, pelo exército persa.
Dele não se saiba a cidade
vazia de homens, grande Susa.

E a cidadela císsia ANT.5
ecoará em resposta
oâ! Assim clama o bando
pleno de mulheres
e nos véus de linho cairá dilacerando. 124

Toda a cavalaria, EST. 6
toda a infantaria,
como enxame, deixou
a colmeia com o guia do exército,
transposto duplo jugo 130
ao cabo marinho
comum às duas terras.

Leitos saudosos de homens ANT.6
estão cheios de lágrimas.

Περσίδες δ' ἁβροπεν- 135
θεῖς ἑκάστα πόθῳ φιλάνορι
τὸν αἰχμήεντα θοῦρον εὐνα-
τῆρα προπεμψαμένα
λείπεται μονόζυξ.

Ἀλλ' ἄγε, Πέρσαι, τόδ' ἐνεζόμενοι 140
στέγος ἀρχαῖον, φροντίδα κεδνὴν
καὶ βαθύβουλον
θώμεθα — χρεία δὲ προσήκει —
πῶς ἄρα πράσσει Ξέρξης βασιλεὺς
Δαρειογενής, τὸ πατρωνύμιον 145
γένος ἡμέτερον· πότερον τόξου
ῥῦμα τὸ νικῶν, ἢ δορυκράνου
λόγχης ἰσχὺς κεκράτηκεν.

Ἀλλ' ἥδε θεῶν ἴσον ὀφθαλμοῖς 150
φάος ὁρμᾶται μήτηρ βασιλέως,
βασίλεια δ' ἐμή, προσπίτνω·
καὶ προσφθόγγοις δὲ χρεὼν αὐτὴν
πάντας μύθοισι προσαυδᾶν.

Ὦ βαθυζώνων ἄνασσα Περσίδων ὑπερτάτη, 155
μῆτερ ἡ Ξέρξου γεραιά, χαῖρε, Δαρείου γύναι·
θεοῦ μὲν εὐνήτειρα Περσῶν, θεοῦ δὲ καὶ μήτηρ ἔφυς,
εἴ τι μὴ δαίμων παλαιὸς νῦν μεθέστηκε στρατῷ.

ΒΑΣΙΛΕΙΑ

Ταῦτα δὴ λιποῦσ' ἱκάνω χρυσεοστόλμους δόμους
καὶ τὸ Δαρείου τε κἀμὸν κοινὸν εὐνατήριον· 160
καί με καρδίαν ἀμύσσει φροντίς — ἐς δ' ὑμᾶς ἐρῶ
μῦθον οὐδαμῶς ἐμαυτῆς οὖσ' ἀδείμαντος, φίλοι —
μὴ μέγας πλοῦτος κονίσας οὖδας ἀντρέψῃ ποδί
ὄλβον ὃν Δαρεῖος ἦρεν οὐκ ἄνευ θεῶν τινός.
Ταῦτά μοι μέριμν' ἄφραστός ἐστιν ἐν φρεσὶν διπλῆ, 165

Cada esposa com suave dor 135
faz seguido de saudades
o lanceiro impetuoso
seu marido
e ficou cônjuge só.

Eia, persas! Sentados neste 140
antigo palácio, tenhamos cuidoso
e profundo conselho
— convém o seu uso —
como está Xerxes rei
nascido de Dario, patrônima 145
nossa nação. Será vencedor
o fluxo do arco, ou prevalecente
a pontiaguda força da lança?

Eis que igual a olhos de Deuses 150
luz caminha mãe de rei
e rainha minha, prosterno-me,
e com palavras de saudação
todos devem saudá-la.

PRIMEIRO EPISÓDIO (155-531)

C. Ó suprema senhora de pérseas de funda cintura, 155
mãe de Xerxes, anciã, salve, ó mulher de Dario,
esposa de Deus de persas, és também mãe de Deus,
se o Nume antigo hoje não abandonou o exército.

R. Assim venho do palácio adornado de ouro
e do tálamo comum a mim e a Dario, 160
e um pensamento me dilacera o coração.
Dir-vos-ei, não por mim temerosa, amigos,
grande riqueza não reverta em pó no chão ao pé,
opulência que Dario ergueu não sem um Deus.
Esta aflição indizível em meu espírito é dupla: 165

μήτε χρημάτων ἀνάνδρων πλῆθος ἐν τιμῇ σέβειν,
μήτ' ἀχρημάτοισι λάμπειν φῶς ὅσον σθένος πάρα·
ἔστι γὰρ πλοῦτός γ' ἀμεμφής, ἀμφὶ δ' ὀφθαλμοῖς φόβος·
ὄμμα γὰρ δόμων νομίζω δεσπότου παρουσίαν.
Πρὸς τάδ', ὡς οὕτως ἐχόντων τῶνδε, σύμβουλοι λόγου 170
τοῦδέ μοι γένεσθε, Πέρσαι, γηραλέα πιστώματα·
πάντα γὰρ τὰ κέδν' ἐν ὑμῖν ἐστί μοι βουλεύματα.

Χο. Εὖ τόδ' ἴσθι, γῆς ἄνασσα τῆσδε, μή σε δὶς φράσαι
μήτ' ἔπος μήτ' ἔργον ὧν ἂν δύναμις ἡγεῖσθαι θέλῃ·
εὐμενεῖς γὰρ ὄντας ἡμᾶς τῶνδε συμβούλους καλεῖς. 175

Βα. Πολλοῖς μὲν αἰεὶ νυκτέροις ὀνείρασιν
ξύνειμ', ἀφ' οὗπερ παῖς ἐμὸς στείλας στρατὸν
Ἰαόνων γῆν οἴχεται πέρσαι θέλων·
ἀλλ' οὔτι πω τοιόνδ' ἐναργὲς εἰδόμην
ὡς τῆς πάροιθεν εὐφρόνης, λέξω δέ σοι. 180
Ἐδοξάτην μοι δύο γυναῖκ' εὐείμονε,
ἣ μὲν πέπλοισι Περσικοῖς ἠσκημένη,
ἣ δ' αὖτε Δωρικοῖσιν, εἰς ὄψιν μολεῖν,
μεγέθει τε τῶν νῦν ἐκπρεπεστάτα πολύ
κάλλει τ' ἀμώμῳ, καὶ κασιγνήτα γένους 185
ταὐτοῦ· πάτραν δ' ἔναιον ἣ μὲν Ἑλλάδα
κλήρῳ λαχοῦσα γαῖαν, ἣ δὲ βάρβαρον.
Τούτω στάσιν τιν', ὡς ἐγὼ 'δόκουν ὁρᾶν,
τεύχειν ἐν ἀλλήλῃσι· παῖς δ' ἐμὸς μαθὼν
κατεῖχε κἀπράυνεν, ἅρμασιν δ' ὕπο 190
ζεύγνυσιν αὐτὼ καὶ λέπαδν' ἐπ' αὐχένων
τίθησι· χἠ μὲν τῇδ' ἐπυργοῦτο στολῇ
ἐν ἡνίαισι δ' εἶχεν εὔαρκτον στόμα,
ἣ δ' ἐσφάδαζε, καὶ χεροῖν ἔντη δίφρου
διασπαράσσει καὶ ξυναρπάζει βίᾳ 195
ἄνευ χαλινῶν καὶ ζυγὸν θραύει μέσον·
πίπτει δ' ἐμὸς παῖς, καὶ πατὴρ παρίσταται
Δαρεῖος οἰκτίρων σφε· τὸν δ' ὅπως ὁρᾷ
Ξέρξης, πέπλους ῥήγνυσιν ἀμφὶ σώματι.
Καὶ ταῦτα μὲν δὴ νυκτὸς εἰσιδεῖν λέγω· 200
ἐπεὶ δ' ἀνέστην καὶ χεροῖν καλλιρρόου
ἔψαυσα πηγῆς, σὺν θυηπόλῳ χερί

nem tesouros sem guardião o povo venera com honra,
nem sem tesouros brilha o homem conforme sua força.
A riqueza está intacta, mas pelos olhos é o temor:
olho do palácio penso que é a presença do dono.
Em tais circunstâncias, sede meus conselheiros 170
nesta questão, vós, persas, antigos e fiéis servidores.
Todos os cuidosos conselhos em vós os tenho.

C. Sabe, ó senhora desta terra, que não repetirás
nem fala nem feito cuja força se deixe explicar:
por boa vontade nisto conselheiros nos dizes. 175

R. Com muitos sempre noturnos sonhos
convivo, desde que meu filho com o exército
foi-se à terra dos jônios para dispersá-la,
mas ainda não tinha visto nada tão claro
como ontem à noite, o que te contarei. 180
Pareceu-me que duas mulheres bem vestidas,
uma paramentada com véus pérsicos,
outra, com dóricos, viessem-me à vista,
mais notáveis que as de hoje no porte
e na beleza perfeita, irmãs do mesmo tronco, 185
uma habitava a Grécia, a outra, a terra
bárbara, no sorteio recebidas por pátria.
Ao que me parecia ver, houve entre ambas,
uma querela, e meu filho, quando soube,
tentava conter e acalmar, e sob o carro 190
atrela as duas, e põe-lhes o jugo
no pescoço. Uma se orgulhava dos jaezes
e nas rédeas tinha a boca dócil ao mando,
a outra esperneia e despedaça os arreios
com as mãos, arrebata com violência, 195
desenfreada, e quebra o jugo ao meio.
Cai o meu filho e aproxima-se o pai
Dario a lastimá-lo. E quando o vê,
Xerxes rasga as vestes sobre si mesmo.
Isso é o que vos digo ter visto à noite. 200
Ao me levantar e tocar com as mãos
a fonte de belo fluxo, com mão sacrificial

βωμὸν προσέστην, ἀποτρόποισι δαίμοσιν
θέλουσα θῦσαι πελανὸν ὧν τέλη τάδε·
ὁρῶ δὲ φεύγοντ' αἰετὸν πρὸς ἐσχάραν 205
Φοίβου· φόβῳ δ' ἄφθογγος ἐστάθην, φίλοι·
μεθύστερον δὲ κίρκον εἰσορῶ δρόμῳ
πτεροῖς ἐφορμαίνοντα καὶ χηλαῖς κάρα
τίλλονθ'· ὃ δ' οὐδὲν ἄλλο γ' ἢ πτήξας δέμας
παρεῖχε. Ταῦτ' ἔμοιγε δείματ' εἰσιδεῖν, 210
ὑμῖν δ' ἀκούειν· εὖ γὰρ ἴστε, παῖς ἐμὸς
πράξας μὲν εὖ θαυμαστὸς ἂν γένοιτ' ἀνήρ,
κακῶς δὲ πράξας οὐχ ὑπεύθυνος πόλει,
σωθεὶς δ' ὁμοίως τῆσδε κοιρανεῖ χθονός.

Χο. οὔ σε βουλόμεσθα, μῆτερ, οὔτ' ἄγαν φοβεῖν λόγοις 215
οὔτε θαρσύνειν. Θεοὺς δὲ προστροπαῖς ἱκνουμένη,
εἴ τι φλαῦρον εἶδες, αἰτοῦ τῶνδ' ἀποτροπὴν τελεῖν,
τὰ δ' ἀγάθ' ἐκτελῆ γενέσθαι σοί τε καὶ τέκνοις σέθεν
καὶ πόλει φίλοις τε πᾶσι. Δεύτερον δὲ χρὴ χοὰς
γῇ τε καὶ φθιτοῖς χέασθαι· πρευμενῶς δ' αἰτοῦ τάδε 220
σὸν πόσιν Δαρεῖον, ὅνπερ φῂς ἰδεῖν κατ' εὐφρόνην,
ἐσθλά σοι πέμπειν τέκνῳ τε γῆς ἔνερθεν ἐς φάος,
τἄμπαλιν δὲ τῶνδε γαίᾳ κάτοχα μαυροῦσθαι σκότῳ.
Ταῦτα θυμόμαντις ὢν σοι πρευμενῶς παρῄνεσα·
εὖ δὲ πανταχῇ τελεῖν σοι τῶνδε κρίνομεν πέρι. 225

Βα. Ἀλλὰ μὴν εὔνους γ' ὁ πρῶτος τῶνδ' ἐνυπνίων κριτὴς
παιδὶ καὶ δόμοις ἐμοῖσι τήνδ' ἐκύρωσας φάτιν·
ἐκτελοῖτο δὴ τὰ χρηστά· ταῦτα δ' ὡς ἐφίεσαι
πάντα θήσομεν θεοῖσι τοῖς τ' ἔνερθε γῆς φίλοις,
εὖτ' ἂν εἰς οἴκους μόλωμεν. Κεῖνα δ' ἐκμαθεῖν θέλω, 230
ὦ φίλοι, ποῦ τὰς Ἀθήνας φασὶν ἱδρῦσθαι χθονός.

Χο. Τῆλε πρὸς δυσμαῖς ἄνακτος Ἡλίου φθινασμάτων.

Βα. Ἀλλὰ μὴν ἵμειρ' ἐμὸς παῖς τήνδε θηρᾶσαι πόλιν;

Χο. Πᾶσα γὰρ γένοιτ' ἂν Ἑλλὰς βασιλέως ὑπήκοος.

Βα. Ὧδέ τις πάρεστιν αὐτοῖς ἀνδροπλήθεια στρατοῦ; 235

Χο. Καὶ στρατὸς τοιοῦτος, ἔρξας πολλὰ δὴ Μήδους κακά.

Βα. Καὶ τί πρὸς τούτοισιν ἄλλο; πλοῦτος ἐξαρκὴς δόμοις;

Χο. Ἀργύρου πηγή τις αὐτοῖς ἐστι, θησαυρὸς χθονός.

Βα. Πότερα γὰρ τοξουλκὸς αἰχμὴ διὰ χεροῖν αὐτοῖς πρέπει;

fui diante do altar, para fazer oferenda
aos Numes protetores, que têm este tributo.
Vejo uma águia refugiar-se junto ao altar 205
de Febo, de pavor fiquei sem voz, amigos.
Depois avisto um falcão a vibrar velozes
asas e a depenar com as garras a cabeça
da águia, que nada senão encolher o corpo
contrapunha. Isto, para mim, é terrível de ver 210
e, para vós, de ouvir. Bem sabei: meu filho
bem sucedido seria um admirável varão,
mal sucedido... sem prestar contas ao país,
e salvo, será o mesmo senhor desta terra.

C. Ó mãe, não queremos por palavras excessivas 215
infundir-te pavor nem audácia. Se viste algum mal,
com súplicas pede aos Deuses deem proteção
e perfeitos sejam os bens teus e de teu filho,
e do país e de todos os teus. Depois é preciso
libar à Terra e aos finados, e pede com doçura 220
a teu esposo Dario, a quem dizes ter visto à noite,
que a ti e ao filho envie os bens de sob a terra à luz,
e os reveses, cobertos de terra, percam-se por trevas.
Isso de coração adivinho com doçura te aconselho.
Quanto a isso, discernimos que terás tudo bem. 225

R. Que benévolo este primeiro intérprete deste sonho
é para meu filho e palácio, ao fazer esta avaliação.
Realizem-se os melhores votos. Tudo como instas
faremos aos Deuses e aos nossos de sob a terra.
quando formos para casa. Quero saber isto, 230
ó amigos, onde Atenas se diz situada na terra?

C. Longe, nos poentes dos declínios do senhor Sol.

R. Mas assim deseja meu filho dar caça a esse país?

C. Toda a Grécia se tornaria submissa ao Rei.

R. Tal multidão de homem ela tem no exército? 235

C. Exército tal que fez muitos males aos medos.

R. E além disso, tem bastante riqueza em casa?

C. Tem uma fonte de prata, tesouro do solo.

R. O estica-arco dardo brilha nas mãos deles?

Χο. Οὐδαμῶς· ἔγχη σταδαῖα καὶ φεράσπιδες σαγαί. 240
Βα. Τίς δὲ ποιμάνωρ ἔπεστι κἀπιδεσπόζει στρατῷ;
Χο. Οὔτινος δοῦλοι κέκληνται φωτὸς οὐδ' ὑπήκοοι.
Βα. Πῶς ἂν οὖν μένοιεν ἄνδρας πολεμίους ἐπήλυδας;
Χο. Ὥστε Δαρείου πολύν τε καὶ καλὸν φθεῖραι στρατόν.
Βα. Δεινά τοι λέγεις ἰόντων τοῖς τεκοῦσι φροντίσαι. 245
Χο. Ἀλλ', ἐμοὶ δοκεῖν, τάχ' εἴσῃ πάντα νημερτῆ λόγον·
τοῦδε γὰρ δράμημα φωτὸς Περσικὸν πρέπει μαθεῖν,
καὶ φέρει σαφές τι πρᾶγος ἐσθλὸν ἢ κακὸν κλύειν.

ΑΓΓΕΛΟΣ

Ὦ γῆς ἁπάσης Ἀσιάδος πολίσματα,
ὦ Περσὶς αἶα καὶ πολὺς πλούτου λιμήν, 250
ὡς ἐν μιᾷ πληγῇ κατέφθαρται πολὺς
ὄλβος, τὸ Περσῶν δ' ἄνθος οἴχεται πεσόν.
Ὤμοι, κακὸν μὲν πρῶτον ἀγγέλλειν κακά·
ὅμως δ' ἀνάγκη πᾶν ἀναπτύξαι πάθος,
Πέρσαι· στρατὸς γὰρ πᾶς ὄλωλε βαρβάρων. 255
Χο. Ἄνι' ἄνια κακὰ νεόκοτα Str. 1
καὶ δάϊ'· αἰαῖ, διαίνεσθε, Πέρσαι, τόδ' ἄχος κλύοντες.
Αγ Ὡς πάντα γ' ἔστ' ἐκεῖνα διαπεπραγμένα· 260
καὐτὸς δ' ἀέλπτως νόστιμον βλέπω φάος.
Χο. Ἦ μακροβίοτος ὅδε γέ τις Ant. 1
αἰὼν ἐφάνθη γεραιοῖς, ἀκούειν τόδε πῆμ' ἄελπτον. 265
Αγ. Καὶ μὴν παρὼν γε κοὐ λόγους ἄλλων κλύων,
Πέρσαι, φράσαιμ' ἂν οἷ' ἐπορσύνθη κακά.
Χο. Ὀτοτοτοῖ, μάταν Str. 2
τὰ πολλὰ βέλεα παμμιγῆ
γᾶς ἀπ' Ἀσίδος ἦλθ' ἐπ' αἶαν 270
δᾴαν, Ἑλλάδα χώραν.
Αγ. Πλήθουσι νεκρῶν δυσπότμως ἐφθαρμένων
Σαλαμῖνος ἀκταὶ πᾶς τε πρόσχωρος τόπος.
Χο. Ὀτοτοτοῖ, φίλων Ant. 2
ἁλίδονα μέλεα πολυβαφῆ 275
κατθανόντα λέγεις φέρεσθαι
πλαγκτοῖς ἐν διπλάκεσσιν.

C. Não. Hastes eretas e escudadas armaduras. 240
R. Que pastor preside e domina o exército?
C. Não se dizem servos nem submissos a ninguém.
R. Como resistiriam a ataque de varões inimigos?
C. De modo a destruir vasto e belo exército de Dario.
R. Terríveis falas afligentes aos pais dos que foram. 245
C. Ao que parece, logo saberás toda a verídica fala,
o passo deste mortal dá a saber que é pérsico
e traz um claro fato, bom ou mau de ouvir.

M. Ó cidadelas de toda a terra asiática!
Ó terra persa e vasto porto de riqueza! 250
Como de um só golpe se perdeu vasta
opulência! A flor dos persas se foi na queda.
Ómoi! Mau é primeiro anunciar males,
contudo, é necessário desdobrar toda a dor,
persas: o exército bárbaro pereceu todo. 255
C. Mísera, mísera, maligna notícia
de ruína! *Aiaî*! Pranteai,
persas, ao ouvir esta dor.
M. Por que tudo aquilo está consumado 260
e não esperada vejo a regressária luz.
C. Sim, longeva esta vida ANT. 1
se revelou aos velhos,
ao ouvir esta dor inesperada. 265
M. Presente e não por ouvir falas alheias,
persas, posso dizer que males se deram.
C. *Otototo*î! Inúteis EST. 2
os muitos dardos diversos
foram da terra asiática 270
à terra inimiga, território grego.
M. Estão cheios de mortos por má sorte finados
os pontais de Salamina e todos os arredores.
C. *Otototo*î! Tu contas ANT. 2
que muitos corpos submersos dos nossos 275
mortos batidos pelo mar são arrastados
com suas duplas túnicas flutuantes.

Αγ.	Οὐδὲν γὰρ ἤρκει τόξα, πᾶς δ' ἀπώλλυτο	
	στρατὸς δαμασθεὶς ναΐοισιν ἐμβολαῖς.	
Χο.	Ἴϋζ' ἄποτμον δαΐοις	Str. 3
	δυσαιανῆ βοάν,	281
	Πέρσαις ὡς πάντα παγκάκως	
	⟨θεοὶ⟩ θέσαν· αἰαῖ στρατοῦ φθαρέντος.	
Αγ.	Ὦ πλεῖστον ἔχθος ὄνομα Σαλαμῖνος κλύειν·	
	φεῦ, τῶν Ἀθηνῶν ὡς στένω μεμνημένος.	285
Χο.	Στυγναί γ' Ἀθᾶναι δαΐοις·	Ant. 3
	μεμνῆσθαί τοι πάρα	
	ὡς πολλὰς Περσίδων μάταν	
	ἔκτισαν εὔνιδας ἠδ' ἀνάνδρους.	
Βα.	Σιγῶ πάλαι δύστηνος ἐκπεπληγμένη	290
	κακοῖς· ὑπερβάλλει γὰρ ἥδε συμφορά	
	τὸ μήτε λέξαι μήτ' ἐρωτῆσαι πάθη.	
	Ὅμως δ' ἀνάγκη πημονὰς βροτοῖς φέρειν	
	θεῶν διδόντων· πᾶν δ' ἀναπτύξας πάθος,	
	λέξον καταστάς, κεἰ στένεις κακοῖς ὅμως,	295
	τίς οὐ τέθνηκε, τίνα δὲ καὶ πενθήσομεν	
	τῶν ἀρχελείων, ὅστ' ἐπὶ σκηπτουχίᾳ	
	ταχθεὶς ἄνανδρον τάξιν ἠρήμου θανών.	
Αγ.	Ξέρξης μὲν αὐτὸς ζῇ τε καὶ βλέπει φάος.	
Βα.	Ἐμοῖς μὲν εἶπας δώμασιν φάος μέγα	300
	καὶ λευκὸν ἦμαρ νυκτὸς ἐκ μελαγχίμου.	
Αγ.	Ἀρτεμβάρης δὲ μυρίας ἵππου βραβεὺς	
	στυφλοὺς παρ' ἀκτὰς θείνεται Σιληνιῶν·	
	χὠ χιλίαρχος Δαδάκης πληγῇ δορὸς	
	πήδημα κοῦφον ἐκ νεὼς ἀφήλατο·	305
	Τενάγων τ' ἀριστεὺς Βακτρίων ἰθαιγενὴς	
	θαλασσόπληκτον νῆσον Αἴαντος πολεῖ.	
	Λίλαιος, Ἀρσάμης τε κἀργήστης τρίτος,	
	οἵδ' ἀμφὶ νῆσον τὴν πελειοθρέμμονα	
	νικώμενοι κύρισσον ἰσχυρὰν χθόνα·	310
	πηγαῖς τε Νείλου γειτονῶν Αἰγυπτίου	
	Ἀρκτεύς, Ἀδεύης, καὶ φερεσσακὴς τρίτος	
	Φαρνοῦχος, οἵδε ναὸς ἐκ μιᾶς πέσον.	
	Χρυσεὺς Μάταλλος μυριόνταρχος θανὼν	314

M. Não bastaram os dardos, todo o exército
pereceu, dominado nos combates navais.
C. Ergue o grito funesto EST. 3
desolado pela ruína 281
dos persas, pois tudo de todo mal
os Deuses deram. Aiaî! Extinto exército!
M. Quão odioso é ouvir o nome de Salamina!
Pheû! Como gemo ao me lembrar de Atenas! 285
C. Atenas, hedionda aos inimigos! ANT. 3
Pode-se lembrar
de que fez muitas pérseas
sem filhos nem maridos por nada.
R. Calo-me há muito, mísera, abatida 290
por males. Este infortúnio ultrapassa
a palavra e a pergunta por sofrimentos.
Contudo, devem os mortais suportar dores
dadas por Deuses. Desdobra toda a dor,
diz com calma, ainda que gemendo males, 295
quem não morreu, quem ainda prantearemos
dos comandantes, e quem, detentor de cetro,
deixou sem varão ermo posto ao morrer.
M. O próprio Xerxes vive e contempla a luz.
R. Anunciaste grande luz para o meu palácio, 300
e luminoso dia após noite negriemal.
M. Artembares, guia de equestre miríade,
colide com duros pontais de Silênias,
e o quiliarca Dadaces, por golpe de lança,
num salto ligeiro, pulou do navio. 305
Tenágon, campeão báctrio, nobre nato,
volteia a golpeada-pelo-mar ilha de Ájax.
Lílaios, Arsames e, terceiro, Argestes,
estes, ao redor da ilha nutriz de pombas,
vencidos cabeceiam a vigorosa terra. 310
Dentre os vizinhos de fontes do egípcio Nilo,
Arcteus, Adeues e, terceiro, o escudado
Farnucos, estes caíram do mesmo navio.
Mátalos de Crisa, miriontarca, morto, 314

πυρσὴν ζαπληθῆ δάσκιον γενειάδα 316
ἔτεγγ' ἀμείβων χρῶτα πορφυρέᾳ βαφῇ· 317
καὶ Μᾶγος Ἄραβος, Ἀρτάμης τε Βάκτριος, 318
ἵππου μελαίνης ἡγεμὼν τρισμυρίας, 315
σκληρᾶς μέτοικος γῆς, ἐκεῖ κατέφθιτο. 319
Ἄμηστρις, Ἀμφιστρεύς τε πολύπονον δόρυ 320
νωμῶν, ὅ τ' ἐσθλὸς Ἀριόμαρδος Σάρδεσιν
πένθος παρασχών, Σεισάμης θ' ὁ Μύσιος,
Θάρυβίς τε πεντήκοντα πεντάκις νεῶν
ταγός, γένος Λυρναῖος, εὐειδὴς ἀνήρ,
κεῖται θανὼν δείλαιος οὐ μάλ' εὐτυχῶς· 325
Συέννεσίς τε πρῶτος εἰς εὐψυχίαν,
Κιλίκων ἄπαρχος, εἷς ἀνὴρ πλεῖστον πόνον
ἐχθροῖς παρασχών, εὐκλεῶς ἀπώλετο.
Τόσον μὲν ἀρχόντων ὑπεμνήσθην πέρι·
πολλῶν παρόντων δ' ὀλίγ' ἀπαγγέλλω κακά. 330

Βα. Αἰαῖ, κακῶν ὕψιστα δὴ κλύω τάδε,
αἴσχη τε Πέρσαις καὶ λιγέα κωκύματα.
Ἀτὰρ φράσον μοι τοῦτ' ἀναστρέψας πάλιν,
πόσον δὲ πλῆθος ἦν Ἑλληνίδων,
ὥστ' ἀξιῶσαι Περσικῷ στρατεύματι 335
μάχην συνάψαι ναΐοισιν ἐμβολαῖς;

Αγ. Πλήθους μὲν ἂν σάφ' ἴσθ' ἕκατι βάρβαρον
ναυσὶν κρατῆσαι· καὶ γὰρ Ἕλλησιν μὲν ἦν
ὁ πᾶς ἀριθμὸς ἐς τριακάδας δέκα
ναῶν, δεκὰς δ' ἦν τῶνδε χωρὶς ἔκκριτος· 340
Ξέρξῃ δέ, καὶ γὰρ οἶδα, χιλιὰς μὲν ἦν
ὧν ἦγε πλῆθος, αἱ δ' ὑπέρκοποι τάχει
ἑκατὸν δὶς ἦσαν ἑπτά θ'· ὧδ' ἔχει λόγος·
μή σοι δοκοῦμεν τῇδε λειφθῆναι μάχῃ;
Ἀλλ' ὧδε δαίμων τις κατέφθειρε στρατόν, 345
τάλαντα βρίσας οὐκ ἰσορρόπῳ τύχῃ·
θεοὶ πόλιν σῴζουσι Παλλάδος θεᾶς.

Βα. Ἔτ' ἆρ' Ἀθηνῶν ἔστ' ἀπόρθητος πόλις;

Αγ. Ἀνδρῶν γὰρ ὄντων ἕρκος ἐστὶν ἀσφαλές.

Βα. Ἀρχὴ δὲ ναυσὶ συμβολῆς τίς ἦν; φράσον· 350
τίνες κατῆρξαν, πότερον Ἕλληνες, μάχης,

tingiu a farta umbrosa barba cor de fogo 316
trocando a cor com o purpúreo banho. 317
O mago Árabos e o báctrio Artames, 318
guia de três negras miríades equestres, 315
são residentes da terra cruel, lá pereceram. 319
Ámestris, Anfistreus, senhor de laboriosa 320
lança, e o bravo Ariomardos portador
de luto a Sardes, e o mísio Seisames,
Táribis, capitão de cinco vezes cinquenta
naves, nascido em Lerna, formoso varão,
jaz morto, mísero, não por boa sorte. 325
Siénisis, o primeiro por sua valentia,
senhor dos cílices, varão que deu mais dor
aos inimigos, com bela glória sucumbiu.
Dentre os comandantes, tanto me lembro.
Dos muitos presentes proclamo poucos males. 330

R. *Aiaî*! Eis que ouço os máximos males,
opróbrio aos persas e estrídulos gemidos.
Mas, voltando atrás, conta-me isto:
qual era a quantidade dos navios gregos
que ousassem contra exército persa 335
travar combate em batalha naval?

M. Pela quantidade, sabe claro que o bárbaro
venceria em navios; os gregos dispunham
do número total de dez trintenas
de navios, e dez, além destes, reservados. 340
Eu sei que Xerxes dispunha de mil navios,
em seu número, e superiores em velocidade
duzentos e sete navios, assim é a conta.
Parecemos em desvantagem nesta batalha?
Mas um Nume assim destruiu o exército, 345
pesando pratos de não equivalente sorte:
Deuses preservam o país da Deusa Palas.

R. Ainda está incólume o país de atenienses?

M. Presentes os varões, a fortaleza não cai.

R. Que princípio teve a batalha naval? Conta 350
quem principiou o combate. Foram os gregos,

ἢ παῖς ἐμός, πλήθει καταυχήσας νεῶν;

Αγ. Ἦρξεν μέν, ὦ δέσποινα, τοῦ παντὸς κακοῦ
φανεὶς ἀλάστωρ ἢ κακὸς δαίμων ποθέν.
Ἀνὴρ γὰρ Ἕλλην ἐξ Ἀθηναίων στρατοῦ 355
ἐλθὼν ἔλεξε παιδὶ σῷ Ξέρξῃ τάδε,
ὡς εἰ μελαίνης νυκτὸς ἵξεται κνέφας,
Ἕλληνες οὐ μενοῖεν, ἀλλὰ σέλμασιν
ναῶν ἐπενθορόντες ἄλλος ἄλλοσε
δρασμῷ κρυφαίῳ βίοτον ἐκσωσοίατο. 360
Ὁ δ᾽ εὐθὺς ὡς ἤκουσεν, οὐ ξυνεὶς δόλον
Ἕλληνος ἀνδρὸς οὐδὲ τὸν θεῶν φθόνον,
πᾶσιν προφωνεῖ τόνδε ναυάρχοις λόγον·
εὖτ᾽ ἂν φλέγων ἀκτῖσιν ἥλιος χθόνα
λήξῃ, κνέφας δὲ τέμενος αἰθέρος λάβῃ, 365
τάξαι νεῶν στῖφος μὲν ἐν στοίχοις τρισίν
ἔκπλους φυλάσσειν καὶ πόρους ἁλιρρόθους,
ἄλλας δὲ κύκλῳ νῆσον Αἴαντος πέριξ·
ὡς, εἰ μόρον φευξοίατ᾽ Ἕλληνες κακόν,
ναυσὶν κρυφαίως δρασμὸν εὑρόντες τινά, 370
πᾶσι στέρεσθαι κρατὸς ἦν προκείμενον.
Τοσαῦτ᾽ ἔλεξε κάρθ᾽ ὑπ᾽ εὐθύμου φρενός·
οὐ γὰρ τὸ μέλλον ἐκ θεῶν ἠπίστατο.
Οἳ δ᾽ οὐκ ἀκόσμως, ἀλλὰ πειθάρχῳ φρενὶ
δεῖπνόν τ᾽ ἐπορσύνοντο ναυβάτης τ᾽ ἀνήρ 375
τροποῦτο κώπην σκαλμὸν ἀμφ᾽ εὐήρετμον.
Ἐπεὶ δὲ φέγγος ἡλίου κατέφθιτο
καὶ νὺξ ἐπῄει, πᾶς ἀνὴρ κώπης ἄναξ
ἐς ναῦν ἐχώρει, πᾶς δ᾽ ὅπλων ἐπιστάτης·
τάξις δὲ τάξιν παρεκάλει νεὼς μακρᾶς· 380
πλέουσι δ᾽ ὡς ἕκαστος ἦν τεταγμένος·
καὶ πάννυχοι δὴ διάπλοον καθίστασαν
ναῶν ἄνακτες πάντα ναυτικὸν λεών·
καὶ νὺξ ἐχώρει, κού μάλ᾽ Ἑλλήνων στρατὸς
κρυφαῖον ἔκπλουν οὐδαμῇ καθίστατο. 385
Ἐπεί γε μέντοι λευκόπωλος ἡμέρα
πᾶσαν κατέσχε γαῖαν εὐφεγγὴς ἰδεῖν,
πρῶτον μὲν ἠχῇ κέλαδος Ἑλλήνων πάρα

ou o meu filho, ufano de tantos navios?
M. Senhora, principiou todo este infortúnio
um ilatente ou maligno Nume, ao surgir.
Um grego veio do exército dos atenienses 355
e disse ao seu filho Xerxes o seguinte:
quando viessem as trevas da negra Noite,
os gregos não esperariam, mas saltariam
aos bancos dos navios, cada um ao seu,
e salvariam a vida em furtiva escapada. 360
Tão logo ouviu, sem perceber a fraude
do grego, nem a recusa dos Deuses,
dá a todos os nauarcas esta ordem:
quando o Sol deixar de abrasar a terra
com raios, e trevas tiverem o templo celeste, 365
dispor o grosso dos navios em três linhas,
para vigiar as fugas e vias do mar rumoroso,
e os outros navios em torno da ilha de Ájax:
caso os gregos escapassem à maligna sorte,
por descobrirem uma furtiva fuga em navios, 370
a decapitação de todos estava promulgada.
Assim falou com bem animado espírito,
pois não conhecia o porvir dos Deuses.
Não sem ordem, mas obedientes ao comando,
prepararam o jantar, e o marinheiro 375
prendeu à cavilha o cabo de bom remo.
Quando a claridade do Sol declinou
e a noite sobreveio, todo mestre de remo
e todo senhor de armas subiram a bordo.
Um a outro posto conclamava da belonave 380
e navegam como a cada um fora disposto.
Durante toda a noite os capitães de navios
mantiveram em curso todo o povo da frota.
A noite avançava, e o exército dos gregos
não tentava nenhuma escapada furtiva. 385
Quando, porém, o dia de brilhantes potros
cobriu a terra toda, radioso a quem vê,
primeiro a ecoar o clamor dos gregos

μολπηδὸν ηὐφήμησεν, ὄρθιον δ' ἅμα
ἀντηλάλαξε νησιώτιδος πέτρας 390
ἠχώ· φόβος δὲ πᾶσι βαρβάροις παρῆν
γνώμης ἀποσφαλεῖσιν· οὐ γὰρ ὡς φυγῇ
παιᾶν' ἐφύμνουν σεμνὸν Ἕλληνες τότε,
ἀλλ' ἐς μάχην ὁρμῶντες εὐψύχῳ θράσει·
σάλπιγξ δ' ἀϋτῇ πάντ' ἐκεῖν' ἐπέφλεγεν. 395
Εὐθὺς δὲ κώπης ῥοθιάδος ξυνεμβολῇ
ἔπαισαν ἅλμην βρύχιον ἐκ κελεύματος,
θοῶς δὲ πάντες ἦσαν ἐκφανεῖς ἰδεῖν·
τὸ δεξιὸν μὲν πρῶτον εὐτάκτως κέρας
ἡγεῖτο κόσμῳ, δεύτερον δ' ὁ πᾶς στόλος 400
ἐπεξεχώρει, καὶ παρῆν ὁμοῦ κλύειν
πολλὴν βοήν· «Ὦ παῖδες Ἑλλήνων ἴτε,
ἐλευθεροῦτε πατρίδ', ἐλευθεροῦτε δὲ
παῖδας, γυναῖκας, θεῶν τε πατρῴων ἕδη
θήκας τε προγόνων· νῦν ὑπὲρ πάντων ἀγών.» 405
Καὶ μὴν παρ' ἡμῶν Περσίδος γλώσσης ῥόθος
ὑπηντίαζε, κοὐκέτ' ἦν μέλλειν ἀκμή·
εὐθὺς δὲ ναῦς ἐν νηὶ χαλκήρη στόλον
ἔπαισεν· ἦρξε δ' ἐμβολῆς Ἑλληνική
ναῦς, κἀποθραύει πάντα Φοινίσσης νεώς 410
κόρυμβ', ἐπ' ἄλλην δ' ἄλλος ηὔθυνεν δόρυ.
Τὰ πρῶτα μέν νυν ῥεῦμα Περσικοῦ στρατοῦ
ἀντεῖχεν· ὡς δὲ πλῆθος ἐν στενῷ νεῶν
ἤθροιστ', ἀρωγὴ δ' οὔτις ἀλλήλοις παρῆν,
αὐτοὶ δ' ὑπ' αὐτῶν ἐμβολαῖς χαλκοστόμοις 415
παίοντ', ἔθραυον πάντα κωπήρη στόλον,
Ἑλληνικαί τε νῆες οὐκ ἀφρασμόνως
κύκλῳ πέριξ ἔθεινον, ὑπτιοῦτο δὲ
σκάφη νεῶν, θάλασσα δ' οὐκέτ' ἦν ἰδεῖν
ναυαγίων πλήθουσα καὶ φόνου βροτῶν, 420
ἀκταὶ δὲ νεκρῶν χοιράδες τ' ἐπλήθυον,
φυγῇ δ' ἀκόσμῳ πᾶσα ναῦς ἠρέσσετο
ὅσαιπερ ἦσαν βαρβάρου στρατεύματος·
τοὶ δ' ὥστε θύννους ἤ τιν' ἰχθύων βόλον
ἀγαῖσι κωπῶν θραύμασίν τ' ἐρειπίων 425

inaugurava cantado, e com estrídulo
alarido respondeu o eco do rochedo 390
da ilha. O pavor veio a todos os bárbaros
frustrados da expectativa, pois não em fuga
os gregos então hineava o solene peã,
mas em marcha de guerra com viva audácia,
o clarim a gritar vibrava em todos ao redor. 395
Logo, batendo junto os remos rumorosos,
golpearam fundo o mar, cadenciados,
e rápido todos surgiram visíveis.
A ala direita primeiro em seus postos
movia-se em ordem, depois a frota toda 400
avançava, e simultâneo podia-se ouvir
vasto canto: "Ó filhos de gregos, ide,
libertai vossa pátria, libertai os vossos
filhos, mulheres, templos de Deuses pátrios
e túmulos dos pais, por todos é o combate." 405
De nossa parte, o rumor da língua persa
vai de encontro, não era mais hora de hesitar.
Logo, navio contra navio bate o aríete
brônzeo, dá início ao combate o navio
grego, e quebra a proa do navio fenício 410
toda, um contra outro dirige a nave.
Primeiro a torrente do exército persa
resistia, mas como muitos navios atulhavam
o estreito, não se davam recíproco auxílio,
uns com outros colidiam suas brônzeas 415
proas, quebravam todo o renque de remos;
e os navios gregos, não sem perícia,
em círculo ao redor vulneram e reviram
cascos de navios, não mais se via o mar,
coberto de naufrágios e de morte de mortais, 420
pontais e recifes estavam cheios de mortos,
remavam em fuga sem ordem todos os navios,
quantos pertenciam ao exército bárbaro.
Como se fossem atuns ou redada de peixes,
com lascas de remos e pedaços de paus 425

ἔπαιον, ἐρράχιζον, οἰμωγὴ δ' ὁμοῦ
κωκύμασιν κατεῖχε πελαγίαν ἅλα,
ἕως κελαινῆς νυκτὸς ὄμμ' ἀφείλετο.
Κακῶν δὲ πλῆθος, οὐδ' ἂν εἰ δέκ' ἤματα
στοιχηγοροίην, οὐκ ἂν ἐκπλήσαιμί σοι· 430
εὖ γὰρ τόδ' ἴσθι, μηδάμ' ἡμέρᾳ μιᾷ
πλῆθος τοσοῦτ' ἀριθμὸν ἀνθρώπων θανεῖν.

Βα. Αἰαῖ, κακῶν δὴ πέλαγος ἔρρωγεν μέγα
Πέρσαις τε καὶ πρόπαντι βαρβάρων γένει.

Αγ. Εὖ νυν τόδ' ἴσθι μηδέπω μεσοῦν κακόν· 435
τοιάδ' ἐπ' αὐτοὺς ἦλθε συμφορὰ πάθους,
ὡς τοῖσδε καὶ δὶς ἀντισηκῶσαι ῥοπῇ.

Βα. Καὶ τίς γένοιτ' ἂν τῆσδ' ἔτ' ἐχθίων τύχη;
λέξον τίν' αὖ φῂς τήνδε συμφορὰν στρατῷ
ἐλθεῖν κακῶν ῥέπουσαν ἐς τὰ μάσσονα. 440

Αγ. Περσῶν ὅσοιπερ ἦσαν ἀκμαῖοι φύσιν,
ψυχήν τ' ἄριστοι κεὐγένειαν ἐκπρεπεῖς,
αὐτῷ τ' ἄνακτι πίστιν ἐν πρώτοις ἀεί,
τεθνᾶσιν αἰσχρῶς δυσκλεεστάτῳ μόρῳ.

Βα. Οἴ 'γὼ τάλαινα συμφορᾶς κακῆς, φίλοι· 445
ποίῳ μόρῳ δὲ τούσδε φῂς ὀλωλέναι;

Αγ. Νῆσός τις ἔστι πρόσθε Σαλαμῖνος τόπων,
βαιά, δύσορμος ναυσίν, ἣν ὁ φιλόχορος
Πὰν ἐμβατεύει ποντίας ἀκτῆς ἔπι.
Ἐνταῦθα πέμπει τούσδ' ὅπως, ὅταν νεῶν 450
φθαρέντες ἐχθροὶ νῆσον ἐξοισοίατο,
κτείνειαν εὐχείρωτον Ἑλλήνων στρατόν,
φίλους δ' ὑπεκσῴζοιεν ἐναλίων πόρων,
κακῶς τὸ μέλλον ἱστορῶν· ὡς γὰρ θεὸς
ναῶν ἔδωκε κῦδος Ἕλλησιν μάχης, 455
αὐθημερὸν φράξαντες εὐχάλκοις δέμας
ὅπλοισι ναῶν ἐξέθρῳσκον· ἀμφὶ δὲ
κυκλοῦντο πᾶσαν νῆσον, ὥστ' ἀμηχανεῖν
ὅποι τράποιντο· πολλὰ μὲν γὰρ ἐκ χερῶν
πέτροισιν ἠράσσοντο, τοξικῆς τ' ἄπο 460
θώμιγγος ἰοὶ προσπίτνοντες ὤλλυσαν·
τέλος δ' ἐφορμηθέντες ἐξ ἑνὸς ῥόθου

golpeavam, espetavam, e a lamentação
clamorosa cobria a planície do mar,
até que o olho da noite negra removesse.
Tantos males, nem se por dez dias
eu os narrasse, não poderia contar todos. 430
Bem saibas que nunca num único dia
tão numerosa multidão de homens morreu

R. *Aiaî*! Um grande mar de males irrompeu
entre os persas e todas as nações bárbaras.

M. Bem saibas que não é nem metade do mal, 435
tão doloroso infortúnio lhes sobreveio
de modo a pesar na balança duas vezes mais.

R. Que sorte seria ainda pior do que esta?
Conta que infortúnio dizes ter ocorrido
ao exército com maior peso que os males? 440

M. Os persas que estavam no máximo vigor,
os mais corajosos e os mais nobres,
os que sempre foram os mais leais ao rei,
estão mortos de modo vil por morte infame.

R. Ai de mim! Que triste infortúnio, amigos! 445
Por que morte dizes que estão mortos?

M. Há uma ilha diante da região de Salamina,
pequena e pouco abordável. O amigo de coros
Pã passeia no seu promontório marinho.
Aí os enviou para que, se os náufragos 450
inimigos tentassem fugir para a ilha,
facilmente pudessem matar o exército grego,
e salvassem os amigos dos caminhos do mar,
a perscrutar mal o porvir, pois o Deus
deu aos gregos a vitória na batalha naval. 455
No mesmo dia, revestidos de brônzeas
armas, saltaram dos navios, e ao redor
cercaram toda a ilha, de modo a não haver
meio de escapar: por braços, com pedras,
foram muito atingidos, e das cordas 460
de arcos, flechas disparadas matavam;
por fim, avançando num só assalto,

παίουσι, κρεοκοποῦσι δυστήνων μέλη,
ἕως ἁπάντων ἐξαπέφθειραν βίον.
Ξέρξης δ' ἀνῴμωξεν κακῶν ὁρῶν βάθος· 465
ἕδραν γὰρ εἶχε παντὸς εὐαγῆ στρατοῦ,
ὑψηλὸν ὄχθον ἄγχι πελαγίας ἁλός·
ῥήξας δὲ πέπλους κἀνακωκύσας λιγύ,
πεζῷ παραγγείλας ἄφαρ στρατεύματι,
ἵησ' ἀκόσμῳ ξὺν φυγῇ. Τοιάνδε σοι 470
πρὸς τῇ πάροιθε συμφορὰν πάρα στένειν.

Βα. Ὦ στυγνὲ δαῖμον, ὡς ἄρ' ἔψευσας φρενῶν
Πέρσας· πικρὰν δὲ παῖς ἐμὸς τιμωρίαν
κλεινῶν Ἀθηνῶν ηὗρε, κοὐκ ἀπήρκεσαν
οὓς πρόσθε Μαραθὼν βαρβάρων ἀπώλεσεν· 475
ὧν ἀντίποινα παῖς ἐμὸς πράξειν δοκῶν
τοσόνδε πλῆθος πημάτων ἐπέσπασεν.
Σὺ δ' εἰπέ, ναῶν αἳ πεφεύγασιν μόρον,
ποῦ τάσδ' ἔλειπες· οἶσθα σημῆναι τορῶς;

Αγ. Ναῶν δὲ ταγοὶ τῶν λελειμμένων σύδην 480
κατ' οὖρον οὐκ εὔκοσμον αἴρονται φυγήν·
στρατὸς δ' ὁ λοιπὸς ἔν τε Βοιωτῶν χθονί
διώλλυθ', οἳ μὲν ἀμφὶ κρηναῖον γάνος
δίψῃ πονοῦντες, οἳ δ' ὑπ' ἄσθματος κενοί

. . . .

διεκπερῶμεν ἔς τε Φωκέων χθόνα 485
καὶ Δωρίδ' αἶαν, Μηλιᾶ τε κόλπον, οὗ
Σπερχειὸς ἄρδει πεδίον εὐμενεῖ ποτῷ.
Κἀντεῦθεν ἡμᾶς γῆς Ἀχαιΐδος πέδον
καὶ Θεσσαλῶν πόλεις ὑπεσπανισμένους
βορᾶς ἐδέξαντ'· ἔνθα δὴ πλεῖστοι θάνον 490
δίψῃ τε λιμῷ τ'· ἀμφότερα γὰρ ἦν τάδε.
Μαγνητικὴν δὲ γαῖαν ἔς τε Μακεδόνων
χώραν ἀφικόμεσθ', ἐπ' Ἀξίου πόρον,
Βόλβης θ' ἕλειον δόνακα, Πάγγαιόν τ' ὄρος,
Ἠδωνίδ' αἶαν. Νυκτὶ δ' ἐν ταύτῃ θεὸς 495
χειμῶν' ἄωρον ὦρσε, πήγνυσιν δὲ πᾶν
ῥέεθρον ἁγνοῦ Στρυμόνος· θεοὺς δέ τις
τὸ πρὶν νομίζων οὐδαμοῦ τότ' ηὔχετο

batem e picam em pedaços os infelizes,
até que acabaram com a vida de todos.
Xerxes lastima ao ver o fundo dos males, 465
pois de seu posto via bem todo o exército,
num alto monte perto da planície do mar.
Rasgou as vestes e lastimou em voz alta,
de repente fez conclamar a infantaria
e parte em fuga sem ordem. Tal infortúnio 470
além do anterior tu podes lamentar.

R. Ó hediondo Nume, ludibriaste os persas.
Meu filho descobriu vingança amarga
em ínclita Atenas, e não bastaram
os bárbaros que antes Maratona matou. 475
Crendo que cobrava reparação, meu filho
atraiu sobre si tão numerosos males.
Tu, diz: as naus que escaparam à morte,
onde as deixaste? Sabes dizer com clareza?

M. Os capitães dos navios sobreviventes põem-se 480
às pressas em fuga sem ordem com o vento.
O exército que ficou na terra dos beócios
pereceu, uns em busca de brilhante fonte
sofrendo sede, outros por falta de fôlego.

Atravessamos a terra dos foceus, 485
a Dórida e o o golfo Malíaco, onde
Esperquio rega planície com água benévola.
Doravante, o chão da terra acaia
e cidades tessálias acolhiam-nos com escassez
de pasto, aí é que a maioria morreu 490
de sede e de fome, pois ambas havia.
Chegamos à Magnésia, à Macedônia,
à região junto ao curso de Áxio,
ao caniçal pantanoso de Bolbe, ao monte Pangeu
e à terra edônia. Nessa noite, Deus 495
suscitou inverno precoce, congelou toda
corrente do santo Estrímon. Quem antes
não considerava os Deuses, então fez preces

λιταῖσι, γαῖαν οὐρανόν τε προσκυνῶν·
ἐπεὶ δὲ πολλὰ θεοκλυτῶν ἐπαύσατο 500
στρατός, περᾷ κρυσταλλοπῆγα διὰ πόρον·
χὤστις μὲν ἡμῶν, πρὶν σκεδασθῆναι θεοῦ
ἀκτῖνας, ὡρμήθη, σεσωσμένος κυρεῖ·
φλέγων γὰρ αὐγαῖς λαμπρὸς ἡλίου κύκλος
μέσον πόρον διῆκε θερμαίνων φλογί· 505
πῖπτον δ' ἐπ' ἀλλήλοισιν· εὐτυχὴς δέ τοι
ὅστις τάχιστα πνεῦμ' ἀπέρρηξεν βίου·
ὅσοι δὲ λοιποὶ κἄτυχον σωτηρίας,
Θρῄκην περάσαντες μόγις πολλῷ πόνῳ,
ἥκουσιν ἐκφυγόντες, οὐ πολλοί τινες, 510
ἐφ' ἑστιοῦχον γαῖαν, ὡς στένειν πόλιν
Περσῶν, ποθοῦσαν φιλτάτην ἥβην χθονός.
Ταῦτ' ἔστ' ἀληθῆ· πολλὰ δ' ἐκλείπω λέγων
κακῶν ἃ Πέρσαις ἐγκατέσκηψεν θεός.

Χο. Ὦ δυσπόνητε δαῖμον, ὡς ἄγαν βαρὺς 515
ποδοῖν ἐνήλου παντὶ Περσικῷ γένει.

Βα. Οἲ 'γὼ τάλαινα διαπεπραγμένου στρατοῦ·
ὦ νυκτὸς ὄψις ἐμφανὴς ἐνυπνίων,
ὡς κάρτα μοι σαφῶς ἐδήλωσας κακά.
Ὑμεῖς δὲ φαύλως αὔτ' ἄγαν ἐκρίνατε· 520
ὅμως δ', ἐπειδὴ τῇδ' ἐκύρωσεν φάτις
ὑμῶν, θεοῖς μὲν πρῶτον εὔξασθαι θέλω·
ἔπειτα γῇ τε καὶ φθιτοῖς δωρήματα
ἥξω λαβοῦσα πελανὸν ἐξ οἴκων ἐμῶν·
ἐπίσταμαι μὲν ὡς ἐπ' ἐξειργασμένοις, 525
ἀλλ' ἐς τὸ λοιπὸν εἴ τι δὴ λῷον πέλοι.
Ὑμᾶς δὲ χρὴ 'πὶ τοῖσδε τοῖς πεπραγμένοις
πιστοῖσι πιστὰ ξυμφέρειν βουλεύματα·
καὶ παῖδ', ἐάν περ δεῦρ' ἐμοῦ πρόσθεν μόλῃ,
παρηγορεῖτε, καὶ προπέμπετ' ἐς δόμους, 530
μὴ καί τι πρὸς κακοῖσι πρόσθηται κακόν.

súplices, prosternando-se à Terra e ao Céu.
Terminadas muitas invocações aos Deuses, 500
o exército vai por via de cristal de gelo.
Quem de nós passou antes de se espalharem
os raios de Deus, encontra-se salvo.
Ao arder com fulgor, o brilhante círculo do sol
penetra o meio da via aquecendo com chama: 505
caíam uns sobre os outros, e boa foi a sorte
de quem mais rápido perdeu o sopro de vida.
Quantos restaram e encontraram salvação
atravessaram a Trácia com muitas duras fadigas
e ao fim da fuga chegam, não muitos, 510
à terra de casa, de modo a chorar o país
persa de saudades da mocidade conterrânea.
Isto é verdadeiro, e ao contar, omiti muitos
males, que Deus inflingiu aos persas.

C. Ó dolorosíssimo Nume, com que força 515
assaltaste com os pés todo o povo persa.

R. Ai de mim! Mísera, destruído o exército!
Ó visão noturna, manifesta em sonho,
com que clareza me mostraste os males!
Vós, porém, muito mal interpretastes; 520
todavia, porque assim decidiu a palavra
vossa, primeiro suplicarei aos Deuses,
depois à Terra e aos finados dádivas
oferecerei, pélano trazido de casa.
Sei que se trata de fatos consumados, 525
mas para o porvir haja algo melhor.
Vós deveis, ao tratardes destes fatos,
conferir com os fiéis os fiéis conselhos.
E se meu filho aqui vier antes que eu,
consolai-o e conduzi-o ao palácio. 530
Não se acrescente nenhum mal aos males.

Χο. Ὦ Ζεῦ βασιλεῦ, νῦν ⟨γὰρ⟩ Περσῶν
τῶν μεγαλαύχων καὶ πολυάνδρων
στρατιὰν ὀλέσας ἄστυ τὸ Σούσων
ἠδ' Ἀγβατάνων 535
πένθει δνοφερῷ κατέκρυψας·
πολλαὶ δ' ἁπαλαῖς χερσὶ καλύπτρας
κατερεικόμεναι διαμυδαλέοις
δάκρυσι κόλπους
τέγγουσ' ἄλγους μετέχουσαι· 540
αἱ δ' ἁβρόγοοι Περσίδες ἀνδρῶν
ποθέουσαι ἰδεῖν ἀρτιζυγίαν,
λέκτρων εὐνὰς ἁβροχίτωνας,
χλιδανῆς ἥβης τέρψιν, ἀφεῖσαι,
πενθοῦσι γόοις ἀκορεστοτάτοις· 545
κἀγὼ δὲ μόρον τῶν οἰχομένων
αἴρω δοκίμως πολυπενθῆ.

Νῦν δὴ πρόπασα μὲν στένει Str. 1
γαῖ' Ἀσὶς ἐκκενουμένα·
Ξέρξης μὲν ἄγαγεν, ποποῖ, 550
Ξέρξης δ' ἀπώλεσεν, τοτοῖ,
Ξέρξης δὲ πάντ' ἐπέσπε δυσφρόνως
βάριδές τε πόντιαι.
Τίπτε Δαρεῖος μὲν οὔ-
τω τότ' ἀβλαβὴς ἐπῆν 555
τόξαρχος πολιήταις,
Σουσίδος φίλος ἄκτωρ;

Πεζούς τε καὶ θαλασσίους Ant. 1
ὁμόπτεροι κυανώπιδες
νᾶες μὲν ἄγαγον, ποποῖ, 560
νᾶες δ' ἀπώλεσαν, τοτοῖ,
νᾶες πανωλέθροισιν ἐμβολαῖς,
αἱ δ' Ἰαόνων χέρες.

PRIMEIRO ESTÁSIMO (532-597)

C. Ó Zeus rei, agora destruíste
o soberbo e copioso exército persa, e cobriste
a cidade de Susa
e de Ecbátana 535
com tenebroso luto.
Muitas pérseas de mãos suaves
rasgando véus, com mádidas
lágrimas umidecem
os seios, por seu lote de dor; 540
no frouxo pranto por maridos, pérseas
saudosas de recentes núpcias,
perdem leitos conjugais de suaves mantos,
volúpia de fausta mocidade,
e choram com insaciáveis gemidos. 545
Elevo a morte dos que se foram
com sincero severo luto.

Agora inteira pranteia EST. 1
a terra ásia, esvaziada.
Xerxes conduziu, *popoî*! 550
Xerxes destruiu, *totoî*!
Xerxes tudo levou, imprudente,
ele e as barcas marinhas.
Por que afinal Dario
foi tão incólume arqueiro 555
rei de seus concidadãos,
condutor querido de Susa?

Infantaria e marinha ANT. 1
num só voo de proa negra
navios conduziram, *popoî*! 560
Navios destruíram, *totoî*!
Navios com funestos aríetes
e os braços dos jônios.

Τυτθὰ δ᾽ ἐκφυγεῖν ἄνακτ᾽
αὐτὸν, ὡς ἀκούομεν, 565
Θρῄκης ἄμ πεδιήρεις
δυσχίμους τε κελεύθους.

Τοὶ δ᾽ ἄρα πρωτομόροιο, φεῦ, Str. 2
ληφθέντες πρὸς ἀνάγκας, ἠέ,
ἀκτὰς ἀμφὶ Κυχρείας, ὀᾶ, 570
⟨δινοῦνται·⟩ στένε καὶ δακνά-
ζου, βαρὺ δ᾽ ἀμβόασον
οὐράνι᾽ ἄχη, ὀᾶ ⟨ὀᾶ⟩,
τεῖνε δὲ δυσβάϋκτον
βοᾶτιν τάλαιναν αὐδάν. 575

Γναπτόμενοι δ᾽ ἁλὶ δεινά, φεῦ, Ant. 2
σκύλλονται πρὸς ἀναύδων, ἠέ,
παίδων τᾶς ἀμιάντου, ὀᾶ·
πενθεῖ δ᾽ ἄνδρα δόμος στερη-
θείς· τοκέες δ᾽ ἄπαιδες 580
δαιμόνι᾽ ἄχη, ὀᾶ ⟨ὀᾶ⟩,
δυρόμενοι γέροντες
τὸ πᾶν δὴ κλύουσιν ἄλγος.

Τοὶ δ᾽ ἀνὰ γᾶν Ἀσίαν δὴν Str. 3
οὐκέτι περσονομοῦνται, 585
οὐκέτι δασμοφοροῦσιν
δεσποσύνοισιν ἀνάγκαις,
οὐδ᾽ ἐς γᾶν προπίτνοντες
ἄρξονται· βασιλεία
γὰρ διόλωλεν ἰσχύς. 590

Οὐδ᾽ ἔτι γλῶσσα βροτοῖσιν Ant. 3
ἐν φυλακαῖς· λέλυται γὰρ
λαὸς ἐλεύθερα βάζειν,

Por pouco escapou o rei
mesmo, ao que ouvimos, 565
pelas planícies da Trácia
e por tempestuosos caminhos.

Os que primeiro morreram — *pheû*! — EST. 2
colhidos por coerção — *eé*! —
nos pontais de Cicreu — *oâ*! — 570
rodopiam. Geme e lacera,
grita grave
dores ao céu, *oâ*! *Oâ*!
Prolonga a uivada
mísera voz clamorosa. 575

Batidos por mar terrível — *pheû*! — ANT.2
são lacerados pelos mudos — *eé*! —
filhos do mar impoluto — *oâ*! —
A casa pranteia o falecido,
e os pais sem filhos, 580
numinosas dores, *oâ*! *Oâ*!
Com lástima, anciãos
conhecem toda a dor.

Os asiáticos não por muito mais EST. 3
estarão sob a lei dos persas, 585
nem mais pagarão tributo
por despóticas coerções,
nem prosternados por terra
obedecerão. O poder
do rei pereceu. 590

Não mais a língua dos mortais ANT. 3
terá guarda, pois está solto
o povo para livre falar,

ὡς ἐλύθη ζυγὸν ἀλκᾶς·
αἱμαχθεῖσα δ' ἄρουραν 595
Αἴαντος περικλύστα
νᾶσος ἔχει τὰ Περσῶν.

Βα. Φίλοι, κακῶν μὲν ὅστις ἔμπειρος κυρεῖ
ἐπίσταται βροτοῖσιν ὡς ὅταν κλύδων
κακῶν ἐπέλθῃ, πάντα δειμαίνειν φιλεῖ· 600
ὅταν δ' ὁ δαίμων εὐροῇ, πεποιθέναι
τὸν αὐτὸν αἰεὶ δαίμον' οὐριεῖν τύχης.
Ἐμοὶ γὰρ ἤδη πάντα μὲν φόβου πλέα·
ἐν ὄμμασιν τἀνταῖα φαίνεται θεῶν,
βοᾷ δ' ἐν ὠσὶ κέλαδος οὐ παιώνιος· 605
τοία κακῶν ἔκπληξις ἐκφοβεῖ φρένας.
Τοιγὰρ κέλευθον τήνδ' ἄνευ τ' ὀχημάτων
χλιδῆς τε τῆς πάροιθεν ἐκ δόμων πάλιν
ἔστειλα, παιδὸς πατρὶ πρευμενεῖς χοάς
φέρουσ', ἅπερ νεκροῖσι μειλικτήρια, 610
βοός τ' ἀφ' ἁγνῆς λευκὸν εὔποτον γάλα,
τῆς τ' ἀνθεμουργοῦ στάγμα, παμφαὲς μέλι,
λιβάσιν ὑδρηλαῖς παρθένου πηγῆς μέτα,
ἀκήρατόν τε μητρὸς ἀγρίας ἄπο
ποτὸν παλαιᾶς ἀμπέλου γάνος τόδε· 615
τῆς τ' αἰὲν ἐν φύλλοισι θαλλούσης βίον
ξανθῆς ἐλάας καρπὸς εὐώδης πάρα,
ἄνθη τε πλεκτά, παμφόρου γαίας τέκνα.
Ἀλλ', ὦ φίλοι, χοαῖσι ταῖσδε νερτέρων
ὕμνους ἐπευφημεῖτε, τόν τε δαίμονα 620
Δαρεῖον ἀνακαλεῖσθε, γαπότους δ' ἐγώ
τιμὰς προπέμψω τάσδε νερτέροις θεοῖς.

quando solto o jugo da força.
Nos campos sangrentos, 595
a circúnflua ilha de Ájax
mantém os despojos persas.

SEGUNDO EPISÓDIO (598-622)

R. Amigos, quem se acha experiente de males
sabe que, entre mortais, quando a onda
de males sobrevém, tende-se a temer tudo. 600
Quando o Nume flui bem, a confiar que
sempre o mesmo Nume soprará por sorte.
Para mim, já tudo está cheio de pavor,
mostram-se aos olhos os reveses dos Deuses,
grita aos ouvidos o clamor não de peãs, 605
tal golpe de males apavora o espírito.
Por isso, fiz este percurso, de volta
do palácio, sem carro nem luxo de antes,
trazendo ao pai de meu filho libações
propiciantes, que aos mortos são lenientes: 610
alvo potável leite, de consagrada novilha,
e destilado por flórea operária, fúlgido mel,
com gotas de água de virgínea fonte,
e sem mescla, vindo de mãe silvestre,
este potável licor de vetusta videira, 615
e proveniente da sempre frondosa
loira oliveira o oloroso azeite,
e flores trançadas, filhas de terra fértil,
Eia, amigos! Com estas libações, aos ínferos
entoai propícios hinos, e invocai o Nume 620
Dario, eu encaminharei estas honras,
poção da terra, aos ínferos Deuses.

Χο. Βασίλεια γύναι, πρέσβος Πέρσαις,
σύ τε πέμπε χοὰς θαλάμους ὑπὸ γῆς,
ἡμεῖς δ' ὕμνοις αἰτησόμεθα 625
φθιμένων πομποὺς
εὔφρονας εἶναι κατὰ γαίας.
Ἀλλά, χθόνιοι δαίμονες ἁγνοί,
Γῆ τε καὶ Ἑρμῆ, βασιλεῦ τ' ἐνέρων,
πέμψατ' ἔνερθεν ψυχὴν ἐς φῶς· 630
εἰ γάρ τι κακῶν ἄκος οἶδε πλέον,
μόνος ἂν θνητῶν πέρας εἴποι.

Ἦ ῥ' ἀΐει μου μακαρί- Str. 1
τας ἰσοδαίμων βασιλεὺς
βάρβαρα σαφηνῆ
ἱέντος τὰ παναίολ' αἰ-
ανῆ δύσθροα βάγματα; 635
παντάλαν' ἄχη διαβοάσω·
νέρθεν ἆρα κλύει μου;

Ἀλλὰ σύ μοι Γᾶ τε καὶ ἄλ- Ant. 1
λοι χθονίων ἁγεμόνες 640
δαίμονα μεγαυχῆ
ἰόντ' αἰνέσατ' ἐκ δόμων,
Περσᾶν Σουσιγενῆ θεόν·
πέμπετε δ' ἄνω οἷον οὔπω 645
Περσὶς αἶ' ἐκάλυψεν.

Ἦ φίλος ἀνήρ, φίλος ὄ- Str. 2
χθος··φίλα γὰρ κέκευθεν ἤθη.
Ἀϊδωνεὺς δ' ἀναπομ-
πὸς ἀνείης, Ἀϊδωνεύς, 650
οἷον ἀνάκτορα Δαριᾶνα· ἠέ.

SEGUNDO ESTÁSIMO (623-680)

C. Rainha veneranda dos persas,
tu, envia libações a tálamos sob a terra,
nós, com hinos, pediremos — 625
aos guias dos finados
sejam benévolos sob a terra.
Eia, santos Numes ctônios,
Terra e Hermes, e o rei dos ínferos,
enviai dos ínferos a alma à luz. — 630
Se ainda sabe um remédio de males,
só ele dos mortais diria o termo.

Ouve-me o venturoso — EST. 1
Rei igual a Nume
falar em clara língua bárbara
esta vária, lúgubre
e díssona lástima? — 635
Gritarei toda a mísera dor.
Ouve-me nos ínferos?

Eia, tu, ó Terra e outros — ANT. 1
condutores dos ctônios, — 640
permiti vós: de vosso palácio
venha o Nume grandíloquo,
Deus dos persas nascido em Susa.
Enviai para cima como não ainda — 645
a terra pérsia cobriu.

Querido varão, querido — EST. 2
sepulcro, pois cobre querida têmpera.
Ó Edoneu, recondutor,
reconduzisses, ó Edoneu, — 650
somente o rei Dario, *eé*!

Οὔτι γὰρ ἄνδρας ποτ' ἀπώλ- Ant. 2
λυ πολεμοφθόροισιν ἄταις,
θεομήστωρ δ' ἐκικλή-
σκετο Πέρσαις, θεομήστωρ δ' 655
ἔσκεν, ἐπεὶ στρατὸν εὖ ποδούχει· ἠέ.

Βαλὴν ἀρχαῖος, βαλήν, ἴθ' ἴθ' ἱκοῦ· Str. 3
τόνδ' ἐπ' ἄκρον κόρυμβον ὄχθου,
κροκόβαπτον ποδὸς εὔμαριν ἀείρων, 660
βασιλείου τιήρας
φάλαρον πιφαύσκων·
βάσκε πάτερ ἄκακε Δαριάν, οἴ.

ὅπως καινά τε κλύῃς νέα τ' ἄχη· Ant. 3
δέσποτα δεσπότου φάνηθι. 666
Στυγία γάρ τις ἐπ' ἀχλὺς πεπόταται·
νεολαία γὰρ ἤδη
κατὰ πᾶσ' ὄλωλεν· 670
βάσκε πάτερ ἄκακε Δαριάν, οἴ.

Αἰαῖ αἰαῖ· Epod
ὦ πολύκλαυτε φίλοισι θανών,
† τί τάδε, δυνάτα δυνάτα 675
περὶ τᾷ σᾷ δίδυμα διαγόεν ἁμάρτια
πᾶσᾳ γᾷ τᾷδ' †
ἐξέφθινται τρίσκαλμοι
νᾶες ἄναες ἄναες. 680

ΕΙΔΩΛΟΝ ΔΑΡΕΙΟΥ

Ὦ πιστὰ πιστῶν ἥλικές θ' ἥβης ἐμῆς
Πέρσαι γεραιοί, τίνα πόλις πονεῖ πόνον;
στένει, κέκοπται, καὶ χαράσσεται πέδον·
λεύσσων δ' ἄκοιτιν τὴν ἐμὴν τάφου πέλας
ταρβῶ, χοὰς δὲ πρευμενὴς ἐδεξάμην. 685

Nunca perdeu varões | ANT.2
por belimortíferas erronias.
Conselheiro divino se dizia
dos persas, e conselheiro divino 655
era, que bem guiava exército, *eé*!

Senhor, antigo senhor, vem, vem, vem EST.3
a esta alta crista do sepulcro,
movendo no pé açafroada sandália, 660
mostrando o adorno
da régia tiara.
Vem, ó pai sem-mal Dario, *oî*!

Para ouvires notícias e novas dores, ANT.3
ó senhor do senhor, mostra-te. 666
Horrendo um nevoeiro sobrevoa.
A nova grei já
pereceu toda. 670
Vem, ó pai sem-mal Dario, *oî*!

Aiaî aiaî! EPODO
Ó morto muito pranteado por amigos!
Por que isto, ó rei, ó rei? 675
....
....
Destruídas estão as trirremes
naus sem naus nem naus. 680

TERCEIRO EPISÓDIO (681-851)

D. Ó fiéis de fiéis, coetâneos de minha juventude,
anciãos persas, por que dor o país padece,
geme, golpeia, e faz uma fenda no chão?
Ao ver minha esposa perto do sepulcro,
temo; recebi de bom grado as libações. 685

	Ὑμεῖς δὲ θρηνεῖτ' ἐγγὺς ἑστῶτες τάφου	
	καὶ ψυχαγωγοῖς ὀρθιάζοντες γόοις	
	οἰκτρῶς καλεῖσθέ μ'· ἐστὶ δ' οὐκ εὐέξοδον,	
	ἄλλως τε πάντως χοἰ κατὰ χθονὸς θεοί	
	λαβεῖν ἀμείνους εἰσὶν ἢ μεθιέναι·	690
	ὅμως δ' ἐκείνοις ἐνδυναστεύσας ἐγώ	
	ἥκω· τάχυνε δ', ὡς ἄμεμπτος ὦ χρόνου·	
	τί ἐστὶ Πέρσαις νεοχμὸν ἐμβριθὲς κακόν;	
Χο.	Σέβομαι μὲν προσιδέσθαι,	Str
	σέβομαι δ' ἀντία λέξαι	695
	σέθεν ἀρχαίῳ περὶ τάρβει.	
Δα.	Ἀλλ' ἐπεὶ κάτωθεν ἦλθον σοῖς γόοις πεπεισμένος,	
	μή τι μακιστῆρα μῦθον, ἀλλὰ σύντομον λέγων	
	εἰπὲ καὶ πέραινε πάντα τὴν ἐμὴν αἰδῶ μεθείς.	699
Χο.	Δίεμαι μὲν χαρίσασθαι,	Ant
	δίεμαι δ' ἀντία φάσθαι	
	λέξας δύσλεκτα φίλοισιν.	
Δα.	Ἀλλ' ἐπεὶ δέος παλαιὸν σοὶ φρενῶν ἀνθίσταται,	
	τῶν ἐμῶν λέκτρων γεραιὰ ξύννομ', εὐγενὲς γύναι,	
	κλαυμάτων λήξασα τῶνδε καὶ γόων σαφές τί μοι	705
	λέξον· ἀνθρώπεια δ' ἄν τοι πήματ' ἂν τύχοι βροτοῖς·	
	πολλὰ μὲν γὰρ ἐκ θαλάσσης, πολλὰ δ' ἐκ χέρσου κακὰ	
	γίγνεται θνητοῖς, ὁ μάσσων βίοτος ἢν ταθῇ πρόσω.	
Βα.	Ὦ βροτῶν πάντων ὑπερσχὼν ὄλβον εὐτυχεῖ πότμῳ,	
	ὡς, ἕως τ' ἔλευσσες αὐγὰς ἡλίου, ζηλωτὸς ὤν	710
	βίοτον εὐαίωνα Πέρσαις ὡς θεὸς διήγαγες,	
	νῦν τέ σε ζηλῶ θανόντα, πρὶν κακῶν ἰδεῖν βάθος·	
	πάντα γάρ, Δαρεῖ', ἀκούσῃ μῦθον ἐν βραχεῖ λόγῳ·	
	διαπεπόρθηται τὰ Περσῶν πράγμαθ', ὡς εἰπεῖν ἔπος.	
Δα.	Τίνι τρόπῳ; λοιμοῦ τις ἦλθε σκηπτὸς, ἢ στάσις πόλει;	715
Βα.	Οὐδαμῶς· ἀλλ' ἀμφ' Ἀθήνας πᾶς κατέφθαρται στρατός.	
Δα.	Τίς δ' ἐμῶν ἐκεῖσε παίδων ἐστρατηλάτει; φράσον.	
Βα.	Θούριος Ξέρξης, κενώσας πᾶσαν ἠπείρου πλάκα.	
Δα.	Πεζὸς ἢ ναύτης δὲ πεῖραν τήνδ' ἐμώρανεν τάλας;	
Βα.	Ἀμφότερα· διπλοῦν μέτωπον ἦν δυοῖν στρατευμάτοιν.	720
Δα.	Πῶς δὲ καὶ στρατὸς τοσόσδε πεζὸς ἤνυσεν περᾶν;	
Βα.	Μηχαναῖς ἔζευξεν Ἕλλης πορθμόν, ὥστ' ἔχειν πόρον.	

Vós carpis o pranto de pé junto ao sepulcro,
e com altos gemidos condutores de alma
em prantos me invocais. A saída não é fácil,
tanto mais que os subterrâneos Deuses
são mais propensos a pegar que a largar. 690
Todavia, por meu poder junto àqueles,
venho. Apressa-te, não me reprovem demora!
Qual é entre os persas o novo grave mal?

C. Venero, ao contemplar-te. EST.
Venero, ao falar defronte 695
de ti, por um prístino temor.

D. Mas já que dos ínferos vim persuadido por teus ais,
sem alongar a fala, mas com palavra concisa,
diz e conclui, despedido todo temor de mim. 699

C. Temo, ao condescender. ANT.
Temo, ao falar defronte,
por dizer desditas dos nossos.

D. Mas já que velho temor antecipa-se a teu espírito,
ó nobre mulher, anciã companheira de meu leito,
sem choro nem gemidos, diz-me algo claro. 705
Humanas dores seria a sorte dos mortais.
Muitos males há no mar, muitos em terra
há aos mortais, se a longa vida se prolonga.

R. Tu, dos mortais todos o mais próspero por feliz sorte,
enquanto viste a luz do sol, de modo invejável 710
viveste longeva vida como Deus entre os persas.
Agora te invejo, morto antes de ver o fundo de males.
Ó Dario, ouvirás dizer tudo com breve palavra:
perdeu-se o poder dos persas, por assim dizer.

D. Como? Houve surto de peste, ou sedição no país? 715

R. Não, mas todo o exército foi destruído por Atenas.

D. Qual de meus filhos levou exército para lá? Diz-me!

R. Xerxes impetuoso, a desabitar o continente todo.

D. Por terra ou por mar tentou isso o tolo infeliz?

R. Por ambos, duplo exército tinha dupla frente. 720

D. Como tamanha infantaria conseguiu a travessia?

R. Com artes jungiu o Helesponto de modo a passar.

Δα. Καὶ τόδ' ἐξέπραξεν, ὥστε Βόσπορον κλῇσαι μέγαν;
Βα. Ὧδ' ἔχει· γνώμης δέ πού τις δαιμόνων ξυνήψατο.
Δα. Φεῦ, μέγας τις ἦλθε δαίμων, ὥστε μὴ φρονεῖν καλῶς. 725
Βα. Ὡς ἰδεῖν τέλος πάρεστιν οἷον ἤνυσεν κακόν.
Δα. Καὶ τί δὴ πράξασιν αὐτοῖς ὧδ' ἐπιστενάζετε;
Βα. Ναυτικὸς στρατὸς κακωθεὶς πεζὸν ὤλεσε στρατόν.
Δα. Ὧδε παμπήδην δὲ λαὸς πᾶς κατέφθαρται δορί;
Βα. Πρὸς τάδ' ὡς Σούσων μὲν ἄστυ πᾶν κενανδρίαν στένει — 730
Δα. Ὢ πόποι κεδνῆς ἀρωγῆς κἀπικουρίας στρατοῦ.
Βα. Βακτρίων δ' ἔρρει πανώλης δῆμος, οὐδ' ἔσται γέρων —
Δα. Ὢ μέλεος, οἵαν ἄρ' ἥβην ξυμμάχων ἀπώλεσεν.
Βα. Μονάδα δὲ Ξέρξην ἔρημόν φασιν οὐ πολλῶν μέτα —
Δα. Πῶς τε δὴ καὶ ποῖ τελευτᾶν; ἔστι τις σωτηρία; 735
Βα. Ἄσμενον μολεῖν γέφυραν γαῖν δυοῖν ζευκτηρίαν —
Δα. Καὶ πρὸς ἤπειρον σεσῶσθαι τήνδε, τοῦτ' ἐτήτυμον;
Βα. Ναί· λόγος κρατεῖ σαφηνὴς τοῦτό γ', οὐδ' ἔνι στάσις.
Δα. Φεῦ, ταχεῖά γ' ἦλθε χρησμῶν πρᾶξις, ἐς δὲ παῖδ' ἐμὸν
Ζεὺς ἀπέσκηψεν τελευτὴν θεσφάτων· ἐγὼ δέ που 740
διὰ μακροῦ χρόνου τάδ' ηὔχουν ἐκτελευτήσειν θεούς·
ἀλλ' ὅταν σπεύδῃ τις αὐτός, χὠ θεὸς συνάπτεται·
νῦν κακῶν ἔοικε πηγὴ πᾶσιν ηὑρῆσθαι φίλοις,
παῖς δ' ἐμὸς τάδ' οὐ κατειδὼς ἤνυσεν νέῳ θράσει·
ὅστις Ἑλλήσποντον ἱρὸν δοῦλον ὣς δεσμώμασιν 745
ἤλπισε σχήσειν ῥέοντα, Βόσπορον ῥόον θεοῦ,
καὶ πόρον μετερρύθμιζε, καὶ πέδαις σφυρηλάτοις
περιβαλὼν πολλὴν κέλευθον ἤνυσεν πολλῷ στρατῷ·
θνητὸς ὢν θεῶν τε πάντων ᾤετ' οὐκ εὐβουλίᾳ
καὶ Ποσειδῶνος κρατήσειν· πῶς τάδ' οὐ νόσος φρενῶν 750
εἶχε παῖδ' ἐμόν; δέδοικα μὴ πολὺς πλούτου πόνος
οὑμὸς ἀνθρώποις γένηται τοῦ φθάσαντος ἁρπαγή.
Βα. Ταῦτά τοῖς κακοῖς ὁμιλῶν ἀνδράσιν διδάσκεται
θούριος Ξέρξης· λέγουσι δ' ὡς σὺ μὲν μέγαν τέκνοις
πλοῦτον ἐκτήσω σὺν αἰχμῇ, τὸν δ' ἀνανδρίας ὕπο 755
ἔνδον αἰχμάζειν, πατρῷον δ' ὄλβον οὐδὲν αὐξάνειν·
τοιάδ' ἐξ ἀνδρῶν ὀνείδη πολλάκις κλύων κακῶν
τήνδ' ἐβούλευσεν κέλευθον καὶ στράτευμ' ἐφ' Ἑλλάδα.
Δα. Τοιγάρ σφιν ἔργον ἐστὶν ἐξειργασμένον

D. Assim fez de modo a fechar o grande Bósforo?
R. Assim é, nesse entendimento um Nume ajudou.
D. *Pheû*! Veio grande Nume, de modo a não pensar bem. 725
R. De modo que por fim se pode ver como se deu mal.
D. Por que nessas circunstâncias assim gemeis?
R. A ruína da marinha destruiu a infantaria.
D. Tão totalmente o povo todo sucumbiu à lança?
R. Por isso, toda a cidade de Susa chora a viuvez. 730
D. *Ô pópoi*! Bravo auxílio e socorro de exército!
R. Mortos todos os báctrios, ninguém será velho.
D. Ó mísero, que juventude aliada ele destruiu!
R. Somente Xerxes sozinho, dizem, com não muitos...
D. Como e onde terminou? Há uma salvação? 735
R. Ele chegou bem à ponte jugo das duas terras...
D. E nesse continente está salvo, isso é verdade?
R. Sim, palavra clara confirma isso; não há sedição.
D. *Pheû*! Veio veloz o ato de oráculos, a meu filho
Zeus incumbiu cumprir ditas divinas; eu, porém, 740
cria que os Deuses as cobrariam em longo tempo,
mas quando por si se apressa, Deus ainda ajuda.
Agora a fonte de males aparece a todos os nossos.
Meu filho sem saber as cumpriu com nova audácia.
Quem esperou prender o fluxo do sacro Helesponto, 745
como escravo em cadeias, fluente Bósforo de Deus,
e transmutou em passagem, e com peias compactas
compôs e conseguiu vasta via para vasto exército.
Mortal, supôs não com prudência que superaria
Posídon e todos os Deuses. Esta doença da mente 750
não dominou meu filho? Temo que vasta riqueza custosa
a minha entre os homens seja presa de quem se apresse.
R. Convivendo com homens maus, o impetuoso Xerxes
aprendeu isso. Dizem que ganhaste grande riqueza
para teus filhos com guerra, mas que ele sem coragem 755
guerreia em casa e não aumenta a opulência paterna.
Por ouvir muitas vezes tais invenctivas dos maus,
meditou esta marcha e expedição contra a Grécia.
D. Assim é que a sua proeza está perfeita,

μέγιστον, ἀείμνηστον, οἷον οὐδέπω 760
τόδ' ἄστυ Σούσων ἐξεκείνωσεν πεσόν,
ἐξ οὗτε τιμὴν Ζεὺς ἄναξ τήνδ' ὤπασεν,
ἕν' ἄνδρ' ἁπάσης Ἀσίδος μηλοτρόφου
ταγεῖν, ἔχοντα σκῆπτρον εὐθυντήριον.
Μῆδος γὰρ ἦν ὁ πρῶτος ἡγεμὼν στρατοῦ· 765
ἄλλος δ' ἐκείνου παῖς τόδ' ἔργον ἤνυσεν·
φρένες γὰρ αὐτοῦ θυμὸν ᾠακοστρόφουν.
Τρίτος δ' ἀπ' αὐτοῦ Κῦρος, εὐδαίμων ἀνήρ,
ἄρξας ἔθηκε πᾶσιν εἰρήνην φίλοις·
Λυδῶν δὲ λαὸν καὶ Φρυγῶν ἐκτήσατο, 770
Ἰωνίαν τε πᾶσαν ἤλασεν βίᾳ·
θεὸς γὰρ οὐκ ἤχθηρεν, ὡς εὔφρων ἔφυ.
Κύρου δὲ παῖς τέταρτος ἴθυνε στρατόν.
Πέμπτος δὲ Μάρδις ἦρξεν, αἰσχύνη πάτρᾳ
θρόνοισί τ' ἀρχαίοισι· τὸν δὲ σὺν δόλῳ 775
Ἀρταφρένης ἔκτεινεν ἐσθλὸς ἐν δόμοις,
ξὺν ἀνδράσιν φίλοισιν οἷς τόδ' ἦν χρέος· 777
κἀγὼ πάλου τ' ἔκυρσα τοῦπερ ἤθελον 779
κἀπεστράτευσα πολλὰ σὺν πολλῷ στρατῷ· 780
ἀλλ' οὐ κακὸν τοσόνδε προσέβαλον πόλει.
Ξέρξης δ' ἐμὸς παῖς ὢν νέος νέα φρονεῖ
κοὐ μνημονεύει τὰς ἐμὰς ἐπιστολάς·
εὖ γὰρ σαφῶς τόδ' ἴστ', ἐμοὶ ξυνήλικες,
ἅπαντες ἡμεῖς οἳ κράτη τάδ' ἔσχομεν 785
οὐκ ἂν φανεῖμεν πήματ' ἔρξαντες τόσα.

Χο. Τί οὖν; ἄναξ Δαρεῖε, ποῖ καταστρέφεις
λόγων τελευτήν; πῶς ἂν ἐκ τούτων ἔτι
πράσσοιμεν ὡς ἄριστα Περσικὸς λεώς;

Δα. Εἰ μὴ στρατεύοισθ' ἐς τὸν Ἑλλήνων τόπον, 790
μηδ' εἰ στράτευμα πλεῖον ᾖ τὸ Μηδικόν·
αὐτὴ γὰρ ἡ γῆ ξύμμαχος κείνοις πέλει.

Χο. Πῶς τοῦτ' ἔλεξας; τίνι τρόπῳ δὲ συμμαχεῖ;

Δα. Κτείνουσα λιμῷ τοὺς ὑπερπόλλους ἄγαν.

Χο. Ἀλλ' εὐσταλῆ τοι λεκτὸν ἀροῦμεν στόλον. 795

Δα. Ἀλλ' οὐδ' ὁ μείνας νῦν ἐν Ἑλλάδος τόποις
στρατὸς κυρήσει νοστίμου σωτηρίας.

máxima, sempre lembrada, como não ainda 760
por queda desabitou a cidade de Susa,
desde que Zeus rei outorgou esta honra:
um só varão ser rei de toda a Ásia nutre-ovelha,
como senhor de cetro a que se prestam contas.
Medos foi o primeiro condutor do exército, 765
depois dele o filho conseguiu essa proeza,
pois o espírito era o piloto de seu ânimo.
Terceiro, então, Ciro, varão de bom nume,
no poder trouxe paz a todos os nossos,
conquistou o povo lídio e frígio, 770
e submeteu toda a Jônia com violência;
Deus não era hostil, porque foi prudente.
Quarto, o filho de Ciro guiou o exército.
Quinto, Márdis foi rei, vergonha da pátria
e de tronos prístinos; e com fraude 775
Artafrenes o nobre matou-o no palácio,
com varões amigos, a quem isso era útil. 777
Eu então logrei a sorte tal qual a quis, 779
e fiz vastas expedições com vasto exército: 780
mas não lancei tamanho mal sobre o país.
Xerxes, meu filho, novo, pensa novidades
e não se lembra de minhas instruções.
Sabei disto bem claro, ó meus coetâneos:
todos nós que detivemos estes poderes 785
não pareceríamos ter feito tantas dores.

C. E agora? Ó rei Dario, aonde remontas
o termo de falas? Como depois ainda
estaríamos o mais bem, o povo persa?

D. Se não atacásseis o território dos gregos, 790
se o exército persa não fosse tão grande,
pois a terra mesma se torna aliada deles.

C. Como disseste? Como se torna aliada?

D. Matando de fome os numerosos demais.

C. Mas faremos seleta bem munida expedição. 795

D. Mas nem o exército, que hoje restou
na Grécia, logrará regressária salvação.

Χο. Πῶς εἶπας; οὐ γὰρ πᾶν στράτευμα βαρβάρων
περᾷ τὸν Ἕλλης πορθμὸν Εὐρώπης ἄπο;

Δα. Παῦροί γε πολλῶν, εἴ τι πιστεῦσαι θεῶν 800
χρὴ θεσφάτοισιν, ἐς τὰ νῦν πεπραγμένα
βλέψαντα· συμβαίνει γὰρ οὐ τὰ μέν, τὰ δ' οὔ·
κεἴπερ τάδ' ἐστί, πλῆθος ἔκκριτον στρατοῦ
λείπει κεναῖσιν ἐλπίσιν πεπεισμένος.
Μίμνουσι δ' ἔνθα πεδίον Ἀσωπὸς ῥοαῖς 805
ἄρδει, φίλον πίασμα Βοιωτῶν χθονί·
οὗ σφιν κακῶν ὕψιστ' ἐπαμμένει παθεῖν,
ὕβρεως ἄποινα κἀθέων φρονημάτων·
οἳ γῆν μολόντες Ἑλλάδ' οὐ θεῶν βρέτη
ᾐδοῦντο συλᾶν οὐδὲ πιμπράναι νεώς· 810
βωμοὶ δ' ἄιστοι, δαιμόνων θ' ἱδρύματα
πρόρριζα φύρδην ἐξανέστραπται βάθρων.
Τοιγὰρ κακῶς δράσαντες οὐκ ἐλάσσονα
πάσχουσι, τὰ δὲ μέλλουσι, κοὐδέπω κακῶν
κρηπὶς ὕπεστιν, ἀλλ' ἔτ' ἐκπαιδεύεται· 815
τόσος γὰρ ἔσται πελανὸς αἱματοσφαγὴς
πρὸς γῇ Πλαταιῶν Δωρίδος λόγχης ὕπο·
θῖνες νεκρῶν δὲ καὶ τριτοσπόρῳ γονῇ
ἄφωνα σημανοῦσιν ὄμμασιν βροτῶν
ὡς οὐχ ὑπέρφευ θνητὸν ὄντα χρὴ φρονεῖν· 820
ὕβρις γὰρ ἐξανθοῦσ' ἐκάρπωσε στάχυν
ἄτης, ὅθεν πάγκλαυτον ἐξαμᾷ θέρος.
Τοιαῦθ' ὁρῶντες τῶνδε τἀπιτίμια
μέμνησθ' Ἀθηνῶν Ἑλλάδος τε, μηδέ τις
ὑπερφρονήσας τὸν παρόντα δαίμονα 825
ἄλλων ἐρασθεὶς ὄλβον ἐκχέῃ μέγαν·
Ζεύς τοι κολαστὴς τῶν ὑπερκόμπων ἄγαν
φρονημάτων ἔπεστιν, εὔθυνος βαρύς.
Πρὸς ταῦτ' ἐκεῖνον σωφρονεῖν κεχρημένον
πινύσκετ' εὐλόγοισι νουθετήμασιν, 830
λῆξαι θεοβλαβοῦνθ' ὑπερκόμπῳ θράσει.
Σὺ δ', ὦ γεραιὰ μῆτερ ἡ Ξέρξου φίλη,
ἐλθοῦσ' ἐς οἴκους κόσμον ὅστις εὐπρεπὴς
λαβοῦσ' ὑπαντίαζε παιδί· πάντα γὰρ

C. Como disseste? Não todo o exército persa
ultrapassa o Helesponto, vindo de Europa?
D. Poucos dentre muitos, se convém confiar 800
em oráculos de Deuses, ao ver a situação
presente, pois vêm não ora sim ora não.
Se é assim, persuadido por vãs esperanças,
ele abandona seleta facção do exército.
Permanecem onde Asopo rega planície 805
com águas, gordura grata ao chão beócio,
onde lhes resta sofrer máximos males,
paga de soberbia e de planos sem Deus.
Ao chegar à Grécia, não temiam pilhar
imagens de Deuses, nem queimar templos; 810
e desaparecem altares e estátuas de Numes,
arrancadas a esmo, reviradas dos pedestais.
Por seu mal feito, sofrem não menores
males, e sofrerão; não se tocou ainda
o fundo dos males, mas ainda evolui, 815
tão grande será a libação de sangue
no chão de Plateia, sob a dórica lança.
Pilhas de mortos, até a terceira geração,
sem voz falarão aos olhos dos mortais
que mortal não deve ter soberbo pensar. 820
A soberbia, ao florescer, produz a espiga
de erronia, cuja safra toda será de lágrimas.
Quando estes se veem assim punidos,
lembrai-vos de Atenas e Grécia; ninguém,
por desprezo ao seu presente Nume, 825
por querer outros, verta grande opulência.
Zeus punitivo vigia os demasiado
soberbos pensamentos, severo juiz.
Portanto, com bons conselhos inspirai
àquele carente de prudência que cesse 830
de ofender a Deus com soberba audácia.
Tu, ó anciã, querida mãe de Xerxes,
vá ao palácio, escolhe vestes convenientes
e vá ao encontro do filho; pois sob a dor

κακῶν ὑπ᾽ ἄλγους λακίδες ἀμφὶ σώματι 835
στημορραγοῦσι ποικίλων ἐσθημάτων·
ἀλλ᾽ αὐτὸν εὐφρόνως σὺ πράϋνον λόγοις·
μόνης γάρ, οἶδα, σοῦ κλύων ἀνέξεται.
Ἐγὼ δ᾽ ἄπειμι γῆς ὑπὸ ζόφον κάτω·
ὑμεῖς δέ, πρέσβεις, χαίρετ᾽, ἐν κακοῖς ὅμως 840
ψυχῇ διδόντες ἡδονὴν καθ᾽ ἡμέραν,
ὡς τοῖς θανοῦσι πλοῦτος οὐδὲν ὠφελεῖ.

Χο. Ἦ πολλὰ καὶ παρόντα καὶ μέλλοντ᾽ ἔτι
ἤλγησ᾽ ἀκούσας βαρβάροισι πήματα.

Βα. Ὦ δαῖμον, ὥς με πόλλ᾽ ἐσέρχεται κακῶν 845
ἄλγη, μάλιστα δ᾽ ἥδε συμφορὰ δάκνει,
ἀτιμίαν γε παιδὸς ἀμφὶ σώματι
ἐσθημάτων κλύουσαν ἥ νιν ἀμπέχει.
Ἀλλ᾽ εἶμι, καὶ λαβοῦσα κόσμον ἐκ δόμων
ὑπαντιάζειν παιδὶ μου πειράσομαι· 850
οὐ γὰρ τὰ φίλτατ᾽ ἐν κακοῖς προδώσομεν.

Χο. Ὦ πόποι, ἦ μεγάλας ἀγαθᾶς τε πο- Str. 1
λισσονόμου βιοτᾶς ἐπεκύρσαμεν,
εὖθ᾽ ὁ γηραιὸς
πανταρκὴς ἀκάκας ἄμαχος βασιλεὺς 855
ἰσόθεος Δαρεῖος ἆρχε χώρας.

Πρῶτα μὲν εὐδοκίμους στρατιὰς ἀπε- Ant. 1
φαινόμεθ᾽, αἳ δὲ νομίσματα πύργινα
πάντ᾽ ἐπηύθυνον· 860
νόστοι δ᾽ ἐκ πολέμων ἀπόνους ἀπαθεῖς
⟨αὖθις ἐς⟩ εὖ πράσσοντας ἆγον οἴκους.

Ὅσσας δ᾽ εἷλε πόλεις πόρον οὐ δια- Str. 2
βὰς Ἅλυος ποταμοῖο 865
οὐδ᾽ ἀφ᾽ ἑστίας συθείς,
οἷαι Στρυμονίου πελάγους Ἀχε-

dos males, as lascas de vestes coloridas 835
em volta do corpo estão todas laceradas.
Eia! Benévola acalma-o tu com palavras,
sei que somente a ti suportará ouvir.
Eu partirei para as trevas sob a terra.
Vós, anciãos, alegrai-vos, entre males, 840
concedendo à vida o prazer de cada dia,
que aos mortos a riqueza não serve.

C. Sofro ao ouvir as muitas, presentes,
e as ainda futuras dores dos bárbaros.

R. Ó Nume, como me varam as muitas dores 845
de males, e este infortúnio mais aflige,
ao ouvir que ignominosas vestes
envolvem o corpo de meu filho.
Mas irei, escolherei vestes no palácio,
e tentarei encontrar o meu filho. 850
Não trairemos, nos males, o mais caro.

TERCEIRO ESTÁSIMO (852-908)

C. *Ó pópoi*! Grande e boa tivemos EST. 1
a vida administrativa do país,
quando o antigo
rei onipotente, sem mal, incombatível, 855
igual a Deus, Dario governava esta terra.

Primeiro, com gloriosas campanhas ANT. 1
brilhávamos, que em tudo observavam
as soências em fortificação; 860
e os regressos das guerras reconduziam
o bem-estar sem dor nem luto ao lar.

Conquistou quantas cidades, sem cruzar EST. 2
o curso do rio Hális, 865
nem afastar-se do lar!
São elas, no mar estrimônio:

λωΐδες εἰσὶ πάροικοι
Θρῃΐκων ἐπαύλων· 870

λίμνας τ' ἔκτοθεν αἳ κατὰ χέρσον ἐ- Ant. 2
ληλαμέναι πέρι πύργον
τοῦδ' ἄνακτος ἄϊον,
Ἕλλας τ' ἀμφὶ πόρον πλατὺν εὐχόμε- 875
ναι, μυχία τε Προποντὶς
καὶ στόμωμα Πόντου·

νᾶσοί θ' αἳ κατὰ Str. 3
πρῶν' ἅλιον περίκλυστοι 880
τᾷδε γᾷ προσήμεναι,
οἵα Λέσβος, ἐλαιόφυτός τε Σά-
μος, Χίος, ἠδὲ Πάρος, Νάξος, Μύκο- 885
νος, Τήνῳ τε συνάπτουσ'
Ἄνδρος ἀγχιγείτων·

καὶ τὰς ἀγχιά- Ant. 3
λους ἐκράτυνε μεσάκτους,
Λῆμνον, Ἰκάρου θ' ἕδος, 890
καὶ Ῥόδον ἠδὲ Κνίδον Κυπρίας τε πόλεις, Πάφον ἠδὲ Σόλους Σαλαμῖνά τε,
τᾶς νῦν ματρόπολις τῶνδ'
αἰτία στεναγμῶν· 895

καὶ τὰς εὐκτεάνους κατὰ κλῆρον Ἰ- Epod
αόνιον πολυάνδρους
Ἑλλάνων σφετέραις φρεσίν,
ἀκάματον δὲ παρῆν σθένος ἀνδρῶν 900
τευχηστήρων
παμμείκτων τ' ἐπικούρων.
Νῦν δ' οὐκ ἀμφιλόγως θεότρεπτα τάδ'
αὖ φέρομεν πολέμοιο
δμαθέντες μεγάλως πλα- 905
γαῖσι ποντίαισιν.

as litorâneas vizinhas
das residências trácias. 870

Longe do mar, no continente, ANT. 2
cercadas por torres,
obedeciam ao rei:
no largo passo de Hele, ufanas, 875
a profunda Propôntida
e as fauces do Ponto;

e ilhas, ao longo do cabo EST. 3
marinho, circunfusas, 880
próximas desta terra:
Lesbos e Samos oleícola,
Quios, Paros, Naxos, Micenas, 885
e contígua a Tenos
a vizinha Andros;

e dominava as marítimas ANT.3
intercostais Lemnos
e a sede de Ícaro, 890
Rodes, Cnidos e cidades de Cípris,
Pafos e Solos e Salamina,
cuja metrópole hoje
é causa destes prantos; 895

e próperas e populosas EPODO
cidades gregas
no território jônio
dominava com seu pensamento. 900
Infatigável era a força dos varões
combatentes armados
e dos diversos aliados.
Esta indiscutível revirada divina
hoje suportamos dominados 905
na guerra por grandes
derrotas no mar.

ΞΕΡΞΗΣ

Ἰὼ
δύστηνος ἐγὼ στυγερᾶς μοίρας
τῆσδε κυρήσας ἀτεκμαρτοτάτης, 910
ὡς ὠμοφρόνως δαίμων ἐνέβη
Περσῶν γενεᾷ· τί πάθω τλήμων;
λέλυται γὰρ ἐμῶν γυίων ῥώμη
τήνδ' ἡλικίαν ἐσιδόντ' ἀστῶν·
εἴθ' ὄφελε, Ζεῦ, κἀμὲ μετ' ἀνδρῶν 915
τῶν οἰχομένων
θανάτου κατὰ μοῖρα καλύψαι.

Χο. Ὀτοτοῖ, βασιλεῦ, στρατιᾶς ἀγαθῆς
καὶ Περσονόμου τιμῆς μεγάλης,
κόσμου τ' ἀνδρῶν 920
οὓς νῦν δαίμων ἐπέκειρεν.
Γᾶ δ' αἰάζει τὰν ἐγγαίαν
ἥβαν Ξέρξᾳ κταμέναν, Ἅιδου
σάκτορι Περσῶν· ᾁδοβάται γὰρ
πολλοὶ φῶτες, χώρας ἄνθος, 925
τοξοδάμαντες, πάνυ ταρφύς τις
μυριὰς ἀνδρῶν, ἐξέφθινται·
αἰαῖ αἰαῖ κεδνᾶς ἀλκᾶς·
Ἀσία δὲ χθών, βασιλεῦ γαίας,
αἰνῶς αἰνῶς ἐπὶ γόνυ κέκλιται. 930

Ξε. Ὅδ' ἐγών, οἰοῖ, αἰακτός Str. 1
μέλεος, γέννᾳ γᾷ τε πατρῴᾳ
κακὸν ἄρ' ἐγενόμαν.

Χο. Πρόσφθογγόν σοι νόστου τὰν 935
κακοφάτιδα βοάν, κακομέλετον ἰὰν
Μαριανδυνοῦ θρηνητῆρος
πέμψω, πολύδακρυν ἰαχάν.

Ξε. Ἵετ' αἰανῆ πάνδυρτον Ant. 1
δύσθροον αὐδάν· δαίμων γὰρ ὅδ' αὖ 941
μετάτροπος ἐπ' ἐμοί.

ÊXODO (909-1076)

X. *Ió*!
Infeliz sou por esta hedionda
sorte, a mais imprevisível! 910
Com que crueldade o Nume atacou
o povo persa! Mísero, que me espera?
Desfez-se a força de meus membros
ao ver a idade dos cidadãos.
Ó Zeus, antes a porção da morte 915
houvesse-me recoberto
com os varões que se foram!

C. *Ototoî*, ó rei, pela brava campanha,
pelo valor magnífico do poder persa,
pelo esplendor dos varões 920
que o Nume hoje massacrou!
Terra panteia a enterrada
juventude morta por Xerxes, que povoa
de persas o palácio de Hades, onde
passeiam muitos varões, flor da terra, 925
hábeis arqueiros; uma compacta
miríada de varões pereceu.
Aiaî aiaî! Que brava coragem!
Ó rei desta terra, a terra ásia
mísera, mísera, pôs-se de joelhos. 930

X. Eis-me aqui, *oioî*, gemente, EST. 1
choroso! Tornei-me a ruína
do povo e terra pátria.

C. Em saudação a teu retorno, 935
horríssono grito, horrendo gemido
do lamento mariandino
lançarei, multilácrime grito.

X. Emiti gemido dolorido ANT. 1
díssono grito; este Nume 941
revirou-se contra mim.

Χο. Ἥσω τοι καὶ πάνδυρτον,
νεοπαθέα σέβων ἀλίτυπά τε βάρη, 945
πόλεως, γέννας πενθητῆρος·
κλάγξω δ' αὖ γόον ἀρίδακρυν.

Ξε. Ἰάων γὰρ ἀπηύρα, Str. 2
Ἰάων ναύφαρκτος 950
Ἄρης ἑτεραλκὴς
νυχίαν πλάκα κερσάμενος
δυσδαίμονά τ' ἀκτάν.

Χο. Οἰοιοῖ, βόα καὶ πάντ' ἐκπεύθου.
Ποῦ δὲ φίλων ἄλλος ὄχλος; 955
ποῦ δέ σοι παραστάται,
οἷος ἦν Φαρανδάκης,
Σούσας, Πελάγων,
Δοτάμας ἠδ' Ἀγδαβάτας, Ψάμμις 960
Σουσισκάνης τ' Ἀγβάτανα λιπών;

Ξε. Ὀλοοὺς ἀπέλειπον Ant. 2
Τυρίας ἐκ ναὸς
ἔρροντας ἐπ' ἀκταῖς
Σαλαμινιάσι, στυφελοῦ
θείνοντας ἐπ' ἀκτᾶς. 965

Χο. Οἰοῖ, ποῦ δή σοι Φαρνοῦχος;
Ἀριόμαρδός τ' ἀγαθός;
ποῦ δὲ Σευάκης ἄναξ,
ἢ Λίλαιος εὐπάτωρ,
Μέμφις, Θάρυβις
καὶ Μασίστρας Ἀρτεμβάρης τ' 970
ἠδ' Ὑσταίχμας; τάδε σ' ἐπανερόμαν.

Ξε. Ἰὼ ἰώ μοι, Str. 3
τὰς ὠγυγίους κατιδόντες ⟨τὰς⟩
στυγνὰς Ἀθάνας
πάντες ἑνὶ πιτύλῳ, 975
ἐὴ ἐή, τλάμονες ἀσ-
παίρουσι χέρσῳ.

Χο. Ἦ καὶ τῶν Περσῶν αὐτοῦ
τὸν σὸν πιστὸν πάντ' ὀφθαλμὸν, 980

C. Emitirei também eu o lamento,
reverente à dor do povo e marífragas mortes — 945
do país, do povo pranteador,
e clamarei a lacrimosa lamúria.

X. Jônio Ares roubou, — EST. 2
jônio Ares com navios — 950
dando força ao adversário
massacrou noturna praça
e praia de um mau Nume.

C. *Oioî*, grita e sabe de tudo!
Onde os numerosos amigos? — 955
Onde os teus companheiros,
como eram Farandaces,
Susas, Pélagon,
Dótamas, Agdábatas, Psámis, — 960
e Susiscanes, vindo de Ecbátana?

X. Deixei-os perdidos, — ANT. 2
caídos do navio tírio,
errantes nas costas

de Salamina, colidindo — 965
com rochosas costas.

C. *Oioî*, onde está Farnucos
e o bravo Ariomardos?
Onde está o rei Seuaces,
ou Lílaios bem nascido,
Mênfis, Táribis,
Masistras, Artembares, — 970
e Histaicmas? Isso te pergunto.

X. *Iò ió moi*! — EST. 3
Ao ver a prístina
hedionda Atenas,
todos, num só golpe, — 975
eè eé, míseros,
pululam na praia.

C. Também o persa que era
o teu sempre fiel olheiro, — 980

μύρια μύρια πεμπαστὰν,
Βατανώχου παῖδ' Ἄλπιστον
. . . . . .
τοῦ Σησάμα τοῦ Μεγαβάτα,
Πάρθον τε μέγαν τ' Οἰβάρην
ἔλιπες ἔλιπες· ὢ ὢ ⟨ὢ⟩ δᾴων, 985
Πέρσαις ἀγαυοῖς
κακὰ πρόκακα λέγεις.

Ξε. Ἴυγγά μοι δῆτ' Ant. 3
ἀγαθῶν ἑτάρων ὑπομιμνῄσκεις,
⟨ἄλαστ'⟩ ἄλαστα
στυγνὰ πρόκακα λέγων· 990
βοᾷ βοᾷ ⟨μοι⟩ μελέων
ἔντοσθεν ἦτορ.

Χο. Καὶ μὴν ἄλλους γε ποθοῦμεν,
Μάρδων ἀνδρῶν μυριοταγὸν
Ξάνθιν ἄρειόν τ' Ἀγχάρην, 995
Διαῖξίν τ' ἠδ' Ἀρσάμην
ἱππιάνακτας·
καὶ Δαδάκαν καὶ Λυθίμναν
Τόλμον τ' αἰχμᾶς ἀκόρεστον
ἔταφον ἔταφον οὐκ ἀμφὶ σκηναῖς 1000
τροχηλάτοισιν
ὄπιθεν ἑπομένους.

Ξε. Βεβᾶσι γὰρ τοίπερ ἀγρέται στρατοῦ. Str. 4
Χο. Βεβᾶσιν, οἴ, νώνυμοι.
Ξε. Ἰὴ ἰή, ἰὼ ἰώ.
Χο. Ἰὼ ἰώ, δαίμονες
ἔθεντ' ἄελπτον κακόν· 1005
διαπρέπον οἷον δέδορκεν Ἄτα.

Ξε. Πεπλήγμεθ' οἵᾳ δι' αἰῶνος τύχᾳ. Ant. 4
Χο. Πεπλήγμεθ', εὔδηλα γάρ·—
Ξε. νέᾳ νέᾳ δύᾳ δύᾳ — 1010
Χο. Ἰαόνων ναυβατᾶν
κύρσαντες οὐκ εὐτυχῶς·
δυσπόλεμον δὴ γένος τὸ Περσᾶν.

guardião de miríade, miríade,
Alpistos, filho de Batanocos,
....
filho de Sésames, filho de Megabates,
Partos e o grande Oibares,
deixaste, deixaste, *ó ó ó*, míseros! 985
Contas males após males,
dos magníficos persas.

X. Recordas-me ANT. 3
o pranto por bons companheiros,
ilatente, ilatente,
contando hediondos males. 990
Grita, grita, pelos míseros,
o coração em meu peito.

C. Temos saudades também de outros:
o miriarca dos varões mardos
Xántis, e o bélico Âncares, 995
Diaíxis e Arsames,
reis cavaleiros.
Dádaces, Litimne
e Tolmos, lanceiro imbatível,
assombram, assombram, por não seguirem 1000
o séquito
nas tendas puxadas por rodas.

X. Foram-se os guias do exército. EST. 4

C. Foram-se, *oí*, sem glória.

X. *Iè ié, iò ió.*

C. *Iò ió*, os Numes
concederam inesperado mal, 1005
brilhante como o olhar de Erronia.

X. Ferimo-nos com que sorte na vida! ANT. 4

C. Ferimo-nos, é manifesto.

X. Com novas novas dores dores. 1010

C. Não por boa sorte encontramos
marinheiros jônios,
infeliz na guerra povo persa!

Ξε. Πῶς δ᾽ οὔ; στρατὸν μὲν τοσοῦ- Str. 5
τον τάλας πέπληγμαι. 1015
Χο. Τί δ᾽ οὐκ ὄλωλεν; μεγάλ᾽ ἦν τὰ Περσᾶν.
Ξε. Ὁρᾷς τὸ λοιπὸν τόδε τᾶς ἐμᾶς στολᾶς;
Χο. Ὁρῶ ὁρῶ.
Ξε. Τόνδε τ᾽ ὀϊστοδέγμονα — 1020
Χο. Τί τόδε λέγεις σεσωμένον;
Ξε. Θησαυρὸν βελέεσσιν.
Χο. βαιά γ᾽ ὡς ἀπὸ πολλῶν.
Ξε. Ἐσπανίσμεθ᾽ ἀρωγῶν.
Χο. Ἰάνων λαὸς οὐ φυγαίχμας. 1025
Ξε. Ἄγαν ἄρειος· κατεῖ- Ant. 5
δον δὲ πῆμ᾽ ἄελπτον.
Χο. Τραπέντα ναύφρακτον ἐρεῖς ὅμιλον;
Ξε. Πέπλον δ᾽ ἐπέρρηξ᾽ ἐπὶ συμφορᾷ κακοῦ. 1030
Χο. Παπαῖ παπαῖ.
Ξε. Καὶ πλέον ἢ παπαῖ μὲν οὖν.
Χο. Δίδυμα γάρ ἐστι καὶ τριπλᾶ.
Ξε. Λυπρά, χάρματα δ᾽ ἐχθροῖς.
Χο. Καὶ σθένος γ᾽ ἐκολούθη — 1035
Ξε. Γυμνός εἰμι προπομπῶν.
Χο. φίλων ἄταισι ποντίαισιν.
Ξε. Δίαινε, δίαινε πῆμα· πρὸς δόμους δ᾽ ἴθι. Str. 6
Χο. Αἰαῖ αἰαῖ, δύα δύα.
Ξε. βόα νυν ἀντίδουπά μοι. 1040
Χο. Δόσιν κακὰν κακῶν κακοῖς.
Ξε. Ἴυζε μέλος ὁμοῦ τιθείς·
⟨ὀτοτοτοτοῖ⟩
Χο. Ὀτοτοτοτοῖ·
βαρεῖά γ᾽ ἅδε συμφορά·
οἲ μάλα καὶ τόδ᾽ ἀλγῶ. 1045
Ξε. Ἔρεσσ᾽ ἔρεσσε καὶ στέναζ᾽ ἐμὴν χάριν. Ant. 6
Χο. Διαίνομαι γοεδνὸς ὤν.
Ξε. βόα νυν ἀντίδουπά μοι.
Χο. Μέλειν πάρεστι, δέσποτα.
Ξε. Ἐπορθίαζέ νυν γόοις· 1050
⟨ὀτοτοτοτοῖ⟩.

X. Como não? Mísero, feri — EST. 5
tão grande exército. — 1015
C. O que não perdeu? Grande era a Pérsia.
X. Vês o que resta de minha expedição?
C. Vejo, vejo.
X. E este porta-flecha? — 1020
C. Por que o dizes salvo?
X. Tesouro de dardos.
C. Bem pouco dentre muitos.
X. Escassearam nossos recursos.
C. O povo jônio não foge à luta. — 1025
X. Belicoso demais, e vi — ANT. 5
a inesperada dor.
C. Dirás derrotada a força naval?
X. Rasguei manto no momento do mal. — 1030
C. *Papaî papaî*!
X. E mais que *papaî* ainda!
C. Duas vezes e três vezes.
X. Lúgubre alegria de inimigos!
C. Mutilou-se o poder. — 1035
X. Estou despido de toda escolta.
C. Por erronias marinas de amigos.
X. Chora, chora a dor, e vá para casa. — EST. 6
C. *Aiaî, aiaî*, dores, dores!
X. Brada-me o responsório! — 1040
C. Dose maligna de males dos míseros!
X. Clama a canção, e acrescenta
Otototototoî!
C. *Otototototoî*!
Pesado é o infortúnio!
Oî! Também isto me dói muito! — 1045
X. Rema, rema, e chora minha graça! — ANT. 6
C. Lamurio por estar choroso.
X. Brada-me o responsório!
C. O cuidado se dá, meu amo.
X. Ergue agora a voz chorosa: — 1050
otototototoî!

Χο. Ὀτοτοτοτοῖ
μέλαινα δ᾽ αὖ μεμίξεται,
οἴ, στονόεσσα πλαγά.
Ξε. Καὶ στέρν᾽ ἄρασσε κἀπιβόα τὸ Μύσιον. Str. 7
Χο. Ἄνι᾽ ἄνια. 1055
Ξε. Καί μοι γενείου πέρθε λευκήρη τρίχα.
Χο. Ἄπριγδ᾽, ἄπριγδα, μάλα γοεδνά.
Ξε. Ἀύτει δ᾽ ὀξύ.
Χο. Καὶ τόδ᾽ ἔρξω.
Ξε. Πέπλον δ᾽ ἔρεικε κολπίαν ἀκμῇ χερῶν. Ant. 7
Χο. Ἄνί, ἄνία. 1061
Ξε. Καὶ ψάλλ᾽ ἔθειραν καὶ κατοίκτισαι στρατόν.
Χο. Ἄπριγδ᾽ ἄπριγδα, μάλα γοεδνά.
Ξε. Διαίνου δ᾽ ὄσσε.
Χο. Τέγγομαί τοι. 1065
Ξε. Βόα νυν ἀντίδουπά μοι. Epod
Χο. Οἰοῖ οἰοῖ.
Ξε. Αἰακτὸς ἐς δόμους κίε.
Χο. Ἰὼ ἰώ.
Ξε. Ἰωὰ δὴ κατ᾽ ἄστυ. 1070
Χο. Ἰωὰ δῆτα, ναὶ, ναί.
Ξε. Γοᾶσθ᾽ ἁβροβάται.
Χο. Ἰὼ ἰὼ, Περσὶς αἶα δύσβατος.
Ξε. Ἦ ἦ ἦ ἦ τρισκάλμοισιν 1075
ἦ ἦ ἦ ἦ βάρισιν ὀλόμενοι.
Χο. Πέμψω τοί σε δυσθρόοις γόοις.

C. *Otototototoî*!
Negra se mesclará,
oí, gemente pancada!
X. Bate no peito e brada o mísio. EST. 7
C. Dores, dores! 1055
X. Arranca o pelo branco do queixo!
C. Com força, com força, com prantos.
X. Grita agudo!
C. Assim farei.
X. Rasga o manto no peito com as mãos. ANT.7
C. Dores, dores! 1061
X. Puxa o cabelo e chora o exército!
C. Com força, com força, com prantos.
X. Lamuria com os olhos!
C. Estão úmidos. 1065
X. Brada-me o responsório! EPO.
C. *Oioî oioî*!
X. Chorando, vá para casa.
C. *Iò ió*!
X. *Ioà*, pela cidade! 1070
C. *Ioà*, sim, sim!
X. Chora, com suaves passos!
C. *Iò iò*, terra persa de mau passo!
X. *Ê ê ê ê*, pelas naus trirremes! 1075
Ê ê ê ê, pelas naus perdidas!
C. Seguir-te-ei com díssono choro.

OBRAS CONSULTADAS

AESCHYLI. *Septem quae supersunt tragoedias*. Edidit Denys Page. Oxford: Clarendon, 1975.

AESCHYLUS. *The Suppliants*. Edited by H. Friis Johansen and Edward W. Whittle. Copenhagen: Gyldendalske, 1970. 3 v.

___________. *Persae*. Edidit Martin L. West. Stuttgart: Teubner, 1991.

___________. *Persae*. Edited with introduction & notes by A. Sidwick. Bristol: Classical Press, 1982.

___________. *Persians*. Edited with an introduction, translation and commentary by Edith Hall. Warminster: Aris & Phillips, 1997.

ESCHILO. *I Persiani*. Con introduzione e commento di Luciano Miori. Florença: Vallechi, 1940.

ESCHYLE. *Les Perses*. Edition, introduction et commentaire de Jacqueline de Romilly. Paris: PUF., 1974.

___________. *Les Perses*. Texte établi et traduit par Paul Mazon, introduction et notes de Philippe Brunet. Paris: Les Belles Lettres, 2002.

___________. *Les Suppliantes, Les Perses, Les Sept contre Thèbes, Prométhée Enchainé*. Tomo I. Texte établi et traduit par Paul Mazon. Paris: Les Belles Lettres, 1963.

ÉSQUILO. *Orestéia I – Agamêmnon*. Estudo e tradução de Jaa Torrano. São Paulo: Fapesp/Iluminuras, 2004.

PLATÃO. *A República*. Trad. Maria Helena da Rocha Pereira. Lisboa: Calouste Gulbenkian, 1983.

PLATONIS. *Opera*. Recognouit Ioannes Burnett. T. IV. Oxford: Clarendon, 1972.

VERDENIUS, W. J. Notes on the parodos of Aeschylus' Suppliants. *Mnemosyne*, v. XXXVIII, fasc. 3-4 (1985), pp. 281-306.

WEST, Martin L. *Studies in Aeschylus*. Stuttgart: Teubner, 1990.

OS SETE CONTRA TEBAS

MITO E DIALÉTICA NA TRAGÉDIA *OS SETE CONTRA TEBAS* DE ÉSQUILO

Jaa Torrano

Divisor de bens e de posses,
o amargo cruel ferro.
(Ésquilo, *Se.* 729-30)

A ESTRUTURA DIALÉTICA DA TRAGÉDIA

Um olhar sinóptico pode observar que, na trilogia de Ésquilo *Oresteia*, como em suas outras tragédias supérstites, ora se confundem ora se distinguem quatro pontos de vista e quatro graus da verdade: o ponto de vista e o grau de verdade próprios dos Deuses, o dos *Daímones*, o do Heróis e o dos homens cidadãos da cidade-estado. Nessa multiplicidade de pontos de vista e de graus da verdade, instaura-se a dialética trágica, icástica e pré-filosófica, na qual se confundem e se distinguem esses quatro pontos de vista e quatro graus da verdade, correspondentes à tradicional hierarquia das categorias divinas consideradas pelos gregos venerandas (a saber, a dos Deuses, *Daímones* e heróis), hierarquia tríplice a que se acrescenta o homem em sua realidade política e social. Essa dialética trágica, icástica e pré-filosófica, investiga o sentido humano, o sentido heroico e o sentido numinoso (pertinente ao *Daímon*, "Nume") da justiça divina dispensada por Zeus e partilhada pelos homens na *pólis*.

A estrutura formal da tragédia é de modo a explicitar as relações dos venerandos seres divinos entre si mesmos e entre esses seres divinos em cada uma de suas instâncias e os homens mortais. A estrutura da tragédia se constrói basicamente pela oposição entre partes cantadas (coro) e faladas (episódios). O coro, constituído exclusivamente por um colégio de cidadãos em pleno gozo de seus direitos políticos, é em geral o porta-voz da cidade e dos ideais dela, e assim apresenta o ponto de vista e o grau da verdade própria do homem dentro dos horizontes políticos. Independentemente da personalidade coletiva que, em cada tragédia, caracteriza igualmente a todos os dançarinos do coro (*i.e.* os coreutas) e que se revela em suas indumentárias e em seu modo de ser e de agir, o coro em determinados momentos se faz porta-voz da cidade-estado (*pólis*), apresentando os pontos de vista dela em diversas doutrinas, como, por exemplo, a da condenação da transgressão (*hýbris*) e do louvor do comedimento (*sophrosýne*). Essa doutrina condenatória da transgressão sempre esteve presente nos poetas, desde Homero, mas é no contexto da tragédia em Atenas do século V a.C. que ela ganha um sentido político bem definido, determinado pelos horizontes políticos da democracia ateniense.

As personagens que falam e agem nos episódios dos dramas trágicos pertencem ao gênero dos heróis, ou, por outra, à geração dos heróis, muitos dos quais a cidade-estado venera com santuários e sacrifícios. A palavra mesma "herói" (*héros*), nos poemas homéricos, tem valor de título honorífico que distingue os nobres por nascimento, por desempenho guerreiro ou por competência numa arte. Depois de Homero, a palavra indica essa instância do divino que se honrava com sacrifícios funerários chamados "honras heroicas" (*heroikaì timaí*). Assim, na época das tragédias, alguns são assinalados heróis pelo nascimento, nascidos de um Deus e uma mortal, ou de uma Deusa e um mortal; outros são promovidos, *post mortem*, à categoria de heróis, por alguma circunstância misteriosa ligada a sua morte, ou então ocorrida depois dela.

A tragédia reavalia as ações extraordinárias dos heróis, pondo-os em cena sob o olhar dos cidadãos coreutas (coro) e dos cidadãos espectadores (público). As ações dos heróis se revelam extraordinárias no quadro do que a cidade-estado espera de seus cidadãos em relação ao poder — tanto o poder dos Deuses quanto o poder com que se organiza a cidade-estado e que assim nela se distribui entre os que dela participam. Esses heróis se definem por uma relação individual com os Deuses, enquanto a relação dos cidadãos coreutas e cidadãos comuns com os Deuses é coletiva, pautada pela tradição comum e pelas celebrações e ritualismos tradicionais. Essa relação individual com os Deuses determina para o herói um destino individual, enquanto o destino dos coreutas e cidadãos é coletivo, identificados que estão com a sorte da comunidade a que pertencem.

Para explicar essa enigmática noção mítica de "Deus(es)" (*Theós/Theoí*), recorreremos ao conceito filosófico de *eîdos/idéa* ("ideia", ou "forma inteligível"), elaborado nos *Diálogos* de Platão, e assim entendemos por Deuses os aspectos fundamentais do mundo, os diversos âmbitos de atividades e, em resumo, os fundamentos de todas as possibilidades que se abrem para os homens mortais, inclusive a de serem homens mortais, ou — em alguns casos — serem assinalados heróis.

O Deus, qualquer que seja, se diz *Daímon* ("Nume"), quando considerado sob o aspecto de sua relação com um destino particular (de uma coletividade ou de um indivíduo) por ele presidido. A atitude do herói perante o(s) Deus(es) tem uma misteriosa afinidade com o destino do herói e traz consigo a clara determinação desse destino: bem-sucedido, se a atitude for adequada, e malsucedido, se inadequada.

Esse confronto e esse diálogo entre Deuses, Numes, heróis e homens constituem a estrutura dialética das tragédias de Ésquilo. No interior desse diálogo e no jogo desse confronto, o horizonte e o âmbito das ações dos homens se determinam em termos políticos — *i.e.* próprios à *pólis* de Atenas dessa época — e, definidas por esse horizonte e configuradas nesse âmbito, essas ações é que tornam viável ou inviável para os homens sua humanidade — ou, em se tratando de heróis, sua heroicidade.

Homologia estrutural entre noções mítica e filosófica

Observam-se, nos *Diálogos* de Platão, diversos indícios, cujo exame mostra que nos *Diálogos* a noção filosófica de *eîdos/idéa* se elabora e se apresenta tendo por paradigma a noção mítica de *Theós*. Dessa relação paradigmática originária entre a noção mítica de *Theós* e a noção filosófica de *eîdos/idéa* decorre a homologia estrutural entre uma e outra noções, com o que se dá o princípio de equivalência estrutural entre o discurso filosófico e o mitológico.

Essa homologia estrutural é que torna possível a atribuição de epítetos tradicionais da noção mítica de Deuses à noção filosófica de *eîdos/idéa* (*Fédon* 79 d 2, 80 a 2-3, 81 a; *República,* 517 d); e, inversamente, a atribuição à noção mítica de Deuses de qualificações próprias da noção filosófica de *eîdos/idéa*, a saber, a participação na forma (ou ideia) do bem (que é a forma das formas, ou ideia das ideias), e a forma simples e inalterável (*República,* 379 a-382 e).

No diálogo *Fédon*, em que se elabora e se apresenta explicitamente pela primeira vez — segundo a cronologia consensual da produção literária de Platão — a teoria das ideias, a forma inteligível se descreve como o que é "sempre vivo e imortal" (*aeì òn kaì athánaton*, *Fédon* 79 d 2), "divino" (*tò theîon*, *id.* 80 a 2-3), "divino e imortal" (*tò theîon kaì athánaton*, *id.* 81 a 2). Por outro lado, no livro II de *República*, a crítica que se faz à representação dos Deuses pelos poetas impõe, como critério para que se considere verdadeira essa representação, a descrição da noção mítica de Deuses com os termos próprios às fórmulas descritivas das ideias. Desse modo, há de se dizer que todo Deus é essencialmente bom (*i.e.* tal como as ideias, participa da ideia do bem, da qual cada ideia tem a sua própria substância, verdade e cognoscibilidade — cf. *República,* 379 a-d, 508 e 1-5). Há ainda de se dizer que Deus é um ser simples e o menos capaz de todos de sair de sua própria forma (*República,* 380 d 5-6), o que corresponde à fórmula descritiva das ideias no *Fédon* (*hosaútos ékhon*, *Fédon,* 79 d 2).

As principais implicações dessa equivalência estrutural se resumem nestas duas equações:

Zeús : *agathón* :: *Theoí* : *idéai*;
Athánatoi : *thnetoí* :: *noetá* : *aisthetá*.

Essas duas equações assim se podem explicitar: "O sentido de Zeus — de que falam as Musas de Hesíodo e de Homero — está para a forma do bem — de que fala Sócrates na *República* de Platão — assim como os outros Deuses estão para as outras formas inteligíveis; e os Deuses imortais estão para os homens mortais assim como as formas inteligíveis participadas estão para os seres e coisas sensíveis participantes." Essas equações descrevem resumidamente as consequências da homologia estrutural entre a noção mítica de "Deus(es)" e a noção filosófica de "forma(s) inteligível(is)", elaborada pela primeira vez nos *Diálogos* de Platão.

A equivalência entre a noção mítica de "Zeus" e a noção filosófica de "ideia do bem" ressalta-se e evidencia-se, quando se comparam a descrição de Zeus na *Teogonia* de Hesíodo e a definição de ideia do bem, que se obtém mediante a construção da imagem do sol, no diálogo *República* de Platão.

Na *Teogonia*, no epíteto de Zeus "pai dos Deuses e dos homens" (*Theôn patér'edè kaì andrôn*, *T.* 468), a palavra "pai" (*patér*) não significa a paternidade biológica (Zeus não é "pai" dos Deuses e dos homens nesse sentido), mas a autoridade hegemónica, e — ao pôr os Deuses e os homens em pé de igualdade perante Zeus — assinala a transcendência de Zeus como fundamento em que repousa e em que se determina o ser tanto dos Deuses como dos homens. Essa noção da transcendência absoluta de Zeus, fundadora e determinante do que são os Deuses e do que são os homens, apresenta-se como tema central na súplica do cantor às Musas (*T.* 112), e reitera-se ao longo da *Teogonia*:

> (...) Ele reina no céu
> tendo consigo o trovão e o raio flamante,
> venceu no poder o pai Crono, e aos imortais
> bem distribuiu e indicou cada honra
> (*T.* 71-5);

> como dividiram a opulência e repartiram as honras
> (*T.* 112);

> (...) deram-lhe o trovão e o raio flamante
> e o relâmpago que antes Terra prodigiosa recobria.
> Neles confiante reina sobre mortais e imortais
> (*T.* 504-6);

> Quando os venturosos completaram a fadiga
> e decidiram pela força as honras dos Titãs,
> por conselhos da Terra exortaram o Olímpio
> longividente Zeus a tomar o poder e ser rei
> dos imortais. E bem dividiu entre eles as honras.
> (*T.* 881-5).

Para que esse traço da transcendência absoluta de Zeus, fundadora e determinante tanto do que são todos os outros Deuses imortais quanto do que são homens mortais, não pareça uma peculiaridade hesiódica, basta-nos que nos lembremos do discurso de Zeus sobre o seu próprio poder em comparação com o de todos os outros Deuses reunidos contra ele, nos versos da *Ilíada* que se tornaram célebres com a imagem e o nome de *aurea catena* (*Ilíada*, VIII, 1-27).

Na *República* de Platão, observa-se essa mesma relação estrutural entre a ideia do bem, por um lado, e por outro, as demais ideias e os seres sensíveis, nos seguintes trechos:

1) "Podes, portanto, dizer que é o sol, que eu considero filho do bem, que o bem gerou à sua semelhança, o qual bem é no lugar inteligível, em relação à inteligência e ao inteligível, o mesmo que o sol no lugar visível em relação à vista e ao visível." *República,* 508 b-c.

2) "Fica sabendo que o que transmite a verdade aos objetos cognoscíveis e dá ao sujeito que conhece esse poder é a ideia do bem. Entende que é ela a causa do saber e da verdade, na medida em que esta é conhecida, (...)" *República,* 508 e.

3) "Reconhecerás que o sol proporciona às coisas visíveis, não só, segundo julgo, a faculdade de serem vistas, mas também a sua gênese, crescimento e alimentação, sem que seja ele mesmo a gênese. — Como assim? — Logo, para os objetos do conhecimento dirás que não só a possibilidade de serem conhecidos lhes é proporcionada pelo bem, como também é por ele que o ser e a essência lhes são adicionados, mas estar acima e para além da essência, pela sua dignidade e poder." *República,* 509 b.

A leitura desses trechos supracitados nos leva a concluir, a respeito da ideia do bem, que:

1) ela se define pela tríplice causalidade: é a causa do ser, da verdade e do conhecimento;

2) implica a distinção entre graus de ser e assim de verdade e de conhecimento;

3) implica o nexo necessário entre ser, verdade e conhecimento;

4) ultrapassa o horizonte de uma noção puramente ética ou moral de bem, embora necessariamente a inclua.

Essa definição e implicações da noção filosófica platônica de "bem" são preciosas indicações do sentido em que poderíamos mais bem compreender a noção mítica (homérica e hesiódica) de "Zeus" e, assim, a homologia estrutural entre a noção mítica de "Deus(es)" e a noção filosófica de "forma(s) inteligível(is)".

O leitor dos poemas homéricos e hesiódicos e dos *Diálogos* de Platão pode observar os seguintes traços comuns ao pensamento mítico homérico e hesiódico e à noção filosófica, platônica, de dialética, a saber:

1) uma mesma noção de linguagem, concebida como um dos aspectos fundamentais do mundo,

2) uma mesma noção de verdade, concebida também como um dos aspectos fundamentais do mundo,

3) um mesmo nexo necessário entre as noções de linguagem, de ser, de verdade e de conhecimento, pelo qual nexo essas noções têm uma estrutura comum, e

4) essa mesma estrutura comum, determinada pela distinção entre diversos graus de participação tanto no ser quanto na verdade e, por conseguinte, entre diversas modalidades de objetos do conhecimento e de correlatos estados da mente.

Ainda que brevemente, expliquemos cada um desses traços comuns e em que consiste a comunidade deles. Pode-se observar que, nos poemas hesiódicos e homéricos, bem como nos *Diálogos* de Platão, a noção de linguagem não se descreve somente como uma faculdade humana, somente como uma propriedade dos homens, ou seja, um instrumento de que os homens dispõem a seu bom grado e de que a seu bel-prazer se servem para os seus fins. Mais do que isso, e além disso, a noção de linguagem se descreve, sobretudo e da maneira mais decisiva, como algo vivo e animado, que muitas vezes escapa ao controle dos homens e que por vezes assume a forma própria de sujeito do discurso e assim se dirige aos homens e os interpela, seja como Musas (e também os outros Deuses) em Hesíodo e Homero, seja como *lógos* em Platão. O *lógos* nos *Diálogos* platônicos, seguindo a esteira de uma tradição que remonta a Heráclito de Éfeso, em certos momentos parece tão autônomo quanto as Musas nos poemas épicos, e assim se pode dizer que Musas e *lógos* igualmente se deixam mais bem descrever como um dos aspectos fundamentais do mundo.

Essa concepção mítica e filosófica da linguagem é consistente e congruente com a concepção de verdade como um dos aspectos fundamentais do mundo. Se a linguagem é primeiro e antes de tudo um dos aspectos fundamentais do mundo, a verdade não pode ser somente um traço do comportamento humano, uma qualificação que as palavras humanas podem ou não ostentar, mas também a verdade necessariamente há de ser primeiro e antes de tudo um dos aspectos fundamentais do mundo. Como o pensamento mítico se constrói e se anuncia mediante imagens, as noções próprias do pensamento mítico sempre se apresentam inscritas nessas construções imaginárias e imaginativas. Assim é que as imagens com que se descrevem as noções míticas de Deuses, descrevem por isso mesmo as diversas regiões do ser e as articulações do real, distinguindo desse modo os diversos graus e as diversas formas da verdade que se manifestam na ordem mesma do mundo. A título de exemplo: quando a *Teogonia* de Hesíodo descreve o Deus marinho Nereu como "sem mentira nem olvido (*apseudéa kaì alethéa*)", e justifica esses adjetivos com estes versos: "porque infalível e bom, nem os preceitos / olvida (*léthetai*), mas justos e bons desígnios conhece" (*Teogonia,* 233 e 235-236), está atribuindo a qualificação de *alethéa* "sem olvido" (*scilicet*, "verdadeiro") não a um ser humano, mas a um Deus, a saber, a um dos aspectos fundamentais do mundo. Nesse Deus marinho, salutar e benéfico, revela-se como um grau e uma forma da verdade a ordem mesma do mundo.

O nexo necessário entre as noções de linguagem, conhecimento, verdade e ser deixa-se mais bem observar nos versos da *Teogonia* de Hesíodo que descrevem a epifania das Musas (*Teogonia,* 22-34). Quando elas interpelam o pastor de ovelhas e apresentam-se como senhoras de muitas mentiras símeis aos fatos e, também, de revelações (*alethéa*, "revelações", *i.e.* "verdades"), dão-lhe um cetro, insígnia de autoridade da palavra, e inspiram-lhe um canto, o mesmo que elas cantam para o gáudio de Zeus no Olimpo, e assim o sagram cantor, tornando-o uma imagem mortal das mesmas Deusas imortais, Musas Olimpíades. A interpelação e a revelação (*i.e.*, a verdade) das Musas, mediante a outorga do cetro e dom do canto, não somente traz consigo o conhecimento das Musas e de seus cantos, mas repercute no ser mesmo e transmuta o pastor de ovelhas em imagem terrena das Deusas Olimpíades. Esse nexo necessário entre linguagem, conhecimento, verdade e ser é um dos traços distintivos mais característicos do pensamento mítico homérico e hesiódico, e um pressuposto fundamental da filosofia platônica. Em Homero como em Hesíodo, para conhecer um Deus e ter uma comunicação clara e confiável com ele, é necessária a afinidade com o Deus, afinidade essa que se manifesta na proximidade do Deus e na atitude correta e adequada perante o Deus. Nos *Diálogos* de Platão, a afinidade entre o sujeito e o objeto do conhecimento é a condição necessária para que o conhecimento se efetive: para conhecer uma determinada virtude, é necessário tê-la ainda que potencialmente, ou ter um pendor para ela; para conhecer o bem, é necessário ser bom, e assim por diante.

Se há algo que se possa intitular "ontologia mítica" é a distinção entre os graus de participação no ser estabelecida pela hierarquia entre os seres divinos tradicional entre os gregos. Desde os poemas homéricos e hesiódicos, distinguem-se implícita mas clara e decisivamente os diversos graus de participação no ser próprios aos Deuses, aos *Daímones* ("Numes"), aos heróis de outrora e aos homens de hoje, *i.e.* contemporâneos do cantor épico. Os nomes "Deuses, Numes, heróis e homens", pelos quais se distingue essa hierarquia dos seres divinos, aparecem associados repetidas vezes nos *Diálogos* de Platão, e encontram sua sistematização conceitual nos neoplatônicos da Antiguidade tardia, particularmente em Jâmblico. No entanto, quando nos *Diálogos* de Platão se estabelece originária e inequivocamente uma analogia e equivalência estrutural entre a noção mítica de "Deus(es)" e a noção filosófica de "ideia(s)" ou "forma(s) inteligível(is)", estabelecem-se também a ontologia e a teoria do conhecimento platônicas, claramente fundadas na distinção entre diversos graus de participação tanto no ser quanto no conhecimento, e estabelece-se ainda, ao mesmo tempo, a distinção entre diversos graus e formas da verdade, correspondentes à diversidade das participações no ser e no conhecimento.

Esses traços comuns, reveladores de unidade e identidade, são tanto mais notáveis porquanto ressaltados por diversos traços distintivos e contrastivos entre o discurso próprio do pensamento mítico e o discurso filosófico. A filosofia surge com e pela elaboração da linguagem teórica e conceitual, com a criação de novas palavras e a exploração de novos recursos morfossintáticos, notadamente a sintaxe hipotática, enquanto o pensamento mítico, legado da tradição épica, marcado por uma sintaxe predominantemente paratática, pensa e diz o ser e o mundo, servindo-se exclusivamente de imagens sensíveis. No entanto, essas imagens sensíveis próprias ao pensamento mítico não o confinam aos horizontes mentais da *eikasía* ("imaginação", cf. *República*, VI, 511 e), porque essas imagens não estão todas no mesmo plano, mas distinguem-se segundo estão ou não associadas à noção mítica de Deuses. Essa associação das imagens à noção mítica de Deuses é que confere às imagens sacralidade, porquanto as distingue como imagens que não remetem a si mesmas, mas a uma totalidade que as ultrapassa. A distinção entre inteligível e sensível, própria à filosofia de Platão, corresponde à que no pensamento mítico se dá entre imagens que se associam à noção mítica de Deuses e imagens não associadas a essa noção.

Esses quatro traços comuns constituem, pois, quatro hipóteses que, no entrelaçamento de suas mútuas implicações e de suas recíprocas explicitações, abrem-nos uma via de acesso à compreensão grega arcaica do mito, e assim poderíamos formular a nossa quinta hipótese: a de que a dialética socrático-platônica abre-nos a possibilidade de que uma de suas aplicações possa constituir-se para nós num método de interpretação do mito e de seus documentos literários.

A noção platônica de teogonia como dialética (Sofista 253 b 8-c 3)

O *Sofista* oferece uma descrição de dialética (*Sofista* 253 b 8-c 3) que, ao estabelecer o princípio estrutural da participação recíproca entre os gêneros supremos, parece-nos uma sinopse filosófica da *Teogonia* de Hesíodo, ou ainda uma sinopse filosófica de diversos documentos literários que tratam da relação recíproca entre os Deuses. Vejamo-la:

"Dado o nosso acordo de que os gêneros (entendam-se: as ideias) são mutuamente suscetíveis de semelhantes associações (como as das letras do alfabeto ou as dos sons agudos e graves na música), não haverá necessidade de uma ciência que nos oriente através do discurso, se quisermos apontar com exatidão quais os gêneros que são mutuamente concordes e quais os outros que não podem suportar-se, e mostrar mesmo, se há alguns que, estabelecendo a continuidade através de todos, tornam possíveis suas combinações, e se, ao contrário, não há outros que, entre os conjuntos, são fatores dessas divisão?" (*Sofista* 253 b 8-c 3, tradução de Jorge Paleikat, com acréscimos e modificações que nos pareceram necessários à clareza da citação.)

Nessa descrição de dialética, as duas palavras fundamentais são "gêneros" (*géne*) e "associações" (*meíxeos*). Encontramos a palavra "gêneros" quando e onde teríamos esperado encontrar "ideias" ("formas inteligíveis", *eíde/ideai*). A meu ver, a introdução da palavra "gêneros" (*géne*) em substituição à palavra "ideias" (*idéiai/eíde*) deve-se a que a palavra "ideia" permanece presa a seu uso num contexto de contraposição entre sensível e inteligível, contexto em que pode ser reforçada pelo pronome *auto(á)* ("*mesmo(s)*") e ainda pela reiteração desse pronome (*auto(à) kath'autó(á)*, "ele(s) mesmo(s) por si mesmo(s)"), e pode ser descrita pelo verbo *kekhorisménon/kekhorisména* ("separado(s)"), ganhando assim seu valor próprio, designativo do inteligível, por contraposição e por exclusão da noção de sensível. Já a palavra "gênero" tem um valor concreto e includente, no qual ainda ressoa o sentido de seu uso e recorrência nos poemas homéricos onde é uma das palavras para definir a família no interior da tribo; e ressoa ainda e também na palavra "gênero" (*génos*) o valor que ela tem na *Teogonia* de Hesíodo, onde, integrada em fórmulas como *athanáton hieròn génos* ("o sagrado ser dos imortais") e *Theôn génos aidoîon* ("o ser venerando dos Deuses"), designa as famílias divinas reunidas na unidade de sua identidade coletiva, dada pela inserção do indivíduo em sua linhagem genealógica.

Essa concretitude e inclusividade característica da palavra "gênero" (*génos*) ainda se amplia extraordinariamente, se levarmos em consideração um aceno contido nessa palavra, que aponta a suspensão ou ultrapassagem da oposição entre ser (*ón*) e devir (*gênesis*), considerando-se que a palavra *génos* é da mesma família que as palavras *génesis* e *gígnesthai*, com que se nomeia a noção de devir. Essa oposição entre ser e devir pertence ao mesmo contexto que a oposição entre o inteligível — ligado ao ser — e o sensível — ligado ao devir. Essa momentânea e episódica suspensão ou ultrapassagem da oposição entre ser e devir prepara e condiciona a introdução da idéia de movimento entre os gêneros supremos.

A outra palavra fundamental dessa descrição de dialética que se lê no *Sofista*, "associações" (*meíxeos*), também traz fortes reverberações hesiódicas. O nome de ação *meíxeos* se liga ao verbo *mikhtheís/mikhtheîsa* ("unido(a)") que na *Teogonia* de Hesíodo descreve as uniões amorosas entre Deuses e Deusas. Essa reverberação hesiódica da palavra "associações" (*meíxeos*) confere a essa descrição de dialética do *Sofista* o inesperado e surpreendente caráter de um resumo sinótico da estrutura básica da *Teogonia* de Hesíodo.

Além do resgate de estruturas arcaicas do pensamento mítico homérico e hesiódico, com que se ampliam os horizontes do discurso filosófico, a dialética, assim descrita, demanda a acuidade do olhar que perscruta e distingue a compatibilidade e incompatibilidade que possibilita e impossibilita as associações recíprocas entre os gêneros.

O verdadeiro filósofo, identificado com o dialético, distingue-se por essa acuidade do olhar, capaz da sinopse e da divisão segundo as articulações naturais. É essa acuidade do olhar que dá ao filósofo a referência constante dos Deuses. É essa acuidade do olhar que permite ao filósofo identificar tanto a ideia geral que abarca os diversos aspectos do assunto a ser tratado e as articulações naturais em que essa ideia geral pode ser dividida sem fratura quanto o Deus presente, se for o caso, nas circunstâncias em que o filósofo e seus interlocutores se encontram, ou eventualmente no comportamento do interlocutor, ou ainda na relação que eventualmente une o filósofo a seus interlocutores.

Enfim, temos a hipótese de que a noção socrático-platônica de dialética abre-nos uma via de acesso à compreensão das noções próprias ao pensamento mítico, presentes nos documentos literários, que nos conservam o legado das magníficas produções do pensamento mítico na época arcaica e clássica da literatura grega.

Aplicada às tragédias de Ésquilo e gerando assim o conceito de "dialética trágica", essa hipótese traz consigo uma nova perspectiva para a leitura das tragédias, mas também implica uma releitura dos *Diálogos* de Platão, ao ressaltar os desníveis entre os diversos graus de conhecimento e entre os diversos graus de participação no ser e na verdade. Há de reconhecer-se que, nos *Diálogos*, as aporias e as perplexidades, resultantes desses desníveis nem sempre transponíveis, não só tolhem aos homens vulgares as vias de acesso à ciência do bem mas ainda, no horizonte do convívio político, configuram conflitos insolúveis como o que arrastou Sócrates aos tribunais e determinou sua condenação à morte.

A DEUSA RIXA NA TRAGÉDIA *OS SETE CONTRA TEBAS* DE ÉSQUILO

Pode-se ver a Deusa Rixa pelo lado direito?

Neste estudo analítico-interpretativo da tragédia *Os sete contra Tebas* de Ésquilo, deixemo-nos guiar por estas duas equações:

Zeús : agathón :: Theoí : idéai;
Athánatoi : thnetoí :: noetà : aisthetá.

Essas equações assim se explicitam: "O sentido de Zeus – de que falam as Musas na *Teogonia* de Hesíodo — está para a forma do bem — de que fala Sócrates na *República* de Platão — assim como os outros Deuses estão para as outras formas inteligíveis; e os Imortais estão para os mortais assim como as formas inteligíveis participadas estão para os seres e coisas sensíveis participantes."

Essas equações descrevem resumidamente as consequências da homologia estrutural entre a noção mítica de "Deus(es)" e a noção filosófica de "forma(s) inteligível(is)".

Que possibilidades interpretativas essas equações nos abrem ao lermos nessa perspectiva a tragédia *Os sete contra Tebas* de Ésquilo?

Uma vez aceitas essas equações, a relação entre Etéocles, o coro e o curso dos acontecimentos, por um lado, e por outro os Deuses deixa-se ler como a relação entre os seres sensíveis, por um lado, e, por outro, o bem em si mesmo e as formas inteligíveis.

A leitura da tragédia *Os sete contra Tebas* de Ésquilo suscita a questão: Imprecação (*Ará*, *Se.* 70), dita Erínis (*Erinýs*, *id. ib.*) e muitas vezes nomeada com o nome de Erínis (*Se.* 574, 700, 721, 791, 867, 887, 977, 988, 1055), teria, também nesse drama, por força da unidade enantiológica, o sentido de Justiça, filha de Zeus — como se verifica na *Oresteia* de Ésquilo?

Caso fosse assim percebida por Etéocles, dada essa implicação e interface de "Justiça, filha de Zeus", a rixa entre os irmãos inimigos, determinada pela Imprecação que também se diz Erínis, malgrado seu lado sinistro fratricida, deveria ser contemplada também por seu lado direito, e teria um sentido "melhor" — de Justiça divina. A verificar-se essa hipótese, esse melhor sentido de rixa ecoaria a distinção entre a boa e a má rixa, que se lê nos versos de Hesíodo a respeito de "o ser das rixas"? (*Erídon génos, Trabalhos e Dias,* 11-12).

O piloto e seu navio na tempestade

Na tragédia *Os sete contra Tebas*, a noção mítica de Erínis aparece primeiro no prólogo, nomeada como um dos interlocutores do protagonista Etéocles. Com vista ao exame dessa unidade enantiológica na estrutura mesma dessa noção mítica, consideremos a diversidade de graus de participação, tanto na verdade quanto no ser, entre os diversos interlocutores de Etéocles.

No prólogo, entre os interlocutores de Etéocles estão primeiro os "concidadãos de Cadmo", depois o mensageiro espião e, por fim, com o impacto das notícias dadas pelo mensageiro, os Deuses — esses de modo direto e dramático, e ainda de modo indireto e narrativo, o adivinho, que tinha predito as notícias do mensageiro. A esses interlocutores de Etéocles nomeados no prólogo, o párodo acrescenta o coro de mulheres tebanas, como um desdobramento em forma feminina tanto de Etéocles quanto de seus "concidadãos de Cadmo".

Os "concidadãos de Cadmo", os "cadmeus", são os conterrâneos e de certo modo também contemporâneos de Cadmo, o fundador mítico da cidade. Essa contemporaneidade com os tempos míticos da fundação da cidade dá a esse primeiro gênero de interlocutores uma amplitude que engloba todo o horizonte humano da interlocução de Etéocles.

A quem se dirige Etéocles, quando interpela os *Kádmou polîtais*, "concidadãos de Cadmo"? Certamente, aos habitantes da "cidade dos cadmeus", aos "cadmeus". Essa interpelação aos "cadmeus" indica, nos habitantes dessa cidade ora sob o assédio de terríveis inimigos, a identidade com Cadmo, fundador mítico da cidade de Tebas. Assim, essa interpelação não só evoca os tempos míticos da fundação da cidade mas sobretudo cobra aos interpelados esse ato fundador de operar a passagem do não ser ao ser e de salvar a cidade de ser destruída pelos assediantes.

Nessas circunstâncias, quem dirige a cidade-nave deve "falar o oportuno" como condição necessária para que possa manter a guarda do poder na direção da cidade-nave. O que é, pois, oportuno nesse momento crítico, em que a cidade-nave deve ser salva do naufrágio? Nas palavras de Etéocles, cabe ao dirigente (governante e piloto) o reconhecimento de que, em caso de bom resultado, o mérito é de Deus (*aitía Theoû*, *Se.* 4), mas, em caso de desgraça, acusa-se Etéocles, ressaltada a ironia inerente ao nome *Eteoklées*, "o realmente glorioso"; por outro lado, aos dirigidos (governados e tripulantes) cabe "acudir à cidade e aos altares dos Deuses regionais, de modo a não se extinguirem as honras, e aos filhos e à Terra, a primeira nutriz" (*Se.* 14-6).

A cidade assediada obteve até o momento presente o favor dos Deuses (*theós... ek theôn*, *Se.* 21-3), mas agora o adivinho, atento às aves augurais, com arte sem mentira, prevê que à noite se reúnem os que planejam o maior ataque aqueu à cidade.

Alertado pelo adivinho, o dirigente conclama governados e tripulantes à intrépida defesa da cidade-nave, e declara ter enviado espiões e olheiros do exército, para que não fosse surpreendido por dolo.

É nesse estado de alerta e de prontidão que Etéocles ouve o mensageiro espião, que, por sua vez, não só desdobra numa primeira dicotomia o gênero dos "concidadãos de Cadmo" mas também desdobra em sua fala as imagens com que Etéocles descreve a si mesmo como "piloto ao leme" e a seu propósito de "dizer o oportuno" — ressaltando-se pela reiteração os traços marcantes do protagonista: cuidadoso ao agir e oportuno ao falar (*Se.* 3/42, 1/65).

Os Deuses — invocados por Etéocles e assim tomados por seus interlocutores — no prólogo são "Zeus e Terra, e Deuses que têm a cidade, e Imprecação", dita "Erínis do pai, a de grande força" (*Se.* 69-70). Por considerarmos o mesmo que "Deuses cidadãos" (*Theoí polîtai*, *Se.* 243) os "Deuses regionais" (*Theön egkhoríon*, *Se* 14) e os "Deuses que têm a cidade" (*polissoûkhoi Theoí, Se* 69), consideramos também os mesmos os Deuses mencionados na primeira fala de Etéocles (*Se.* 1-38) e os invocados na segunda fala de Etéocles (*Se.* 69-77), exceto Imprecação, dita Erínis, cuja invocação parece motivada pelo impacto das notícias anunciadas pelo mensageiro depois de preditas pelo adivinho.

O relatório do mensageiro espião que descreve o ritual de juramento realizado entre os sete chefes com o propósito de ou tomar a cidade ou morrer: a matança de touro e a invocação dos Deuses Ares, Enio, sanguinário Pavor e Violência (*Se.* 42-7). A fala do espião contrapõe, aos antes mencionados Deuses regionais e ao favor divino concedido aos cidadãos assediados, os Deuses que se manifestam na guerra e na carnificina, invocados pelos asseadiantes; descreve o avanço do exército argivo pela planície; e retomando as imagens do cuidadoso piloto que dirige a cidade-nave e da oportunidade a ser por ele colhida, conclui com um apelo, dirigido ao piloto, de que, diante dos sopros de Ares e da estrondosa e sólida onda do exército, guarneça a fortaleza e assim colha a oportunidade, ainda que rápida (*Se.* 65).

Ao ouvir esse relato e apelo do primeiro mensageiro espião, Etéocles responde com a invocação e súplica a Zeus e Terra, e Deuses tutelares da cidade, e ainda Imprecação (*Ará*), sendo essa última descrita como "Erínis do pai, a de grande força" (*Se.* 70). Nessa súplica, acrescenta aos Deuses já por ele mencionados e agora invocados a invocação de Imprecação, dita "Erínis do pai, a de grande força", sem que se possa perceber, no entanto, uma contraposição entre esta última invocada e os anteriormente invocados, mas ressalta-se antes uma comunidade dos gêneros Zeus e Terra, e Deuses que têm a cidade, e Imprecação: a comunidade do interesse em salvar a cidade e conservá-la livre de jugo servil.

Etéocles pede que preservem a cidade e mantenham a terra e a cidade de Cadmo livres de jugos servis, fundamentando esse pedido de abrigo na esperança de falar em nome de interesses comuns, "pois, se prospera, a cidade honra os Numes" (*Se.* 77).

Admitimos que essa comunidade de interesses possa ressaltar a comunicação entre os gêneros divinos Zeus e Terra, e Deuses que têm a cidade, e Imprecação, dita ainda *Erínis* e *Éris*.

Que mais há de dialético, nesse prólogo do drama, assim resumido? Dada a estrutura comum ao mito e à dialética trágica, poder-se-ia considerar quer dialética quer mítica tanto a diversidade dos interlocutores quanto a ordenação dos elementos constitutivos (referentes e determinantes) da interlocução entre Etéocles e seus interlocutores.

O conjunto dos interlocutores e Etéocles se constitui, pois, de dois gêneros já inicialmente distintos, o dos Imortais e o dos mortais. No interior de cada um desses gêneros, distinguem-se diversas instâncias de participação tanto na verdade quanto no ser, de modo que assim se multiplicam as distinções e, no desenvolvimento do drama, com o refinamento da análise, explicita-se o sentido do que o drama nos mostra.

Entre os mortais, o gênero dos "concidadãos de Cadmo" circunscreve todo o horizonte humano da interlocução de Etéocles; desdobra-se primeiro por faixas etárias, que distinguem os ainda jovens, os já envelhecidos e os que acodem com todas as armas (*Se.* 10-11 e 30-34); desdobra-se ainda na figura do mensageiro espião, cuja fala ressalta pela reiteração os traços descritivos de como há de ser o governante piloto da cidade-nave: cuidadoso ao agir e oportuno ao falar. O terceiro desdobramento do gênero dos mortais se dá no párodo, com a entrada do coro, que completa e amplia, de um ponto de vista feminino, sob o signo do pavor, as informações dadas no prólogo de um ponto de vista masculino, guiado pela necessidade de dizer o oportuno.

Entre os Imortais, nessa totalidade cósmica nomeada como Zeus e Terra, primeiro se distinguem os "Deuses que têm a cidade", ditos também "Deuses regionais" e "Deuses cidadãos", e em seguida a Imprecação, dita *Erínis*, que se realiza como *Éris* na rixa fratricida.

Aos Deuses mencionados e invocados por Etéocles, o coro de mulheres, ao irromper no párodo, acrescenta e contrapõe um dos Deuses invocados pelos chefes inimigos, a saber, o "sanguinário Pavor" (*Se.* 45/78). A simples menção constitui — ao supostamente experto discernimento do governante piloto da cidade-nave — uma invocação, com o risco e o perigo de que o Deus indesejável se manifeste entre os muros da cidade assediada; revela-se então um temor a assaltar o até agora intrépido piloto, o temor de que Pavor se manifeste dentro dos muros.

O motim feminino

No párodo (*Se.* 78-180), como no primeiro estásimo (*Se.* 287-368), o coro invoca os nomes dos Deuses que do panteão lhe parecem mais convenientes e mais condizentes com as circunstâncias presentes da cidade sitiada; e, pela interseção entre as noções próprias desses nomes divinos invocados e os correlatos aspectos da vida na cidade assediada, faz uma abrangente e lúcida análise não só dos acontecimentos presentes mas também dos acontecimentos presentemente possíveis na cidade sitiada.

No prelúdio do párodo, o coro descreve a si mesmo, como apavorado a prantear grandes dores, e a sua cidade, com os sinais visíveis do ataque das tropas inimigas: poeira no céu, planícies batidas por cascos e o grito que flutua e brame como inelutável torrente da montanha. Ante esses sinais, o coro se volta a Deuses e Deusas, suplicando-lhes que repilam o mal emergente, e perguntando-se qual dentre os Deuses e qual dentre as Deusas o socorrerá e defenderá, e ante quais imagens dos Numes pátrios prosternar-se. Nessas circunstâncias, o primeiro dos Deuses a ser nomeado é Ares, na qualidade de antigo terrícola (sogro do fundador de Argos, Cadmo, esposo de sua filha com Afrodite, Harmonia — cf. *Teogonia*, 933-7). O nome de Ares, na voz do coro, tanto designa um interlocutor divino a quem se pede socorro e abrigo (*Se*. 104, 135-6) quanto o senhor das armas e inspirador da fúria homicida (*Se*. 115, 121, 344). Associados a Ares, o coro invoca Zeus pai perfectivo (*Se*. 116), o ser de Zeus, poder belicoso, Palas (*Se*. 130), o equino e marítimo rei Posídon (*Se*. 130-1), Cípris — primeira mãe da família argiva (*Se*. 140), o rei Lupino, que seja lupino contra os inimigos (*Se*. 145-6), a filha de Leto, amiga Ártemis, senhora de arco e de dardos (*Se*. 146, 154-5), soberana Hera (*Se*. 152), amigo Apolo (*Se*. 159), originária de Zeus, venturosa rainha Onca, que preserve a sua sede de sete portas (*Se*. 161-5), e conclui com Deuses onipotentes, perfeitos e perfeitas vigilantes das torres desta terra, Numes queridos, libertadores protetores da cidade (*Se*. 161-3, 174-6).

Para o coro de mulheres, dentro do horizonte humano de sua interlocução, Etéocles é o único interlocutor, até a chegada do segundo mensageiro, ao fim do segundo estásimo (*Se*. 368-374); no entanto, em que pese a exasperação de Etéocles diante das palavras tão invocativas e emotivas do coro, e o apelo de que se cale, no primeiro estásimo (*Se*. 287-368) o coro se volta aos Deuses, a invocá-los com a mesma disciplina com que no párodo contemplava e examinava as circunstâncias presentes e suas possibilidades. Os Deuses então invocados e mencionados são os que se deixam entrever na paisagem da cidade sitiada: por um lado, invocam-se os protetores e defensores Deuses filhos de Zeus (*Se*. 3001), Deuses habitantes da cidade (*Se*. 313); por outro lado, mencionam-se os Deuses visíveis, e previsíveis ou possíveis, na paisagem, a saber, a água de Dirce, originária do telurígero Posídon e das filhas de Tétis, e — em defesa da cidade — a homicida, maligna, desarmante Erronia (*Áte, Se*. 314-5), e ainda Hades (*Se*. 322) e Ares (*Se*. 344).

A configuração numinosa dos sete contra sete

O segundo episódio se compõe, além do prelúdio dito pelo corifeu a anunciar o segundo mensageiro espião, de sete pares de discursos partilhados pelo mensageiro, que cada vez descreve um dos chefes inimigos, e por Etéocles, que por sua vez responde com a descrição do defensor mais indicado para cada atacante. Cada par de discursos é seguido de uma estância cantada pelo coro, a formular votos contra os inimigos e tácita aprovação às palavras de Etéocles, até perfazer seis pares de estrofe-antístrofe. Contudo, no sétimo par de discursos, o mensageiro nomeia Polinices — irmão de Etéocles, filhos ambos de Édipo — como o atacante da sétima porta, quando Etéocles já tinha proclamado que seria o sétimo defensor. Após ouvir o sétimo discurso do mensageiro, Etéocles invoca o grande horror dos Deuses, a pranteada família de Édipo, as imprecações paternas (*patròs... Araí Se*. 655), que trazem consigo cumprirem-se (*telesphóroi, id. ib.*), e a virgem filha de Zeus Justiça, reiterando e multiplicando a invocação de Justiça.

A essas palavras de Etéocles o coro responde com súbita ruptura dessa atitude de tácita aprovação, e com veemente desaprovação e tentativa de dissuasão.

Na informação dada pelo mensageiro, de que o atacante da sétima Porta seria o seu irmão Polinices, Etéocles parece ver uma revelação do Nume, com quatro aspectos sombrios: 1) o grande horror dos Deuses, 2) a pranteada família de Édipo, 3) as imprecações paternas e 4) Justiça, filha virgem de Zeus. Nessa revelação assim descrita pelas palavras de Etéocles, configura-se a unidade enantiológica que tanto contrapõe e identifica na pranteada família de Édipo o grande horror dos Deuses e a filha virgem de Zeus Justiça.

Assim configurada entre o horror dos Deuses e a filha virgem de Zeus Justiça, essa unidade enantiológica reúne em seu amplo espectro diversos aspectos nomeados também como *Erinýs* e *Éris*, Erínis e Rixa.

O binômio "Imprecação e Erínis do pai" associa-se a "Zeus e Terra e Deuses tutelares da cidade" na invocação feita por Etéocles, quando, tendo ouvido o primeiro mensageiro espião, pede pela salvação da cidade (*Se.* 69-70). Ao ouvir por fim o segundo mensageiro, Etéocles invoca as "imprecações paternas" associando-as à sua família, ao grande horror dos Deuses e à Justiça de Zeus, negando toda participação em Justiça a seu irmão e declarando-se o mais justo (*endikóteros, Se.* 673).

O coro tenta demover Etéocles de seu propósito de combater contra o próprio irmão, com o argumento de que para o massacre entre argivos e tebanos há purificação, mas não para o massacre de consanguíneos, cuja poluição não envelhece (*Se.* 679-82). Do ponto de vista do coro, a decisão de Etéocles pelo afrontamento do irmão é deixar-se arrebatar pela *thumopletès dorímargos Áta*, pela belicosa Erronia cheia de furor (*Se.* 687). *Áta*, em ático *Áte*, "Erronia", é justamente essa face de horror dos Deuses que se revela na Justiça de Zeus. Nesse sentido de horror dos Deuses, Etéocles reconhece que "toda a família de Laio é objeto de horror para Febo" (*Se.* 691), a ressentir a negligência dos Deuses (*Theoîs mèn éde pos paremelémetha, Se.* 702). Na estimativa de Etéocles, a graça proveniente da morte de ambos os irmãos é admirável, de modo que a sorte funesta não há de ser levada em consideração (*Se.* 703-4). Dada essa estimativa assim formulada, parece que Etéocles espera que sejam atendidas suas súplicas às "Imprecação e Erínis do pai" (*Se.* 70), reiteradas como "imprecações do pai, cumpridoras" (*Se.* 655). E, efetivamente, a cidade será salva de ser destruída no assédio mediante a rixa dos irmãos inimigos e mediante a consumação das imprecações paternas.

A curvípede Erínis

No segundo estásimo (*Se.* 720-91), o coro canta seu temor de que "destruidora da casa a Deusa dissímil das Deusas verdadeira maligna adivinha — Erínis imprecada pelo pai — cumpra as iracundas pragas de Édipo demente, e fratricida Rixa se precipite." (*Se*. 720-6). O exame retrospectivo das relações entre Apolo e Laio e depois entre Apolo e Édipo justifica aos olhos do coro seu temor de que "curvípede Erínis se cumpra" (*Se*. 791).

A cidade salva pelas preces

No terceiro episódio (*Se*. 792-821), o terceiro mensageiro confirma a aparente expectativa revelada nas súplicas de Etéocles e assim também o temor cantado pelo coro no terceiro estásimo: a cidade está salva do jugo servil, e os filhos de Édipo estão mortos na rixa por mútuo massacre, conduzidos a essa partilha da herdade pelas malparadas preces de Édipo.

O gume do oráculo

No terceiro estásimo (*Se*. 822-847), o coro se mostra perplexo entre saudar com alarido jubiloso o Grande Zeus e Numes tutelares da cidade, pela salvação da cidade, ou prantear pelos aflitos e malsinados sem-filhos capitães de guerra — e com maligno frio a envolver o coração, ao ouvir a notícia dos mortos, o coro reverencia a negra e perfeita Imprecação da família e de Édipo, que se torna manifesta ao realizarem-se tanto as palavras votivas do pai Édipo quanto as infiéis imprudências de Laio. O coro declara que a aflição envolve a cidade, que o oráculo divino não perde o gume, e deplora os míseros que, executores do inacreditável, suscitaram lastimáveis dores — não com razão (*ou lógoi, Se*. 847).

A Deusa ressurgente

No êxodo, dois trechos foram objeto de suspeita e de disputa quanto à suspeição, a saber, 1) os versos 861-74, que anunciam a entrada de Antígona e Ismene, para o ofício amargo de prantear os irmãos, e 2) os versos da cena final, 1005-78, em que se contrapõem o arauto e Antígona, quanto à proibição de dar sepultura a Polinices. Esses dois trechos, distinguidos pela suspeição da autenticidade na atribuição da autoria (seriam de Ésquilo, filho de Eufórion, ou de Eufórion, filho de Ésquilo?), emolduram o lamento fúnebre pela morte dos irmãos suicidas. Hugh Lloyd-Jones, que — se não defendia a tese da autenticidade — atacava os argumentos em prol da suspeição, resume o argumento principal contra a autenticidade com a questão: "um novo motivo de conflito pode ser introduzido no final do drama?" O novo motivo de conflito é — evidentemente — a querela movida por Antígona em defesa dos funerais devidos ao irmão morto.

Se admitimos:

1) que o principal interlocutor do protagonista é a complexão numinosa que reúne os aspectos sombrios tais quais Erínis, Imprecação e Rixa fratricida, e os aspectos benéficos (salvadores da cidade) tais quais Deuses regionais, Deuses habitantes da cidade, Deuses cidadãos e Justiça filha de Zeus;

2) e que nessa complexão numinosa ressalta-se — como um dos aspectos fundamentais do mundo em que atua o protagonista — a Deusa Rixa, filha da Noite imortal, não devemos considerar a querela entre Antígona e o arauto "um novo motivo de conflito", mas sim considerá-la um ressurgimento previsível dessa forma divina a quem se dirigia o protagonista — que, morto, continua presente como a razão pela qual agora ainda se manifesta nessa família, em forma de rixa, a antiga Erínis.

SINOPSE DO ESTUDO DA TRAGÉDIA *OS SETE CONTRA TEBAS* DE ÉSQUILO

Delineamento dos principais problemas hermenêuticos da tragédia: 1) A noção mítica de Erínis (*Erinýs*), nesse drama identificada tanto com Imprecação (*Ará*) quanto com Rixa (*Éris*), teria, também nesse drama, por força de unidade enantiológica, o sentido de Justiça, filha de Zeus, como se verifica na *Oresteia*? 2) Se é no âmbito da Deusa Rixa que o drama se situa, o conflito entre o arauto e Antígona na cena final revelaria não um novo tema, mas mais uma manifestação dessa mesma Deusa?

Prólogo (*Se*. 1-77): No governo de Tebas, Etéocles interpela o povo como "concidadãos de Cadmo" e fala dos deveres de cada um, seus e deles, porque o adivinho por auspício soube que esta noite se decide o maior ataque contra a cidade; põe a todos em estado e posição de vigilância, e anuncia o espião, que enviara como olheiro do exército. O mensageiro espião relata o juramento dos sete chefes inimigos, por Ares, Enio e Pavor, de ou destruir a cidade ou morrer, e o iminente sorteio das posições de ataque. Etéocles impreca a Zeus, Terra, Deuses tutelares da cidade e Imprecação (*Ará*), dita Erínis do pai (*Erinýs patrós*), que não extirpem nem subjuguem a cidade de Cadmo.

Párodo (*Se*. 78-180): **Prelúdio** (*Se*. 78-108): Apavorado, o coro descreve os sinais de aproximação do exército atacante: poeira no céu, a concussão do tropel, o fragor de escudos; invoca Deuses e Deusas, pergunta-se diante de quais Numes pátrios prosternar-se em preces, impreca a Ares — antigo terrícola — que olhe a cidade. **Primeira estrofe** (*Se*. 109-26): Suplica aos Deuses tutelares da cidade que guardem as virgens suplicantes, e a Zeus pai perfectivo que afaste delas a captura pelos inimigos conduzidos pelos sete chefes ante as sete portas. **Primeira antístrofe** (*Se*. 128-48): Invoca três díades: Palas e Posídon, Ares e Cípris, Apolo e Ártemis. **Segunda estrofe** (*Se*. 150-7): Invoca Hera e Ártemis, descreve os sons do ataque à cidade. **Segunda antístrofe** (*Se*. 158-65): Invoca Apolo ao som do ataque, invoca rainha Onca. **Terceira estrofe** (*Se*.166-72): Invoca Deuses e reitera prece de que defendam a cidade. **Terceira antístrofe** (*Se*. 173-80): Invoca Numes, vinculados à cidade, pela amizade e pelo culto.

Primeiro episódio (*Se.* 182-286): Etéocles invectiva o gênero das mulheres e, alegando que as prosternações, gritos e correrias de mulheres incitam cidadãos à covardia e auxiliam os de fora contra os de dentro, pede obediência a seu poder sob pena de lapidação pública. **Cena epirremática**: Coro e Etéocles dividem cada estância dos três pares de estrofes e antístrofes (*Se.* 203-244): **Primeira estrofe** (*Se.* 203-10): O coro responde ao filho de Édipo que temeu ao ouvir o clangor dos carros de guerra; Etéocles retruca que, abandonando o posto, o marujo não salva o navio. **Primeira antístrofe** (*Se.* 211-8): O coro diz que, confiante nos Deuses, foi a antigas imagens de Numes e por pavor do estrépito da guerra suplicou aos Venturosos que defendessem a cidade; Etéocles escarnece a súplica. **Segunda estrofe** (*Se.* 119-25): O coro reitera a prece ao conjunto dos Deuses; Etéocles diz que a disciplina (*peitharkhía*) é a causa do bom sucesso salvador da cidade. **Segunda antístrofe** (*Se.* 126-32): O coro considera a superioridade do poder de Deus; Etéocles assenta que cabe aos varões o trato com o divino, e às mulheres, calar-se e ficar em casa. **Terceira estrofe** (*Se.*233-8): O coro joga com *nemómeth'* ("temos") e *némesis* ("indignação") para justificar sua atitude perante os Deuses; Etéocles reitera a reserva à manifestação de pavor. **Terceira antístrofe** (*Se.* 239-44): O coro reconhece terrível pavor ao ir à acrópole ao som do ataque; Etéocles recomenda não arrebatamento nem lamúrias ante moribundos e feridos. **Esticomítia** (*Se.* 245-63): A aproximação dos ruídos do ataque intensifica a expressão de pavor do coro e exaspera Etéocles, que manda o coro calar-se para não apavorar os seus. As instruções do rei em defesa da cidade (*Se.* 264-86): que o coro entoe o alarido sagrado (*ololygmòn hierón*), que os Deuses aceitem o pacto de bom sucesso e de sacrifícios e sagrações, e que vão os seis homens contra os inimigos, sendo o rei o sétimo.

Primeiro estásimo (*Se.* 287-368):. **Primeira estrofe** (*Se.* 287-303): Cresce o temor com a estrepitosa expectativa do ataque, impreca aos Deuses filhos de Zeus a defesa do exército filho de Cadmo. **Primeira antístrofe** (*Se.* 304-20): Elogia a excelência da terra e água de Dirce, impreca aos Deuses tutelares da cidade deem derrotante erronia aos de fora e sinais de vitória aos cidadãos. **Segunda estrofe** (*Se.* 321-32): Visão pavorosa da cidade devastada, das prisioneiras e do espólio de guerra. **Segunda antístrofe** (*Se.* 333-44): A sorte dos mortos precoces é melhor que a da cidade devastada, onde arde o fogo e Ares inspira os furiosos. **Terceira estrofe** (*Se*. 345-57): Visão temida: tumulto na cidade, combates, massacres de inocentes, pilhagens e correrias, ávidos saques. **Terceira antístrofe** (*Se*. 358-68): Prevê a amarga visão da destruição de víveres, a coação das cativas e a esperança do fecho noturno (morte?).

Segundo episódio (*Se*. 369-719): Anunciada a entrada do mensageiro e do rei, o mensageiro descreve o caráter, as armas e os signos de cada guerreiro adversário, a que o rei contrapõe um combatente considerado moralmente superior ao atacante e a reinterpretação dos signos, de modo que sejam aziagos para seu portador e propícios aos sitiados; o coro — reativo, reflexivo e em preces — intervém ao longo de três pares de estrofes e antístrofes. O sétimo guerreiro anunciado pelo mensageiro é Polinices, o irmão inimigo de Etéocles, o que — tendo-se o rei antes incumbido da defesa da sétima porta (cf. *Se*. 282) — aparentemente torna a rixa dos dois irmãos inimigos também uma porfia pela superioridade moral, visto que a cada um dos chefes do assalto Etéocles tinha contraposto a defesa de quem considerava moralmente superior. O coro, no entanto, entendendo que a determinação de Etéocles de lutar contra o irmão o torna pior que o torpe, argumenta que o fratricídio é poluência inexpurgável. A cena epirremática (*Se*. 683-719) mostra a irredutível determinação do rei em lutar contra o próprio irmão.

Segundo estásimo (*Se*. 720-791): **Primeira estrofe** (*Se*. 720-6): Horror ante Erínis imprecada pelo pai Édipo, dita Rixa filicida. **Primeira antístrofe** (*Se*. 727-33): O aço (*khálybos*) – hóspede divisor de haveres – frustra a posse dos campos. **Segunda estrofe** (*Se*. 734-41): A poluência do fratricídio é inexpurgável; novas dores de antigos males. **Segunda antístrofe** (*Se*. 742-9): Evoca a transgressão de Laio e o oráculo pítio. **Terceira estrofe** (*Se*. 750-757): Dominado pela imprudência, Laio gera quem o mata; o parricida Édipo semeia a lavra materna, casado por demência. **Terceira antístrofe** (*Se*. 758-65): O mar de males espuma ao redor da cidade sitiada. **Quarta estrofe** (*Se*. 766-71): A praga do pai se cumpre no acordo do fratricídio: a opulência excessiva tem seu preço. **Quarta antístrofe** (*Se*. 772-7): Ninguém foi tão admirado e honrado pelos Deuses e pelo povo quanto Édipo. **Quinta estrofe** (*Se*. 778-84): Édipo perpetrou dois males: furar os olhos. **Quinta antístrofe** (*Se*. 785-91): Imprecar a partilha feita a ferro, temida Erínis.

Terceiro episódio (*Se*. 792-821): O mensageiro anuncia que a cidade está livre do cerco inimigo e que os irmãos Etéocles e Polinicies estão mortos, um pela mão do outro, e pela imprecação do pai.

Terceiro estásimo (*Se*. 822-47): Credita a Zeus e aos Numes tutelares a vitória salvadora da cidade, e lamenta os capitães mortos. **Primeira estrofe** (*Se*. 78-): Como potestade numinosa, a Praga paterna se cumpriu, e o luto inspira o canto fúnebre. **Primeira antístrofe** (*Se*.): No cumprimento da praga de Édipo estão presentes o oráculo de Apolo e a incúria de Laio.

Êxodo (*Se*. 848-1004): Lamento pela dupla morte fratricida, o ritual do pranto acompanha o não enviado navio além do Aqueronte; anunciam-se Antígona e Ismene, a prantearem os irmãos; o hino de Erínis e o peã de Hades. **Primeira estrofe** (*Se*. 874-9): A mísera morte dos que tomaram por violência o palácio paterno. **Primeira antístrofe** (*Se*. 880-7): A reconciliação pelo ferro é a verdade da poderosa Erínis contida na praga paterna. **Segunda estrofe** (*Se*. 888-98): Pranteia-se o fratricídio como numinosa sorte imprecada pelo pai. **Segunda antístrofe** (*Se*. 900-10): O pranto é da cidade, das torres e da planície; o reconciliador dessa rixa mortífera é Ares. **Terceira estrofe** (*Se*. 911-21): A própria dor lamenta a sorte, ferida pelo ferro, dos dois reis. **Terceira antístrofe** (*Se*. 922-33): Os mortos causaram muitas mortes, de cidadãos e de estrangeiros, em combate; o mau Nume da mãe que tomou o filho por marido e gerou os irmãos fratricidas. **Quarta estrofe** (*Se*. 934-46): Ao término desse litígio de rixa louca, cessa o ódio e o repouso no solo une os irmãos; o reconciliador são o ferro e também Ares, ao tornar verdade a praga paterna. **Quarta antístrofe** (*Se*. 947-60): A sorte de males, o alarido das Pragas, a derrota da estirpe, o troféu de Erronia e a vitória do Nume, que assim cessa. **Esticomítia** (*Se*. 961-1004): Interlocução entre os líderes de dois semicoros, possivelmente Antígona e Ismene. **Prelúdio** (*Se*. 961-50): Lamenta o massacre recíproco. **Primeira estrofe** (*Se*. 966-77): Simetria na morte dos irmãos inimigos; estribilho remete à prece de Etéocles no final do prólogo. **Primeira antístrofe** (*Se*. 978-88): Simetria na vida e na morte de ambos os irmãos; reiteração do estribilho. **Epodo** (*Se*. 989-1004): Prosseguindo o pranto, a interlocução se volta a cada um dos dois mortos e assim retoma as imagens da cidade-nave e do remador de lança (*dorós... anterétas*, *Se*. 992), e a noção de erronia como configuração numinosa (*daimonôntes atai*, *Se*. 1002).

Cena final (*Se.* 1005-1078): O arauto anuncia os decretos do poder público: a sorte dos restos mortais de Etéocles (*Se.* 1005-12) e a dos de Polinices (*Se.* 1013-25); Antígona anuncia sua decisão de sepultar o irmão, contra o decreto (*Se.*1026-41); a **esticomítia** (*Se.* 1042-53), contrapondo Antígona ao arauto, termina com a invocação, por Antígona, da Deusa Rixa como a que dá a última palavra, contra a proibição proclamada pelo arauto; nos anapestos (*Se.* 1054-78), o coro invoca as Cisões Erínies, destruidoras da estirpe de Édipo, perplexo entre a ousadia de não prantear o morto e o pavor de pranteá-lo suscitado pelo temor dos concidadãos; o primeiro semicoro (*Se.* 1066-71) opta por seguir Antígona no séquito e exéquias de Polinices, alegando a instabilidade do senso de justiça da cidade; e o segundo semicoro (*Se.* 1072-8), obedecendo o decreto público por seu fundamento na justiça, opta por honrar com séquito e exéquias o morto defensor da cidade dos cadmeus.

OS SETE CONTRA TEBAS

Tradução segundo texto estabelecido por Paul Mazon.

As personagens do drama:
E(téocles).
M(ensageiro espião).
C(oro de mulheres).
An(tígona).
Ar(auto).
(Semicoro) A.
(Semicoro) B.

ΕΤΕΟΚΛΗΣ

Κάδμου πολῖται, χρὴ λέγειν τὰ καίρια
ὅστις φυλάσσει πρᾶγος ἐν πρύμνῃ πόλεως,
οἴακα νωμῶν βλέφαρα μὴ κοιμῶν ὕπνῳ·
εἰ μὲν γὰρ εὖ πράξαιμεν, αἰτία θεοῦ·
εἰ δ᾽ αὖθ᾽, ὃ μὴ γένοιτο, συμφορὰ τύχοι, 5
Ἐτεοκλέης ἂν εἷς πολὺς κατὰ πτόλιν
ὑμνοῖθ᾽ ὑπ᾽ ἀστῶν φροιμίοις πολυρρόθοις
οἰμώγμασίν θ᾽, ὧν Ζεὺς Ἀλεξητήριος
ἐπώνυμος γένοιτο Καδμείων πόλει.
Ὑμᾶς δὲ χρὴ νῦν, καὶ τὸν ἐλλείποντ᾽ ἔτι 10
ἥβης ἀκμαίας καὶ τὸν ἔξηβον χρόνῳ,
βλαστημὸν ἀλδαίνοντα σώματος πολύν,
ὥραν ἔχονθ᾽ ἕκαστον ὥς τι συμπρεπές,
πόλει τ᾽ ἀρήγειν καὶ θεῶν ἐγχωρίων
βωμοῖσι, τιμὰς μὴ ᾽ξαλειφθῆναί ποτε· 15
τέκνοις τε, Γῇ τε μητρί, φιλτάτῃ τροφῷ·
ἡ γὰρ νέους ἕρποντας εὐμενεῖ πέδῳ,
ἅπαντα πανδοκοῦσα παιδείας ὅτλον,
ἐθρέψατ᾽ οἰκητῆρας ἀσπιδηφόρους
πιστοὺς ὅπως γένοισθε πρὸς χρέος τόδε. 20
Καὶ νῦν μὲν ἐς τόδ᾽ ἦμαρ εὖ ῥέπει θεός·
χρόνον γὰρ ἤδη τόνδε πυργηρουμένοις
καλῶς τὰ πλείω πόλεμος ἐκ θεῶν κυρεῖ·
νῦν δ᾽ ὡς ὁ μάντις φησίν, οἰωνῶν βοτήρ,
ἐν ὠσὶ νωμῶν καὶ φρεσίν, πυρὸς δίχα, 25
χρηστηρίους ὄρνιθας ἀψευδεῖ τέχνῃ —
οὗτος τοιῶνδε δεσπότης μαντευμάτων
λέγει μεγίστην προσβολὴν Ἀχαιίδα
νυκτηγορεῖσθαι κἀπιβουλεύσειν πόλει.
Ἀλλ᾽ ἔς τ᾽ ἐπάλξεις καὶ πύλας πυργωμάτων 30
ὁρμᾶσθε πάντες, σοῦσθε σὺν παντευχίᾳ,
πληροῦτε θωρακεῖα κἀπὶ σέλμασιν

PRÓLOGO (1-77)

E. Concidadãos de Cadmo, deve dizer o oportuno
quem guarda o poder, na popa da cidade,
piloto ao leme, sem dar pálpebras ao sono.
Se tivéssemos bom êxito, o mérito é de Deus,
se, aliás, que isto não se dê, viesse infortúnio, 5
Etéocles só seria muito hineado na cidade
pelos cidadãos, com proêmios multíssonos
e com prantos, dos quais Zeus defensor
epônimo seja para a cidade dos cadmeus!
Deveis agora vós, quer ainda falho do vigor 10
juvenil, quer desjuvenescido pelo tempo,
a fortalecer a robusta floração corporal,
cada um com o cuidado que lhe convém,
acudir à cidade e aos altares dos Deuses
da região (que as honras não se apaguem), 15
aos filhos e à Terra mãe, a primeira nutriz:
quando jovens serpeáveis no chão benévolo,
ela acolheu todo o peso de vossa educação
e criou-vos como residentes escudados,
para que fôsseis fiéis a esta dívida. 20
E agora até hoje, Deus pende a favor:
por este tempo, para os postos nas torres,
a guerra, o mais, pelos Deuses, corre bem;
mas, agora, diz o adivinho pastor de pássaros,
longe da pira, à escuta e em busca, atento 25
às aves augurais, com arte sem mentira,
esse déspota de tais modos de adivinhar
diz que à noite se reúne para decidir-se
o maior assalto aqueu contra a cidade.
Eia! Correi às ameias e portais das torres 30
todos, acudi com todo o armamento,
preenchei parapeitos, ocupai os bancos

πύργων στάθητε καὶ πυλῶν ἐπ' ἐξόδοις
μίμνοντες εὖ θαρσεῖτε, μηδ' ἐπηλύδων
ταρβεῖτ' ἄγαν ὅμιλον· εὖ τελεῖ θεός· 35
σκοποὺς δὲ κἀγὼ καὶ κατοπτῆρας στρατοῦ
ἔπεμψα, τοὺς πέποιθα μὴ ματᾶν ὁδῷ·
καὶ τῶνδ' ἀκούσας οὔ τι μὴ ληφθῶ δόλῳ.

ΑΓΓΕΛΟΣ

Ἐτεόκλεες, φέριστε Καδμείων ἄναξ,
ἥκω σαφῆ τἀκεῖθεν ἐκ στρατοῦ φέρων, 40
αὐτὸς κατόπτης δ' εἴμ' ἐγὼ τῶν πραγμάτων.
Ἄνδρες γὰρ ἑπτὰ θούριοι λοχαγέται,
ταυροσφαγοῦντες ἐς μελάνδετον σάκος
καὶ θιγγάνοντες χερσὶ ταυρείου φόνου,
Ἄρη τ', Ἐνυώ, καὶ φιλαίματον Φόβον 45
ὡρκωμότησαν ἢ πόλει κατασκαφὰς
θέντες λαπάξειν ἄστυ Καδμείων βίᾳ
ἢ γῆν θανόντες τήνδε φυράσειν φόνῳ·
μνημεῖά θ' αὑτῶν τοῖς τεκοῦσιν ἐς δόμους
πρὸς ἅρμ' Ἀδράστου χερσὶν ἔστεφον, δάκρυ 50
λείβοντες· οἶκτος δ' οὔτις ἦν διὰ στόμα·
σιδηρόφρων γὰρ θυμὸς ἀνδρείᾳ φλέγων
ἔπνει, λεόντων ὡς Ἄρη δεδορκότων.
Καὶ τῶνδε πίστις οὐκ ὄκνῳ χρονίζεται·
κληρουμένους δ' ἔλειπον ὡς πάλῳ λαχὼν 55
ἕκαστος αὐτῶν πρὸς πύλας ἄγοι λόχον.
Πρὸς ταῦτ' ἀρίστους ἄνδρας ἐκκρίτους πόλεως
πυλῶν ἐπ' ἐξόδοισι τάγευσαι τάχος·
ἐγγὺς γὰρ ἤδη πάνοπλος Ἀργείων στρατὸς
χωρεῖ, κονίει, πεδία δ' ἀργηστὴς ἀφρὸς 60
χραίνει σταλαγμοῖς ἱππικῶν ἐκ πλευμόνων·
σὺ δ' ὥστε ναὸς κεδνὸς οἰακοστρόφος
φράξαι πόλισμα, πρὶν καταιγίσαι πνοὰς
Ἄρεως· βοᾷ γὰρ κῦμα χερσαῖον στρατοῦ·
καὶ τῶνδε καιρὸν ὅστις ὤκιστος λαβέ, 65
κἀγὼ τὰ λοιπὰ πιστὸν ἡμεροσκόπον
ὀφθαλμὸν ἕξω, καὶ σαφηνείᾳ λόγου

das torres, permanecei com audácia
nas portas de saída, não temais demais
a tropa atacante: Deus dará bom fecho. 35
Eu enviei espiões e olheiros do exército,
confio que eles não perderão a viagem,
e por ouvi-los não serei pego por dolo.

M. Etéocles, soberano, à frente dos cadmeus,
venho com esclarecimentos lá do exército, 40
o olheiro destes fatos sou eu mesmo.
Sete homens, impetuosos guias de tropas,
degolando touro em escudo de alças negras
e tingindo as mãos com o sangue taurino,
por Ares, por Enio e por sanguinário Pavor 45
juraram: ou destruir a fortaleza e devastar
a cidade dos cadmeus com Violência,
ou mortos molhar esta terra com sangue.
Com lembranças suas aos pais em casa
coroavam o carro de Adrasto e vertiam 50
lágrimas, sem lamúria alguma nos lábios,
pois ferrenho ânimo de ardente coragem
inspirava-os como a leões a fitarem Ares.
E a prova disso não por temor se retarda:
deixava-os no sorteio de como cada um, 55
tirada a sorte, levaria a tropa às portas.
Por isso, dispõe rápido os melhores homens
seletos da cidade, nas portas de saída;
já próximo, todo armado o exército argivo
corre e ergue pó, e alva espuma polui 60
planície, gotejada por pulmões de cavalos.
Tu, como timoneiro cuidadoso do navio,
guarnece o forte, antes que ventos se ergam
de Ares; estronda a sólida onda do exército.
Colhe essa ocasião, ainda que a mais rápida; 65
eu terei doravante por fiel espião diurno
o olho, e pela claridade da palavra

εἰδὼς τὰ τῶν θύραθεν ἀβλαβὴς ἔσῃ·

ΕΤ. Ὦ Ζεῦ τε καὶ Γῆ καὶ πολισσοῦχοι θεοί,
Ἀρά τ' Ἐρινὺς πατρὸς ἡ μεγασθενής, 70
μή μοι πόλιν γε πρυμνόθεν πανώλεθρον
ἐκθαμνίσητε δῃάλωτον Ἑλλάδος
φθόγγον χέουσαν, καὶ δόμους ἐφεστίους·
ἐλευθέραν δὲ γῆν τε καὶ Κάδμου πόλιν
ζυγοῖσι δουλείοισι μήποτε σχεθεῖν· 75
γένεσθε δ' ἀλκή· ξυνὰ δ' ἐλπίζω λέγειν·
πόλις γὰρ εὖ πράσσουσα δαίμονας τίει.

ΧΟΡΟΣ

Θρεῦμαι φοβερὰ μεγάλ' ἄχη·
μεθεῖται στρατός· στρατόπεδον λιπὼν
ῥεῖ πολὺς ὅδε λεὼς πρόδρομος ἱππότας· 80
αἰθερία κόνις με πείθει φανεῖσ',
ἄναυδος σαφὴς ἔτυμος ἄγγελος.
Ἔλε δ⟨ὲ γᾶς⟩ ἐμᾶς πεδί' ὁπλοκτύπος·
⟨πο⟩ τιχρίμπτεται, βοάν· ποτᾶται, βρέμει δ'
ἀμαχέτου δίκαν ὕδατος ὀροτύπου· 85
ἰὼ ἰὼ θεοὶ θεαί τ', ὀρόμενον
κακὸν ἀλεύσατε.
Βοᾷ ὕπερ τειχέων·
ὁ λεύκασπις ὄρνυται λαὸς εὐ- 90
τρεπὴς ἐπὶ πτόλιν διώκων·
τίς ἄρα ῥύσεται, τίς ἄρ' ἐπαρκέσει
θεῶν ἢ θεᾶν; πότερα δῆτ' ἐγὼ
ποτιπέσω βρέτη δαιμόνων; 95
ἰὼ μάκαρες εὔεδροι,
ἀκμάζει βρετέων
ἔχεσθαι· τί μέλλομεν ἀγάστονοι;
Ἀκούετ' ἢ οὐκ ἀκούετ' ἀσπίδων κτύπον; 100
πέπλων καὶ στεφέων
πότ', εἰ μὴ νῦν ἀμφὶ λιτάν' ἕξομεν;
Κτύπον δέδορκα· πάταγος οὐχ ἑνὸς δορός·

ciente dos fatos lá fora, serás incólume.
E. Ó Zeus e Terra, e Deuses tutelares da cidade,
e Imprecação, Erínis do pai, a de grande força, 70
não extirpeis minha cidade, toda em ruína,
desde a raiz, pilhada, ainda que verta
fala grega, nem às casas de nossos lares.
Livres, a terra e a cidade de Cadmo,
não as dominem jamais jugos servis. 75
Sede abrigo! Espero falar em comunidade,
pois, ao prosperar, a cidade honra os Numes.

PÁRODO (78-180)

C. Apavorada pranteio grandes dores.
O exército se move: deixando o acampamento,
corre precípite esta vasta tropa equestre. 80
A poeira no céu me persuade ao surgir
sem voz mensageira clara e veraz,
batida de cascos, toma os campos de minha terra,
aproxima-se, flutua, e freme
qual inelutável água na montanha. 85
Iò iò! Deuses e Deusas
repeli o mal emergente.
Grita por cima dos muros:
a tropa com alvos escudos conspícua 90
ergue-se a galope contra a cidade.
Quem defenderá, quem socorrerá,
qual dos Deuses, qual das Deusas?
Ante quais imagens de Numes eu cairei? 95
Iò! Venturosos bem sentados,
urge que nos atenhamos às imagens,
por que tardamos em prantos?
Ouvis ou não o fragor de escudos? 100
Com véus e coroas, se não agora,
quando faremos as preces?
Vejo fragor: estrépito não de um dardo.

τί ῥέξεις; προδώσεις, παλαίχθων
Ἄρης, τὰν τεάν; 105
ὦ χρυσοπήληξ δαῖμον, ἔπιδ' ἔπιδε πόλιν
ἄν ποτ' εὐφιλήταν ἔθου.

Θεοὶ πολιάοχοι πάντες ἴτε χθονός, Str. 1
ἴδετε παρθένων 111
ἱκέσιον λόχον δουλοσύνας ὕπερ·
κῦμα περὶ πτόλιν δοχμολόφων ἀνδρῶν
καχλάζει πνοαῖς Ἄρεος ὀρόμενον· 115
ἀλλ ⟨ά μοι,⟩ ὦ Ζεῦ ⟨Ζεῦ,⟩ πάτερ παντελές,
πάντως ἄρηξον δαΐων ἅλωσιν.
Ἀργέϊοι δὲ πόλισμα Κάδμου 120
κυκλοῦνται, φόβος δ' ἀρειων ὅπλων
⟨μ' ἔδυ·⟩ διὰ δέ τοι γ ύων ἱππίων
κινύρονται φόνον χαλινοί·
ἑπτὰ δ' ἀγήνορες πρέποντες στρατοῦ
δορυσσόῳ σαγᾷ πύλαις ἑβδόμαις 125
προσίστανται πάλῳ λαχόντες.

Σύ τ', ὦ Διογενὲς φιλόμαχον κράτος, Ant. 1
ῥυσίπολις γενοῦ,
Παλλάς, ὅ θ' ἵππιος ποντομέδων ἄναξ 130
ἰχθυβόλῳ, Ποσειδάων, μαχανᾷ,
ἐπίλυσιν φόβων, ἐπίλυσιν δίδου.
Σύ τ', Ἄρης, φεῦ, φεῦ, Κάδμου ἐπώνυμον 135
πόλιν φύλαξον κήδεσαί τ' ἐναργῶς.
Καὶ Κύπρις, ἅτε γένους προμάτωρ, 140
ἄλευσον· σέθεν γὰρ ἐξ αἵματος
γεγόναμεν, λιταῖς ⟨δέ⟩ σε θεοκλύτοις
ἀυτοῦσαι πελαζόμεσθα.
Καὶ σύ, Λύκει' ἄναξ, Λύκειος γενοῦ 145
στρατῷ δαΐῳ στόνων ἀντίτας·
σύ τ', ὦ Λατωΐς εὖ πυκάζου. 150

Ἐή ἐή, Str. 2
ὅτοβον ἁρμάτων ἀμφὶ πόλιν κλύω·

Que farás? Ó Ares, antigo terrícola,
trairás a tua terra? 105
Ó Nume de áureo elmo, olha, olha a cidade,
que um dia fizeste bem querida.

Deuses que tendes a cidade todos, vinde do chão. EST. 1
Contemplai a tropa de virgens 110
súplice contra a escravidão.
Onda de homens de oblíquo elmo estronda
ao redor da cidade, alta aos sopros de Ares. 115
Eia, ó Zeus, Zeus, pai perfectivo,
afasta toda captura por inimigos:
argivos cercam a cidade de Cadmo; 120
pavor há das armas de Ares;
nas maxilas de cavalos
os freios ressoam massacre.
Sete guerreiros seletos do exército,
com missivas armas, tiradas as sortes, 125
aproximam-se das sete portas.

Tu, ó filha de Zeus, belígero poder, ANT. 1
sê defensora da cidade,
Palas, e o equino marítimo rei 130
Posídon, com aparelho de pesca,
livra-nos, livra-nos de pavores.
Tu, Ares, *pheû pheû*, guarda a cidade 135
sob o nome de Cadmo, e cuida bem claro.
Cípris, porque és mãe da estirpe, 140
defende, pois do teu sangue
nascemos, com preces deíclitas
clamando por ti, viemos a ti.
Tu, ó Lupino Rei, Lupino sê 145
contra o exército inimigo... Tu, ó virgem,
filha de Leto, prepara o teu arco.

Eé eé. EST. 2
Ouço o clangor dos carros ao redor da cidade. 151

ὦ πότνι' Ἥρα.
Ἔλακον ἀξόνων βριθομένων χνόαι·
Ἄρτεμι φίλα.
Δοριτίνακτος αἰθὴρ ἐπιμαίνεται· 155
τί πόλις ἄμμι πάσχει; τί γενήσεται;
ποῖ δ' ἔτι τέλος ἐπάγει θεός;

Ἐή ἐή, Ant. 2
ἀκροβόλων ἐπάλξεων λιθὰς ἔρχεται·
ὦ φίλ' Ἄπολλον.
Κόναβος ἐν πύλαις χαλκοδέτων σακέων· 160
κλῦθι, Διόθεν
πολεμόκραντον ἁγνὸν τέλος ἐν μάχᾳ,
σύ τε, μάκαιρ' ἄνασσ', Ὄγκα, πρὸ πτόλεως,
ἑπτάπυλον ἕδος ἐπιρρύου. 165

Ἰὼ παναρκεῖς θεοί, Str. 3
ἰὼ τέλειοι τέλειαί τε γᾶς
τᾶσδε πυργοφύλακες,
πόλιν δορίπονον μὴ προδῶθ'
ἑτεροφώνῳ στρατῷ· 170
κλύετε παρθένων κλύετε πανδίκως
χειροτόνους λιτάς.

Ἰὼ φίλοι δαίμονες, Ant. 3
λυτήριοί ⟨τ'⟩ ἀμφιβάντες πόλιν, 175
δείξαθ' ὡς φιλοπόλιες,
μέλεσθέ θ' ἱερῶν δημίων,
μελόμενοι δ' ἀρήξατε·
φιλοθύτων δέ τοι πόλεος ὀργίων
μνήστορες ἔστε μοι. 180

ΕΤ. Ὑμᾶς ἐρωτῶ, θρέμματ' οὐκ ἀνασχετά,
ἦ ταῦτ' ἄριστα καὶ πόλει σωτήρια

Ó soberana Hera,
rangem os meãos dos eixos pesados.
Ó Ártemis amiga,
ferido por dardo o firmamento enfurece. 155
Que sofre nossa cidade? O que será?
Aonde afinal Deus ainda nos leva?

Eé eé. ANT. 2
Pedras lançadas atingem alto as ameias.
Ó amigo Apolo,
estrondam nas portas escudos de bronze, 160
ouve, ó tu, que vens de Zeus,
árbitro da guerra, puro fecho na batalha,
e tu, venturosa rainha Onca, diante da cidade,
preserva tua sede de sete portas. 165

Iò Deuses onipotentes! EST. 3
Iò perfectivos e perfectivas vigilantes
das torres desta terra,
não deis a cidade à dor dos dardos
de um exército de alheia voz. 170
Ouvi as virgens, ouvi as justas
preces de mãos estendidas.

Iò Numes queridos ANT. 3
libertadores protetores da cidade, 175
mostrai-vos amigos da cidade,
cuidai dos sacrifícios públicos
e pelo cuidado defendei,
lembrai-vos dos trabalhos cultuais
próprios de minha cidade. 180

PRIMEIRO EPISÓDIO (182-286)

E. Pergunto-vos, ó criaturas insuportáveis,
isso é o melhor e salutar para a cidade,

στρατῷ τε θάρσος τῷδε πυργηρουμένῳ,
βρέτη πεσούσας πρὸς πολισσούχων θεῶν 185
αὔειν, λακάζειν, σωφρόνων μισήματα;
Μήτ' ἐν κακοῖσι μήτ' ἐν εὐεστοῖ φίλῃ
ξύνοικος εἴην τῷ γυναικείῳ γένει·
κρατοῦσα μὲν γὰρ οὐχ ὁμιλητὸν θράσος,
δείσασα δ' οἴκῳ καὶ πόλει πλέον κακόν· 190
καὶ νῦν πολίταις τάσδε διαδρόμους φυγὰς
θεῖσαι διερροθήσατ' ἄψυχον κάκην·
τὰ τῶν θύραθεν δ' ὡς ἄριστ' ὀφέλλεται,
αὐτοὶ δ' ὑπ' αὐτῶν ἔνδοθεν πορθούμεθα·
τοιαῦτά τἂν γυναιξὶ συνναίων ἔχοις. 195
Κεἰ μή τις ἀρχῆς τῆς ἐμῆς ἀκούσεται,
ἀνὴρ γυνή τε χὤ τι τῶν μεταίχμιον,
ψῆφος κατ' αὐτῶν ὀλεθρία βουλεύσεται,
λευστῆρα δήμου δ' οὔ τι μὴ φύγῃ μόρον·
μέλει γὰρ ἀνδρί, μὴ γυνὴ βουλευέτω, 200
τἄξωθεν· ἔνδον δ' οὖσα μὴ βλάβην τίθει.
Ἤκουσας ἢ οὐκ ἤκουσας, ἢ κωφῇ λέγω;

XO. Ὦ φίλον Οἰδίπου τέκος, ἔδεισ' ἀκού- Str. 1
σασα τὸν ἁρματόκτυπον ὄτοβον ὄτοβον,
ὅ τί τε σύριγγες ἔκλαγξαν ἑλίτροχοι, 205
ἱππικῶν τ' ἀγρύπνων
πηδαλίων διὰ στόμα,
πυριγενετᾶν χαλινῶν.

ET. Τί οὖν; ὁ ναύτης ἆρα μὴ 'ς πρῷραν φυγὼν
πρύμνηθεν ηὗρεν μηχανὴν σωτηρίας,
νεὼς καμούσης ποντίῳ πρὸς κύματι; 210

XO. Ἀλλ' ἐπὶ δαιμόνων πρόδρομος ἦλθον ἀρ- Ant. 1
χαῖα βρέτη, θεοῖσι πίσυνος, νιφάδος
ὅτ' ὀλοᾶς νιφομένας βρόμος ἐν πύλαις·
δὴ τότ' ἤρθην φόβῳ
πρὸς μακάρων λιτάς, πόλεως
ἵν' ὑπερέχοιεν ἀλκάν. 215

ET. Πύργον στέγειν εὔχεσθε πολέμιον δόρυ·
οὐκοῦν τάδ' ἔσται πρὸς θεῶν; ἀλλ' οὖν θεούς
τοὺς τῆς ἁλούσης πόλεος ἐκλείπειν λόγος.

e estímulo para este exército sitiado:
caídas ante imagens de Deuses tutelares, 185
bradar, berrar, ó horror dos prudentes?
Nem nos males, nem no amável bem-estar
conviva eu com o gênero das mulheres:
se domina, sua audácia é intratável,
se teme, na casa e no país o mal é maior. 190
Agora com essas fugas perambulantes
conclamais cidadãos à exânime covardia,
auxiliais ao máximo os lá de fora
e a nós mesmos dentro nos perdemos.
Tais coisas se têm no convívio feminino. 195
Se alguém não der ouvido ao meu poder,
homem, mulher e algo a meio caminho,
será decretada contra ele pena de morte
e não escapará à sorte da lapidação pública.
Dos de fora cuida o homem, não se meta 200
a mulher, dentro de casa ela não faz mal.
Ouviste ou não? Ou falo com surda?

C. Ó caro filho de Édipo, temi ao ouvir EST. 1
o estrépito, estrépito troado de carros,
e os rangidos de meãos rodopiantes, 205
e os equinos insones
lemes na boca,
freios filhos do fogo.

E. Por quê? Fugindo da popa à proa
o marujo encontra meio de salvação
se o navio cansa com a onda marinha? 210

C. Fui correndo a antigas imagens de Numes, ANT. 1
confiante nos Deuses, quando nas portas
o estrépito do funesto nevado granizo,
então apavorada
fiz preces aos Venturosos,
que defendessem a cidade. 215

E. Suplicai que a torre proteja de lança hostil,
assim será pelos Deuses, ainda que se diga
desertarem os Deuses a cidade capturada.

ΧΟ.	Μήποτ' ἐμὸν κατ' αἰῶνα λίποι θεῶν	Str. 2
	ἅδε πανάγυρις, μηδ' ἐπίδοιμι τάνδ'	220
	ἀστυδρομουμέναν πόλιν καὶ στράτευμ'	
	ἁπτόμενον πυρὶ δαΐῳ.	
ΕΤ.	Μή μοι θεοὺς καλοῦσα βουλεύου κακῶς·	
	πειθαρχία γάρ ἐστι τῆς εὐπραξίας	
	μήτηρ, γύναι, σωτῆρος· ὧδ' ἔχει λόγος.	225
ΧΟ.	Ἔστι· θεοῦ δ' ἔτ' ἰσχὺς καθυπερτέρα·	Ant. 2
	πολλάκι δ' ἐν κακοῖσι τὸν ἀμήχανον	
	κἀκ χαλεπᾶς δύας ὕπερθ' ὀμμάτων	
	κριμναμενᾶν νεφελᾶν ὀρθοῖ.	
ΕΤ.	Ἀνδρῶν τάδ' ἐστί, σφάγια καὶ χρηστήρια	230
	θεοῖσιν ἔρδειν πολεμίων πειρωμένους ·	
	σὸν δ' αὖ τὸ σιγᾶν καὶ μένειν εἴσω δόμων.	
ΧΟ.	Διὰ θεῶν πόλιν νεμόμεθ' ἀδάματον,	Str. 3
	δυσμενέων δ' ὄχλον πύργος ἀποστέγει·	
	τίς τάδε νέμεσις στυγεῖ;	235
ΕΤ.	Οὔτοι φθονῶ σοι δαιμόνων τιμᾶν γένος·	
	ἀλλ' ὡς πολίτας μὴ κακοσπλάγχνους τιθῇς,	
	εὔκηλος ἴσθι μηδ' ἄγαν ὑπερφοβοῦ.	
ΧΟ.	Ποταίνιον κλύουσα πάταγον ἀνάμιγα	Ant. 3
	ταρβοσύνῳ φόβῳ τάνδ' ἐς ἀκρόπτολιν,	240
	τίμιον ἕδος, ἱκόμαν.	
ΕΤ.	Μή νυν, ἐὰν θνῄσκοντας ἢ τετρωμένους	
	πύθησθε, κωκυτοῖσιν ἁρπαλίζετε·	
	τούτῳ γὰρ Ἄρης βόσκεται, φόνῳ βροτῶν.	
Χο.	Καὶ μὴν ἀκούω γ' ἱππικῶν φρυαγμάτων.	245
ΕΤ.	Μή νυν ἀκούουσ' ἐμφανῶς ἄκου' ἄγαν.	
ΧΟ.	Στένει πόλισμα γῆθεν, ὡς κυκλουμένων.	
ΕΤ.	Οὐκοῦν ἔμ' ἀρκεῖ τῶνδε βουλεύειν πέρι.	
ΧΟ.	Δέδοικ', ἀραγμὸς δ' ἐν πύλαις ὀφέλλεται.	
ΕΤ.	Οὐ σῖγα μηδὲν τῶνδ' ἐρεῖς κατὰ πτόλιν;	250
ΧΟ.	Ὦ ξυντέλεια, μὴ προδῷς πυργώματα.	
ΕΤ.	Οὐκ ἐς φθόρον σιγῶσ' ἀνασχήσῃ τάδε;	
ΧΟ.	Θεοὶ πολῖται, μή με δουλείας τυχεῖν.	
ΕΤ.	Αὐτὴ σὺ δουλοῖς κἀμὲ καὶ πᾶσαν πόλιν.	
ΧΟ.	Ὦ παγκρατὲς Ζεῦ, τρέψον εἰς ἐχθροὺς βέλος.	255

C. Nunca em minha vida esta junta — EST. 2
de Deuses a deserte, nem veja — 220
esta assaltada cidade e exército
deflagrados por fogo inimigo.
E. Não aconselhes mal, invocando Deuses:
a disciplina é a mãe do bom sucesso
salvador, ó mulher, assim é a razão. — 225
C. É, mas o poder de Deus é ainda acima — ANT. 2
e muitas vezes tira o perdido em males
até de áspera aflição, suspensas
nuvens sobre os olhos.
E. Viril é isto: as vítimas e os sacrifícios — 230
oferecer aos Deuses, a perscrutar inimigos.
Teu, aliás, é calar e ficar dentro de casa.
C. Pelos Deuses, temos a cidade indômita — EST. 3
e a torre nos protege da turba inimiga;
que indignação tem horror a isto? — 235
E. Não te nego que honres o ser dos Numes,
mas não tornes pusilânimes os cidadãos.
Sê tranquila, sem excessivo pavor.
C. Ao ouvir recente confuso estrépito — ANT. 3
com terrível pavor vim à acrópole — 240
honorífico assento.
E. Se souberdes de moribundos e feridos,
não arrebateis a nova com lamúrias;
isto Ares pasta: o sangue dos mortais.
C. Eis que ouço os equinos relinchos. — 245
E. Ao ouvi-los não ouças claro demais.
C. A cidade pranteia fundo neste cerco.
E. A esse respeito, basta que eu decida.
C. Temo. Cresce o fragor nas portas.
E. Silêncio! Nada disso fales na cidade! — 250
C. Ó Panteão, não traias a fortaleza!
E. Não aguentarás isso calada nessa ruína?
C. Deuses cidadãos, não me façais servas!
E. Tu o fazes a ti, a mim e à cidade toda.
C. Onipotente Zeus, volta o golpe aos inimigos. — 255

ET. Ὦ Ζεῦ, γυναικῶν οἷον ὤπασας γένος.
XO. Μοχθηρόν, ὥσπερ ἄνδρας ὧν ἁλῷ πόλις.
ET. Παλινστομεῖς αὖ θιγγάνουσ' ἀγαλμάτων;
XO. Ἀψυχίᾳ γὰρ γλῶσσαν ἁρπάζει φόβος.
ET. Αἰτουμένῳ μοι κοῦφον εἰ δοίης τέλος. 260
XO. Λέγοις ἂν ὡς τάχιστα, καὶ τάχ' εἴσομαι.
ET. Σίγησον, ὦ τάλαινα, μὴ φίλους φόβει.
XO. Σιγῶ· σὺν ἄλλοις πείσομαι τὸ μόρσιμον.
ET. Τοῦτ' ἀντ' ἐκείνων τοὔπος αἱροῦμαι σέθεν.
Καὶ πρός γε τούτοις, ἐκτὸς οὖσ' ἀγαλμάτων, 265
εὔχου τὰ κρείσσω, ξυμμάχους εἶναι θεούς·
κἀμῶν ἀκούσας' εὐγμάτων ἔπειτα σύ
ὀλολυγμὸν ἱερὸν εὐμενῆ παιώνισον,
Ἑλληνικὸν νόμισμα θυστάδος βοῆς,
θάρσος φίλοις, λύουσα πολέμιον φόβον. 270
Ἐγὼ δὲ χώρας τοῖς πολισσούχοις θεοῖς,
πεδιονόμοις τε κἀγορᾶς ἐπισκόποις,
Δίρκης τε πηγαῖς ὕδατί τ' Ἰσμηνοῦ λέγω,
εὖ ξυντυχόντων καὶ πόλεως σεσωσμένης,
μήλοισιν αἱμάσσοντας ἑστίας θεῶν 275
θύσειν τροπαῖα, δαΐων δ' ἐσθήματα, 277
στέψω λάφυρα δουρίπληχθ' ἁγνοῖς δόμοις.
Τοιαῦτ' ἐπεύχου μὴ φιλοστόνως θεοῖς,
μηδ' ἐν ματαίοις κἀγρίοις ποιφύγμασιν· 280
οὐ γάρ τι μᾶλλον μὴ φύγῃς τὸ μόρσιμον.
Ἐγὼ δέ γ' ἄνδρας ἓξ ἐμοὶ σὺν ἑβδόμῳ
ἀντηρέτας ἐχθροῖσι τὸν μέγαν τρόπον
ἐς ἑπτατειχεῖς ἐξόδους τάξω μολών,
πρὶν ἀγγέλους σπερχνούς τε καὶ ταχυρρόθους 285
λόγους ἱκέσθαι καὶ φλέγειν χρείας ὕπο.

XO. Μέλει, φόβῳ δ' οὐχ ὑπνώσσει κέαρ· Str.1
γείτονες δὲ καρδίας
μέριμναι ζωπυροῦσι τάρβος,

E. Ó Zeus, assim serem mulheres concedeste!
C. Míseras, como varões cuja cidade cai.
E. Retratar-te-ás, ao tocares as estátuas!
C. Sem coragem, o pavor rouba a língua.
E. Se a meu pedido fizesses leve favor! 260
C. Digas o mais rápido e logo saberei.
E. Cala-te, infeliz! Não apavores os teus!
C. Calo-me, com outros padecerei a sorte.
E. De ti prefiro essa fala em vez daquelas.
Além disso, afasta-te dessas estátuas 265
e pede o melhor: a aliança dos Deuses.
Quando ouvires as minhas preces,
entoa tu o benévolo alarido sagrado,
à moda grega do grito sacrificial,
a dar força e livrar-nos do pavor hostil. 270
Eu aos Deuses na região donos da cidade,
íncolas da planície e vigilantes da praça,
digo: às fontes de Dirce e à água de Ismeno,
se a sorte for boa e a cidade for salva,
sangrarei cordeiros nos lares dos Deuses, 275
sagrarei troféus, e com vestes de inimigos, 277
espólios belígeros, coroarei puros palácios.
Assim suplica aos Deuses, sem pranteios,
sem esses inúteis e selvagens suspiros, 280
pois por nada mais não escaparás à sorte.
Eu disporei seis homens, sendo eu o sétimo,
remadores contra os inimigos à grande
conduzidos aos sete acessos da muralha,
antes que venham velozes e celeríssonas 285
palavras mensageiras e ardam urgentes.

PRIMEIRO ESTÁSIMO (287-368)

Cuido, mas o coração não dorme de pavor. EST. 1
Vizinhos do coração

τὸν ἀμφιτειχῆ λεών, 290
δράκοντας ὥς τις τέκνων
ὑπερδέδοικεν λεχαί-
ων δυσευνήτορας
πάντρομος πελειάς·
τοὶ μὲν γὰρ ποτὶ πύργους 295
πανδημεὶ πανομιλεὶ
στείχουσιν· τί γένωμαι;
τοὶ δ' ἐπ' ἀμφιβόλοισιν
ἰάπτουσι πολίταις
χερμάδ' ὀκριόεσσαν· 300
παντὶ τρόπῳ, Διογενεῖς θεοί, στρατὸν
Καδμογενῆ ῥύεσθε.

Ποῖον δ' ἀμείψεσθε γαίας πέδον Ant. 1
τᾶσδ' ἄρειον, ἐχθροῖς 305
ἀφέντες τὰν βαθύχθον' αἶαν
ὕδωρ τε Διρκαῖον, εὐ-
τραφέστατον πωμάτων
ὅσων ἵησιν Ποσει-
δὰν ὁ γαιάοχος 310
Τηθύος τε παῖδες;
Πρὸς τάδ', ὦ πολιοῦχοι
θεοί, τοῖσι μὲν ἔξω
πύργων ἀνδρολέτειραν
κάκαν, ῥίψοπλον ἄταν, 315
ἐμβαλόντες ἄροισθε
κῦδος τοῖσδε πολίταις,
καὶ πόλεως ῥύτορες εὔεδροι στάθητ'
ὀξυγόοις λιταῖσιν. 320

Οἰκτρὸν γὰρ πόλιν ὧδ' ὠγυγίαν Str. 2
Ἀίδᾳ προϊάψαι, δορὸς ἄγραν
δουλίαν, ψαφαρᾷ σποδῷ,
ὑπ' ἀνδρὸς Ἀχαιοῦ θεόθεν
περθομέναν ἀτίμως, 325

cuidados acendem o temor 290
da tropa ao redor da muralha,
qual toda trêmula pomba
teme víboras vis no leito
dos filhotes ainda no ninho.
Eis contra as torres 295
o povo todo, a tropa toda,
marcha. Que hei de ser?
Eis ásperas pedradas
prorrompem sobre
circumurados cidadãos. 300
Todavia, ó Deuses filhos de Zeus,
defendei o exército filho de Cadmo.

A que planície da terra vos voltareis ANT. 1
melhor que esta, se deixardes 305
aos inimigos esta espessa gleba
e água de Dirce,
a mais nutriente bebida

que o telurígero Posídon 310
e as filhas de Tétis jorram?
Assim, ó Deuses que tendes a cidade,
lançai nos de fora
das torres a maligna
homicida desarmante Erronia, 315
e concedai o sinal de vitória
a estes cidadãos.
Defensores da cidade, bem sentados
permanecei pelas pranteadas preces. 320

Dá dó que cidade tão prístina EST. 2
precipite-se ao Hades, preia
de guerra, servil, em árido pó
por homem aqueu por Deus
devastada sem honra, 325

τὰς δὲ κεχηρωμένας ἄγεσθαι,
ἐή, νέας τε καὶ παλαιὰς
ἱππηδὸν πλοκάμων, περιρ-
ρηγνυμένων φαρέων· βοᾷ δ'
ἐκκενουμένα πόλις, 330
λαΐδος ὀλλυμένας μειξοθρόου·
βαρείας τοι τύχας προταρβῶ.

Κλαυτὸν δ' ἀρτιτρόποις ὠμοδρόπων Ant. 2
νομίμων προπάροιθεν διαμεῖψαι
δωμάτων στυγερὰν ὁδόν· 335
τί; τὸν φθίμενον γὰρ προλέγω
βέλτερα τῶνδε πράσσειν.
Πολλὰ γάρ, εὖτε πτόλις δαμασθῇ,
ἐή, δυστυχῆ τε πράσσει·
ἄλλος δ' ἄλλον ἄγει, φονεύ- 340
ει, τὰ δὲ πυρφορεῖ· καπνῷ
χραίνεται πόλισμ' ἅπαν·
μαινόμενος δ' ἐπιπνεῖ λαοδάμας
μιαίνων εὐσέβειαν Ἄρης.

Κορκορυγαὶ δ' ἀν' ἄστυ, περὶ δ' ὀρκάνα Str. 3
πυργῶτις· πρὸς ἀνδρὸς δ' ἀνὴρ 346
δόρει κλίνεται·
βλαχαὶ δ' αἱματόεσσαι
τῶν ἐπιμαστιδίων
ἀρτιτρεφεῖς βρέμονται· 350
ἁρπαγαὶ δὲ διαδρομᾶν ὁμαίμονες·
ξυμβολεῖ φέρων φέροντι,
καὶ κενὸς κενὸν καλεῖ,
ξύννομον θέλων ἔχειν,
οὔτε μεῖον οὔτ' ἴσον λελιμμένοι· 355
τί δ' ἐκ τῶνδ' εἰκάσαι λόγος πάρα.

Παντοδαπὸς δὲ καρπὸς χαμάδις πεσὼν Ant. 3
ἀλγύνει κυρήσας· πικρὸν δ'
ὄμμα θαλαμοπόλων·

e conduzam-se as vencidas
— *eé* — novas e velhas
pelas tranças, como a éguas,
dilaceradas as vestes;
grita a cidade dizimada, 330
perdido o espólio no tumulto,
temo antes por graves sortes.

Dá dó que colhidas verdes ANT. 2
antes das solenidades
vão à hedionda via do palácio, 335
por que? Proclamo que o morto
está melhor que estas:
na devastação da cidade,
— *eé* — a desgraça é grande,
um conduz o outro, mata, 340
põe fogo, com a fumaça
conspurca-se toda a cidade,
senhor da tropa inspira furioso
poluindo a veneração: Ares. 344

Tumulto na cidade, e ao redor EST. 3
das torres, homem a homem 346
repele com lança,
vagidos sangrentos 348
de crianças de peito
recém-nutridos bramem, 350
pilhagens consanguíneas de correrias,
saqueadores congregam saqueadores,
sem-saques conclamam sem-saques
querendo ter a conivência,
famintos não do menos nem do igual; 355
daí em diante, a razão pode imaginar.

Toda a colheita caída no chão ANT. 3
aflige ao encontro, amarga
visão dos servos da casa,

πολλὰ δ᾽ ἀκριτόφυρτος 360
γᾶς δόσις οὐτιδανοῖς
ἐν ῥοθίοις φορεῖται.
Δμωΐδες δὲ καινοπήμονες † νέαι
τλάμονες εὐνὰν † αἰχμάλωτον
ἀνδρὸς εὐτυχοῦντος, ὡς 365
δυσμενοῦς ὑπερτέρου
ἐλπίς ἐστι νύκτερον τέλος μολεῖν,
παγκλαύτων ἀλγέων ἐπίρροθον.

Ὅ τοι κατόπτης, ὡς ἐμοὶ δοκεῖ, στρατοῦ
πευθώ τιν᾽ ἡμῖν, ὦ φίλαι, νέαν φέρει, 370
σπουδῇ διώκων πομπίμους χνόας ποδοῖν.
Καὶ μὴν ἄναξ ὅδ᾽ αὐτὸς Οἰδίπου τόκος
εἷσ᾽ ἀρτίκολλον ἀγγέλου λόγον μαθεῖν
σπουδὴ δὲ καὶ τοῦδ᾽ οὐκ ἀπαρτίζει πόδα.

ΑΓ. Λέγοιμ᾽ ἂν εἰδὼς εὖ τὰ τῶν ἐναντίων, 375
ὥς τ᾽ ἐν πύλαις ἕκαστος εἴληχεν πάλον.
Τυδεὺς μὲν ἤ η πρὸς πύλαισι Προιτίσιν
βρέμει, πόρον δ᾽ Ἰσμηνὸν οὐκ ἐᾷ περᾶν
ὁ μάντις· οὐ γὰρ σφάγια γίγνεται καλά.
Τυδεὺς δὲ μαργῶν καὶ μάχης λελιμμένος 380
μεσημβριναῖς κλαγγαῖσιν ὡς δράκων βοᾷ·
θείνει δ᾽ ὀνείδει μάντιν Οἰκλείδην σοφόν,
σαίνειν μόρον τε καὶ μάχην ἀψυχίᾳ.
Τοιαῦτ᾽ ἀΰτῶν τρεῖς κατασκίους λόφους
σείει, κράνους χαίτωμ᾽, ὑπ᾽ ἀσπίδος δὲ τῷ 385
χαλκήλατοι κλάζουσι κώδωνες φόβον·
ἔχει δ᾽ ὑπέρφρον σῆμ᾽ ἐπ᾽ ἀσπίδος τόδε,
φλέγονθ᾽ ὑπ᾽ ἄστροις οὐρανὸν τετυγμένον·
λαμπρὰ δὲ πανσέληνος ἐν μέσῳ σάκει,
πρέσβιστον ἄστρων, νυκτὸς ὀφθαλμός, πρέπει. 390
Τοιαῦτ᾽ ἀλύων ταῖς ὑπερκόμποις σαγαῖς
βοᾷ παρ᾽ ὄχθαις ποταμίαις, μάχης ἐρῶν,

grande e indistinta 360
dádiva da terra se leva
nos vagalhões do não.
Cativas recém-feridas
toleram leito pego à lança
de guerreiro tão afortunado 365
quão malevolente vencedor,
a esperança é por noturno fecho,
socorro de pranteadas dores.

SEGUNDO EPISÓDIO (369-719)

C. O espião, ao que me parece, ó amigas,
traz-nos informações novas do exército, 370
movendo depressa eixos sequazes dos pés.
Eis ainda o rei mesmo filho de Édipo
vem oportuno ouvir a voz do mensageiro,
também sua pressa não combina com o pé.

M. Eu diria bem ciente dos adversários 375
que diante das portas cada um está sorteado.
Tideu troa já diante das portas Prétides;
o adivinho não o deixa passar o Ismeno:
as vítimas não se revelam propícias.
Tideu enfurecido e faminto de batalha 380
com silvos ao meio-dia grita qual víbora,
vitupera o hábil adivinho Eclida:
"Adula morte e batalha, sem coragem."
Com tais brados, sacode a tríplice sombria
cimeira, pluma do elmo, e sob o escudo 385
os seus sinos de bronze ressoam pavor.
Tem sobre o escudo este soberbo signo:
o firmamento feito fúlgido de astros
e lúcida a lua cheia no meio do escudo
esplende, venerável astro, olho da noite. 390
Assim delirante com sobranceiras armas
brada na borda do rio, ávido de batalha,

ἵππος χαλινῶν ὣς κατασθμαίνων μένει
ὅστις βοὴν σάλπιγγος ὁρμαίνει μένων.
Τίν' ἀντιτάξεις τῷδε; τίς Προίτου πυλῶν, 395
κλῄθρων λυθέντων προστατεῖν φερέγγυος;

ΕΤ. Κόσμον μὲν ἀνδρὸς οὔτιν' ἂν τρέσαιμ' ἐγώ,
οὐδ' ἑλκοποιὰ γίγνεται τὰ σήματα·
λόφοι δὲ κώδων τ' οὐ δάκνους' ἄνευ δορός.
Καὶ νύκτα ταύτην ἣν λέγεις ἐπ' ἀσπίδος 400
ἄστροισι μαρμαίρουσαν οὐρανοῦ κυρεῖν,
τάχ' ἂν γένοιτο μάντις ἡ ἀνοία τινί·
εἰ γὰρ θανόντι νὺξ ἐπ' ὀφθαλμοῖς πέσοι,
τῷ τοι φέροντι σῆμ' ὑπέρκομπον τόδε
γένοιτ' ἂν ὀρθῶς ἐνδίκως τ' ἐπώνυμον, 405
καὐτὸς καθ' αὑτοῦ τήνδ' ὕβριν μαντεύσεται.
Ἐγὼ δὲ Τυδεῖ κεδνὸν Ἀστακοῦ τόκον
τῶνδ' ἀντιτάξω προστάτην πυλωμάτων,
μάλ' εὐγενῆ τε καὶ τὸν Αἰσχύνης θρόνον
τιμῶντα καὶ στυγοῦνθ' ὑπέρφρονας λόγους· 410
αἰσχρῶν γὰρ ἀργός, μὴ κακὸς δ' εἶναι φιλεῖ·
σπαρτῶν δ' ἀπ' ἀνδρῶν ὧν Ἄρης ἐφείσατο
ῥίζωμ' ἀνεῖται, κάρτα δ' ἔστ' ἐγχώριος
Μελάνιππος. Ἔργον δ' ἐν κύβοις Ἄρης κρινεῖ·
Δίκη δ' Ὁμαίμων κάρτα νιν προστέλλεται 415
εἴργειν τεκούσῃ μητρὶ πολέμιον δόρυ.

ΧΟ. Τὸν ἁμόν νυν ἀντίπαλον εὐτυχεῖν Str. 1
θεοὶ δοῖεν, ὡς δικαίως πόλεως
πρόμαχος ὄρνυται· τρέμω δ' αἱματη-
φόρους μόρους ὑπὲρ φίλων
ὀλομένων ἰδέσθαι. 420

ΑΓ. Τούτῳ μὲν οὕτως εὐτυχεῖν δοῖεν θεοί·
Καπανεὺς δ' ἐπ' Ἠλέκτραισιν εἴληχεν πύλαις,
γίγας ὅδ' ἄλλος τοῦ πάρος λελεγμένου
μείζων, ὁ κόμπος δ' οὐ κατ' ἄνθρωπον φρονεῖ, 425
πύργοις δ' ἀπειλεῖ δείν', ἃ μὴ κραίνοι τύχη·
θεοῦ τε γὰρ θέλοντος ἐκπέρσειν πόλιν
καὶ μὴ θέλοντός φησιν, οὐδὲ τὴν Διὸς
ἔριν πέδοι σκήψασαν ἐμποδὼν σχεθεῖν·

como fica a bufar nos freios fogoso
cavalo que dispara ao soar a trombeta.
Quem contraporás a ele? Nas portas Prétides, 395
soltas as traves, quem oferece garantias?

E. Adorno de homem algum eu temeria,
nem se tornam vulnerantes os signos.
Cimeiras e sino não mordem sem lança.
Quanto à noite que indicas no escudo 400
a rutilar com astros no firmamento,
talvez a demência fosse divinatória:
se a noite lhe caísse aos olhos, morto,
ao portador deste sobranceiro signo
o prenúncio se tornaria reto e justo; 405
ele conta si mesmo predirá o ultraje.
Diante de Tideu, porei o cuidoso filho
de Ástaco a proteger essas portas:
nobre, ele honra o trono de Pudor
e tem horror às palavras sobranceiras, 410
sem ações torpes, ele ama não a vileza.
Dos homens semeados que Ares poupou,
sua estirpe surgiu, é mesmo da região:
Melanipo. No jogo, Ares decidirá o ato.
Justiça consanguínea o envia adiante 415
a repelir de sua mãe a lança hostil.

C. Que os Deuses deem ao meu campeão EST. 1
boa sorte, pois ergue-se com justiça
defensor da cidade. Temo contemplar
cruentas mortes dos que se perdem 420
por seus amigos.

M. Deem-lhe assim boa sorte os Deuses.
Capaneu teve no sorteio as Portas Electras.
Gigante este outro, maior que o anterior,
o alarde não pensa em termos humanos, 425
ameaça as torres terrível (não o cumpra!):
diz que se Deus quiser pilhará a cidade,
ou se não quiser, nem a rixa de Zeus
ao golpear o chão trava os seus passos.

τὰς δ' ἀστραπάς τε καὶ κεραυνίους βολὰς 430
μεσημβρινοῖσι θάλπεσιν προσῄκασεν.
Ἔχει δὲ σῆμα γυμνὸν ἄνδρα πυρφόρον,
φλέγει δὲ λαμπὰς διὰ χεροῖν ὡπλισμένη·
χρυσοῖς δὲ φωνεῖ γράμμασιν· Πρήσω πόλιν.
Τοιῷδε φωτὶ πέμπε — τίς ξυστήσεται; 435
τίς ἄνδρα κομπάζοντα μὴ τρέσας μενεῖ;

ET. Καὶ τῷδε κέρδει κέρδος ἄλλο τίκτεται·
τῶν τοι ματαίων ἀνδράσιν φρονημάτων
ἡ γλῶσσ' ἀληθὴς γίγνεται κατήγορος'
Καπανεὺς δ' ἀπειλεῖ, δρᾶν παρεσκευασμένος· 440
θεοὺς ἀτίζων κἀπογυμνάζων στόμα
χαρᾷ ματαίᾳ θνητὸς ὢν ἐς οὐρανὸν
πέμπει γεγωνὰ Ζηνὶ κυμαίνοντ' ἔπη·
πέποιθα δ' αὐτῷ ξὺν δίκῃ τὸν πυρφόρον
ἥξειν κεραυνόν, οὐδὲν ἐξῃκασμένον 445
μεσημβρινοῖσι θάλπεσιν τοῖς ἡλίου.
Ἀνὴρ δ' ἐπ' αὐτῷ, κεἰ στόμαργός ἐστ' ἄγαν,
αἴθων τέτακται λῆμα, Πολυφόντου βία,
φερέγγυον φρούρημα, προστατηρίας
Ἀρτέμιδος εὐνοίαισι σύν τ' ἄλλοις θεοῖς. 450
Λέγ' ἄλλον ἄλλαις ἐν πύλαις εἰληχότα.

XO. Ὄλοιθ' ὃς πόλει μεγάλ' ἐπεύχεται, Ant. 1
κεραυνοῦ δέ μιν βέλος ἐπισχέθοι,
πρὶν ἐμὸν ἐσθορεῖν δόμον, πωλικῶν θ'
ἑδωλίων ὑπερκόπῳ
δορί ποτ' ἐκλαπάξαι. 455

AΓ. Καὶ μὴν τὸν ἐντεῦθεν λαχόντα πρὸς πύλαις
λέξω· τρίτῳ γὰρ Ἐτεόκλῳ τρίτος πάλος
ἐξ ὑπτίου 'πήδησεν εὐχάλκου κράνους,
πύλαισι Νηίστῃσι προσβαλεῖν λόχον. 460
Ἵππους δ' ἐν ἀμπυκτῆρσιν ἐμβριμωμένας
δινεῖ, θελούσας πρὸς πύλας πεπτωκέναι·
φιμοὶ δὲ συρίζουσι βάρβαρον τρόπον,
μυκτηροκόμποις πνεύμασιν πληρούμενοι.
Ἐσχημάτισται δ' ἀσπὶς οὐ σμικρὸν τρόπον, 465
ἀνὴρ δ' ὁπλίτης κλίμακος προσαμβάσεις

Os relâmpagos e os raios fulminantes 430
ele comparava ao calor do meio-dia.
Tem por signo um homem nu ignífero,
o archote como arma nas mãos arde,
em letras de ouro diz: "Queimarei a cidade."
A tal homem, envia... Quem o combaterá? 435
Quem sem tremer enfrenta este soberbo?

E. Ainda por este logro outro logro se dá.
Dos levianos pensamentos dos homens,
a língua se torna o verdadeiro acusador.
Capaneu ameaça, preparado para agir: 440
a desonrar Deuses e a treinar a língua
com alegria vã, por ser mortal envia
ao céu revoltas palavras a gritar a Zeus.
Confio que com justiça o atingirá
ignífero raio em nada comparável 445
ao calor do meio dia cheio de sol.
Diante dele, ainda que seja loquaz,
põe-se o árdego ânimo do forte Polifonte,
garantida guarda, por benevolência
de Ártemis tutelar e de outros Deuses. 450
Diz outro sorteado para outras portas.

C. Pereça quem roga pragas à cidade, ANT. 1
e fulminante raio o refrei,
antes de irromper em minha casa
e arrancar-me com soberba lança 455
de aposentos virgíneos.

M. Quem depois foi sorteado para as portas,
direi: a Etéoclo, terceiro, o terceiro lance
saltou do revirado brônzeo elmo,
investir a tropa nas Portas Novas. 460
Volteia corcéis frementes nos freios,
ansiosos pela queda contra as portas.
Focinheiras flautam bárbaro frêmito
cheias de sopros de sonoras narinas.
O escudo tem efígie não humilde: 465
um hoplita galga por degraus de escada

στείχει πρὸς ἐχθρῶν πύργον, ἐκπέρσαι θέλων·
βοᾷ δὲ χοὖτος γραμμάτων ἐν ξυλλαβαῖς
ὡς οὐδ' ἂν Ἄρης σφ' ἐκβάλοι πυργωμάτων.
Καὶ τῷδε φωτὶ πέμπε τὸν φερέγγυον 470
πόλεως ἀπείργειν τῆσδε δούλειον ζυγόν.

ΕΤ. Πέμποιμ' ἂν ἤδη τόνδε — σὺν τύχῃ δέ τῳ
καὶ δὴ πέπεμπται κόμπον ἐν χεροῖν ἔχων
Μεγαρεύς, Κρέοντος σπέρμα τοῦ σπαρτῶν γένους,
ὃς οὔτι μάργων ἱππικῶν φρυαγμάτων 475
βρόμον φοβηθεὶς ἐκ πυλῶν χωρήσεται,
ἀλλ' ἢ θανὼν τροφεῖα πληρώσει χθονί
ἢ καὶ δύ' ἄνδρε καὶ πόλισμ' ἐπ' ἀσπίδος
ἑλὼν λαφύροις δῶμα κοσμήσει πατρός.
Κόμπαζ' ἐπ' ἄλλῳ, μηδέ μοι φθόνει λέγων. 480

ΧΟ. Ἐπεύχομαι δὴ τὰ μὲν εὐτυχεῖν, ἰώ, Str. 2.
πρόμαχ' ἐμῶν δόμων, τοῖσι δὲ δυστυχεῖν·
ὡς δ' ὑπέραυχα βάζουσιν ἐπὶ πτόλει
μαινομένᾳ φρενί, τώς νιν
Ζεὺς Νεμέτωρ ἐπίδοι κοταίνων. 485

ΑΓ. Τέταρτος ἄλλος, γείτονας πύλας ἔχων
Ὄγκας Ἀθάνας, ξὺν βοῇ παρίσταται,
Ἱππομέδοντος σχῆμα καὶ μέγας τύπος.
Ἅλω δὲ πολλήν, ἀσπίδος κύκλον λέγω.
ἔφριξα δινήσαντος, οὐκ ἄλλως ἐρῶ· 490
ὁ σηματουργὸς δ' οὔ τις εὐτελὴς ἄρ' ἦν
ὅστις τόδ' ἔργον ὤπασεν πρὸς ἀσπίδι,
Τυφῶν' ἱέντα πυρπνόον διὰ στόμα
λιγνὺν μέλαιναν, αἰόλην πυρὸς κάσιν·
ὄφεων δὲ πλεκτάναισι περίδρομον κύτος 495
προσηδάφισται κοιλογάστορος κύκλου.
Αὐτὸς δ' ἐπηλάλαξεν, ἔνθεος δ' Ἄρει
βακχᾷ πρὸς ἀλκὴν θυιὰς ὣς φόβον βλέπων.
Τοιοῦδε φωτὸς πεῖραν εὖ φυλακτέον·
Φόβος γὰρ ἤδη πρὸς πύλαις κομπάζεται. 500

ΕΤ. Πρῶτον μὲν Ὄγκα Παλλάς, ἥτ' ἀγχίπτολις
πύλαισι γείτων, ἀνδρὸς ἐχθαίρουσ' ὕβριν
εἴρξει νεοσσῶν ὡς δράκοντα δύσχιμον.

a torre de inimigos querendo queimá-la
e no feixe de letras ainda este grita
que nem Ares o expulsaria do forte.
Envia a este homem quem garanta 470
repelir desta cidade o jugo servil.

E. Eu já enviaria este, e com alguma sorte
ele está enviado com alarde nos braços:
Megareu, sêmen de Creonte, ser dos semeados,
que não por pavor do frêmito dos relinchos 475
dos furiosos equinos recuará das portas,
mas ou morto pagará o alimento à terra,
ou pega os dois homens e o forte do escudo
e com o espólio adornará o palácio paterno.
Alardeia outro, não me recuses palavras. 480

C. Rogo que tenham boa sorte, *ió*, EST. 2
os defensores nossos; os outros, má.
Como falam soberbos sobre a cidade,
com ânimo louco, assim
Zeus víndice os veja colérico. 485

M. Outro, o quarto, com as vizinhas portas
de Atena Onca, aos gritos, apresenta-se:
a figura e grande vulto de Hipomedonte.
Eira ampla, digo o círculo do escudo,
arrepiou-me ao voltear, não negarei isso. 490
O fabricante de emblemas não era reles,
quem acrescentou ao escudo esta obra:
Tífon a lançar pela boca ignívoma
fumo negro, volúvel irmão do fogo:
por laços de víboras o redondo invólucro 495
do côncavo ventre do círculo se fixa.
Ele mesmo alarideou, e no Deus Ares
é Baco pugnaz, qual tíade, a ver pavor.
Bem se guarde do ataque de tal homem:
Pavor já perto das portas faz alarde. 500

E. Primeiro Palas Onca, esta nossa próxima
vizinha das portas, odeia ultraje de homem,
repelirá como de seus filhos fera serpente;

Ὑπέρβιος δέ, κεδνὸς Οἴνοπος τόκος,
ἀνὴρ κατ ἄνδρα τοῦτον ᾑρέθη, θέλων 505
ἐξιστορῆσαι μοῖραν ἐν χρείᾳ τύχης,
οὔτ' εἶδος οὔτε θυμὸν οὐδ' ὅπλων σχέσιν
μωμητός. Ἑρμῆς δ' εὐλόγως συνήγαγεν·
ἐχθρὸς γὰρ ἀνὴρ ἀνδρὶ τῷ ξυστήσεται,
ξυνοίσετον δὲ πολεμίους ἐπ' ἀσπίδων 510
θεούς· ὃ μὲν γὰρ πυρπνόον Τυφῶν' ἔχει,
Ὑπερβίῳ δὲ Ζεὺς πατὴρ ἐπ' ἀσπίδος
σταδαῖος ἧσται, διὰ χερὸς βέλος φλέγων·
κοὔπω τις εἶδε Ζῆνά που νικώμενον.
[Τοιάδε μέντοι προσφίλεια δαιμόνων· 515
πρὸς τῶν κρατούντων δ' ἐσμέν, οἳ δ' ἡσσωμένων,
εἰ Ζεύς γε Τυφῶ καρτερώτερος μάχῃ·
εἰκὸς δὲ πράξειν ἄνδρας ὧδ' ἀντιστάτας,
Ὑπερβίῳ τε πρὸς λόγον τοῦ σήματος
σωτὴρ γένοιτ' ἂν Ζεὺς ἐπ' ἀσπίδος τυχών.] 520
ΧΟ. Πέποιθα δὴ τὸν Διὸς ἀντίτυπον ἔχοντ' Ant. 2.
ἄφιλον ἐν σάκει τοῦ χθονίου δέμας
δαίμονος, ἐχθρὸν εἴκασμα βροτοῖσι τε καὶ
δαροβίοισι θεοῖσιν,
πρόσθε πυλᾶν κεφαλὰν ἰάψειν. 525
ΑΓ. Οὕτως γένοιτο. Τὸν δὲ πέμπτον αὖ λέγω,
πέμπταισι προσταχθέντα Βορραίαις πύλαις,
τύμβον κατ' αὐτὸν Διογενοῦς Ἀμφίονος·
ὄμνυσι δ' αἰχμὴν ἣν ἔχει, μᾶλλον θεοῦ
σέβειν πεποιθὼς ὀμμάτων θ' ὑπέρτερον, 530
ἦ μὴν λαπάξειν ἄστυ Καδμείων βίᾳ
Διός· τόδ' αὐδᾷ μητρὸς ἐξ ὀρεσκόου
βλάστημα καλλίπρῳρον, ἀνδρόπαις ἀνήρ·
στείχει δ' ἴουλος ἄρτι διὰ παρηίδων,
ὥρας φυούσης ταρφὺς ἀντέλλουσα θρίξ· 535
ὃ δ' ὠμόν, οὔτι παρθένων ἐπώνυμον
φρόνημα, γοργὸν δ' ὄμμ' ἔχων, προσίσταται, 537
Παρθενοπαῖος Ἀρκάς. Ὁ δὲ τοιόσδ' ἀνὴρ, 547
μέτοικος, Ἄργει δ' ἐκτίνων καλὰς τροφάς, 548
ἐλθὼν δ' ἔοικεν οὐ καπηλεύσειν μάχην, 545
μακρᾶς κελεύθου δ' οὐ καταισχυνεῖν πόρον. 546

e Hipérbio, o cuidoso rebento de Énopo,
homem seleto contra esse homem quer 505
perscrutar a sua porção no uso da sorte,
irrepreensível no aspecto, no espírito
e nas armas. Hermes bem o conduziu:
homem hostil a este homem combaterá.
Deuses inimigos nos escudos colidirão: 510
um deles mantém o ignívomo Tífon,
Zeus Pai, porém, no escudo de Hipérbio,
firma-se de pé a raiar do braço dardo
e ninguém viu jamais Zeus vencido.
Tal é mesmo a amizade dos Numes: 515
junto dos poderes estamos; eles, dos batidos.
Se Zeus pode mais que Tífon na batalha,
é crível assim se dar com os adversários,
em razão do signo, o salvador de Hipérbio
poderia ser Zeus, por sorte no escudo. 520

C. Confio que esse que traz no escudo ANT. 2
a malquista forma de Nume terrestre
adversária de Zeus, imagem odiosa
aos mortais e aos Deuses longevos,
cairá de cabeça diante das portas. 525

M. Que assim seja! Digo, porém, o quinto
proposto às quintas Portas de Bóreas,
perto da tumba de Anfíon, filho de Zeus,
e jura por sua lança, fiel a venerá-la
mais que a Deus e acima dos olhos, 530
devastar a cidade dos cadmeus, à força
de Zeus, diz o rebento de mãe serrana,
guerreiro meio menino de bela proa:
a pelugem punge recente nas faces,
floresce a hora, densa brota a barba. 535
Ele, com nome não de virgens, cruel
ânimo e olhar gorgôneo, aproxima-se, 537
Partenopeu, o árcade. Tal homem 547
é meteco: a Argos paga lauto alimento, 548
Ao vir, parece não negociar a batalha 545
nem desonrar o curso da longa viagem. 546

Οὐ μὴν ἀκόμπαστός γ' ἐφίσταται πύλαις· 538
τὸ γὰρ πόλεως ὄνειδος ἐν χαλκηλάτῳ
σάκει, κυκλωτῷ σώματος προβλήματι, 540
Σφίγγ' ὠμόσιτον προσμεμηχανημένην
γόμφοις ἐνώμα, λαμπρὸν ἔκκρουστον δέμας·
φέρει δ' ὑφ' αὑτῇ φῶτα Καδμείων ἕνα,
ὡς πλεῖστ' ἐπ' ἀνδρὶ τῷδ' ἰάπτεσθαι βέλη. 544

ET. Εἰ γὰρ τύχοιεν ὧν φρονοῦσι πρὸς θεῶν 550
αὐτοῖς ἐκείνοις ἀνοσίοις κομπάσμασιν·
ἦ τἂν πανώλεις παγκάκως τ' ὀλοίατο.
Ἔστιν δὲ καὶ τῷδ', ὃν λέγεις τὸν Ἀρκάδα
ἀνὴρ ἄκομπος, χεὶρ δ' ὁρᾷ τὸ δράσιμον,
Ἄκτωρ, ἀδελφὸς τοῦ πάρος λελεγμένου· 555
ὃς οὐκ ἐάσει γλῶσσαν ἐργμάτων ἄτερ
εἴσω πυλῶν ῥέουσαν ἀλδαίνειν κακά,
οὐδ' εἰσαμεῖψαι θηρὸς ἐχθίστου δάκους
εἰκὼ φέροντα πολεμίας ἐπ' ἀσπίδος·
ἔξωθεν εἴσω τῷ φέροντι μέμψεται 560
πυκνοῦ κροτησμοῦ τυγχάνους' ὑπὸ πτόλιν.
Θεῶν θελόντων πᾶν ἀληθεύσαιμ' ἐγώ.

XO. Ἱκνεῖται λόγος διὰ στηθέων, Str. 3.
τριχὸς δ' ὀρθίας πλόκαμος ἵσταται,
μεγάλα μεγαληγόρων 565
κλύειν ἀνοσίων ἀνδρῶν. Εἴθε γὰρ
θεοὶ τούσδ' ὀλέσειαν ἐν γᾷ.

ΑΓ. Ἕκτον λέγοιμ' ἂν ἄνδρα σωφρονέστατον
ἀλκήν τ' ἄριστον, μάντιν Ἀμφιάρεω βίαν·
Ὁμολωίσιν δὲ πρὸς πύλαις τεταγμένος 570
κακοῖσι βάζει πολλὰ Τυδέως βίαν,
τὸν ἀνδροφόντην, τὸν πόλεως ταράκτορα,
μέγιστον Ἄργει τῶν κακῶν διδάσκαλον,
Ἐρινύος κλητῆρα, πρόσπολον φόνου,
κακῶν τ' Ἀδράστῳ τῶνδε βουλευτήριον. 575
Καὶ τὸν σὸν αὖθις προσδρακὼν ἀδελφεόν,
ἐξυπτιάζων ὄμμα, Πολυνείκους βίαν,
δίς τ' ἐν τελευτῇ τοὔνομ' ἐνδατούμενος,

Não sem alarde avança ante as portas: 538
o opróbrio da cidade está no brônzeo
escudo, circular proteção do corpo, 540
Esfinge crudívora, cavilhada com arte,
ele manejava, figura lavrada a rutilar,
que traz sob si um homem dos cadmeus
de modo a caírem nele muitos dardos. 544
[Às torres ameaça o que Deus não cumpra!] 549

E. Se dos Deuses obtivessem o que pensam 550
com aqueles mesmos ímpios alardes,
pereceriam todos anulados, todos mal.
Ainda há contra esse que dizes árcade
o homem sem alarde, a mão vê a ação:
Actor, o irmão do que indiquei antes, 555
não permitirá a língua carente de ação
fluindo dentro das portas nutrir males,
nem passar quem leva no escudo inimigo
a imagem do mais odioso fero monstro;
vituperará quem leva de fora para dentro 560
ao lograr denso estrépito ante a cidade.
Anuindo os Deuses, verídico seria eu.

C. A palavra me atinge o peito, EST. 3
a trança se ergue de hirto cabelo,
ouvir grandes falas de grandíloquos 565
ímpios varões. Que nesta terra
os Deuses os destruam.

M. O sexto homem eu diria o mais sábio,
exímio na luta, adivinho, o forte Anfiarau;
posto diante das Portas Homoloides, 570
de males muito increpa o forte Tideu:
"o homicida, o perturbador de cidade,
"o mestre máximo dos males de Argos,
"provocador de Erínis, servo da morte,
"conselheiro destes males de Adrasto." 575
Ainda, aliás, quando viu o teu irmão,
o forte Polinices, revirando o nome,
repartindo por fim o nome em dois,

καλεῖ· λέγει δὲ τοῦτ' ἔπος διὰ στόμα·
«Ἦ τοῖον ἔργον καὶ θεοῖσι προσφιλές, 580
καλόν τ' ἀκοῦσαι καὶ λέγειν μεθυστέροις,
πόλιν πατρῴαν καὶ θεοὺς τοὺς ἐγγενεῖς
πορθεῖν, στράτευμ' ἐπακτὸν ἐμβεβληκότα;
Μητρός τε πηγὴν τίς κατασβέσει δίκη;
πατρίς τε γαῖα σῆς ὑπὸ σπουδῆς δορί 585
ἁλοῦσα πῶς σοι ξύμμαχος γενήσεται;
Ἔγωγε μὲν δὴ τήνδε πιανῶ χθόνα
μάντις κεκευθὼς πολεμίας ὑπὸ χθονός·
μαχώμεθ', οὐκ ἄτιμον ἐλπίζω μόρον.»
Τοιαῦθ' ὁ μάντις ἀσπίδ' εὐκήλως ἔχων 590
πάγχαλκον ηὔδα· σῆμα δ' οὐκ ἐπῆν κύκλῳ·.
οὐ γὰρ δοκεῖν ἄριστος, ἀλλ' εἶναι θέλει,
βαθεῖαν ἄλοκα διὰ φρενὸς καρπούμενος,
ἐξ ἧς τὰ κεδνὰ βλαστάνει βουλεύματα.
Τούτῳ σοφούς τε κἀγαθοὺς ἀντηρέτας 595
πέμπειν ἐπαινῶ· δεινὸς ὃς θεοὺς σέβει.

ΕΤ. Φεῦ τοῦ ξυναλλάσσοντος ὄρνιθος βροτοῖς
δίκαιον ἄνδρα τοῖσι δυσσεβεστέροις.
Ἐν παντὶ πράγει δ' ἔσθ' ὁμιλίας κακῆς
κάκιον οὐδέν· καρπὸς οὐ κομιστέος. 600

Ἢ γὰρ ξυνεισβὰς πλοῖον εὐσεβὴς ἀνὴρ 602
ναύτῃσι θερμοῖς ἐν πανουργίᾳ τινὶ
ὄλωλεν ἀνδρῶν σὺν θεοπτύστῳ γένει·
ἢ ξὺν πολίταις ἀνδράσιν δίκαιος ὢν 605
ἐχθροξένοις τε καὶ θεῶν ἀμνήμοσιν
ταὐτοῦ κυρήσας ἐκδίκως ἀγρεύματος,
πληγεὶς θεοῦ μάστιγι παγκοίνῳ 'δάμη.
Οὕτως δ' ὁ μάντις, υἱὸν Οἰκλέους λέγω,
σώφρων, δίκαιος, ἀγαθὸς εὐσεβὴς ἀνήρ, 610
μέγας προφήτης, ἀνοσίοισι συμμιγεὶς
θρασυστόμοισιν ἀνδράσιν βίᾳ φρενῶν
τείνουσι πομπὴν τὴν μακρὰν πάλιν μολεῖν,
Διὸς θέλοντος ξυγκαθελκυσθήσεται.
Δοκῶ μὲν οὖν σφε μηδὲ προσβαλεῖν πύλαις, 615

exclama e diz pela boca esta palavra:
"Tal é a proeza, grata aos Deuses, 580
"bela de ouvir e dizer aos pósteros,
"pilhar cidade paterna e Deuses pátrios
"com a invasão de exército forasteiro?
"Que Justiça extinguirá a fonte materna?
"A terra pátria, por teu zelo capturada 585
"à lança, como se tornará tua aliada?
"Eu mesmo tornarei pingue esta terra,
"adivinho oculto sob terra inimiga.
"Lutemos! Não espero morte sem honra."
Disse tranquilo o adivinho com o escudo 590
brônzeo; signo não havia no círculo:
ele quer não parecer bravo, mas ser,
colhendo com espírito profunda lavra
donde florescem os cuidosos conselhos.
Louvo que envie sábios e bravos rivais 595
a este: terrível é quem venera Deuses.

E. *Pheû*! Que auspício associa o homem
justo aos outros ímpios mortais!
Em toda empresa, é a má companhia
o que há de pior, fruto a não ser colhido. 600
[A lavoura de Erronia frutifica morte.] 601
Se um homem pio embarca em viagem 602
com marujos audazes em alguma patifaria
perece com homens detestados por Deus,
ou, se é justo, com os varões cidadãos 605
inospitaleiros e imêmores dos Deuses,
ao cair por justiça na mesma rede,
sob o comum açoite de Deus sucumbe.
Assim o adivinho, digo o filho de Ecleu,
homem prudente, justo, bravo, piedoso, 610
grande profeta, misturado a ímpios
varões audazes na fala, a contragosto,
ao estenderem viagem longa de voltar,
anuindo Zeus, será arrastado junto.
Creio que ele não atacará as portas, 615

οὐχ ὡς ἄθυμος οὐδὲ λήματος κάκῇ,
ἀλλ' οἶδεν ὥς σφε χρὴ τελευτῆσαι μάχῃ,
εἰ καρπός ἐστι θεσφάτοισι Λοξίου·
φιλεῖ δὲ σιγᾶν ἢ λέγειν τὰ καίρια.
Ὅμως δ' ἐπ' αὐτῷ φῶτα, Λασθένους βίαν, 620
ἐχθρόξενον πυλωρὸν ἀντιτάξομεν,
γέροντα τὸν νοῦν, σάρκα δ' ἡβῶσαν φέρει,
ποδῶκες ὄμμα, χεῖρα δ' οὐ βραδύνεται
παρ' ἀσπίδος γυμνωθὲν ἁρπάσαι δορί.
Θεοῦ δὲ δῶρόν ἐστιν εὐτυχεῖν βροτούς. 625

ΧΟ. Κλύοντες θεοὶ δικαίους λιτὰς Ant. 3
ἡμετέρας τελεῖθ', ὡς πόλις εὐτυχῇ,
δορίπονα κάκ' ἐκτρέπον-
τες εἰς ἐπιμόλους· πύργων δ' ἔκτοθεν
βαλὼν Ζεύς σφε κάνοι κεραυνῷ. 630

ΑΓ. Τὸν ἕβδομον δὴ τόνδ' ἐφ' ἑβδόμαις πύλαις
λέξω, τὸν αὐτοῦ σοῦ κασίγνητον, πόλει
οἵας ἀρᾶται καὶ κατεύχεται τύχας·
πύργοις ἐπεμβὰς κἀπικηρυχθεὶς χθονί,
ἁλώσιμον παιᾶν' ἐπεξιακχάσας, 635
σοὶ ξυμφέρεσθαι καὶ κτανὼν θανεῖν πέλας
ἢ ζῶντ' ἀτιμαστῆρα τὼς σ' ἀνδρηλάτῃ
φυγῇ τὸν αὐτὸν τόνδε τείσασθαι τρόπον.
Τοιαῦτ' ἀυτεῖ καὶ θεοὺς γενεθλίους
καλεῖ πατρῴας γῆς ἐποπτῆρας λιτῶν 640
τῶν ὧν γενέσθαι πάγχυ Πολυνείκους βία.
Ἔχει δὲ καινοπηγὲς εὔκυκλον σάκος
διπλοῦν τε σῆμα προσμεμηχανημένον·
χρυσήλατον γὰρ ἄνδρα τευχηστὴν ἰδεῖν
ἄγει γυνή τις σωφρόνως ἡγουμένη· 645
Δίκη δ' ἄρ' εἶναί φησιν, ὡς τὰ γράμματα
λέγει· Κατάξω δ' ἄνδρα τόνδε καὶ πόλιν
ἕξει πατρῴων δωμάτων τ' ἐπιστροφάς.
Τοιαῦτ' ἐκείνων ἐστὶ τἀξευρήματα, 649

ὡς οὔποτ' ἀνδρὶ τῷδε κηρυκευμάτων 651
μέμψῃ, σὺ δ' αὐτὸς γνῶθι ναυκληρεῖν πόλιν.

não sem valentia nem por ânimo vil,
mas sabe que deve morrer na batalha,
se há fruto nos oráculos de Lóxias,
pois amam calar ou falar o oportuno.
Contraporemos, porém, o forte Lástenes, 620
o inospitaleiro guardião das portas,
ancião em espírito, tem jovem carne,
celerípede olho, não tarda o braço
ferir com espada pele fora do escudo.
É dom de Deus a boa sorte dos mortais. 625

C. Deuses, ouvi-nos, cumpri justas preces ANT. 3
de que a cidade tenha boa sorte,
desviando os belígeros males
para os invasores e fora das torres
Zeus os mate com golpe de raio. 630

M. Direi o sétimo, ante a sétima porta,
o mesmo teu irmão, e que sorte
para a cidade ele impreca e suplica:
escalada a torre, anunciado à terra,
entoado o báquico canto de conquista, 635
bater-se contigo, matar e morrer junto,
ou, vivo quem o privou de honra e baniu,
deste mesmo modo puni-lo com exílio.
Assim brada o forte Polinices e invoca
Deuses pátrios da terra paterna vigias 640
de que as suas preces aconteçam todas.
Tem recém-fabricado redondo escudo
e duplo signo acrescentado com arte:
feito de ouro se vê um varão guerreiro,
uma mulher o guia com prudente passo, 645
e diz ser Justiça como falam as letras:
"Conduzirei este varão e terá a cidade
"e os aposentos do palácio paterno."
Assim são as suas invenções. 649
[Sabe já tu quem decides lhe enviar.] 650
Nunca reprovarás este mensageiro, 651
e sabe tu mesmo pilotar a cidade.

ET. Ὦ θεομανές τε καὶ θεῶν μέγα στύγος·
ὦ πανδάκρυτον ἁμὸν Οἰδίπου γένος·
ὤμοι, πατρὸς δὴ νῦν ἀραὶ τελεσφόροι. 655
Ἀλλ' οὔτε κλάειν οὔτ' ὀδύρεσθαι πρέπει,
μὴ καὶ τεκνωθῇ δυσφορώτερος γόος.
Ἐπωνύμῳ δὲ κάρτα, Πολυνείκει λέγω,
τάχ' εἰσόμεσθα τοὐπίσημ' ὅποι τελεῖ,
εἴ νιν κατάξει χρυσότευκτα γράμματα 660
ἐπ' ἀσπίδος φλύοντα σὺν φοίτῳ φρενῶν.
Εἰ δ' ἡ Διὸς παῖς παρθένος Δίκη παρῆν
ἔργοις ἐκείνου καὶ φρεσίν, τάχ' ἂν τόδ' ἦν·
ἀλλ' οὔτε νιν φυγόντα μητρόθεν σκότον,
οὔτ' ἐν τροφαῖσιν, οὔτ' ἐφηβήσαντά πω, 665
οὔτ' ἐν γενείου ξυλλογῇ τριχώματος,
Δίκη προσεῖπε καὶ κατηξιώσατο·
οὐδ' ἐν πατρῴας μὴν χθονὸς κακουχίᾳ
οἶμαί νιν αὐτῷ νῦν παραστατεῖν πέλας,
ἢ δῆτ' ἂν εἴη πανδίκως ψευδώνυμος 670
Δίκη, ξυνοῦσα φωτὶ παντόλμῳ φρένας.
Τούτοις πεποιθὼς εἶμι καὶ ξυστήσομαι
αὐτός· τίς ἄλλος μᾶλλον ἐνδικώτερος;
ἄρχοντί τ' ἄρχων καὶ κασιγνήτῳ κάσις,
ἐχθρὸς σὺν ἐχθρῷ στήσομαι. Φέρ' ὡς τάχος 675
κνημῖδας, αἰχμῆς καὶ πέτρων προβλήματα.
XO. Μή, φίλτατ' ἀνδρῶν, Οἰδίπου τέκος, γένῃ
ὀργὴν ὅμοιος τῷ κάκιστ' αὐδωμένῳ·
ἀλλ' ἄνδρας Ἀργείοισι Καδμείους ἅλις
ἐς χεῖρας ἐλθεῖν· αἷμα γὰρ καθάρσιον· 680
ἀνδροῖν δ' ὁμαίμοιν θάνατος ὧδ' αὐτοκτόνος,
οὐκ ἔστι γῆρας τοῦδε τοῦ μιάσματος.
ET. Εἴπερ κακὸν φέροι τις αἰσχύνης ἄτερ,
ἔστω· μόνον γὰρ κέρδος ἐν τεθνηκόσι·
κακῶν δὲ κᾀσχρῶν οὔτιν' εὐκλείαν ἐρεῖς. 685

XO. Τί μέμονας, τέκνον; μή τί σε θυμοπλη- Str. 1
θὴς δορίμαργος ἄτα φερέτω· κακοῦ δ'
ἔκβαλ' ἔρωτος ἀρχάν.

E. Ó furor de Deus, grande horror de Deus!
Ó toda pranteada nossa raça de Édipo!
Ómoi Cumpridoras são as pragas paternas. 655
Eia! Não convém chorar nem lamentar-se,
não se produza ainda mais difícil pranto.
Ao conforme nome, digo Polinices,
logo veremos como a insígnia se cumprirá,
se o conduzirão letras feitas de ouro 660
no escudo, loquazes, com insano espírito.
Se Justiça filha virgem de Zeus presidisse
suas ações e espírito talvez isto se desse;
mas nem ao evitar trevas do ventre materno,
nem amamentado, nem ao tornar-se púbere, 665
nem ao reunirem-se os pelos no queixo,
Justiça o contemplou e deu-lhe valor,
e quando ele maltrata a terra paterna
não creio que ela agora está perto dele.
Seria sim com toda justiça falso nome 670
Justiça, se convivesse com quem tudo ousa.
Com esta confiança, irei e combaterei
eu mesmo. Quem mais é mais justo?
Rei contra rei e irmão contra irmão,
ódio contra ódio, enfrentarei. Traz rápido 675
perneiras, proteção de lança e de pedras.

C. Não, caríssimo filho de Édipo, não te tornes
por cólera como quem tem a mais torpe fala,
mas basta que os cadmeus com os argivos
combatam, pois o massacre se purificaria; 680
mas a morte recíproca de dois irmãos,
não existe a velhice desta poluência.

E. Se o mal viesse, seja sem vexame:
único lucro entre mortos. Não dirás
glória alguma de vilezas e vexames. 685

C.

C. Por que ardes, filho? Não te arraste EST. 1
a belicosa Erronia cheia de furor.
Repele o princípio de maligna paixão,

ET. Ἐπεὶ τὸ πρᾶγμα κάρτ᾽ ἐπισπέρχει θεός,
ἴτω κατ᾽ οὖρον κῦμα Κωκυτοῦ λαχὸν 690
Φοίβῳ στυγηθὲν πᾶν τὸ Λαΐου γένος.

XO. Ὠμοδακής σ᾽ ἄγαν ἵμερος ἐξοτρύ- Ant. 1
νει πικρόκαρπον ἀνδροκτασίαν τελεῖν
αἵματος οὐ θεμιστοῦ.

ET. Φίλου γὰρ ἐχθρά μοι πατρὸς μέλαιν᾽ Ἀρὰ 695
ξηροῖς ἀκλαύτοις ὄμμασιν προσιζάνει,
λέγουσα κέρδος πρότερον ὑστέρου μόρου.

XO. Ἀλλὰ σὺ μὴ ᾽ποτρύνου· κακὸς οὐ κεκλή-
σῃ βίον εὖ κυρήσας· μελάναιγις οὐκ
εἶσι δόμων Ἐρινύς, ὅταν ἐκ χερῶν 700
θεοὶ θυσίαν δέχωνται;

ET. Θεοῖς μὲν ἤδη πως παρημελήμεθα,
χάρις δ᾽ ἀφ᾽ ἡμῶν ὀλομένων θαυμάζεται·
τί οὖν ἔτ᾽ ἂν σαίνοιμεν ὀλέθριον μόρον;

XO. Νῦν ⟨γ᾽,⟩ ὅτε σοι παρέστακεν· ἐπεὶ δαίμων Ant. 2
λήματος ἐν τροπαίᾳ χρονίᾳ μεταλ- 706
λακτὸς ἴσως ἂν ἔλθοι θελεμωτέρῳ
πνεύματι· νῦν δ᾽ ἔτι ζεῖ.

ET. Ἐξέζεσεν γὰρ Οἰδίπου κατεύγματα·
ἄγαν δ᾽ ἀληθεῖς ἐνυπνίων φαντασμάτων 710
ὄψεις, πατρῴων χρημάτων δατήριοι.

XO. Πιθοῦ γυναιξί, καίπερ οὐ στέργων ὅμως.

ET. Λέγοιτ᾽ ἂν ὧν ἄνη τις· οὐδὲ χρὴ μακράν.

XO. Μὴ ᾽λθῃς ὁδοὺς σὺ τάσδ᾽ ἐφ᾽ ἑβδόμαις πύλαις.

ET. Τεθηγμένον τοί μ᾽ οὐκ ἀπαμβλυνεῖς λόγῳ. 715

XO. Νίκην γε μέντοι καὶ κακὴν τιμᾷ θεός.

ET. Οὐκ ἄνδρ᾽ ὁπλίτην τοῦτο χρὴ στέργειν ἔπος.

XO. Ἀλλ᾽ αὐτάδελφον αἷμα δρέψασθαι θέλεις;

ET. Θεῶν διδόντων οὐκ ἂν ἐκφύγοις κακά.

XO. Πέφρικα τὰν ὠλεσίοι- Str. 1
κον θεόν, οὐ θεοῖς ὁμοίαν, 721

E. Quando Deus mesmo impele à ação,
vá com o vento à onda do Cocito sorteada — 690
toda a estirpe de Laio odiada por Febo.

C. O Desejo que morde forte o cru — ANT. 1
move-te a perpetrar homicídio
amargo fruto de ilícito massacre.

E. A negra Praga odiosa de meu caro pai — 695
sem pranto com olhos secos se aproxima
a dizer o lucro prévio de posterior morte.

C. Não te precipites! Não serás chamado vil — EST.2
por lograres viver bem. Erínis de negra égide
não sairá do palácio, quando de tuas mãos — 700
Deuses acolherem sacrifícios?

E. Os Deuses, acho, já descuidam de nós.
A graça por nossa morte é admirada.
Por que ainda adularíamos funesta sorte?

C. Agora ela é perto de ti, pois o Nume — ANT. 2
com tardio volteio de ânimo talvez — 706
viesse mudado com sopro mais calmo.
Agora, porém, ainda ferve.

E. Ferveram as imprecações de Édipo,
assaz verdadeiras visões de espectros — 710
de sonhos, divisoras de haveres pátrios.

C. Ouve as mulheres, ainda que não gostes.

E. Diga-se o exequível sem mais rodeios.

C. Não vás tu por estas vias à sétima porta.

E. Não embotarás meu gume com palavra. — 715

C. Deus todavia honra até a vitória fácil.

E. O hoplita não deve tolerar essa fala.

C. Mas queres colher o sangue fraterno?

E. Não se fugiria de males dados por Deuses.

SEGUNDO ESTÁSIMO (720-791)

Dá-me horror que a lesa-lares — EST. 1
Deusa dissímil dos Deuses — 721

παναληθῆ κακόμαντιν,
πατρὸς εὐκταίαν Ἐρινὺν
τελέσαι τὰς περιθύμους
κατάρας Οἰδιπόδα βλαψίφρονος· 725
παιδολέτωρ δ' ἔρις ἅδ' ὀτρύνει.

Ξένος δὲ κλήρους ἐπινω- Ant. 1
μᾷ, Χάλυβος Σκυθῶν ἄποικος,
κτεάνων χρηματοδαίτας
πικρός ὠμόφρων σίδαρος, 730
χθόνα ναίειν διαπήλας
ὁπόσαν καὶ φθιμένοισιν κατέχειν,
τῶν μεγάλων πεδίων ἀμοίρους.

Ἐπειδὰν αὐτοκτόνως Str. 2
αὐτοδάϊκτοι θάνωσι, 735
καὶ χθονία κόνις πίῃ
μελαμπαγὲς αἷμα φοίνιον,
τίς ἂν καθαρμοὺς πόροι,
τίς ἄν σφε λούσειεν; ὦ
πόνοι δόμων νέοι παλαι- 740
οῖσι συμμιγεῖς κακοῖς.

Παλαιγενῆ γὰρ λέγω Ant. 2
παρβασίαν ὠκύποινον —
αἰῶνα δ' ἐς τρίτον μένει —
Ἀπόλλωνος εὖτε Λάϊος 745
βίᾳ, τρὶς εἰπόντος ἐν
μεσομφάλοις Πυθικοῖς
χρηστηρίοις θνᾄσκοντα γέννας ἄτερ σῴζειν πόλιν·

κρατηθεὶς δ' ἐκ φίλων ἀβουλιᾶν Str. 3
ἐγείνατο μὲν μόρον αὐτῷ 751
πατροκτόνον Οἰδιπόδαν,
ὅστε ματρὸς ἁγνὰν
σπείρας ἄρουραν, ἵν' ἐτράφη,

verdadeira maligna adivinha
Erínis imprecada pelo pai
cumpra as iracundas
pragas de Édipo demente, 725
filicida Rixa aqui ativa.

Hóspede, forasteiro da Cítia, ANT. 1
o aço distribui as herdades:
divisor de bens e de posses,
o amargo cruel ferro 730
sorteou residirem na terra
que os contenha defuntos
sem parte nas grandes planícies.

Quando mútuos matadores EST. 2
dilacerados morrerem, 735
e a térrea poeira beber
grosso negro sangue de massacre,
quem forneceria lustrações?
Quem poderia limpá-los?
Ó novas dores do palácio
mescladas a antigos males. 740

Digo a antiga originária ANT. 2
transgressão logo punida
mas perdura por três vidas
quando Laio, à força de Apolo 745
no umbilical oráculo pítio
três vezes lhe dizer
se morrer sem filhos
salvar a cidadela,

dominado por sua imprudência EST. 3
gerou o seu próprio quinhão: 751
o parricida Édipo,
que ousou semear
o sacro sulco materno,

ῥίζαν αἱματόεσσαν 755
ἔτλα· παράνοια συνᾶγε
νυμφίους φρενώλεις.

Κακῶν δ᾽ ὥσπερ θάλασσα κῦμ᾽ ἄγει, Ant. 3
τὸ μὲν πίτνον, ἄλλο δ᾽ ἀείρει
τρίχαλον, ὃ καὶ περὶ πρύμ- 760
ναν πόλεως καχλάζει·
μεταξὺ δ᾽ ἀλκὰ δι᾽ ὀλίγου
τείνει πύργος ἐν εὔρει·
δέδοικα δὲ σὺν βασιλεῦσι
μὴ πόλις δαμασθῇ. 765

Τέλειαι γὰρ παλαιφάτων ἀρᾶν Str. 4
βαρεῖαι καταλλαγαί·
τὰ δ᾽ ὀλοὰ πενομένους παρέρχεται,
πρόπρυμνα δ᾽ ἐκβολὰν φέρει
ἀνδρῶν ἀλφηστᾶν 770
ὄλβος ἄγαν παχυνθείς.

Τίν᾽ ἀνδρῶν γὰρ τοσόνδ᾽ ἐθαύμασαν Ant. 4
θεοί τε ξυνέστιοι
πόλεος ⟨ὁ⟩ πολύβατός τ᾽ ἀγὼν βροτῶν
ὅσον τότ᾽ Οἰδίπουν τίον, 775
τὰν ἁρπαξάνδραν
κῆρ᾽ ἀφελόντα χώρας;

Ἐπεὶ δ᾽ ἀρτίφρων ⟨ὢν⟩ Str. 5
ἐγένετο μέλεος ἀθλίων
γάμων, ἐπ᾽ ἄλγει δυσφορῶν, 780
μαινομένᾳ κραδίᾳ,
δίδυμα κάκ᾽ ἐτέλεσεν·
πατροφόνῳ χερὶ τῶν
κρεισσοτέκνων ὀμμάτων ἐπλάγχθη· 784

τέκνοισιν δ᾽ ἀραιᾶς Ant. 5
ἐφῆκεν ἐπίκοτος τροφᾶς,

onde se criou, cruenta raiz. 755
A demência conduziu
os noivos desatinados.

Qual mar de males, a onda agita, ANT. 3
ora tomba, ora se ergue
tríplice, que até espuma
ao redor da popa da cidade; 760
interposto abrigo por pouco
a torre se estende em largura.
Temo que com os reis
a cidade seja tomada. 765

Cumprem-se os graves acordos EST. 4
de outrora proclamadas pragas.
O funesto perpassa os carentes,
a prosperidade assaz pingue
de homens industriosos 770
produz alijamento na popa.

Que homem tanto admiraram ANT. 4
os Deuses domiciliados na cidade
e a freqüentada ágora de mortais,
quanto certa vez honraram Édipo, 775
porque eliminou da região
a morte raptora de homens?

Quando cônscio se tornou EST. 5
o coitado de míseras núpcias,
por não suportar a dor, 780
com louca coragem,
perpetrou gêmeos males:
com o braço parricida
furou os fortes filiais olhos,

e ressentido por alimento ANT. 5
lançou sobre os filhos — 786

αἰαῖ, πικρογλώσσους ἀράς,
καί σφε σιδαρονόμῳ
διὰ χερί ποτε λαχεῖν
κτήματα· νῦν δὲ τρέω 790
μὴ τελέσῃ καμψίπους Ἐρινύς.

ΑΓ. Θαρσεῖτε, παῖδες μητέρων τεθραμμέναι·
πόλις πέφευγεν ἥδε δούλειον ζυγόν,
πέπτωκε δ' ἀνδρῶν ὀβρίμων κομπάσματα·
πόλις δ' ἐν εὐδίᾳ τε καὶ κλυδωνίου 795
πολλαῖσι πληγαῖς ἄντλον οὐκ ἐδέξατο,
στέγει δὲ πύργος, καὶ πύλας φερεγγύοις
ἐφραξάμεσθα μονομάχοισι προστάταις.
Καλῶς ἔχει τὰ πλεῖστ', ἐν ἓξ πυλώμασιν,
τὰς δ' ἑβδόμας ὁ σεμνὸς ἑβδομαγέτης 800
ἄναξ Ἀπόλλων εἵλετ', Οἰδίπου γένει
κραίνων παλαιὰς Λαΐου δυσβουλίας.
ΧΟ. Τί δ' ἐστὶ πρᾶγος νεόκοτον πόλει πλέον;
ΑΓ. Πόλις σέσωσται· βασιλέες δ' ὁμόσποροι — 804
ΧΟ. Τίνες; τί δ' εἶπας; παραφρονῶ φόβῳ λόγου. 806
ΑΓ. Φρονοῦσά νυν ἄκουσον· Οἰδίπου τόκος —
ΧΟ. Οἳ 'γὼ τάλαινα, μάντις εἰμὶ τῶν κακῶν.
ΑΓ. οὐδ' ἀμφιλέκτως μὴν κατεσποδημένοι —
ΧΟ. ἐκεῖθι κεῖσθον; βαρέα δ' οὖν ὅμως φράσον. 810
ΑΓ. Οὕτως ἀδελφαῖς χερσὶν ἠναίροντ' ἄγαν.
ΧΟ. Οὕτως ὁ δαίμων κοινὸς ἦν ἀμφοῖν ἄγα,
αὐτὸς δ' ἀναλοῖ δῆτα δύσποτμον γένος.
ΑΓ. Τοιαῦτα χαίρειν καὶ δακρύεσθαι πάρα·
πόλιν μὲν εὖ πράσσουσαν, οἱ δ' ἐπιστάται, 815
δισσὼ στρατηγώ, διέλαχον σφυρηλάτῳ
Σκύθῃ σιδήρῳ κτημάτων παμπησίαν·
ἕξουσι δ' ἣν λάβωσιν ἐν ταφῇ χθονός
πατρὸς κατ' εὐχὰς δυσπότμως φορούμενοι. 819

aiaî! — acerbas pragas
de obterem no sorteio
com a mão munida de ferro
os haveres; e agora temo 790
cumprirem-se as curvípedes Erínies.

TERCEIRO EPISÓDIO (792-821)

M. Coragem, filhas nutridas por mães,
esta cidade escapou do jugo servil,
caíram os alardes dos bravos varões,
a cidade é serena e com muitos golpes 795
do vagalhão não recolheu a sentina.
A torre protege e guarnecemos portas
com a garantia dos chefes combatentes.
A maior parte está bem nas seis portas;
a sétima, o venerável guia septenário 800
rei Apolo capturou, na prole de Édipo
cumprindo antiga imprudência de Laio.
C. Que outro feito é novo na cidade?
M. A cidade está salva, mas os reis irmãos... 804
C. Quem? Que? Aturde-me pavorosa fala. 806
M. Lúcida agora ouve: a prole de Édipo.
C. Ai, mísera, sou adivinho de males.
M. Sem ambiguidade, tombados no pó.
C. Lá jazem os dois? Diz, ainda que pese! 810
M. Assim com mãos irmãs se mataram.
C. Assim o Nume foi comum dos dois,
ele mesmo anula assim infeliz prole.
M. Tais fatos se podem saudar e chorar:
a cidade bem sucedida, mas os chefes, 815
os dois guias repartiram com lavrado
ferro cita a plena posse dos haveres.
Terão a terra que pegarem na tumba,
levados por infelizes preces do pai. 819

XO. Ὦ μεγάλε Ζεῦ καὶ πολιοῦχοι 822
δαίμονες, οἳ δὴ Κάδμου πύργους
⏖ — ⏖ τούσδε ῥύεσθαι,
πότερον χαίρω κἀπολολύξω 825
πόλεως ἀσινεῖ Σωτῆρι;
ἢ τοὺς μογεροὺς καὶ δυσδαίμονας
ἀτέκνους κλαύσω πολεμάρχους,
οἳ δῆτ' ὀρθῶς κατ' ἐπωνυμίαν
καὶ πολυνεικεῖς 830
ὤλοντ' ἀσεβεῖ διανοίᾳ;

Ὦ μέλαινα καὶ τελεία Str. 1
γένεος Οἰδίπου τ' Ἀρά,
κακόν με καρδίαν τι περιπίτνει κρύος.
Ἔτευξα τύμβῳ μέλος 835
θυιάς, αἱματοσταγεῖς
νεκροὺς κλύουσα δυσμόρως
θανόντας· ἦ δύσορνις ἅ-
δε ξυναυλία δορός.

Εξέπραξεν, οὐδ' ἀπεῖπεν Ant. 1
πατρόθεν εὐκταία φάτις· 841
βουλαὶ δ' ἄπιστοι Λαΐου διήρκεσαν·
μέριμνα δ' ἀμφὶ πτόλιν·
θέσφατ' οὐκ ἀμβλύνεται.
Ἰὼ πολύστονοι, τόδ' εἰρ- 845
γάσασθ' ἄπιστον· ἦλθε δ' αἰ-
ακτὰ πήματ' οὐ λόγῳ.

Τάδ' αὐτόδηλα, προὖπτος ἀγγέλου λόγος·
διπλαῖν μερίμναιν διδυμάνορα ⏑ —
κάκ' αὐτοφόνα, δίμοιρα τέλεα τάδε πάθη· 850

TERCEIRO ESTÁSIMO (822-847)

Ó grande Zeus e tutelares 822
Numes que defendeis
estas torres de Cadmo:
saúdo e aclamo com alaridos 825
o salvador ileso da cidade?
Ou míseros e malsinados
capitães sem filhos pranteio?
Eles com o nome verdadeiro
e com muita rixa pereceram 830
por ímpio intento.

Ó negra e perfectiva EST. 1
Praga da prole e de Édipo,
um maligno frio envolve meu coração.
Compus a nênia do túmulo, 835
tíade ao ouvi-los mortos
de cruel e difícil morte,
infausta era esta
sinfonia de lança.

Cumpriu-se e não se negou ANT.1
a palavra votiva do pai. 841
As volições infiéis de Laio bastaram.
O cuidado envolve a cidade:
a voz de Deus não perde o gume.
Iò, míseros, perpetrastes 845
isto incrível, dores vieram
lamentáveis, não por falar.

ÊXODO (848-1004)

Eis claro a previsível fala do mensageiro.
Duplo cuidado pelos irmãos,
triste fratricídio, duplo lote cumprem estas dores. 850

τί φῶ; τί δ' ἄλλο γ' ἢ πόνοι
πόνων δόμων ἐφέστιοι;
Ἀλλὰ γόων, ὦ φίλαι, κατ' οὖρον
ἐρέσσετ' ἀμφὶ κρατὶ πόμπιμον χεροῖν 855
πίτυλον, ὃς αἰὲν δι' Ἀχέροντ' ἀμείβεται
τὰν ἄστολον μελάγκροκον θεωρίδα,
τὰν ἀστιβῆ 'πόλλωνι, τὰν ἀνάλιον,
πάνδοκον εἰς ἀφανῆ τε χέρσον. 860

[Ἀλλὰ γὰρ ἥκουσ' αἵδ' ἐπὶ πρᾶγος
πικρὸν Ἀντιγόνη τ' ἠδ' Ἰσμήνη,
θρῆνον ἀδελφοῖν· οὐκ ἀμφιβόλως
οἶμαί σφ' ἐρατῶν ἐκ βαθυκόλπων
στηθέων ἥσειν ἄλγος ἐπάξιον. 865
Ἡμᾶς δὲ δίκη πρότερον φήμης
τὸν δυσκέλαδόν θ' ὕμνον Ἐρινύος
ἰαχεῖν Ἀίδα τ'
ἐχθρὸν παιᾶν' ἐπιμέλπειν.
Ἰώ,
δυσαδελφόταται πασῶν ὁπόσαι 870
στρόφον ἐσθῆσιν περιβάλλονται,
κλάω, στένομαι, καὶ δόλος οὐδεὶς
μὴ 'κ φρενὸς ὀρθῶς με λιγαίνειν.]

ἰὼ ἰὼ δύσφρονες, Str. 1
φίλων ἄπιστοι καὶ κακῶν ἀτρύμονες, 875
δόμους ἑλόντες πατρῴ-
ους μέλεοι σὺν ἀλκᾷ. —
Μέλεοι δῆθ' οἳ μελέους θανάτους
ηὕροντο δόμων ἐπὶ λύμῃ. 879

ἰὼ ἰὼ δωμάτων Ant. 1
ἐρειψίτοιχοι καὶ πικρὰς μοναρχίας
ἰδόντες, ἤδη διήλ-
λαχθε σὺν σιδάρῳ. — 883
Κάρτα δ' ἀληθῆ πατρὸς Οἰδιπόδα 886
πότνι' Ἐρινὺς ἐπέκρανεν.

Que dizer? Que senão os males
dos males domiciliados em casa?
Eia, amigas, ao vento das lamúrias,
na cabeça remai a cadência sequaz de mãos 855
que sempre leva pelo Aqueronte
o não enviado navio de velas negras
à margem sem rasto de Apolo, sem sol,
invisível, hospitaleira a todos. 860

Ei-las, vindas para o ofício
amargo, Antígona e Ismene,
prantear os irmãos. Sem dúvida,
creio: jorrará, dos amáveis peitos
de fundos seios, dor condigna. 865
É justo que nós, antes de cantar,
o díssono hino de Erínis
ecoemos, e ressoemos
o odioso peã de Hades. 870
Io!
Misérrimas irmãs de todas
quantas atam vestes na cintura,
choro, gemo e nenhum engano:
do íntimo de verdade eu grito.

Iò iò! Imprudentes, EST. 1
sem fé dos amigos, sem fadiga dos males, 875
míseros captores do palácio
paterno pela força.
Míseros que míseras mortes
descobriram na lesão do palácio. 879

Iò iò! Destruidores ANT. 1
dos muros do palácio e visitantes
de amargas monarquias,
já reconciliados pelo ferro. 883
Senhora Erínis de pai Édipo 886
cumpriu forte verdade.

Δι' εὐωνύμων τετυμμένοι, Str. 2
τετυμμένοι δῆθ', ὁμο-
σπλάγχνων τε πλευρωμάτων 890
⏑⏑⏑⏑ –
αἰαῖ δαιμόνιοι,
αἰαῖ δ' ἀντιφόνων
⟨τῶν⟩ θανάτων ἀραί. —
Διανταίαν λέγεις δόμοισι καὶ 895
σώμασιν πεπλαγμένους,
ἀναυδάτῳ μένει
ἀραίῳ τ' ἐκ πατρὸς
⟨δή⟩ διχόφρονι πότμῳ.

Διήκει δὲ καὶ πόλιν στόνος, Ant. 2
στένουσι πύργοι, στένει 901
πέδον φίλανδρον· μένει
κτέανα δ' ἐπιγόνοις,
δι' ὧν αἰνομόροις,
δι' ὧν νεῖκος ἔβα 905
καὶ θανάτου τέλος. —
Ἐμοιράσαντο δ' ὀξυκάρδιοι
κτήμαθ', ὥστ' ἴσον λαχεῖν·
διαλλακτῆρι δ' οὐκ
ἀμεμφεία φίλοις,
οὐδ' ἐπίχαρις Ἄρης. 910

Σιδαρόπλακτοι μὲν ὧδ' ἔχουσιν, Str. 3
σιδαρόπλακτοι δὲ τοὺς μένουσι,
τάχ' ἄν τις εἴποι, τίνες;
τάφων πατρῴων λαχαί. —
Δόμων ⟨μὲν⟩ μάλ' ἀχήεις τοὺς 915
προπέμπει δαϊκτὴρ
γόος αὐτόστονος, αὐτοπήμων,
δαϊόφρων, οὐ φιλογαθής,
ἐτύμως δακρυχέων δ' ἐκ

Feridos à esquerda, EST. 2
feridos ainda
nos flancos fraternos 890
(...)
Aiaî! Numinosos!
Aiaî! Pragas
de morte contra morte!
Descreves o golpe 895
no palácio e nos corpos,
golpe de inaudito furor
e de indivisa sorte
imprecada pelo pai.

Gemidos invadem a cidade: ANT. 2
gemem torres, geme 901
a planície amiga do varão; pertence
aos pósteros esta herdade;
por ela, aos de má sorte
vieram Rixa 905
e o fecho da morte.
Sortearam acerbos as posses
de modo a terem sortes iguais,
mas o reconciliador
não é sem a invectiva de amigos:
não é gracioso Ares. 910

Feridos por ferro eles estão, EST. 3
ferida por ferro os espera
(quem? talvez perguntassem)

a sorte de pátrios sepulcros. 915
Do palácio, prorrompe ecoante
o dilacerante lamento
gemido pela própria dor,
lúgubre, não tem alegria,
a chorar de verdade do íntimo

φρενός, ἃ κλαιομένας μου 920
μινύθει τοῖνδε δυοῖν ἀνάκτοιν.

Πάρεστι δ᾽ εἰπεῖν ἐπ᾽ ἀθλίοισιν Ant. 3
ὡς ἐρξάτην πολλὰ μὲν πολίτας,
ξένων τε πάντων στίχας 925
πολυφθόρους ἐν δαΐ. —
Δυσδαίμων σφιν ἁ τεκοῦσα
πρὸ πασᾶν γυναικῶν
ὁπόσαι τεκνογόνοι κέκληνται·
παῖδα τὸν αὑτᾶς πόσιν αὑτᾷ 930
θεμένα τούσδ᾽ ἔτεχ᾽, οἳ δ᾽ ὧδ᾽
ἐτελεύτασαν ὑπ᾽ ἀλλα-
λοφόνοις χερσὶν ὁμοσπόροισιν.

Ὁμόσποροι δῆτα καὶ πανώλεθροι Str. 4
διατομαῖς ἀφίλοις 935
ἔριδι μαινομένᾳ,
νείκεος ἐν τελευτᾷ. —
Πέπαυται δ᾽ ἔχθος, ἐν δὲ γαίᾳ
ζόα φονορύτῳ
μέμικται· κάρτα δ᾽ εἴσ᾽ ὅμαιμοι· 940
πικρὸς λυτὴρ νεικέων
ὁ Πόντιος ξεῖνος, ἐκ πυρὸς συθεὶς
θηκτὸς σίδαρος· πικρὸς δὲ χρημάτων
κακὸς δατητὰς Ἄρης, 945
ἀρὰν πατρῴαν τιθεὶς ἀλαθῆ.

Ἔχουσι μοῖραν λαχόντες οἱ μέλεοι Ant. 3
διοδότων ἀχέων·
ὑπὸ δὲ σώματι γᾶς
πλοῦτος ἄβυσσος ἔσται. — 950
Ἰὼ πολλοῖς ἐπανθίσαντες
πόνοισι γενεάν·
τελευτᾷ δ᾽ αἵδ᾽ ἐπηλάλαξαν
Ἀραὶ τὸν ὀξὺν νόμον,

consumido em meu pranto 920
por estes dois soberanos.

Pode-se dizer dos infelizes: ANT. 3
ambos massacraram cidadãos
e fileiras inteiras de estrangeiros 925
multimortíferos no combate.
Tem mau Nume a que os gerou
perante todas as mulheres
quantas genitoras se dizem:
tomando o filho por marido 930
gerou estes que assim
terminaram por mútua
matança de mãos irmãs.

Irmãs, sim, e funestas EST. 4
com cortes impróprios, 935
com rixa louca
no término do litígio.
Cessou o ódio, e na terra
ensanguentada, a vida
está unida: são, sim, irmãos. 940
Amargo árbitro do litígio
o hóspede do Ponto, emerso do fogo,
afiado ferro, e o maligno Ares
amargo divisor de haveres 945
ao tornar verdade a praga paterna.

Míseros, têm por sorte a parte ANT. 4
de males, dom de Zeus;
sob o corpo será de terra
a opulência sem fundo. 950
Ió! Com muitas dores
adornaram a linhagem.
Por fim aqui alaridearam
Pragas o agudo canto,

τετραμμένου παντρόπῳ φυγᾷ γένους. 955
ἕστακεν Ἄτας τροπαῖον ἐν πύλαις
ἐν αἷς ἐθείνοντο, καὶ
δυοῖν κρατήσας ἔληξε δαίμων. 960

ΗΜΙΧΟΡΙΟΝ Α
Παισθεὶς ἔπαισας.
ΗΜΙΧΟΡΙΟΝ Β
Σὺ δ' ἔθανες κατακτανών.
Α' Δορὶ δ' ἔκανες.
Β' Δορὶ δ' ἔθανες.
Α' Μελεοπόνος.
Β' Μελεοπαθής.
Α' Ἴτω δάκρυα.
Β' Ἴτω γόος.
Α' Πρόκεισαι —
Β' κατακτάς. 965
Α' Ἐή. St. 1
Β' Ἐή.
Α' Μαίνεται γόοισι φρήν.
Β' Ἐντὸς δὲ καρδία στένει.
Α' Ἰὼ ἰὼ πανδάκρυτε σύ.
Β' Σὺ δ' αὖτε καὶ πανάθλιε.
Α' Πρὸς φίλου ἔφθισο. 970
Β' Καὶ φίλον ἔκτανες.
Α' Διπλᾶ λέγειν.
Β' Διπλᾶ δ' ὁρᾶν.
Α' † Ἀχέων τοίων τάδ' ἐγγύθεν.
Β' Πέλας δ' αἵδ' ἀδελφαὶ ἀδελφεῶν. †
Α' Ὦ ἰ Μοῖρα βαρυδότειρα μογε- 975
ρά, πότνιά τ' Οἰδίπου σκιά·
μέλαιν' Ἐρινύς, ἦ μεγασθενής τις εἶ.

Α' Ἐή. Ant. 1
Β' Ἐή.
Α' Δυσθέατα πήματα —
Β' ἐδείξατ' ἐκ φυγᾶς ἐμοί.

batida a estirpe em confusa fuga. 955
O troféu de Erronia está nas portas
na qual foram batidos, e onde,
vencedor de ambos, o Nume cessa. 960

A.
Ferido feriste.
B.
Morreste ao matar.
A. À lança mataste.
B. À lança morreste.
A. Mísero mal.
B. Mísera dor.
A. Eia, lágrimas!
B. Eia, pranto!
A. Repousas...
B. ... do massacre. 965
A. *Eé.* EST. 1
B. *Eé.*
A. O espírito enlouquece em pranto.
B. E dentro geme o coração.
A. *Io!* Tu, lastimável.
B. E tu outro ainda infeliz.
A. Morto pelo irmão. 970
B. E mataste o irmão.
A. Duplo a dizer.
B. Duplo a ver.
A. Aqui perto de tais males.
B. Aqui perto de irmãos irmãs.
A. Ó mísera Parte de graves dons, 975
e poderosa sombra de Édipo,
negra Erínis, tens grande força.

A. *Eé.* ANT. 1
B. *Eé.*
A. Triste visão de males
B. surgiu-me vinda do exílio.

Α' Οὐδ' ἵκεθ' ὡς κατέκτανεν — 980
Β' σωθεὶς δὲ πνεῦμ' ἀπώλεσεν.
Α' Ὤλεσε δῆτ' ⟨ἄπο⟩.
Β' Καὶ τὸν ἐνόσφισεν. 982
Α' Ὀλοά γέγειν.
Β' Ὀλοά δ' ὁρᾶν. 993
Α' † Δύστονα κήδε' ὁμώνυμα. 984
Β' Δίυγρα τριπάλτων πημάτων. † 985
Α'Β' Ὦ Μοῖρα βαρυδότειρα μογε-
ρά, πότνιά τ' Οἰδίπου σκιά,
μέλαιν' Ἐρινύς, ἦ μεγασθενής τις εἶ.
Α' Σὺ τοί νιν οἶσθα διαπερῶν. Epod.
Β' Σὺ δ' οὐδὲν ὕστερος μαθών. 990
Α' Ἐπεὶ κατῆλθες ἐς πόλιν.
Β' Δορός γε τῷδ' ἀντηρέτας. 992
Α' Τάλαν γένος.
Β' Τάλανα παθόν. 983
Α' Ἰὼ πόνος. 994
Β' Ἰὼ κακά. 995
Α' Δώμασι καὶ χθονί.
Καὶ τὸ πρόσω γ' ἐμοί.
Ἰὼ ἰὼ δυστόνων κακῶν ἄναξ.
Β' Ἰὼ πάντων πολυστονώτατε. 1000
Α'Β' Ἰὼ δαιμονῶντες ἄτᾳ.
Α' Ἰὼ ἰώ, ποῦ σφε θήσομεν χθονός;
Β' Ἰώ, ὅπου ⟨'στὶ⟩ τιμιώτατον.
Α'Β' Ἰὼ ἰώ, πῆμα πατρὶ πάρευνον.

[ΚΗΡΥΞ

Δοκοῦντα καὶ δόξαντ' ἀπαγγέλλειν με χρὴ 1005
δήμου προβούλοις τῆσδε Καδμείας πόλεως·
Ἐτεοκλέα μὲν τόνδ' ἐπ' εὐνοίᾳ χθονός
θάπτειν ἔδοξε γῆς φίλαις κατασκαφαῖς·
στυγῶν γὰρ ἐχθροὺς θάνατον εἵλετ' ἐν πόλει,
ἱερῶν πατρῴων δ' ὅσιος ὢν μομφῆς ἄτερ 1010

A. Não chegou quando matou 980
B. e salvo perdeu a vida.
A. Assim a perdeu.
B. Ainda o exterminou. 982
A. Calamitosa palavra.
B. Calamitosa visão. 993
A. Aflitos lutos do mesmo nome. 984
B. Panteadas triplicadas dores. 985
AB. Ó mísera Parte de graves dons,
e poderosa sombra de Édipo,
negra Erínis, tens grande força.
A. Tu sabes por experiência. EPODO
B. E tu ciente não por último. 990
A. Quando retornaste ao país.
B. Com lança a remar contra este. 992
A. Mísera casa.
B. Mísera dor. 983
A. *Ió* dor! 994
B. *Ió* males! 995
A. Para o palácio e a terra.
B. E também para mim.
A. *Iò ió* rei de aflitos males!
B. *Ió* o mais panteado de todos! 1000
AB. *Iò* numinosos na erronia!
A. *Io ió* onde os poremos na terra?
B. *Iò* onde maior é a honra.
A. *Iò iò* dor companheira do pai!

CENA FINAL (1005-1078)

Ar. Devo anunciar as decisões e os decretos 1005
de conselheiros públicos desta cidade cadmeia.
A este Etéocles, por bem querer a terra,
decidiram sepultar com exéquias próprias:
a odiar inimigos teve morte na cidade,
pio ante pátrios templos e irrepreensível 1010

τέθνηκεν οὗπερ τοῖς νέοις θνῄσκειν καλόν.
Οὕτω μὲν ἀμφὶ τοῦδ' ἐπέσταλται λέγειν·
τούτου δ' ἀδελφὸν τόνδε Πολυνείκους νεκρὸν
ἔξω βαλεῖν ἄθαπτον, ἁρπαγὴν κυσίν,
ὡς ὄντ' ἀναστατῆρα Καδμείων χθονός, 1015
εἰ μὴ θεῶν τις ἐμποδὼν ἔστη δορὶ
τῷ τοῦδ' · ἄγος δὲ καὶ θανὼν κεκτήσεται
θεῶν πατρῴων, οὓς ἀτιμάσας ὅδε
στράτευμ' ἐπακτὸν ἐμβαλὼν ᾕρει πόλιν.
Οὕτω πετηνῶν τόνδ' ὑπ' οἰωνῶν δοκεῖ 1020
ταφέντ' ἀτίμως τοὐπιτίμιον λαβεῖν,
καὶ μήθ' ὁμαρτεῖν τυμβοχόα χειρώματα
μήτ' ὀξυμόλποις προσσέβειν οἰμώγμασιν,
εἶναι δ' ἄτιμον ἐκφορᾶς φίλων ὕπο.
Τοιαῦτ' ἔδοξεν τῷδε Καδμείων τέλει. 1025

ΑΝΤΙΓΟΝΗ

Ἐγὼ δὲ Καδμείων γε προστάταις λέγω,
ἢν μή τις ἄλλος τόνδε συνθάπτειν θέλῃ,
ἐγώ σφε θάψω κἀνὰ κίνδυνον βαλῶ
θάψασ' ἀδελφὸν τὸν ἐμόν, οὐδ' αἰσχύνομαι
ἔχουσ' ἄπιστον τήνδ' ἀναρχίαν πόλει. 1030
Δεινὸν τὸ κοινὸν σπλάγχνον οὗ πεφύκαμεν,
μητρὸς ταλαίνης κἀπὸ δυστήνου πατρός·
τοιγὰρ θέλουσ' ἄκοντι κοινώνει κακῶν,
ψυχή, θανόντι ζῶσα συγγόνῳ φρενί.
Τούτου δὲ σάρκας οὐδὲ κοιλογάστορες 1035
λύκοι πάσονται, μὴ δοκησάτω τινί·
τάφον γὰρ αὐτῷ καὶ κατασκαφὰς ἐγώ,
γυνή περ οὖσα, τῷδε μηχανήσομαι,
κόλπῳ φέρουσα βυσσίνου πεπλώματος,
καὐτὴ καλύψω· μηδέ τῳ δόξῃ πάλιν· 1040
θάρσει παρέσται μηχανὴ δραστήριος.

ΚΗ. Αὐδῶ πόλιν σε μὴ βιάζεσθαι τάδε.
ΑΝ. Αὐδῶ σε μὴ περισσὰ κηρύσσειν ἐμοί.
ΚΗ. Τραχύς γε μέντοι δῆμος ἐκφυγὼν κακά.
ΑΝ. Τράχυν', ἄθαπτος δ' οὗτος οὐ γενήσεται. 1045
ΚΗ Ἀλλ' ὃν πόλις στυγεῖ, σὺ τιμήσεις τάφῳ;

morreu onde é bela a morte dos moços.
A respeito dele a ordem é falar assim.
Este seu irmão, o cadáver de Polinices,
lançar fora insepulto, presa de cães,
porque subverteria a terra cadmeia, 1015
se um Deus não se opusesse à sua lança;
ainda que morto, terá posse de poluência
dos Deuses pátrios, que ele a desonrar
com exército de fora atacava a cidade.
Assim é o decreto: receba o seu devido 1020
sepultado sem honra por pássaros alados,
nenhum serviço fúnebre acompanhá-lo,
nenhum pranto de acerbo canto venerá-lo,
nem ser honrado pelo séquito dos seus.
Tal é o decreto do poder dos cadmeus. 1025

An. Eu declaro aos chefes dos cadmeus
se ninguém comigo quiser sepultá-lo
eu o sepultarei e enfrentarei o perigo
por sepultar o irmão, não tenho pudor
desta desobediência ao poder da cidade. 1030
Terrível é o ventre comum, nascemos
de miserável mãe e de lastimável pai.
Querendo com o sem querer, partilha males,
Alma, vivendo com o morto, fraternalmente.
Lobos de ventre côncavo não terão pasto 1035
de suas carnes, ninguém espere por isso,
pois o seu túmulo e exéquias eu mesma,
ainda que mulher, proverei com os meios,
levando terra no regaço de líneas vestes
eu o cobrirei, ninguém espere o inverso. 1040
O meio de agir estará presente na audácia.
Ar. Digo que não faças este ultraje à cidade.
An. Digo que não me anuncies o supérfluo.
Ar. Áspero, porém, é o povo salvo de males.
An. Exaspera! Mas insepulto ele não será. 1045
Ar. Honrarás com tumba a quem a cidade odeia?

AN. Ἤδη τὰ τοῦδε διατετίμηται θεοῖς;
KH Οὐ πρίν γε χώραν τήνδε κινδύνῳ βαλεῖν.
AN Παθὼν κακῶς κακοῖσιν ἀντημείβετο.
KH Ἀλλ' εἰς ἅπαντας ἀνθ' ἑνὸς τόδ' ἔργον ἦν. 1050
AN Ἔρις περαίνει μῦθον ὑστάτη θεῶν·
ἐγὼ δὲ θάψω τόνδε· μὴ μακρηγόρει.
KH Ἀλλ' αὐτόβουλος ἴσθ', ἀπεννέπω δ' ἐγώ.
XO Φεῦ φεῦ·
ὦ μεγάλαυχοι καὶ φθερσιγενεῖς
Κῆρες Ἐρινύες, αἵτ' Οἰδιπόδα 1055
γένος ὠλέσατε πρυμνόθεν οὕτως,
τί πάθω; τί δὲ δρῶ; τί δὲ μήσωμαι;
πῶς τολμήσω μήτε σε κλάειν
μήτε προπέμπειν ἐπὶ τύμβον;
Ἀλλὰ φοβοῦμαι κἀποτρέπομαι 1060
δεῖμα πολιτῶν·
σύ γε μὴν πολλῶν πενθητήρων
τεύξῃ, κεῖνος δ' ὁ τάλας ἄγοος
μονόκλαυτον ἔχων θρῆνον ἀδελφῆς
εἶσιν; τίς ἂν οὖν τὰ πίθοιτο; 1065

A' Δράτω ⟨τι⟩ πόλις καὶ μὴ δράτω
τοὺς κλάοντας Πολυνείκη·
ἡμεῖς γὰρ ἴμεν καὶ συνθάψομεν
αἵδε προπομποί·
καὶ γὰρ γενεᾷ κοινὸν τόδ' ἄχος, 1070
καὶ πόλις ἄλλως
ἄλλοτ' ἐπαινεῖ τὰ δίκαια.
B' Ἡμεῖς δ' ἅμα τῷδ', ὥσπερ τε πόλις
καὶ τὸ δίκαιον ξυνεπαινεῖ·
μετὰ γὰρ μάκαρας καὶ Διὸς ἰσχὺν
ὅδε Καδμείων ἤρυξε πόλιν 1075
μὴ ἀνατραπῆναι μηδ' ἀλλοδαπῷ
κύματι φωτῶν
κατακλυσθῆναι τὰ μάλιστα.

An. As honras dele os Deuses já não discriminam.
Ar. Não, antes que pusesse esta terra em perigo.
An. Maltratado, com maus tratos respondeu.
Ar. Mas contra todos, não um, era a proeza. 1050
An. Rixa, a última das Deusas, põe fim à fala.
Eu o sepultarei, não prolongues a palavra.
Ar. Sê por teu querer, eu proclamo proibição.
C. *Pheû pheû*,
ó grandíloquas destruidoras de estirpe
Cisões Erínies, que assim destruístes 1055
desde a raiz a estirpe de Édipo,
que sofro? Que faço? Que penso?
Como ousarei eu não te prantear,
não acompanhar até a sepultura?
Mas tenho pavor e reverto 1060
o temor que tenho dos cidadãos.
Tu terás muitos a te lamentarem,
mas aquele coitado sem gemidos
com nênia pranteada só pela irmã
partirá. Quem acreditaria nisto? 1065

A Que a cidade puna ou não puna
os que pranteiam Polinices,
nós iremos com ela sepultá-lo
neste séquito;
a estirpe tem em comum esta dor, 1070
e ora isto ora aquilo
a cidade considera justo.
B E nós, com este, tal qual a cidade
e a justiça consideram justo:
após os Deuses e o poder de Zeus
ele defendeu a cidade dos cadmeus 1075
de naufragar e de submergir
na forasteira onda
de varões, ao máximo.

OBRAS CONSULTADAS

AESCHYLI. *Septem quae supersunt tragoedias*. Edidit Denys Page. Oxford: Clarendon, 1975.

AESCHYLVS. *Septem contra Thebas*. Edidit Martin L. West. Stuttgart:Teubner, 1992.

____________. *Seven against Thebes*. Edited with an introduction and commentary by G. O. Hutchinson. Oxford: Clarendon, 1994.

ESCHILO. *I Sette contro Tebe*. Con note de Paolo Ubaldi. Torino: Libreria Editrice Internazionale, 1913.

ESCHYLE. *Les Sept contre Thèbes*. Traduction de Paul Mazon, introduction et notes de Jean Alaux. Paris: Les Belles Lettres, 1977.

____________. *Les Suppliantes, Les Perses, Les Sept contre Thèbes, Prométhée Enchainé*. Tome I. Texte établi et traduit par Paul Mazon. Paris: Les Belles Lettres, 1963.

LLOYD JONES, Hugh. "The end of the Seven against Thebes", *The Classical Quaterly*, v. IX, may 1959, 1, 80-115, 1959.

LUPAS, Liana; PETRE, Zoe. *Commentaire aux Septe contre Thèbe d'Eschyle*. Paris: Les Belles Lettres, 1981.

NOVELLI, Stefano. *Studi sul texto dei Sette contro Tebe*. Amsterdam: Adolf M. Hakkert, 2005.

WEST, Martin L. *Studies in Aeschylus*. Stuttgart: Teubner, 1990.

TORRANO, Jaa. *O sentido de Zeus. O mito do mundo e o modo mítico de ser no mundo*. São Paulo: Iluminuras, 1996.

AS SUPLICANTES

AS SÚPLICAS A ZEUS SUPLICANTE NA TRAGÉDIA *AS SUPLICANTES* DE ÉSQUILO

Jaa Torrano

Coragem! Com o tempo e no dia próprio,
o mortal contemptor dos Deuses é punido.
(Ésquilo, *Su.* 732-3)

Proêmio

Nas tragédias de Ésquilo, as vidas — cujo sentido está em questão e em jogo no desenvolvimento do drama — se decidem no interior de um quádruplo diálogo, em que falam Deuses, Numes, heróis e mortais, e no qual se confundem e se distinguem quatro pontos de vista, correspondentes aos graus de verdade do conhecimento e aos graus de participação no ser, pertinentes aos mortais e às instâncias dessa hierarquia do divino, tradicional entre os gregos desde Homero, a saber: Deuses, Numes e heróis. A essas distinções entre pontos de vista divinos, numinosos, heróicos e humanos e entre graus diversos de participação na verdade e no ser, chamamos "dialética trágica": icástica, pré-filosófica, própria do pensamento mítico grego arcaico e clássico. Essa "dialética trágica", bem como as noções e as imagens também próprias do pensamento mítico grego, estão, nas tragédias de Ésquilo, a serviço da elaboração do pensamento político, que reflete sobre os limites inerentes a todo exercício de poder, as relações de poder e a questão da Justiça na *polis.*

Em *As suplicantes*, o coro de Danaides, aportadas em Argos, invoca primeiro Zeus Suplicante, e depois os pátrios Numes — cuja categoria inclui tanto os Deuses supremos quanto os mortos venerados como heróis locais — e terceiro Zeus Salvador. A prece a Zeus se desdobra na súplica ao rei Pelasgo e na interlocução indireta, mediada pelo rei Pelasgo, com o povo argivo. A prece e a súplica recorrem à persuasão violenta (cf. *Ag.* 385), que parece — e é — chantagem e coação tanto a Zeus Olímpio quanto ao rei Pelasgo e a seu povo. No entanto, no exercício mesmo dessa persuasão pelas

Danaides manifesta-se fatídica tensão conflituosa entre os interesses de Ártemis e os de Afrodite.

As recém-chegadas e sua velada ameaça.

A invocação a "Zeus Suplicante" (*Zeùs mén Aphíktor*), com que o coro abre o drama, transporta desde já o coro mesmo, e os espectadores do teatro de Dioniso, para o âmbito em que a ação dramática se desenvolve, ou seja, o da súplica e das injunções que, para o pensamento mítico grego, a súplica traz consigo.

Uma inscrição em Esparta atesta o epíteto cultual de Zeus *Hikésios*, com o mesmo sentido de "Suplicante" que *Aphíktor*, o qual parece ser uma criação de Ésquilo, num jogo etimológico com *aphikoímetha* ("suplicaríamos", *Su.* 20), *hiketôn* ("súplices", *Su.* 210) e ainda com *aphiktóron* ("suplicantes", *Su.* 241) e *aphíxeos* ("súplica", *Su.* 483), termos com que se descrevem a situação e a atitude do coro.

O título mesmo deste drama *Hikétides* significa ao mesmo tempo "recém-chegadas" e "suplicantes", tal como no verbo *hiknéomai*, ou, acrescentado o prefixo, *aph-iknéomai*, coincidem as acepções de "chegar" e de "suplicar". Esses termos descrevem a situação de despossuídos e desterrados que ao chegar suplicam por acolhida e abrigo, em nome de Zeus *Hikésios*, sob cuja proteção se põem. A atribuição do epíteto *hikésios* (ou seu equivalente poético *aphíktor*) a Zeus assinala que esses desvalidos pertencem a Zeus e, portanto, ao defrontar-se com um deles, defronta-se por meio desse com Zeus mesmo. Muitos documentos literários da época clássica, em versos e em prosa, atestam a gravidade e temeridade que constitui recusar-se a dar acolhida a tais súplicas, pois assim se incorre na cólera e no desfavor dos Deuses, sobretudo de Zeus Suplicante. Entre esses documentos, conta-se essa tragédia de Ésquilo.

Com vestes estranhas à indumentária grega, e portando ramos enfeitados de lã branca à maneira de suplicantes, o coro declara ter vindo do estuário do Nilo (*Su.* 2-4). O nome "Egito" nesse drama é reservado ao pai dos pretendentes perseguidores das Danaides, irmão de Dânao; e o país do rio Nilo é designado com perífrase "terra de Zeus contígua à Síria", dado o sincretismo entre Zeus e Ámon, cujo oráculo era célebre. Descrevendo-se como fugitivas (*pheúgomen*, "estamos em fuga", *Su.* 5), o coro esclarece que não se trata de um exílio imposto como sanção de homicídio, mas consequente da alternativa escolhida contra as núpcias indesejadas. A referência ao "pai Dânao" (*Su.* 11) completa a identificação da personalidade coletiva do coro como Danaides, o que dá à anterior menção ao não cometido homicídio o caráter de uma premonição, pois é sabido que as Danaides, na noite de suas núpcias, com punhais escondidos nas vestes, matam os seus maridos, exceto uma delas, Hipermnestra, que poupa o marido pelo desejo de ter filhos.

Não se esclarecerá, ao longo de todo o drama, se as núpcias são indesejadas por si mesmas, ou se os indesejados são esses pretendentes; no primeiro caso, haveria desdém e ofensa à Deusa Afrodite, cujo âmbito é o da sedução amorosa e do desejo; no segundo caso, apenas uma injunção política, em que esses pretendentes são rejeitados. Tanto na Grécia quanto no Egito é lícito o casamento entre primos de primeiro grau. Portanto, o adjetivo "ímpio" (*asebê*, *Su.* 9) deve qualificar a atitude dos filhos de Egito não por pretenderem o casamento com primas, mas por obstinarem-se numa pretensão contrária ao desejo das pretendidas e do pai delas. Embora permaneça ambíguo e indeciso se as Danaides rejeitam a união amorosa em si mesma, em princípio (o que implica ofensa a Afrodite), ou se apenas rejeitam casarem-se com esses seus primos. No entanto, tanto a apresentação de Dânao como "guia do conselho, guia do dissídio" (*Su.* 11-2) quanto sua oposição a essa união de suas filhas com os primos delas parecem favorecer a conjectura de que essa resistência ao casamento se deve a uma injunção política.

Declarado donde e por que partiu, o coro se volta para a terra aonde chegaram e por que a elegeram: nomeia, então, a terra argiva como origem de sua família por ser pátria de sua ancestral Io. Evocada na imagem da "aguilhoada novilha" (*oistrodónou / bóos*, *Su.* 16-7), milagrosamente fecundada "ao sopro e ao toque de Zeus" (*Su.* 17-8), a lembrança de Io revela um vínculo de consanguinidade entre as recém-chegadas e a terra a que chegam e assim impõe a essa terra o imperioso dever da benevolente acolhida.

Essa imposição se assinala no jogo de palavras pelo qual os "ramos coroados de lã" (*Su.* 22) — insígnias que distinguem entre os gregos a condição de suplicante — se descrevem como "súplices punhais" (*hiketôn enkheiridíois*, *Su.* 21), dado que a palavra *enkheirídion* significa "manual", tanto no sentido de "o que se traz na mão" quanto no de "punhal". Assim, o emblema da condição de suplicantes, sinal de fragilidade e de precariedade, transfigura-se numa arma mortal, com que se coagirá o rei de Argos.

Declaradas descendentes de Io, a antiga princesa de Argos, as recém-chegadas invocam os "pátrios Numes de Argos" (*Su.* 22a). Segundo M. L. West — que com sua ciência ecdótica quase divinatória restaurou o verso *Su.* 22a —, os "pátrios Numes" se dizem os Deuses locais, que presidem a comunidade, a terra e as águas vivíficas, designação genérica que abarca duas categorias distintas, a saber: os "Deuses supremos" (*hýpatoi Theoí, Su.* 24), identificáveis com os Deuses Olímpios pan-helênicos, e os heróis locais, que não são Deuses, mas que aos Deuses se associam como protetores da cidade, "severos ao punir, subterrâneos ocupantes de sepulcros" (*Su.* 24-5). Após essas duas categorias, "Zeus Salvador" mantém a sua posição de "terceiro" (*Zeùs Sotèr trítos, Su.* 26), como na ordem ritual das libações, em que se invocam os Olímpios, os heróis e Zeus *Sotér* ("Salvador"). O epíteto de Zeus *Sotér* aí se explica pela função de "guarda-casa de varões pios" (*Su.* 26-7), implicando que a salvação das casas dos argivos se condiciona ao piedoso acolhimento concedido por eles às recém-chegadas.

A contraposição entre o masculino e o feminino se delineia na oposição entre "a súplice / feminina expedição" (*Su.* 27-8), para a qual se pede acolhida "com o reverente vento do região" (*Su.* 28-9), e o "masculino / bando transgressor" (*Su.* 29-30), contra o qual se impreca que pereça de encontro a "tormenta / tempestuosa, trovão e relâmpago / e os ventos do selvagem / mar" (*Su.* 33-6). Motivo alegado de tão odiosa imprecação: usurpação do poder que cabe ao tio paterno deles (*patradélpheian, Su.* 38) e coerção a núpcias.

A AMEAÇA REVELADA

Durante sua marcha, pela entrada lateral (párodo), até a pista de dança (orquestra), o canto do coro revela sua origem, seus motivos e sua condição, e impreca contra seus perseguidores (*Su.* 1-39). Uma vez instalado na orquestra, o coro modula seu canto em cinco pares de estrofe-antístrofe, seguidos de mais três pares nos quais um novo refrão se incrusta após cada estrofe e ecoa após cada antístrofe (*Su.* 40-175).

Na primeira estrofe, a invocação do "vitelo de Zeus" (*Su.* 41) instaura o vínculo das recém-chegadas com o lugar aonde chegam, ao mostrar o elo entre essa Argos e sua originária "terra de Zeus" (*i.e.* o Egito, *Su.* 4-5), sugerindo ainda a identificação entre Épafo — que aqui se designa como "vitelo de Zeus" — e o Deus bovino egípcio Ápis. Na tragédia *Prometeu Cadeeiro* de Ésquilo, a genealogia e a saga das Danaides é resumida na fala divinatória de Prometeu à errante princesa originária de Argos, Io, transmutada em novilha, ancestral das Danaides:

> Canopo é a cidade extrema da terra,
> junto à foz mesma e aluvião do Nilo,
> aí é que Zeus te faz boa de espírito,
> ao tocar com intrépida mão e só tocar.
> Nomeado pela paternidade de Zeus,
> terás o negro Épafo, que colherá
> quanto o largífluo Nilo rega a terra.
> Cinco gerações depois, cinquenta filhas
> virão outra vez a Argos, a contragosto,
> fêmeas sementes a fugir de congêneres
> núpcias com primos; mas eles, aturdidos,
> falcões deixados não longe das pombas,
> chegarão, caçadores de não caçáveis
> núpcias. Deus terá ciúmes dos corpos.
> Fêmeo Ares letal molhará terra pelásgia
> com os mortos por noctivígil audácia,
> pois cada mulher massacrará o marido,
> tingindo na garganta a bigúmea espada.
> Assim seja Cípris para meus inimigos.
>
> (*Pr.* 846-64)

Engendrado pelo toque de Zeus, e nomeado segundo essa circunstância, Épafo (cujo nome em grego soa como "Táctil", "Toque" ou "Tocado") nasceu no estuário do Nilo, donde depois suas descendentes Danaides partiram em fuga. O sincretismo entre Ápis e Épafo é reconhecido em Heródoto: "Ápis, a quem os gregos chamam

Épafo" (HERÓDOTO, III, 27, 1), e talvez se explique pela semelhança do mito do nascimento de ambos: "Este Ápis ou Épafo é um novilho nascido de uma vaca que não pode gerar nunca mais nova cria. Os egípcios contam que um raio baixa do céu sobre ela, que desse raio concebe Ápis." (HERÓDOTO, III, 28, 2; tradução Maria de Fátima Silva e Cristina Abranches.) A Épafo cabe, pois, o epíteto "ultramarino defensor", que lhe conferem as Danaides ao invocá-lo em Argos (*Su.* 41).

Na primeira antístrofe, "os antigos males" (*Su.* 51) são as pretéritas aflições de Io, "prístina mãe" (*Su.* 50), que as Danaides pretendem rememorar como indícios fiéis e confiáveis de seu vínculo de consanguinidade delas com os argivos.

Na segunda estrofe, no entanto, não mais as dores de Io, mas sim o lamento por suas próprias aflições elas dizem soar em sua voz. Ao ouvi-las, um áugure nativo da região – conhecedor da arte de adivinhar por meio da interpretação dos ruídos produzidos pelo comportamento dos pássaros — suporia ouvir a chorosa esposa de Tereu, transformada em rouxinol e entregue ao lastimoso gorjeio de suas misérias. Há dois motivos para essa sobreposição das figuras das Danaides e da esposa de Tereu: 1º.) a imagem do "rouxinol perseguido por falcão" (*Su.* 62), com que elas próprias descrevem a si mesmas e seus primos que as perseguem, e 2º.) o homicídio perpetrado contra familiares, que, no caso das Danaides, ao chegarem a Argos, somente um áugure poderia adivinhar (cf. *Pr.* 855-63, supracitados). Conta a lenda, recolhida por mitógrafos, que o rei trácio Tereu desposa Procne, filha de Pandíon, rei de Atenas, e tem com ela o filho Ítis, mas, desejando Filomela, irmã de Procne, viola-a e, para ocultar o crime, corta-lhe a língua. Procne, ao descobri-lo, mata Ítis para punir o crime do marido e dá-lhe de comer a carne do filho. Ao saber disso, Tereu persegue as irmãs, mas, antes de alcançá-las, os Deuses os transformam em pássaros: Tereu em falcão, Procne em rouxinol, e Filomela em andorinha, de modo que a perseguição prossegue, em novas formas transmutadas, e Procne, como rouxinol, pranteia a sorte do filho, ao gorjear "Ítis! Ítis!".

A segunda antístrofe explicita a sina e a situação de (Procne-)rouxinol, que ao ser expulsa de toda parte, e ao lamentar a perda dos logradouros habituais, compõe o relato da sorte do filho, morto sob a cólera da mãe mesma (*Su.* 63-7). Assim, Danaides e Procne, vítimas da violência masculina, têm em comum a perseguição por falcões, o exílio forçado e o pranto. A reiteração de "lamento" (*oîkton*, *Su.* 59/64) e de "lamentosa" / "lastimosa" (*oiktrâs* / *philódyrtos*, *Su.* 61/68) ressalta o que há em comum nessas duas sinas e situações. A resposta à violência masculina com a matança perpetrada contra os laços de parentesco completará, no porvir das Danaides, essa comunidade de sinas.

A terceira estrofe retoma a descrição da figura das Danaides e suas circunstâncias: "lastimosa em cantos iônios" (*philódyrtos Iaoníoisi nomoîsi*, *Su.* 69). Ante os termos *Iaoníoisi nomoîsi*, os editores hesitam e se dividem, uns grafando *nómoisi* ("cantos", "canções" — modo musical), outros, *nomoîsi* ("cantos", "cantões" — divisão territorial). Por sua vez, o adjetivo *Iaoníoisi* ("iônios") pode significar "iônios" em sentido restrito ou, por metonímia, "helênicos", e ainda — dada a *etymología* poética — "de Io" (cf. *Pr.* 839-41). Portanto, nessa descrição se sobrepõem estas três alusões: elas lastimam (1º.) em cantos ao modo iônio, (2º.) não mais junto ao Nilo, mas na Grécia, (3º.) "nos relvosos prados da prístina mãe", *i.e.* de Io (cf. *Su.* 50). Sendo tanta a aflição, laceram-se as faces com os gestos expressivos de dor, lacera-se o coração com os cuidados imponderáveis (*Su.* 70-1). Quem mostrará amizade e prestará socorro a essas exiladas de uma terra invisível, entre brumas? (*Su.* 69-76)

Na terceira antístrofe, o coro se volta ao Deuses pátrios (*Theoí genétai*, *Su.* 78), invocando-os como "vigilantes da justiça", e pede-lhes que frustrem as pretensões de núpcias dos Egipcíades, uma vez que estas são transgressivas, e a transgressão (*hýbrin*, *Su.* 81) causa horror aos Deuses. Esse pedido ainda se justifica pelo venerando caráter de asilo e de abrigo que se atribui ao altar, em cuja proximidade — física e simbólica — o coro se situa (*Su.* 83-5).

O que se pede aos Deuses pátrios formula-se como um voto que se espera de Zeus: "Por Zeus, bem seja, deveras!" (*Su.* 86), a saber, que os perseguidores se percam, punidos, e cesse toda perseguição. Uma reflexão teológica, elaborada mediante a combinação de muitas imagens, parece sustentar essa esperança posta em Zeus (*Su.* 87-103). Ante a evidência e iminência de que se possa consumar o intento dos Egipcíades, apela-se para a imprevisibilidade dos impenetráveis desígnios de Zeus, cujos caminhos não se deixam adivinhar, sombrios e inextricáveis (*Su.* 87-90). Entretanto, o assentimento de Zeus é o penhor de que se preserve como possibilidade e por fim se dê a vitória perfeita: quando cair de costas significa perder a luta, assistido por esse assentimento, o contendente "cai firme, não de costas" (*Su.* 91); e ao levar a desgraça a quem desassiste, a eficácia desse assentimento brilha através dos mais secretos sigilos e "fulgura / até nas trevas" (*Su.* 94-5). Quando o orgulho dos mortais se ergue como torres, é dessas altas esperanças que se creem tão sólidas que o Deus os precipita, sem nenhuma ostentação nem esforço nenhum, mas pelo único recurso de seus próprios desígnios (*Su.* 96-103).

Na quinta antístrofe, concluído o excurso teológico, o coro retorna a suas circunstâncias, para encontrar nelas o exemplo concreto do que o excurso previa: a transgressão (*hýbrin*, *Su.*104), como o tronco que se renova, nutrido de espírito imprudente, por furioso intento, sob o aguilhão do desejo das núpcias, conduz à erronia (*átai*, *Su.* 110). Desse furioso intento, os transgressores são sujeitos pacientes, porquanto "furioso intento" (*diánoian mainólin*, *Su.*109) constitui-se de ilusão e de logro (*apátan*, *Su*, 111), em que Zeus os enreda, de modo a levá-los à erronia. Na palavra "erronia" (*átai/áte*), condensam-se os sentidos de delírio, ação delirante e consequente ruína.

No entanto, muito aquém dessa doutrina teológica, a presente situação do coro permanece feita de incerteza. Na sexta estrofe, abatido pela incerteza e perplexidade, o coro funde as dores ao canto, ao descrever as "dores" (*páthea*, *Su.* 112) como "estrídulas" (*ligéa*, *Su.* 113) e "próprias ao canto lúgubre" (*Su.* 115). Essa hipálage culmina no oximoro, quando o canto se torna honras fúnebres prestadas em vida a si mesma (*Su.* 116). Ao dizer que celebra as próprias exéquias, o coro configura uma disposição de espírito, da qual deu o primeiro sinal ao exprimir sua dor com a laceração das faces – gesto peculiar ao rito do pranto funerário.

O primeiro estribilho — dito "efínio", de *ephímnion*, "o que se acrescenta (*epí*) ao hino (*hýmnos*)" — reitera a interlocução das recém-chegadas com a terra aonde chegam. Nessa interpelação de *Apían boûnin* ("alterosa Ápia", *Su.* 117) ressoa dupla alusão: 1º.) ao Deus egípcio Ápis, identificado com o ancestral Épafo, e 2º.) a Io, dita "novilha" (*boûs*, cf. *boós*, *Su.* 42), dada a paronomásia entre *boûs*, "novilha" e *boûnis*, "alterosa", *i.e.* "colinosa", adjetivo do nome *bounós*, "colina". Assim a palavra mesma, como que à revelia de quem fala, invoca o vínculo ancestral entre as recém-chegadas e a terra a que chegam.

Na expressão *karbâna d'audán* ("voz peregrina", *Su.* 119), Friis Johansen e Whittle veem um indício de que as Danaides são (representadas como) falantes de língua não grega, pois sua comunicação sem embaraços com Pelasgo se deve à convenção poética de ignorar a diferença de línguas, a menos que haja algum propósito especial para mencioná-la.

A dilaceração de vestes caracteriza o pranto funerário: assim agem as coéforas junto ao túmulo do herói Agamêmnon (cf. *Co.* 27-8), as mulheres persas no tenebroso luto ao saberem da morte de seus maridos na guerra (cf. *Pe.* 124; 536-8), e também o rei Xerxes, enlutado pela derrota e massacre de sua poderosa esquadra (cf. *Pe.* 835-6). Quando as Danaides esboçam a laceração de suas vestes (*Su.* 120-1 = 131-2), insistem tacitamente no sentimento já manifesto de que fazem suas próprias honras fúnebres — e o primeiro estribilho por si só ecoa essa insistência.

Na sexta estrofe, porém, novo apelo aos Deuses argumenta que a preservação da vida dos cultores é do interesse dos Deuses, visto que disso dependem oferendas e honras prestadas nos cultos (*Su.* 123-4), alternando perplexidade ("*Iò, ió, ió*, indiscerníveis dores", *Su.* 125-6) e incerteza ("aonde levará esta onda?", *Su.* 127).

Essa incerteza, figurada na imagem da onda, que não se sabe aonde levará (*kûm'*, *Su.* 127), aplaca-se com a lembrança, suscitada pela mesma metáfora da onda, de que a viagem por mar até Argos foi tranquila, o que por si só constitui um sinal favorável para o porvir. Assim encorajadas, as Danaides esperam e fazem votos de que o favor divino possa estender-se até a consecução dos propósitos dessa travessia bem-sucedida; e invocam Zeus "pai onividente" (*Su.* 139), cuja providência então as assistiu e assim possa assisti-las no porvir. No segundo estribilho (*Su.* 141-2 = 151-3) explicita-se o "término propício", que se pede a Zeus, como o êxito feliz na fuga dos perseguidores e das núpcias coercitivas. Quando as Danaides se referem a si mesmas como "grande prole de augusta mãe" (*i.e.*, de Io), ao dizerem então "pai onividente", invocam Zeus não só no sentido universal de "Pai dos Deuses e homens", mas — particularmente — pai fundador de sua linhagem.

Na sétima antístrofe, o poliptoto *thélousa d'aû thélousan* ("cuidadosa de meus cuidados" *Su.*144) estabelece a identificação e o contraste entre Danaides, que invocam, e Ártemis, que é invocada, bem como entre Ártemis, que contempla, e Danaides, que são contempladas. A identificação, dada pela identidade dos cuidados, reitera-se nos termos da invocação (*Diòs kóra*, "filha de Zeus" *Su.* 145), com que as Danaides reivindicam para si tanto a paternidade ancestral de Zeus quanto a condição de virgem (*ádmetos admétai*, *Su.* 149), já que elas, enquanto virgens perseguidas, esperam a aliança defensiva da Deusa virgem — Ártemis. Por outro lado, o contraste ainda se dá quando — exiladas à procura de asilo — invocam a Deusa "bem instalada em sacro templo" (*ékhousa sémn' enópi' asphalés*, *Su.*146).

O segundo estribilho ecoa, após a invocação a Ártemis, como após a invocação a Zeus, o mesmo pedido por êxito feliz na fuga de perseguidores e de núpcias coercitivas (*Su.* 151-3).

A oitava e última estrofe considera a possibilidade de esse pedido não ter acolhida, junto aos Deuses Olímpios, especialmente junto a Zeus. A velada ameaça, em que ramos coroados de lã empunhados pelas suplicantes se diziam "súplices punhais" (*hiketôn enkheiridíois*, *Su.* 21), afinal se revela: as suplicantes ameaçam transformar a súplica a Zeus "Súplice" (*Aphíktor*, *Su.* 1) em súplica ao "térreo / hospitaleiro de muitos / Zeus dos defuntos" (*Su.* 156-8), usando laços para se enforcarem.

O Deus Hades, cujos domínios são as sombras subterrâneas onde se confinam as sombras ou espectros dos mortos, é muitas vezes descrito com os epítetos *polydéktes* ou *polydégmon* ("acolhedor de muitos"), e muitas vezes chamado Zeus *katakhthónios* ("Subterrâneo"), ou simplesmente Zeus *khthónios* ("Térreo"). Dada a equivalência entre os nomes *khthón* e *gaîa* como designação do solo e da terra, o epíteto "térreo" (*gáion*, *Su.* 156) é um claro equivalente de *khthónios* ou *katakhthónios*, e o epíteto "hospitaleiro de muitos" (*polyxenótaton*, *Su.* 157) claramente joga com o epíteto de Zeus "Hóspede" (*Xênios*, cf. *Su.* 627). Se seu pedido não lograr a acolhida de Zeus, as suplicantes certamente terão, mortas, a acolhida de Hades, acolhedor de muitos (*Su.* 154-61).

No terceiro e último estribilho, a invocação a Zeus se associa ao lamento da ira contra Io: *â Zen, Ioûs iò mênis* ("Â, Zeus! *Iò*, ira contra

Io", *Su.* 162). A paronomásia *Ioûs iò* sugere a ominosa etimologia que vincula o nome de Io à interjeição de dor *ió* (cf. *Pr.* 694-5). A "ira contra Io" é atribuída a "Deuses" em geral (*ek Theôn, Su.*163), mas recebe uma surpreendente qualificação: *másteir'* ("víndice", *Su.* 164). Ora, *máster* — donde a forma feminina *másteira* — designa em Atenas o magistrado incumbido de averiguar e confiscar o patrimônio e espólio de proscritos e de endividados com o poder público. A Deusa Hera, cujo domínio é o do patrimônio familiar e do casamento como instituição social, não é mencionada, mas aludida como esposa cuja cólera é vencedora no céu (*Su.* 164-5). Essa alusão ao domínio e ao poder de Hera sugere que se compreenda o malogro das suplicantes como a extensão do ressentimento de Hera aos descendentes de Io. Essa sugestão se condensa na metáfora do último verso do estribilho: "de áspero vento vem tempestade" (*Su.*166).

Contra esse possível malogro de seu pedido junto a Zeus, as suplicantes brandem contra Zeus mesmo uma ameaça: caso não acolha essa prece de seus descendentes, estará sujeito à justa acusação de não honrar o filho que outrora ele mesmo gerou, o filho da novilha (*Su.* 168-75).

Guia do conselho, guia do dissídio

A figura de Dânao — pai guia do conselho e guia do dissídio (*Danaòs dé, patér kaì boúlarkhos kaì stasíarkhos, Su.* 11) — abre e domina a primeira cena do primeiro episódio. Piloto veterano e confiável que com prudência conduziu as filhas sobre o mar, exige delas prudência igual à sua como condição para levar a bom termo a aventura sobre a terra firme. Anuncia a aproximação da multidão armada de escudo e lança, prenunciada pela poeira e pelo chiado dos eixos dos carros. Prevê que sejam líderes locais que, informados por mensageiros, venham observar e verificar quem são os recém-chegados, e por ser impossível saber previamente se vêm com disposição hostil ou hospitaleira, aconselha às filhas que busquem asilo na colina junto ao altar dos Deuses, de modo a serem vistas como suplicantes desses Deuses e sob a guarda deles.

Aparentemente Dânao está instalado na colina, que lhe serve de mirante. Não há indícios se ele entrou junto com o coro no primeiro verso, ou depois de executado o primeiro canto coral; nem há menção anterior a essa colina. Templos, altares e santuários tradicionalmente servem de asilo e tornam inviolável quem se declara suplicante dos Deuses aos quais estão consagrados. A esse expediente é que Dânao aconselha as filhas a recorrerem, e dá instruções sobre o procedimento e o uso da palavra convenientes à situação: levarem na mão esquerda os ramos adornados com lã como oferenda a Zeus Reverente, de modo a deixar a mão direita livre para estender-se no gesto de súplica; serem comedidas nas palavras e nas atitudes, de modo a suscitar benevolência e boa acolhida. O epíteto "Reverente" cabe a Zeus (*aidoíou Diós*, *Su.* 192), bem como o epíteto "Suplicante" (*Aphíktor, Su.* 1), porque a atitude e a situação dos suplicantes implicam e configuram a interlocução com Zeus, de modo que tanto a súplica dos desvalidos, quanto a reverência dos que lhes valem, necessariamente participam do favor divino.

O corifeu, ao acolher os conselhos de seu pai Dânao e ao comprometer-se a observá-los e conservar-lhes a lembrança, pede pela vigilância de "Zeus Pátrio" (*Zeùs dè gennétor ídoi, Su.* 204). Nesse epíteto de "Zeus Pátrio" ressoa não somente a piedade filial com que se aceitam e guardam os conselhos paternos mas ainda a reivindicação da ancestralidade a remontar a Zeus mesmo, e sobretudo o pressuposto (já anunciado nos versos 168-74) de que o Deus — por ser honrado — deve honrar sua descendência com sua vigilância e proteção.

Na breve esticomitia (*Su.* 207-21), enquanto o coro se dirige à colina e ao altar comum dos Deuses, Dânao distingue e indica ao corifeu alguns Deuses que devem ser invocados. Supõe-se que, tal como na ágora de Atenas contemporânea de Ésquilo, os doze Deuses estivessem representados nesse altar comum com doze estátuas de madeira (*brétea, Su.* 463), pois o culto dos doze Deuses era muito difundido na Grécia antiga e, além disso, numa cena seguinte, o coro — composto de doze coristas — faz ao rei Pelasgo a terrível ameaça de enforcarem-se com os cintos nas estátuas dos Deuses (*Su.* 463-5).

Dânao primeiro se refere a Apolo como "o filho de Zeus" (*Zenòs înin, Su.* 212). Em vez de *înin*, "filho", os manuscritos trazem *órnin*, "pássaro"; ora, o pássaro de Zeus é a águia, mas como não se entenderia bem porque invocar águia entre Deuses, alguns editores adotaram a lição *Zenòs înin*, "o filho de Zeus". Apolo, nesse verso, como alhures, é identificado com os raios do sol, e distinguido por dois traços que justificariam sua vinculação à causa das Danaides: 1º.) o epíteto "puro" e 2º.) o mitologema do "Deus exilado do céu" (*hagnón ... phygád' ap' ouranoû Theón, Su.* 214). O epíteto "puro", comum a Apolo e a Ártemis, assinala a estrita e exclusiva pertinência das atribuições desses Deuses, e condiz com a condição etária e social de virgens inuptas (e refratárias a núpcias) das Danaides. A qualificação do Deus como "exilado do céu" cria um oximoro com a identificação entre Apolo e os raios do sol, mas ressalta uma situação comum ao Deus e às Danaides, exiladas e suplicantes. No prólogo de *Alceste* de Eurípides, o exílio de Apolo junto ao palácio de Admeto é explicado como punição por Apolo ter matado os Ciclopes, fabricantes do raio de Zeus, furioso por que Zeus fulminou o seu filho Asclépio. As Danaides esperam que a sina comum do exílio suscite a compaixão de Apolo.

Posídon não é nomeado, mas indicado e invocado por seu signo, o tridente, porque bem conduziu os foragidos no mar, e para que bem os receba em terra firme (*Su.* 218-9).

Hermes fecha a enumeração dos Deuses e a esticomitia, invocado como arauto, para que enuncie boa notícia que possa conferir às suplicantes a condição de livres.

Dânao resume seus conselhos às filhas, antes de elas se encontrarem com o rei Pelasgo, com a exortação à veneração ante o altar comum de todos os Deuses. Descrevendo-as como "bando de pombas" e aos seus perseguidores como "gaviões", ressalta a enormidade do comportamento deles com o oximoro: "hostis aos consanguíneos" (*ekhthrôn homaímois, Su.* 225). O vínculo da consanguinidade é a forma mais própria da *philía*, ou seja, o modo mais estreito e natural de participação na comunidade familiar; ser inimigo da própria família é uma violação desses laços sagrados; assim, o oximoro se desdobra e se explica como "poluentes da casa" (*kaì miainónton génos, Su.* 225). A impiedade e poluência reside na coerção com que se impõem as núpcias indesejadas e forçadas. Nessa fala de Dânao, retoma-se uma noção de justiça que vê no Hades um outro Zeus como juiz póstumo, diante do qual nem a morte extingue a exigência de punição dos transgressores (cf. *Eu.* 273-5).

O rei Pelasgo surpreende-se com o grupo de mulheres, vestidas e adornadas de modo estranho aos costumes gregos, que ousou chegar à região sem arautos nem guias e, portanto, também sem quem lhe patrocinasse a vinda. Aparentemente, o rei somente toma conhecimento da presença de Dânao quando o corifeu a ele se refere e aponta como "este meu pai" (*toûd' emoû patrós, Su.* 319). De imediato, no entanto, percebe que se trata de suplicantes, não só pelos ramos que elas seguram, mas também os que elas depositaram sobre o altar. Sendo essa atitude e essas insígnias de suplicantes o único traço que trai origem grega nesse grupo, o rei espera que as recém-chegadas declarem quem são.

O corifeu reverte essa expectativa, ao perguntar pela posição social de quem o interpela. O rei, cuja aparência não o distingue claramente como tal, deve, então, antes declarar quem é e, ao fazê-lo, desdobra sua explicação em duas partes justapostas: uma referente ao seu nome e ao seu domínio (*Su.* 250-9), e outra referente ao nome da região e às circunstâncias dessa nomeação (*Su.* 260-70). Sabemos assim que o rei Pelasgo, em razão de sua realeza mesma dá nome ao seu povo, os pelasgos, e que é filho de Palécton, cujo nome significa algo como "antigo solo" e condiz com a alegada autoctonia de "nascido da terra" (*gegenoûs*, "terrígeno", *Su.* 250); o domínio de Pelasgo é muito mais extenso que a Argos histórica e encerra vasta extensão da Grécia continental. Sabemos também que a região de Argos se chama Ápia em razão do herói Ápis, médico-adivinho filho de Apolo, que ao chegar deu remédio e expurgou a região das monstruosas e homicidas serpentes produzidas pela poluência gerada por antigo crime cruento.

As Danaides, ao chegarem a Argos, de certo modo reiteram a situação em Argos à chegada de Ápis: enquanto o médico-adivinho deu remédios (*áke, Su.* 268) saneadores de hostil multidão de serpentes (*drakonthómilon dysmenê, Su.* 267), elas criam a necessidade de demanda por remédios (*áke, Su.* 367, 451), ao chegarem perseguidas por serpentes hostis (*drakónton dysphrónon, Su.* 511). Entretanto, ao contrário do herói epônimo Ápis, que tem origem celeste, filho de um Deus celeste, o rei epônimo Pelasgo tem origem ctônica, filho do terrígeno Paléction, o que parece prefigurar para o rei um destino inverso ao do herói.

Atendendo à exigência de brevidade ao falar, feita pelo rei tendo em vista o gosto de seus concidadãos argivos (tão lacônicos quanto os espartanos, embora o rei mesmo não se tenha mostrado tão lacônico assim), as Danaides proclamam sua origem com breve e clara palavra: "origem argiva... prole de nobre novilha" (*Su.* 274-5).

Essa revelação parece menos surpreendente (ou, menos convincente) que a aparência e presença mesma das forasteiras em Argos, pois o rei continua a conjeturar, preso à figura delas, atinando que se parecem mais com as mulheres líbias que com as argivas. Líbia é o nome da filha de Épafo, avó das Danaides (cf. *Su.* 317-9); esse nome, desde os poemas homéricos, designa também a região do Egito, sendo por vezes extensivo à África inteira. A conjectura do rei, correta, formula-se com mais precisão na metáfora da planta nutrida pelo rio Nilo (*Su.* 281), e enlaça-se com outras evocações, cuja força simbólica não deixa de ser verdadeira, ao mencionar as Amazonas, "sem marido e carnívoras" (*Su.* 287). Pelasgo, por fim, retoma as palavras do corifeu, interrogando-o sobre a declarada origem argiva.

O corifeu propõe, como fundamento de sua declarada origem, o fato, transmitido e reconhecido pela tradição (e, também, pelo rei), de que Io em Argos foi sacerdotisa guardiã do templo de Hera (*Su.* 291-3). Sobre esse fato, na esticomitia que segue (*Su.* 291-324), o rei faz uma série de perguntas ao corifeu, pondo à prova o conhecimento e a coerência deste a respeito de sua declarada origem. Nesse caso, o conhecimento mesmo, pela clareza, coerência e convicção com que se apresenta, serve de instrumento de identificação de quem o traz consigo, à maneira de uma senha ou de um *sýmbolon*.

Na primeira questão formulada pelo rei ("Não dizem ainda Zeus ter amado mortal?", *Su.* 295), a referência a Io como "mortal" (*brotôi*) contrasta a sua condição humana não somente com a natureza divina de seu amante, mas também com a sua posterior metamorfose em novilha, e implica ainda que sua união com Zeus se deu em Argos, o que é relevante para a reivindicação de origem argiva pelas Danaides.

O reconhecimento da amplitude do poder exercido pela Deusa Hera, assinalado no título comum a ambos, Zeus e Hera, "dois reis" (*basileoin*, *Su.* 298), reitera a doutrina do último efínio do párodo:

Â, Zeus! *Iò*, ira contra Io,
víndice, vinda de Deuses!
Conheço a cólera
da esposa: no céu ela vence,
de áspero vento vem tempestade.
(*Su*. 162-6)

Nesse efínio, a enormidade dos sofrimentos de Io é atribuída à cólera e ao poder vitorioso de Hera, mencionada apenas pelo título de "esposa" (*gametâs*, *Su*. 165): tanto o jogo etimológico entre a interjeição de dor *ió* e o nome de Io quanto o epíteto qualificativo da "cólera da esposa" *ouranónikon* ("celivictriz", *i.e.* "no céu ela vence", *Su*. 165) explicam a natureza e o âmbito dos sofrimentos de Io, pois eles se devem ao destino individual (*ió*/*Ió*) de ter ingressado no âmbito da Deusa Hera, a saber, o âmbito do matrimônio em que se gera a descendência e assim se perpetua a família.

Na esticomitia entre o rei e o corifeu, atribui-se à Deusa Hera, referida agora como "Deusa argiva" (*Su*. 299), a autoria da metamorfose de Io em novilha. Por que "Deusa argiva", e por que "novilha"?

Ao reiterarem-se e ressaltarem-se o poder de Hera e o seu vínculo com Argos, a figura de Io é enaltecida e a reivindicação de origem argiva pelas Danaides se fortalece. O epíteto homérico de Hera *boôpis* — que, segundo Pierre Chantraine, talvez na origem significasse "de cabeça de vaca", e finalmente, "de grandes olhos de vaca" — aponta, a meu ver, o mesmo campo semântico que "novilha" (*boûn*, *Su*. 299; *boï*, *Su*. 300, 303, 306; *boós*, *Su*. 314; *etc*.), a saber, o da maternidade.

O mitologema de Io descreve as atribulações da moça em idade núbil, quando se consuma o casamento e ela se encontra no domínio de Hera. A união com Zeus é a entrega ao marido, as errâncias por países e povos exóticos são o abandono do lar paterno e as aflitivas incertezas do novo e ainda estranho lar: ao casar-se, a mulher grega se desligava de sua família mediante um rito próprio, e mediante um outro rito era admitida e integrada na família do marido. O nascimento do primeiro filho realizava o mais importante propósito do casamento antigo: a perpetuação da família, e por isso mesmo representava o fim das incertezas. O toque de Zeus, que libera o parto, faz também cessarem as errâncias; é a imposição de mão que, curativa e leniente, põe fim às aflições. Nesse confronto de atribulações, Argo, "onividente pastor de única rês" (*Su.* 304), parece uma figuração da cerrada vigilância em que se vê a mulher recém-casada em sua nova situação e nova família.

A palavra *mýopa* (*Su.* 302) tem duas acepções: "mutuca" e "aguilhão". *Oîstron*, que as Danaides dão como equivalente de *mýopa* entre os habitantes do Nilo (*Su.* 308), também tem duas acepções: "mutuca" e, por metáfora, "ferroada", e ainda "desejo veemente", "frenesi". Preferi traduzir *mýopa* por "aguilhão" e *oîstron* por "estro" (nesse caso, aportuguesando o vocábulo grego, que mantém na forma vernácula o sentido metafórico do original). A meu ver, nesse mitologema de Io, as palavras *mýopa* e *oîstron* descrevem a força obsessiva e lancinante do desejo, como a imagem "o dardo do desejo" (*himérou bélei*, *Pr.* 644), que descreve o interesse de Zeus por Io.

Impelida pelo aguilhão do desejo, Io chega a Canopo, "junto à foz mesma e aluvião do Nilo" (*Pr.* 846), e a Mênfis, no interior, acima do Nilo (*Su.* 311). Entretanto, novo sentido de Zeus se revela com o nascimento do primogênito, "ao tocar com intrépida mão e só tocar" (*Pr.* 849): todo o passado se transfigura, cessam todas as errâncias e aflições, a concepção e o parto se resumem no simples toque de Zeus – "Tangedor" (*Epháptor*, *Su.* 313): o filho, que consubstancia esse toque libertador, tem desse toque o seu ser e o seu nome: *Épaphos* — "Épafo, em verdade epônimo do toque" (*Su.* 315, cf. *Su.* 45-6 e *Pr.* 849-51). Duas palavras se sobrepõem na designação desse toque: em *Su.* 45 *éphapsis*, que é simplesmente designativa da ação de tocar, e à qual a etimologia poética liga o antropônimo; e em *Su.* 315, *rhysíon*, que igualmente significa "toque", mas também "resgate", "o que se dá (ou: o que se tem) em compensação". Épafo é o resgate de tudo o que se perdeu e se foi na consumação do desejo e no frenesi, e traz consigo a renovação da vida.

Supõe-se que no verso omitido (*Su.* 316) o rei Pelasgo perguntasse qual era a descendência de Épafo. Tendo indicado a sua progênie desde Io, nomeando Líbia, a filha de Épafo, e Belo, filho de Líbia e pai de Dânao e de Egito, incluindo-se entre as cinquenta filhas de Dânao e mencionando os cinquenta filhos de Egito, o corifeu crê que pudesse esperar do rei Pelasgo uma acolhida conforme essa declarada e comprovada origem argiva (*Su.* 323-4). O rei, porém, parece muito cautelosamente admitir apenas uma antiga ligação entre estas recém-chegadas e a terra de Argos, e pede informações suplementares de como e por que chegaram a Argos.

Com respostas evasivas e alusivas, o corifeu, no entanto, deixa muito claro o que lhe convém: o seu pedido é por asilo, ou seja, que as não entreguem aos Egipcíades, se estes as reclamarem. Esse pedido, claramente formulado diante dos altares da cidade cobertos de ramos coroados de lã, faz o rei estremecer, pois impõe-lhe um vínculo com Zeus Suplicante (*Zenòs Hikesíou*, *Su.* 347).

O REI E O DILEMA INSOLÚVEL

O corifeu, interpelando o rei em tom solene de uma prece, como a um Deus ou a um herói, descreve a si mesmo comparando-se a uma novilha que, perseguida por lobos, busca abrigo num penhasco, donde com mugidos faz apelo ao pastor (*Su.* 348-53). Esse símile implica a equação em que as Danaides estão para a sua ancestral Io como os seus perseguidores Egipcíades para os lobos, e ainda como o penhasco, que abriga a novilha, está para o altar dos Deuses em Argos, onde elas depositaram os ramos súplices, e também como o rei Pelasgo, a quem elas se dirigem como em prece, está para o pastor a quem a novilha apela.

Se aceitamos o entendimento de *Su.* 355 proposto por M.L.West, que lê *hómilon* ("assembleia") em referência às Danaides, e não em referência aos "Deuses juntos" (*agoníon Theôn*), e se tomamos esse assim entendido *hómilon* ("assembleia") como objeto do verbo principal *horô* ("vejo", *Su.* 354), — a resposta do rei à interpelação do corifeu tem um caráter cortante, ao rejeitar as alusivas implicações do símile da novilha, e ao descrever a realidade posta sob seus olhos em termos de mais imediatas e de mais urgentes implicações, configuradas no medo de que — por causa dessas suplicantes — a cidade se torne presa de danoso conflito (*Su.* 354-8).

O corifeu, então, reitera a sua prece com votos de que o exílio seja preservado de todo dano pela lei dos suplicantes, nascida de Zeus, que distribui e faz cumprirem-se as sortes. Acrescenta que a pureza, provada na reverente observação dessa lei de Zeus, é a condição propiciadora da graça e favor divinos (*Su.* 359-64).

O rei alega que as suplicantes não se dirigiram a seu lar, mas sim a um altar público; portanto, se a pureza pode residir no acolhimento concedido a essa súplica, a eventual impureza decorrente dessa mesma súplica não concerne a ele, particularmente, mas sim a todo o povo, em conjunto. Não lhe cabe, pois, decidir sozinho, mas antes comunicar a todos o que diz respeito a todos. Em contrapartida, o corifeu argumenta que o rei mesmo é a cidade e o povo, e que, por não estar sujeito a qualquer prestação de contas, tem poder soberano sobre o altar, e no exercício desse poder absoluto deve evitar a poluência — que seria suscitada pela recusa ao que se pede em súplica. Essa descrição da realeza, que contrasta chocantemente com a democracia ateniense da época clássica, condiz com o exercício do poder real na época heroica, e o rei não pode negar a veracidade dessas palavras.

Os termos do dilema, em que o rei se vê preso, mostram-se com clareza:

> Não posso defender-vos sem dano,
> nem é prudente desprezar as preces.
> Perplexo, e pavor me toma o espírito,
> por agir e por não agir e pela sorte.
> (*Su.* 378-80)

A impossibilidade real de agir para o rei Pelasgo provém da impossível escolha entre entrar em guerra e desprezar súplicas. O coro evoca o vigilante guardião, presente nas súplicas e nos suplicantes, e cuja cólera é implacável na execução da justiça punitiva: Zeus Suplicante (*Zenòs hiktaíou kótos, Su.* 385).

O rei tenta uma saída pela interpretação da lei civil e do poder e da autoridade conferidos pela lei civil aos Egipcíades e concernentes à relação entre primos e primas. O coro responde a esse poder e autoridade da lei civil, contrapondo-lhes Justiça divina e veneração pelos Deuses.

Dilema por dilema, o do rei Pelasgo (ou repelir suplicantes, ou entrar em guerra *Su.* 378-80) é similar ao da Deusa Palas Atena (ou repelir súplica de Orestes, ou entrar em guerra com Erínies, *Eu.* 470-81). A saída que o rei Pelasgo encontra é similar à encontrada pela Deusa Palas Atena, que escolhe juízes de homicídios na cidade e institui o tribunal do Areópago (*Eu.* 482-99): o rei Pelasgo recorre à decisão da assembleia dos cidadãos argivos.

Ouvidas a evocações das suplicantes, antes de expor a questão a seus súditos (tratados como se fossem concidadãos), o rei reexamina o dilema, em termos agora já prestes a desfazê-lo, quando o exame revelar que a alternativa se dá entre termos desiguais, porque se dá como escolha entre "um conflito por resgate" (*dêris rhysíon, Su.* 412) e

> conviva sem olvívio o destrutivo Deus
> que nem no Hades deixa livre o morto.
> (*Su.* 415-6)

No entanto a eminência quase imediata da guerra com mortais parece contrapesar a transcendência difusa da presença divina, e parece ao rei ainda pedir um "pensamento salvador" (*phrontídos soteríou, Su.* 416).

O coro então interpela o rei Pelasgos, apelando à sua participação em Zeus Súplice, ao pedir-lhe que com justiça fosse reverente patrono, e que as não visse resgatadas dos altares de muitos Deuses (*ex hedrân polytheôn rhysiastheîsan, Su.* 424).

Nessa interpelação ao rei Pelasgos, o coro se dirige ao rei, como a Zeus, ao invocar: "ó tu, que tens todo o poder da terra" (*Su.* 425). O que há em comum ao rei e a Zeus, é que ambos são testemunhas do que o coro descreve como "a transgressão de homens" (*hýbrin anéron, Su.* 426), que seria resgatá-las, arrancando-as do asilo junto aos altares. Se essa transgressão provoca a cólera de Zeus, o rei deve manter-se contrário à transgressão, e assim evitar tanto incorrer na cólera quanto legar aos filhos e ao palácio uma dívida a pagar com Ares (*Su.* 427-437).

A ameaça reiterada

O insolúvel dilema imobiliza o rei, porque lhe parece impossível escolher entre duas grandes guerras: ou a guerra eminente contra Egipcíades ou a guerra insustentável contra Deuses presentes nestes altares (*Su.* 438-50).

O corifeu tem um último argumento, com que o dilema se desfaz, quando se desigualam os dois termos da alternativa: a ameaça de suicídio coletivo, enforcadas junto às estatuas dos Deuses (*Su.* 455-65). A poluência dessa morte seria insuportável e destrutiva para a cidade, os cidadãos, a região, os rebanhos e as colheitas.

Com esse argumento definitivo, a mesma ameaça de matar-se já feita a Zeus mesmo (*Su.* 154-62), o corifeu logra persuadir o rei. Ainda que possa parecer um "inescrupuloso golpe de mestre" ("unescrupulous masterstroke", H. FRIIS JOHANSEN E E. WHITLE, v. II, p. 360), o corifeu não parece estar blefando, e o rei Pelasgo não aposta nisso. Essa ameaça, feita ao rei, e essa mesma ameaça, feita a Zeus mesmo, parece constituir um recurso legítimo, ainda que nem sempre tão eficaz, na perspectiva da piedade grega antiga. Parece legítimo e piedoso tanto o uso que dele fazem as Danaides, quanto o uso que, segundo Heródoto (VII, 140-1), dele fizeram os atenienses durante a consulta ao oráculo de Apolo em Delfos, na eminência da invasão da Ática pelos persas, quando também os delegados atenienses ameaçaram a profetisa pítia e ao Deus Apolo, com as palavras: "Ó senhor, dá-nos melhor oráculo sobre nossa pátria, em respeito a estes ramos de suplicantes, com que aqui viemos, ou não sairemos do ádito, mas aqui permaneceremos até morrer." (Heródoto, VII, 141). Os acontecimentos consequentes dessas palavras, na narrativa de Heródoto, mostram que a atitude dos delegados atenienses era acertada, e que o Deus assim se deixou persuadir.

A súbita compreensão — de que, com a enigmática palavra: "adornar estas imagens com tábuas novas" (*Su.* 463), as Danaides dizem simplesmente: "destes Deuses, rápido, enforcar-nos" (*Su.* 465) — fustiga o coração do rei. Nesse dilema entre a insuperável "poluência" (*míasm', Su.* 473) e os "varões por mulheres ensanguentarem o chão" (*Su.* 477), o rei Pelasgo reconhece o caráter da necessidade no temor à cólera de Zeus Suplicante (*Zenòs... Hikteríou, Su.* 478-9).

Reconhecida, essa necessidade impõe ao rei a cooperação com a causa das Danaides, e assim ele se associa a Dânao nos cuidados para persuadir o povo de Argos a não rejeitar a fala do rei, que fala em favor de acolherem-se as suplicantes (*Su.* 480-9).

Dânao declara ter encontrado no rei Pelasgo "reverente patrono" (*aidoîon... próxenon, Su.* 491), e pede-lhe escolta de "guias e condutores nativos" (*opáonas dè phrastorás t'egkhoríon, Su.* 492), para encontrar os altares dos Deuses guardiães da cidade, onde depositar os ramos de suplicantes, e para ter segurança, ao percorrer a cidade. Atendido, Dânao parte (*Su.*500-4).

O rei Pelasgo dá instruções às Danaides, e assim tenta tranquilizá-las, reiterando seu comprometimento com a causa delas, e mostrando-se solidário com os sentimentos delas a respeito dos Egipcíades. Ao partir, alega que instruirá Dânao sobre como convém falar, e recomenda às suplicantes que façam preces aos Deuses locais (*Su.* 506-23).

A invocação a Zeus e Io

A sós, o coro invoca a Zeus como o feliz fundamento de toda felicidade e de todo exercício de poder executivo, e pede-lhe que se deixe persuadir, que repila de sua família com horror a "soberba dos homens" (*andrôn hýbrin, Su.* 528) e afunde nas águas cor de púrpura a "erronia de bancos negros" (*melanózyg' átan, Su.* 530).

A acusação de ser "transgressor" (*hybristés Su.* 30) e de cometer "transgressão" (*hýbris, Su.* 81, 103, 426, 487, 528, 816, 881), imputada pelo corifeu e pelo coro coletivamente aos Egipcíades, provê à fuga das Danaides a aparente justificativa de evitar a violência de submeterem-se a núpcias indesejáveis e, ao associar "transgressão" a "erronia", prevê que inevitável punição há de se abater sobre o "transgressor".

A sombra de "erronia" (*áte, Su.* 110, 164, 444, 470, 530, 850, 886) acompanha a "transgressão", de modo que, ao consumar-se a "transgressão", a sua face obscura de cegueira moral se revela como "erronia" e consequentemente se configura como ruína em que se precipita por um cego açodamento. Nesse caráter punitivo de "erronia" se manifesta a ação de Justiça divina, e assim "erronia" designa tanto um comportamento dos mortais quanto uma figuração do divino. "Nem sempre é possível distinguir entre *áte* e *Áte*." (*Inter áte et Áte non semper distingui potest.* G. Italie, *Index Aeschyleus, sub uerba.*)

Na primeira estrofe do primeiro estásimo de *As suplicantes* de Ésquilo, a relação entre Zeus — descrito como o feliz fundamento de toda felicidade e de todo exercício de poder executivo — e a "transgressão de homens" é mediada por "verdadeiro horror" (*eu stygésas, Su.* 258), bem como a relação entre os Deuses pátrios e a transgressão é mediada por "verdadeiro horror" (*etýmos stygoûntes, Su.* 81). Esse "horror" se diz "verdadeiro", tanto no sentido da causalidade e da eficácia (*eu*), quanto no sentido da realidade e da autenticidade (*etýmos*); em ambos os casos, o verbo *stygeîn*, "ter horror", evoca a noção do rio Estige (*Stýx*) — fronteira mítica entre o âmbito da participação de ser e o da privação de ser. Tanto o horror dos Deuses pátrios quanto o horror de Zeus causam essa revelação de "transgressão" — *hýbris* — como "erronia", "perdição" e "ruína" — *áte* / *Áte*.

A hipálage que descreve "erronia" como "de bancos negros" (*melanózyg' átan, Su.* 530) resume a imprecação contra os Egipcíades, cujos barcos são evocados pelo epíteto "de bancos negros" (*melanózyg'*): — Zeus os lance no mar cor de púrpura.

Na primeira antístrofe, com o mitologema de Io o coro apela à vigilância de Zeus pelas mulheres de sua legendária família, à amizade de Zeus por Io — mulher ancestral de sua família, à memória do toque libertador de Zeus em Io, e assim se evoca o vínculo de amizade ancestral entre Zeus e as Danaides (*Su.* 531-7).

O percurso de Io desde Argos até o Nilo se descreve, então, como se o reiterasse ao inverso o regresso das Danaides — "por antigo vestígio" (*Su.* 538) — à pátria de sua ancestral Io, de modo que o término da fuga de Io com o toque libertador de Zeus possa prefigurar o término da fuga das Danaides com o renovado e renovador gesto de Zeus, ao acolher a prece dessas suplicantes junto aos argivos (*Su.* 538-99).

O decreto de Zeus

Dânao retorna da assembleia do povo pelasgo para contar às filhas a sua versão do que lá viu e ouviu. Pela contagem das mãos direitas erguidas, persuadido pelos argumentos do rei Pelasgo, o povo aprovou por unanimidade o decreto que concede asilo às Danaides. Como Dânao vê o que move o rei Pelasgo e o povo pelasgo: por temor à grande ira de Zeus Súplice, o rei e o povo visam evitar incorrer em dupla poluência, suscitada pela rejeição a súplicas de hóspedes que se apresentam como descendentes de ancestrais comuns. A aprovação do povo torna a proposta do rei um decreto, pois essa mesma aprovação do povo, dócil e unânime, assinala que o decreto de Zeus respalda os termos da proposta:

> Ao ouvi-lo, o povo argivo com as mãos
> decretou sem arauto que assim fosse.
> O povo pelasgo ouviu dócil os volteios
> da fala ao povo, e Zeus decretou o termo.
> (*Su.* 621-4).

As preces das Danaides pelos argivos

As preces das Danaides pelos argivos, no segundo estásimo de *As suplicantes* de Ésquilo, aparentemente têm em comum, com as preces das Eumênides pelos atenienses, no último episódio de *Eumênides*, fiarem-se e fundarem-se na noção hesiódica de Justiça, filha de Zeus. Na *Teogonia*, essa noção se descreve mediante a imagem de núpcias e procriação:

> Após desposou Têmis luzente que gerou as Horas,
> Bensoência, Justiça e a Paz viçosa
> que cuidam dos campos dos perecíveis mortais,
> e as Partes a quem mais deu honra o sábio Zeus,
> Fiandeira, Distributriz e Inflexível que atribuem
> aos homens os haveres de bem e de mal.
> (*T.* 901-6)

Zeus, unido a "Lei" (*Thémis*) em amor, gerou duas tríades: as "Horas" (*Hórai*) — "Bensoência" (*Eunomía*), "Justiça" (*Díke*) e "Paz" (*Eiréne*) — e as "Partes" (*Moîrai*) — "Fiandeira" (*Klothó*), "Distributriz" (*Lákhesis*) e "Inflexível" (*Átropos*). O nome das "Horas" — que designa tanto as Deusas filhas de Zeus e Têmis, quanto as partes (estações) do ano — se explica pelo verbo descritivo do que fazem: "cuidam dos campos" (*érg´oreúousi*, *T.* 903) Os cuidados, com que as Horas cercam as lavouras dos morituros mortais, têm um sentido muito mais amplo, de observar as suas ações em geral (*érg' T.*903). O que hoje consensualmente distinguimos com nitidez entre fenômenos da ordem natural (as horas, as estações do ano, a passagem do tempo, a fecundidade do solo) e fenômenos do âmbito político-social (a bensoência e com ela a consolidação das leis, a justiça e a paz social), o pensamento mítico apreende como uma unidade complexa, que reúne e integra aspectos fundamentais do mundo, nomeados com os nomes desses Deuses — Bensoência, Justiça e Paz, — e simetricamente espelhados na tríade gemelar: as Deusas Partes, que presidem e constituem a participação de cada um em ser e ter, tanto entre os mortal quanto entre os imortal.

A justiça divina, portanto, para Hesíodo, é inerente ao curso dos acontecimentos, e necessariamente se manifesta em conexão com as ações coletivas e individuais dos homens.

Em *Os trabalhos e os dias*, a noção de justiça se descreve mediante as imagens da cidade justa e da cidade injusta:

> Quem dá sentenças a forasteiros e a nativos — 225
> retas e não transgride nunca o que é justo,
> tem cidade viçosa, e o povo nela floresce;
> Paz na terra é nutriz de jovens, nem jamais
> Zeus provídente lhe suscita dolorosa guerra.
> Nunca Fome segue homens de retas sentenças, — 230
> nem Erronia; nas festas têm dos campos cultos.
> Terra lhes dá muitos víveres: nos montes, roble
> na alta copa dá bolotas, e no meio, abelhas;
> lanosos carneiros arcam pesados de tosões;
> mulheres dão à luz filhos símeis aos pais; — 235
> vicejam com bens sempre; nem em navios
> querem ir, e a dadivosa lavoura dá frutos.
> Aos afins a transgressão vil e feitos cruéis,
> o Crônida provídente Zeus lhes suscita Justiça.
> Muitas vezes ainda a cidade toda sofre por mau — 240
> homem que delinque e maquina estultícias.
> O Crônida lhes envia do céu uma grande dor,
> fome junto a peste, e vai perecendo o povo:
> as mulheres não procriam, minguam as casas
> por conselhos de Zeus Olímpio, e ainda aliás — 245
> ou destrói-lhes vasto exército ou a muralha,
> ou navios no mar o Crônida lhes faz pagar.
>
> (*T.D.* 225-48)

Nesses versos, contrapõem-se dois comportamentos, caracterizados como a prática de dar "sentenças retas" (*díkas... itheías, T.D.* 225-6) e a prática da "transgressão vil" (*hýbris... kaké, T.D.* 238), mostrando-se que as consequências de um comportamento se contrapõe às do outro como a participação no ser se contrapõe à privação de ser.

As "retas sentenças" dão condições a que a cidade viceje e o seu povo floresça, a Deusa Paz proteja os jovens, Zeus previdente não suscite guerra, as Deusas Fome e Erronia não se manifestem, a Deusa Terra produza muitos víveres, roble dê bolotas, abelhas deem mel, carneiros sejam lanosos, mulheres deem à luz filhos semelhantes aos pais, e com lavoura tão farta, não haja desejo de navegar. Nessa feliz solidariedade entre fenômenos tão diversos é que se manifesta o favor de Zeus à cidade e ao povo: a participação no ser, cheia de vida e de víveres, em paz.

A "transgressão vil e feitos cruéis" dão condições a que a cólera de Zeus se manifeste como justiça punitiva, a suscitar fome, peste, infertilidade humana, escassez de população, a destruição de exército, de muralha e de navios no mar. A solidariedade entre fenômenos díspares, então, mostra a sua face sombria de execução penal: a privação de ser, por escassez, morte e destruição.

No segundo estásimo de *As suplicantes* de Ésquilo, as preces das Danaides pelos argivos assim se descrevem:

> preces benéficas, prêmios de benfeitores.
> *eukhàs agathàs agathôn poinás.*
> (*Su.* 626)

Nessa descrição de "preces" como "prêmios", a ironia divina se manifesta na ambiguidade da palavra *poinás*, aqui traduzida por "prêmios". Neste verso *Su.* 626, o sentido laudatório de "prêmios" é claramente determinado pela enfática reiteração do adjetivo *agathàs* ("benéficas") como qualificação das preces e dos prêmios, ditos "dos benfeitores" (*agathôn*). No entanto, em outros versos de Ésquilo, *poiné* significa "pena", "punição" (cf. *barýdikos Poiná, Co.* 936; e ainda *Eu.* 203, 464, 543, 981; *Pr.* 112, 176, 223, 268, 620, 564; *Ag.* 1223, 1340), enquanto em outros versos, nomeia a Deusa "astuciosa Punição" (*dolióphron Poiná, Co.* 947) e sua forma de ação, punitiva de mortos e de vivos (*alaoîsin kaì dedorkósin poinán, Eu.* 323). Essas preces, por serem benéficas, são a recompensa, não a punição, dos benfeitores.

Além da ambiguidade entre o bem — entendido como participação no ser — e o mal — entendido como privação de ser — há outra ambiguidade, não tão claramente discernível e muito mais complicada, a saber, entre o que é comportamento de mortais e o que é manifestação divina. Entretanto, nesta palavra *Poiné* importa ainda outra ambiguidade: a Deusa assim nomeada, por um lado, identifica-se com Justiça (*Díke*), filha de Zeus, e por outro, com Erínis, filha da Noite.

As preces "prêmios" se descrevem também como "louvor" (*timás, Su.* 628), proferido por "hóspede boca" (*xeníou stómatos, Su.* 628), tendo-se invocado por testemunha dessas preces Zeus Hóspede (*Zeus... xênios, Su.* 627), em cujo âmbito, portanto, se fazem as preces.

Na primeira estrofe do segundo estásimo, invocam-se "Deuses filhos de Zeus" (*Theoì Diogeneîs, Su.* 930), suplicando-lhes que Ares não destrua a terra pelásgia. Ares, filho de Zeus e Hera, é o Deus que se manifesta na carnificina, o epíteto *miaíphonos* ("sujo de sangue"), que o qualifica na poesia de Homero aos trágicos, confirma-se nesta descrição deprecativa:

> lúbrico Ares insaciável de gritos,
> ceifeiro de mortais nas lavras de sangue.
> *tòn ákoron boân mákhon Áre,*
> *tòn arótois therízonta brotoùs enaímoi.*
> (*Su.* 635-6)

Nesses versos a afinidade de Ares com Afrodite é sugerida pelo adjetivo "lúbrico" (*mákhlon*), com que, em *Os trabalhos e os dias*, Hesíodo descreve o comportamento que empolga as mulheres no verão (*T.D.* 586), e ainda pela imagem de "lavras" (*arótois*), que significa trabalhos do campo, mas, por metáfora comum na poesia trágica, união sexual e prole. Essa unidade enantiológica, que associa Ares e Afrodite, reponta na designação de Ares como "amante de Afrodite" (*Aphrodítas eunátor, Su.* 665).

Essa prece a Ares — associado, ainda que por oposição e contrariedade, a Afrodite — justifica-se pela atitude temerosa a Zeus Suplicante, revelada no voto do rei e do povo, ao concederem asilo às suplicantes, cujo exílio se dá por fuga a núpcias e assim aos dons de Afrodite (*Su*. 637-42).

Na segunda antístrofe do segundo estásimo, o mesmo voto se explica, tanto como por respeito a "Zeus vingador vigilante" (*Dîon... práktor' epískopon, Su*. 656), cuja cólera é incombatível, e cuja presença pesa, grave — quanto como por respeito às "suplicantes consanguíneas de Zeus Puro" (*homaímous Zenòs híktoras hagnoû, Su*. 652). Por esse respeito, também se explica por que o rei e o povo pelásgio têm "altares puros", com que agradarão aos Deuses (*katharoîsin bomoîs, Su*. 655). Os adjetivos *Hagnós e katharós*, um e outro traduzidos por "puros", a meu ver, referem-se à pureza da exclusiva pertinência do âmbito próprio do Deus às atribuições próprias do Deus, dito por isso "puro" (*Zenòs... hagnoû, Su*. 657).

Nas associações relativas a Ártemis — mas não nas relativas a Zeus e a Apolo — essa noção de pureza parece implicar castidade e inexperiência sexual. Descrita essa afinidade como a pureza da exclusiva pertinência do âmbito próprio do Deus às atribuições próprias do Deus, por essa afinidade da pureza comum a Zeus, Ártemis e Apolo, os altares se dizem "puros" (*katharoîsin, Su*. 655).

Na segunda estrofe do segundo estásimo, a prece — para afastar diversas formas de privação de ser — pede que pestilência não esvazie a cidade, não se manifeste rixa na região, e Ares não colha a flor da juventude, nem devaste o velo, ou seja, a juventude da cidade. Na segunda antístrofe, a prece — para atrair maior participação no ser — pede por altares, frequentados por anciãos, estejam plenos de oferendas em ação de graças, a cidade bem governada principalmente pelos cultores do grande Zeus e de Zeus Hóspede, a terra seja sempre frutífera, e Ártemis Hécate proteja as mulheres em trabalho de parto (*Su*. 656-77).

Na terceira estrofe, a prece reitera o pedido de que sejam excluídas diversas formas de privação de ser, tais quais massacre homicida, manifestações de Ares e de violência, o triste enxame de doenças, e assim seja o Deus Lupino (Apolo, irmão de Ártemis) benévolo com a juventude. Na terceira antístrofe, a prece reitera o pedido de participação no ser: Zeus torne a terra frutífera e os rebanhos prolíferos, sejam os Numes generosos, e junto aos altares os cantores pela pureza sejam gratos à Musa (*Su*. 679-97).

Na quarta e última estrofe do segundo estásimo, a prece se concentra nas formas felizes de exercício do poder e de desempenho político, capazes por si mesmas de afastar a atuação de Ares, nas relações com os vizinhos, e na política interna, a dolorosa necessidade da Justiça em seus aspectos penais (*Su.* 698-703).

Na quinta e última antístrofe do segundo estásimo, a prece pede que se perpetuem as honras ancestrais, coroadas de louros e sacrificadoras de bois, aos Deuses, que habitam a terra, e assim se observe a veneração aos pais como norma concernente a Zeus Salvador. A meu ver, o fato de que a veneração aos pais "inscreva-se aqui como terceira entre as leis de Justiça honradíssima" (*tríton tód' en thesmíois Díkas gégraptai megistotímou, Su.* 708-9) não implica uma sequência de primeira, segunda e terceira leis, mas sim uma vinculação entre a veneração aos pais e a justiça distribuída por Zeus Salvador, a quem nas festas se liba em terceiro lugar (*Su.* 704-9).

Anunciam-se os inimigos

No terceiro episódio, Dânao anuncia a chegada dos Egipcíades, tal como a pode ver de um mirante: primeiro o navio, bem visível, bem se distinguindo as velas, as amuradas e a proa do navio, e a seguir, a tripulação, negros vestidos de alvas túnicas, e ainda mais navios, cuja nau capitânia, com olhos no caminho adiante e com ouvidos no comando do leme, já recolheu vela e remava para a terra. Como fez ao anunciar a chegada da comitiva real (*Su.* 176-203), começa e termina o anúncio com uma parênese, que encarece e louva a prudência como a única atitude que pode garantir a Dânao e a suas filhas a possibilidade de saírem-se bem nessa situação (*Su.* 710-733).

Em ambos os anúncios, de ambas as chegadas, a atitude prudente, encarecida e louvada pela parênese, encontra respaldo e abrigo no apelo à Justiça divina (*Su.* 228-31, 732-3).

Nas quatro estâncias do *amoiboion* (*Su.* 734-63), em que Dânao e o coro alternam o canto, mostra-se o sereno poder persuasivo da palavra de Dânao sobre suas filhas. Na primeira estrofe (*Su.* 734-42), quando o pavor as domina e elas se perguntam se houve algum ganho na fuga, o pai responde reafirmando a validade e eficácia do decreto argivo que lhes concede asilo; mas elas contrapõem à segurança desse asilo o caráter sórdido e insaciável de batalha dos inimigos. No segunda antístrofe

(*Su.* 743-9), quando ao poder beligerante dos inimigos, descrito pelas filhas, Dânao contrapõe a força defensiva dos argivos, elas explicam seu apelo e apego ao pai com a declaração de que mulher a sós não tem valia, porque não participa de Ares, como se o ancião participasse (cf. *Ag.* 78). Na segunda estrofe (*Su.* 750-6), quando elas descrevem os inimigos funestos, dolosos, ímpios e rapineiros como corvos que espoliam altares, Dânao argumenta que essa transgressão, configurada na atitude e ação dos inimigos, por si mesma atrai a cólera e ódio dos Deuses, mas elas insistem que temor e reverência no trato com o divino não os detêm. Na segunda antístrofe (*Su.* 757-63), quando elas os representam arrogantes, sacrílegos e audazes como cães, Dânao rebate que os lobos – entendam-se: homens de Argos, onde se cultua Apolo *Lykeîos*, "Lupino" — vencem os cães, e o papiro — entenda-se: ribeirinhos do Nilo, nutridos de papiro — não supera a espiga — entenda-se: argivos, nutridos de trigo —; e elas concluem que se deve evitar o poder dos que têm sentimentos de feras sanguinárias e ímpias.

Para que suas filhas permanecessem tranquilas durante sua ausência, enquanto fosse ao encontro do rei Pelasgo, Dânao encoraja-as, alegando que o desembarque das tropas inimigas não poderia ser imediato nem iminente, dadas as dificuldades da ancoragem à noite em terra desconhecida. Aconselha-as que por temor não descuidassem dos Deuses, e por fim reafirma sua confiança no compromisso da cidade com o decreto que lhes concedeu asilo (*Su.* 764-75).

A MORTE LIVRE DE LÚGUBRES MALES

No terceiro estásimo (*Su.* 776-824), a primeira estrofe reitera a interpelação à "terra alterosa" (*gâ boûni, Su.* 776), cujas colinas invocam a novilha ancestral, a quem se pergunta o que se há de sofrer, e se há — onde há — em Ápia terra "algum negro esconderijo algures", para fugir. "Algum negro esconderijo algures" (*kelainòn... ti keûthos... poû, Su.* 778) é uma imagem da invisibilidade de não ser, comparável a "negrifundo esconderijo" (*melambathès / keutmón, Pr.* 219-20), que, na tragédia de Ésquilo *Prometeu Cadeeiro*, descreve onde se oculta o antigo Crono, a saber, no Tártaro. Esse sentido de não ser claramente se reitera e assim se explicita como desejo de não ser, por ter-se abolido, expressa na forma verbal *oloíman*, (*Su.* 782, "eu sumisse") e nas imagens "negro fumo" (*melas... kapnós, Su.* 779) e "poeira sem asas" (*kónis áterthe pterýgon, Su.* 782).

Na primeira antístrofe, esse desejo — de não ser — se renova, com a imagem de laços e enforcamento, "antes que varão deprecado roce esta pele" (*Su.* 790), e se reforça com imagem de morte e reino de Hades (*Su.* 791).

Na segunda estrofe, as imagens — de não ser, por ter-se abolido — se diversificam, como "trono no céu" (*aithéros thrónos, Su.* 792), "profunda queda", assim descrita:

> (...) lisa, íngreme, indistinta,
> solitária, precipitosa pedra
> de abutres, a testemunhar-me
> a profunda queda,
> antes de ter acerbas núpcias
> violentas ao coração.
> (*Su.* 794-9)

Na segunda antístrofe, o desejo - de não ser, por ter-se abolido — se reitera e se reforça, com a imagem de ser "presa de cães e pasto de pássaros" (*Su.* 800), respaldando esse voto com a expectativa de que

> (...) a morte libertará
> de lúgubres males.
> (*Su.* 802)

Aceita-se que a via de fuga das núpcias possa ser a morte, conquanto seja "livre de núpcias" (*gamoû lytêra, Su.* 807), pois essas núpcias equivalem a lúgubres males.

Na terceira estrofe, exorta-se a estridular ao céu cantos precatórios aos Deuses, que se cumpram com a libertação das núpcias e dos males, sob o olhar justo de Zeus. Fundamento da justiça, Zeus onipotente sustenta também a terra (*gaiáokhe pagkratès Zeû, Su.* 816).

A terceira antístrofe define o crime e acusa o seu autor, perante a justiça de Zeus — a insuportável transgressão, própria de varões, perpetrada pelos Egipcíades, ao perseguirem e forçarem núpcias (*Su.* 817-24).

Com hipótese fundada em parte nos poderes divinatórios de sua ciência ecdótica e em parte nos poderes encantatórios da Deusa Persuasão (cf. *thélktori Peithoî, Su.* 1040), M. L. West restaura os severamente fragmentários versos *Su.* 825-6c e, seguindo uma proposta de Wilamowitz, retomada por Murray e por Johansen-Whittle (III, 172s.), atribui-os ao coro dos Egipcíades, que se acrescenta ao das Danaides, compondo-se assim a primeira cena (*Su.* 825-910) do quarto episódio (*Su.* 825-1017) com dois coros, o de Egipcíades contraposto ao de Danaides, e o ator, que representa o arauto dos Egipcíades e que responde — como convém a um arauto — com um discurso, e não com canto, ao canto das Danaides.

Aceitas a restauração e a atribuição feitas por M. L. West dos versos *Su.* 825-6c, o coro dos Egipcíades se identifica tal como as Danaides o caracterizou: como o raptor que transpôs o mar e prossegue por terra o seu funesto intento de perpetrar a transgressão configurada nesse rapto.

A fala do raptor (*Su.* 825-6c), por sua violência transgressora, suscita primeiro a deprecação, proferida pelo corifeu do coro das Danaides, de que o raptor pereça — invisível, destruído, ao voltar ao mar (*Su.* 827-8). A seguir, o lamento pela própria sorte e a previsão de duros males a quem concede asilo às Danaides (*Su.* 829-30). Nessas circunstâncias, resta ainda fugir para o abrigo (*alkán, Su.* 833) — dado pelo altar e pelas imagens dos Deuses *agónioi* ("juntos", cf. *Su.* 189, 242, 329, 355). Nessas circunstâncias, como se mostram os inimigos? Marcados pelo orgulho da violência, assinalados para dificuldades, tanto em navio, quanto na terra. Ante tais inimigos, além do abrigo das imagens divinas, pede-se a proteção do rei da terra (*Su.* 833-5).

A fala do inimigo anuncia violência e rapto (*Su.* 836-40). Assim o inimigo se mostra — aos olhos das Danaides — a eloquente imagem da "despótica transgressão" (*desposíoi xyn hýbris, Su.* 845), cuja eloqüência anuncia a sina de perecer — punido pelos Deuses.

No primeiro par de estrofe e antístrofe, o coro de Egipcíades contrapõe ordens urgentes, violência verbal e intimidação — ao canto deprecatório do coro das Danaides; a seguir, em mais dois pares de estrofe e antístrofe, o arauto contrapõe ordens intimidativas e declarada ignorância dos Deuses locais — ao continuado canto deprecatório do coro de Danaides (*Su.* 842-910).

A violência contra suplicantes, perante os altares e as imagens dos Deuses, leva o coro de Danaides a declarar vão o "auxílio da imagem" (*bréteos aros, Su.* 885, segundo M. L. West) a declarar-se conduzidas ao navio — como aranha passo a passo — por um sonho negro (*ónar ónar mélan, Su.* 886-8) e — no estribilho — invocar mãe Terra, o rei filho da Terra e Zeus (*Su.* 889-92). A meu ver, neste contexto, "negro" (*mélan, Su.* 888) significa "meôntico", *i.e.* uma forma de privação de ser: esse "sonho negro" conduz quem o vê à destruição e à morte.

Quando o arauto declara não temer os Numes locais, por não lhes dever nem a educação na infância nem o sustento na velhice, o coro das Danaides o descreve como "bípede serpente" (*bípous óphis, Su.* 895), "víbora" (*ékhidna, Su.* 896) e "monstro" (*dákos, Su.* 898), e — no estribilho — invoca mãe Terra, o rei filho da Terra e Zeus (*Su.* 901-3).

Ante a iminência da violência anunciada, o coro das Danaides invoca os "chefes guias da cidade" (*póleos agoì prómoi, Su.*905) e o "rei" (*ánax, Su.* 908); o arauto replica que elas terão muitos reis, filhos de Egito (*Su.* 906-7) e que elas serão puxadas pelos cabelos, por não ouvirem bem as ordens do arauto (*Su.* 909-10).

O rei e o arauto

O diálogo do rei e do arauto se enviesa, de modo que o rei não se dirige ao arauto como a um arauto, mas a cobrar do arauto explicação do que o vê fazer e respeito pela terra dos varões pelasgos, nem o arauto em sua função de arauto se dirige diretamente ao rei como a um rei. Esse enviesamento se prolonga num reconhecimento de iminente estado de guerra.

O viés primeiro se manifesta na interpelação e reprovação do rei ao arauto:

> Ó tu, que fazes? Com que intenção
> desonras esta terra de varões pelasgos?
> Ou pensas vir a uma cidade de mulheres?
> Se és peregrino, vituperas demais os gregos
> e em grande erro não corrigiste o espírito.
> (*Su.* 911-5)

O viés, pois, consiste nesse "grande erro" (*poll'hamartón, Su.* 915) que o rei vê no arauto. O arauto replica com a questão da justiça: que há de injusto em seus erros, suposto que sejam erros. O erro — e implícito o que há de injusto — consiste primeiro em não saber ser hóspede (*xénos, Su.* 917). Ao apontar para a condição de hóspede, assim o rei esclarece que a injustiça diz respeito a Zeus Hóspede (*Xénios, Su.* 627,672). O arauto, ao replicar que achou o que perdera e assim o leva consigo, assinala que serve a "Hermes, patrono máximo, buscador" (*Hermêi, megístoi proxénoi, masteríoi, Su.* 920).

O rei redefine o erro, de que acusa o arauto, reformulando-o como uma falha na veneração devida aos Deuses (*Su.* 921). O arauto se defende alegando que venera os Numes que protegem o Nilo, o que permite ao rei dar mais exatidão à acusação que faz, ao esclarecer que o arauto não mostra veneração aos Numes "daqui" (*hoi d'enthád', Su.* 923), negando-se a conceder hospitalidade ao arauto, a quem acusa de saquear os Deuses (*Su.* 927).

Diante dessa acusação, o arauto recobra o sentido de sua função, ao considerar a possibilidade de apresentar aos filhos de Egito esse viés hermenêutico com que se propõe à compreensão de como age o arauto. Assim o arauto finalmente se apresenta como arauto, ao perguntar a quem deve anunciar como sequestrador do "consobrinho bando de mulheres" (*Su.* 933), que será reclamado por Ares, com perda de varões e extermínio de vidas (*Su.* 934-7).

Quando o arauto assim se apresenta como arauto, o rei não por isso se apresenta como rei, mas esclarece de que se trata: não se admite violência a esse bando de mulheres, por decreto público da cidade; portanto, resta a quem contrarie o decreto tornar-se invisível o mais rápido possível (*Su.* 938-49). O arauto, então, se permite declarar como vê a situação configurada pela fala do rei, a saber — já o início de nova guerra. Além disso, o arauto se permite formular os seus votos, não sem ironia: "sejam dos varões a vitória e o poder" (*Su.* 951).

O rei se limita a responder à ironia, esclarecendo que os varões, moradores desta terra, não bebem cerveja de cevada (*Su.* 952-3). Em seguida, dirigindo-se ao coro das Danaides, descreve as possibilidades de domicílio à disposição dos hóspedes da cidade, exortando-as a escolher e servir-se.

O coro de Danaides em retribuição faz votos de prosperidade ao povo pelasgo e pede a presença de seu pai Dânao, para que elas possam decidir onde terão domicílio nesse país estrangeiro. Preparando-se para o êxodo, o coro pede às suas servas (?!) que, confiantes na palavra dos argivos, disponham-se como Dânao as distribuiu por dote a cada uma das Danaides (*Su.* 975-9).

O pai e as filhas

Nessas circunstâncias de escolherem como residir em país estrangeiro, Dânao — pai guia do conselho e guia do dissídio (*Danaòs dé, patér kaì boúlarkhos kaì stasíarkhos, Su.* 11) — como ao preparar suas filhas para a iminente interpelação do rei (*Su.* 176-203), primeiro mostra quanto já lhes valeram seus conselhos em situação de extremo perigo (*Su.* 176-9, 980-90) e em seguida dá seus conselhos (*Su.* 180-203, 991-1013). Em ambas as ocasiões, a parênese da prudência se faz no início e no fim da fala, mas o que diz "prudência" ("prudente", *phroneîn... phronoûnti, Su.* 176; *sophronôn, Su.* 198, "prudência", *tò sophreîn, Su.* 1013) na nova situação assume nova nuance de sentido: antes era a condição da sobrevivência, depois se mostra o dever de honra mais estimável que a vida (*Su.* 1013).

Antes, se os prudentes conselhos do pai trouxeram sãs e salvas as filhas de navio, prudência igual à do pai a elas se pedia como a condição da sobrevivência delas. Agora, o pai se apresenta com a segurança da companhia de lanceiros que lhe fora concedida pelos argivos. Que significa dispor de uma companhia de lanceiros para a sua segurança pessoal? Para os atenienses contemporâneos de Ésquilo e de Heródoto, um passo bem dado na direção de se apossar do poder por instalação de um governo tirânico, como lhes mostrou a tomada do poder em Atenas por Pisístrato (Heródoto, 1.59.4-5).

Essa "honrosa prerrogativa" (*tímion géras, Su.* 896), concedida a Dânao pelos argivos, justifica-se porque, dada a sua dupla condição de asilado em Argos e de suplicante dos Deuses dessa terra, sua morte sob a sanha dos inimigos seria então uma poluência insuportável para a terra argiva (*Su.* 987-8).

Por essa "honrosa graça" (*khárin... timiotéran, Su.* 990), Dânao não só se propõe agradecer aos argivos, como a Deuses Olímpios, fazendo-lhes sacrifícios, vertendo-lhes libações (*Su.* 980-2) e venerando-os (*Su.* 990), mas também exorta as filhas a "não o envergonharem" (*mè kataiskhýnein emé, Su.* 996).

O pai compara "este viço notável aos mortais" (*hóran... ténd' epístrephon brotoîs, Su.* 997), que distingue suas filhas, a "frutos gotejantes" (*karpómata stázonta, Su.* 1002 West), de que Afrodite é arauto, ao mesmo tempo que os amadurece antes da hora, de modo a provocarem as loucuras por amor (*Su.* 1002-3 West). É no âmbito de Afrodite, pois, que pede "prudência" às filhas, doravante no trato com os amigos argivos e — eventualmente — inimigos.

No entanto, quando Dânao adverte as filhas de que não deem "vergonha a nós e prazer aos inimigos" (*med' aîskhos hemîn, hedonèn d' ekhthroîs emoîs, Su.* 1008), com a palavra "inimigos" (*ekhthroîs*) não se refere somente aos antigos inimigos Egipcíades, e com a palavra "prazer" (*hedonèn*), não se refere tanto aos dons de Afrodite quanto ao prazer fortuito do inimigo que vê o inimigo arruinar-se.

O coro de Danaides reconforta Dânao com votos de que Deuses Olímpios lhes deem boa sorte e com a promessa de conservarem o antigo traço do espírito — vestígio que remota à avoenga Io — na vigilância e guarda do fruto maduro de Afrodite (*Su.* 1014-7).

Ártemis e Citereia

No êxodo, os dois primeiros pares de estrofe e antístrofe configuram uma antilogia, em que se contrapõem dois diversos discursos e duas diversas atitudes diante de uma mesma situação, a saber, a situação das Danaides, asiladas e domiciliadas em Argos, diante de seus eventuais raptores, os recém-chegados Egipcíades.

O coro I (*Su.* 1018-33) — das Danaides — descreve sua atitude perante os Deuses da terra hospedeira, concluindo com uma prece a Ártemis, dita "pura" (*Árthemis hagná, Su.* 1030) e com votos reiterativos de seus propósitos quanto a núpcias com Egipcíades ("estígio seja este prêmio", *stygeròn péloi tód' áthlon, Su.* 1033).

O coro II (*Su.* 1034-51) — cuja identidade não se determina claramente, podendo ser atribuído 1) ao grupo de servas mobilizadas pelas Danaides em *Su.* 975-9 ou 2) à companhia de lanceiros a serviço da segurança pessoal de Dânao descrita em *Su.* 985 — contém uma prece a Cípris, cujo poder e domínio se descreve (*Su.* 1031-42), e uma reflexão sobre a impenetrável opacidade do destino e dos desígnios de Zeus (*Su.* 1043-51).

No terceiro par de estrofe e antístrofe (*Su.* 1052-61), as duas posições, que se contrapõem nessa antilogia dos coros I e II, buscam um ponto de equilíbrio entre ambas, mediante réplicas e tréplicas, suscitadas inicialmente pela reiterada prece a Zeus do coro de Danaides para que afaste as núpcias dos Egipcíades (Su. 1052-3). Aos votos formulados nessa deprecação das núpcias, o coro II, contrapondo-se, então, considera a hipótese da possibilidade de que essas núpcias dos Egipcíades fossem o melhor:

> Isto poderia ser o melhor,
> tu encantarias o sem-encanto.
> *Tò mèn àn béltaton eíe,*
> *Sy dè thélgois àn áthelkton.*
> (*Su.* 1054-5)

Quando se descreveu o poder e domínio de Afrodite, entre seus filhos Desejo e Harmonia, Persuasão se definia pela qualidade "a quem nada se nega" e pelo epíteto "encantadora" (*thélktori, Su.* 140). Portanto, nessa supracitada réplica do coro II, "encantarias" significa a possibilidade de persuadir o impersuadível, por participação em Afrodite, visto que Persuasão é tão filha de Afrodite quanto Desejo e Harmonia.

O coro de Danaides treplica que quem assim pensa não conhece o povir (*Su.* 1061).

Na terceira antístrofe (*Su.* 1057-61), o coro II subsume o desconhecimento do porvir à invisibilidade dos desígnios de Zeus, e faz às Danaides a advertência de que fossem "comedidas", como se as aconselhasse a fazer uma prece comedida:

> Com Deuses, sem excessos.
> *Tà Theôn medèn agázein.*
> (*Su.* 1061)

No quarto e último par de estrofe e antístrofe (*Su.* 1062-73), o coro de Danaides reitera a prece a Zeus, para que se frustrem as indesejáveis núpcias dos Egipcíades, fundando suas esperanças no mitologema do resgate de Io pela benevolente violência de Zeus, com o que a vitória poderia ser das mulheres (*Su.* 1062-8). O coro II declara sua aprovação à "melhor parte do mal" e assim a "meio quinhão" — podendo-se entender que o mal seja a guerra dos Egipcíades e sua melhor parte seja a vitória dos argivos patronos das Danaides, com o que se perfaz "meio quinhão — e declara também sua aprovação a que as sentenças humanas sigam à Justiça divina, com suas preces pela intervenção divina que os livre do mal.

SINOPSE DO ESTUDO DA TRAGÉDIA *AS SUPLICANTES* DE ÉSQUILO

Delineamento dos principais problemas hermenêuticos da tragédia *As suplicantes* de Ésquilo: Ameaças e coerção estão dentro dos limites da piedade e dos deveres que se impõem na relação entre o hóspede e seu hóspede? É piedosa a atitude de ameaçar e coagir Deus? É justa a atitude de ameaçar e coagir o anfitrião? Com que recursos retóricos e com que determinação anímica, é possível tirar, do desterro e do desamparo, forças suficientes para vencer uma adversidade aparentemente insuperável?

Párodo (*Su.* 1-175): Os **anapestos** (*Su.* 1-39) valem pelo prólogo. Prece a Zeus Suplicante (*aphíktor*) pela expedição das Danaides que, desde o estuário do Nilo fogem de seus primos, que as perseguem para desposá-las contra a vontade delas e do pai delas. Instruídas pelo pai Dânao, transpuseram o mar e estão em Argos — donde surgiu a sua família, ufana da aguilhoada novilha — como suplicantes dos Numes pátrios, dos heróis argivos e de Zeus salvador (*sotér*). Deprecação contra o masculino bando transgressor, nascido de Egito (irmão de Dânao), que pereçam antes de consumarem a transgressão. **Primeira estrofe** (*Su.* 40-8): Invoca Épafo, o vitelo de Zeus, ultramarino defensor, nascido de (Io) florinutrida novilha avoenga, ao sopro e toque de Zeus. **Primeira antístrofe** (*Su.* 49-56): Identifica Argos como relvosos prados de prístina mãe, e anuncia indícios confiáveis do que diz. **Segunda estrofe** (*Su.* 57-62): Um áuspice nativo perceberá no lamento do coro a voz da esposa de Tereu (Procne, filha de Pandíon), lamentosa de sua astúcia, rouxinol perseguido por falcão. **Segunda antístrofe** (*Su.* 63-7): O lamento de Procne e a morte do seu filho. **Terceira estrofe** (*Su.* 68-76): O lamento em cantos iônios e a laceração das faces. **Terceira antístrofe** (*Su.* 77-85): Prece aos Deuses pátrios (*genétai*) por justiça com respeito às núpcias; o altar — majestade dos Numes — é a defesa de refugiados. **Quarta estrofe** (*Su.* 86-90): Prece a Zeus pelo bem verdadeiro; o desejo de Zeus não se deixa capturar, as sendas de seu pensamento são imperscrutáveis. **Quarta antístrofe** (*Su.* 91-95): O assentimento de Zeus preserva a possibilidade de vitória nas vicissitudes, e a fulgurar até nas trevas impõe a má sorte. **Quinta estrofe** (*Su.* 96-1003): Zeus precipita de altas esperanças os perdidos mortais, sem esforço, nem fadiga, a agir somente pelo pensamento. **Quinta antístrofe** (*Su.* 1004-11): Contemple Zeus a transgressão cujo tronco se renova, túrgido de espírito imprudente e com o aguilhão inevitável de louco intento, passando por engano a erronia. **Sexta estrofe** (*Su.* 112-21): O coro canta o seu próprio funeral; (**efínio 1**:) implora à terra avoenga; como carpideiras, dilacera vestes. **Sexta antístrofe** (*Su.* 122-32): Argumenta que os Deuses têm dos prósperos, salvos da morte, solenes ritos; e lamenta por indiscerníveis dores e incertezas do futuro. **Sétima estrofe** (*Su.* 133-43): Evoca a boa viagem por mar como bom augúrio, e pede a Zeus pai onividente que torne em tempo o término propício: (**efínio 2**:) a grande prole de augusta mãe Io escape inupta, indômita, ao leito dos varões. **Sétima antístrofe** (*Su.* 144-53): Prece a Ártemis, que a pura filha de Zeus, a virgem em seu templo, irada com a perseguição, defenda as virgens. **Oitava estrofe** (*Su.* 154-66): Ameaça que, se não atendidas pelos Deuses Olímpios, suplicarão junto ao térreo hospitaleiro de muitos Zeus dos defuntos, com ramos, mortas nos laços; (**efínio 3**:) evoca a ira contra Io — o agastar-se da esposa vencedora do céu — como tempestade vinda de áspero vento. **Oitava antístrofe** (*Su.* 167-76): Justas reprovações a Zeus, se não honrar o filho dele e da novilha, por não atender esta prece.

Primeiro episódio (*Su.* 176-523): **Primeira cena**: Dânao e corifeu (*Su.*176-233): Dânao louva a prudência, que pede às filhas; anuncia a vinda do exército argivo; e aconselha-lhes que assumam a atitude de suplicantes, junto ao altar comum dos Deuses juntos; (*agoníon Theôn*) e como falar com os estranhos; invocação de Zeus, Apolo, Posídon e Hermes; pombas e gaviões — hostis a consanguíneos e poluentes da casa; outro Zeus, juiz póstumo. **Segunda cena**: O rei e corifeu (*Su.* 234-347): O rei admira encontrar um bando de moças não gregas, sem arauto, sem patrono nem guia; interrogado pelo corifeu, apresenta-se a si mesmo e a seus domínios: Pelasgo, filho de Palécton terrígeno e rei da região Ápia, epônima de Ápis, médico-adivinho filho de Apolo, curador da praga de serpentes; a revelação da origem argiva do bando estrangeiro admira menos que a presença mesma das moças forasteiras, comparadas a líbias, nilotas, cipriota, nômades indianas e amazonas; a esticomitia de Pelasgo e corifeu conta o mitologema de Io como um *sýmbolon*, instrumento de identificação da personagem do coro junto ao rei da cidade-estado a que pedem asilo, e ao contar sua parte nessa história de Io, o corifeu põe sua relação com o rei (e consequentemente com a cidade-estado do rei) sob o temor da cólera de Zeus Suplicante (*Zenòs Hikesíou*). **Terceira cena**: O rei e coro (*Su*. 348-437): O dilema do rei enredado no pedido de asilo do coro provém da impossibilidade de escolher entre guerra ou poluência, decorrentes ou de aceitar o pedido entrando em guerra com os Egipcíades ou de rejeitar o pedido incorrendo na ira de Zeus suplicante. **Quarta cena:** O rei, corifeu e coro (*Su*. 438-523): Torna-se coercitivo com uns ou com outros travar grande guerra, encavilhado o barco como se a caminho, nenhum refúgio sem aflição; na esticomitia (*Su*. 455-67) o rei descobre o sentido da enigmática ameaça que o coro lhe faz com cintos e laços (cf. Heródoto, VII, 141); em mar abissal de erronia sem nenhum refúgio de males, por necessário respeito ao ressentimento de Zeus suplicante, o rei se associa a Dânao nos cuidados para persuadir o povo de Argos a dar asilo às suplicantes; Dânao declara o rei seu reverente patrono, pede-lhe escolta de guias e condutores nativos (cf. Heródoto I, 59, primeira tirania de Pisístrato em Atenas) e atendido sai; o rei instrui e tranqüiliza o coro, aconselha-as a fazer preces aos Deuses locais.

Primeiro estásimo (*Su*. 524-99): Espera o favor benévolo de Zeus, invocado como fundamento da beatitude, do poder perfectivo e da felicidade. **Primeira estrofe** (*Su*. 524-30): Prece a Zeus que puna a transgressão dos varões com naufrágio e morte no mar. **Primeira antístrofe** (*Su*. 531-7): Invoca Zeus "tangedor de Io" (*éphaptor Ioûs*) e identifica-se como prole de Zeus. **Segunda estrofe** (*Su*. 538-46): Contemplado, o prado evoca o mitologema de Io e sua fuga movida por aguilhão até o estreito de Bósforo. **Segunda antístrofe** (*Su*. 547-55): Itinerário de Io por terra asiática: Frígia, cidade mísia de Teutras, vales da Lídia, os montes cilícios e panfílios, rios perenes, chãos de profunda riqueza, terra de Afrodite. **Terceira estrofe** (*Su*. 556-64): Perseguida pelo dardo do vaqueiro alado, chega ao bosque de Zeus, que a ira de Tífon invade, e ao rio Nilo, possessa de Hera. **Terceira antístrofe** (*Su*. 565-73): A insólita visão da difícil rês mista de mortal — meio novilha, meio mulher — e o encantador da multívaga mísera aguilhoada Io. **Quarta estrofe** (*Su*. 574-81): Graças a Zeus pela benéfica força, sopros divinos e o nascimento do filho irrepreensível.

Quarta antístrofe (*Su.* 582-9): Identifica Zeus como quem pôde curar Io, e identifica-se como esta prole de Épafo. **Quinta estrofe** (*Su.* 590-4): Invoca Zeus como o mais justo dos Deuses, pai, criador, rei e construtor da família, fausto. **Quinta antístrofe** (*Su.* 595-9): Canta o ilimitado e insuperável poder de Zeus.

Segundo episódio (*Su.* 600-29): Dânao anuncia o decreto unânime do povo argivo a conceder asilo, persuadido pelo rei Dânao e pelo receio do ressentimento de Zeus suplicante (*hikesíou Zenós*).

Segundo estásimo (*Su.* 630-709): Prece votiva pelo povo argivo (cf. noção de Justiça em Hesíodo *T.* 901-6 e *Tr.* 225-48). **Primeira estrofe** (*Su.* 40-8): Prece aos Deuses filhos de Zeus que não incendeie Argos o lúbrico Ares ceifeiro de mortais nas lavras de sangue, pela acolhida a suplicantes. **Primeira antístrofe** (*Su.* 644-55): O voto argivo revela respeito pela causa das mulheres e por Zeus vingador (*práktor'*), e com altares puros agradarão aos Deuses. **Segunda estrofe** (*Su.* 656-66): Nem com peste nem com rixa sangrenta o amante de Afrodite Ares devaste a cidade. **Segunda antístrofe** (*Su.* 667-78): Votos por longevidade, prosperidade, bom governo, fertilidade de solo e — por Ártemis Hécate — das mulheres. **Terceira estrofe** (*Su.* 679-87): Votos por ausência de massacres, violência e doenças na região, e pelo favor de (Apolo) Lupino aos jovens. **Terceira antístrofe** (*Su.* 788-97): Torne Zeus a terra e o gado produtivos; tornem os cantores a Musa propícia. **Quarta estrofe** (*Su.* 698-703): Votos pela estabilidade do governo da cidade, pela paz social e por boas relações com o exterior. **Quarta antístrofe** (*Su.* 704-9): Votos pela piedade com os Deuses e com os pais.

Terceiro episódio: Dânao e o coro (*Su.* 710-75): Dânao anuncia a aproximação do navio, cada vez mais visível, e o coro é preso de pavor e desânimo. Dânao as encoraja, lembrando-lhes o decreto e o poder argivo; os inimigos — ímpios como corvos — se tornam odiosos aos Deuses; o fruto do papiro não supera a espiga; a dificuldade do porto desconhecido à noite.

Terceiro estásimo: Expectativa ante iminente chegada dos inimigos (*Su.* 776-825): **Primeira estrofe** (*Su.* 776-82): Desejo de sumir e de tornar-se invisível.. **Primeira antístrofe** (*Su.* 783-91): Mortas de medo, preferem a forca às núpcias indesejadas. **Segunda estrofe** (*Su.* 792-8): Imagens da privação de ser e da morte por queda. **Segunda antístrofe** (*Su.* 799-807): Antes a morte livre de lúgubres males que a sorte dessas núpcias. **Terceira estrofe** (*Su.* 808-16): Prece aos Deuses perfectivos e ao Pai — telurígero onipotente Zeus (*gaiáokhe pagkratès Zeû*). **Terceira antístrofe** (*Su.* 817-24): Reitera a acusação da transgressão dos varões e pede justiça a Zeus.

Quarto episódio (*Su.* 825-1017): **Primeira cena**: Egipcíades, corifeu, coro e arauto (*Su.* 825-910): Segundo a hipótese de M. L. West, os Egipcíades em cena expõem seu propósito e dão ordens de capturar a mimosa caça; o corifeu impreca a morte de seus raptores, vê prenúncio de duros males a seu patrono, concita-se a fugir para o abrigo e clama pela proteção do rei; os Egipcíades reiteram a intimidação e violência verbal; o coro (**primeira estrofe**. *Su.* 842-6) deseja que a transgressão despótica tenha morte por naufrágio; os Egipcíades ameaçando e intimidando ordenam que deixe os altares e vá aos navios — desvalida em país de pios; o coro (**primeira antístrofe** *Su.* 845-7) reitera imprecação; os Egipcíades, a coerção verbal; o coro (**segunda estrofe** *Su.* 866-72) treplica a imprecação. Segundo M. L. West, o arauto intervém (*Su.*872-5), coagindo com a palavra; o coro (**segunda antístrofe** *Su.* 876-81) acusa o arauto de poluência e pede ao grande Nilo puna a transgressão; o arauto intimida e puxa pelas tranças. O coro (**terceira estrofe** *Su.* 885-92) declara vão o auxílio de ícone, como aranha passo a passo um sonho negro à força leva a moça ao mar, e invoca Terra mãe e Zeus; o arauto declara não temer os Numes da terra (*Su.* 894-5); o coro (**terceira antístrofe** *Su.* 895-902) o descreve como bípede serpente, e reitera a invocação a Terra mãe e Zeus; ante a intimidação do arauto, o coro invoca os seus patronos argivos, o arauto troça com ironia e intimidação. **Segunda cena**: Rei, arauto e corifeu (*Su.* 911-79): O rei reprova o arauto por desonrar a terra argiva sendo peregrino, e pelo grande erro de coagir as suplicantes de Argos; o arauto argumenta não ser erro contra a justiça achar e levar o que se perdeu; o rei pergunta a que patrono de lugar se dirigira, o arauto responde Hermes máximo patrono de busca; o rei acusa o arauto de impiedade e espoliação dos Deuses; o arauto pergunta que deve como arauto dizer e quem lhe tira o consobrinho bando de mulheres, o que Ares cobra com muitas perdas de vida; altercação do rei e do arauto; o rei oferece opções de domicílio às suplicantes, que retribuem com votos de prosperidade; o coro prepara o êxodo dispondo o dote de servas como Dânao distribuiu a cada filha. **Terceira cena**: Dânao e corifeu (*Su.* 980-1017): Argivos e

Deuses Olímpios deram a Dânao companhia de lanceiros para segurança pessoal (cf. Heródoto I, 59); parênese da prudência — antes condição de sobrevivência, agora dever de honra mais estimável que a vida, com os frutos que Cípris proclama; o coro tranqüiliza Dânao com prece aos Deuses Olímpios.

Êxodo (*Su.* 1018-1073): Antilogia de Ártemis e Citereia. **Primeira estrofe e antístrofe** (*Su.* 1018-33): Celebra os Deuses locais, afastada do rio Nilo, prece a Ártemis, rejeição à coerção das núpcias de Afrodite. **Segunda estrofe e antístrofe** (*Su.* 1018-51): Em contraponto, celebra o poder de Cípris junto a Zeus e Hera, Deusa astuciosa, mãe e conviva de Desejo, encantadora Persuasão, Harmonia e múrmuros nexos de Amores. **Terceira estrofe** (*Su.* 1052-6): No diálogo entre os dois pontos de vista diversos, que se justapõem, sem se confundirem, avaliam-se as núpcias com Egipcíades como rejeitáveis e como possíveis de ser o melhor — o que encantaria o desencantado. **Terceira antístrofe** (*Su.* 1057-61): Ante o imperscrutável espetáculo abissal do espírito de Zeus, prece comedida, comedimento é com Deuses sem excessos. **Quarta estrofe** (*Su.* 1018-25): Justapõe a prece a Zeus que frustre núpcias cruéis com mão leniente e benévola violência, e a aceitação da sorte conforme Justiça com preces aos Deuses por livres meios.

AS SUPLICANTES

O texto base desta tradução segue o de Denys Page, exceto nos versos: 10 (Weil, M. L. West); 22a-23 (M. L. West); 80 (M. L. West); 110-1 (Friis Johansen-Whittle); 198 (P. Mazon); 266 (P. Mazon); 355 (M. L. West); 458 (M. L. West); 544-5 (Friis Johansen-Whittle); 596-7 (M. L. West); 599 (M. L. West); 825-44 (M. L. West); 847-54 (M. L. West); 858 (M. L. West); 877 (Enger); 878 (Bothe); 885-6 (M. L. West); 1001-2 (M. L. West); 1032 (M. L. West); 1042 (M. L. West).

As personagens do drama:

C(oro de Danaides).

D(ânao).

R(ei dos argivos).

(Filhos de) E(gito).

A(rauto).

ΙΚΕΤΙΔΕΣ

ΧΟΡΟΣ

Ζεὺς μὲν ἀφίκτωρ ἐπίδοι προφρόνως
στόλον ἡμέτερον νάιον ἀρθέντ'
ἀπὸ προστομίων λεπτοψαμάθων
Νείλου· Δίαν δὲ λιποῦσαι
χθόνα σύγχορτον Συρίαι φεύγομεν, 5
οὔτιν' ἐφ' αἵματι δημηλασίαν
ψήφωι πόλεως γνωσθεῖσαι,
ἀλλ' αὐτογενῆ φυξανορίαν,
γάμον Αἰγύπτου παίδων ἀσεβῆ τ'
ὀνοταζόμεναι ⟨διάνοιαν⟩. 10
Δαναὸς δὲ πατὴρ καὶ βούλαρχος
καὶ στασίαρχος τάδε πεσσονομῶν
κύδιστ' ἀχέων ἐπέκρανεν
φεύγειν ἀνέδην διὰ κῦμ' ἅλιον,
κέλσαι δ' Ἄργους γαῖαν, ὅθεν δὴ 15
γένος ἡμέτερον τῆς οἰστροδόνου
βοὸς ἐξ ἐπαφῆς κἀξ ἐπιπνοίας
Διὸς εὐχόμενον τετέλεσται.
τίν' ἂν οὖν χώραν εὔφρονα μᾶλλον
τῆσδ' ἀφικοίμεθα 20
σὺν τοῖσδ' ἱκετῶν ἐγχειριδίοις,
ἐριοστέπτοισι κλάδοισιν;
⟨ἀλλ' ὦ πάτριοι δαίμονες Ἄργους⟩, 22a
ὧν πόλις, ὧν γῆ καὶ λευκὸν ὕδωρ,
ὕπατοί τε θεοί καὶ βαρυτίμους
χθόνιοι θήκας κατέχοντες, 25
καὶ Ζεὺς σωτὴρ τρίτος, οἰκοφύλαξ
ὁσίων ἀνδρῶν, δέξασθ' ἱκέτην
τὸν θηλυγενῆ στόλον αἰδοίωι
πνεύματι χώρας· ἀρσενοπληθῆ δ'

PÁRODO (1-175)

ANAPESTOS (1-39).

C. Que Zeus Suplicante vele propício
por nossa expedição que de navio
zarpou do estuário de tênues areias
do Nilo. Desde a terra de Zeus
contígua à Síria, estamos em fuga, 5
não para o exílio por homicídio,
sentenciadas pelo voto da cidade,
mas, a fugir de varão consanguíneo,
desdenhosas das núpcias e do ímpio
intento dos filhos de Egito. 10
Dânao, nosso pai, guia do conselho,
guia do dissídio, ao pesar os dados,
decidiu por esta mais insigne dor:
fugir rápido por onda marinha
e abordar a terra argiva, 15
donde nossa família surgiu,
ufana da aguilhoada novilha,
ao toque e ao sopro de Zeus.
A que região, mais benévola
que esta, suplicaríamos 20
com estes súplices punhais,
ramos coroados de lã?
Ó pátrios Numes de Argos, 22a
donos do país, da terra e d'água clara,
Deuses supremos e, severos ao punir,
subterrâneos ocupantes de sepulcros, 25
e Zeus Salvador, terceiro, guarda-casa
de varões pios, acolhei nossa súplice
feminina expedição, com o reverente
vento da região; mas ao masculino

ἑσμὸν ὑβριστὴν Αἰγυπτογενῆ, 30
πρὶν πόδα χέρσωι τῆιδ' ἐν ἀσώδει
θεῖναι, ξὺν ὄχωι ταχυήρει
πέμψατε πόντονδ'· ἔνθα δὲ λαίλαπι
χειμωνοτύπωι βροντῆι στεροπῆι τ'
ὀμβροφόροισίν τ' ἀνέμοις ἀγρίας 35
ἁλὸς ἀντήσαντες ὄλοιντο,
πρίν ποτε λέκτρων, ὧν θέμις εἴργει
σφετεριξάμενοι πατραδέλφειαν
τήνδ' ἀεκόντων ἐπιβῆναι.

νῦν δ' ἐπικεκλομένα [στρ. α
Δῖον πόρτιν ὑπερπόντιον τιμάορ' ἶνίν γ' 41
ἀνθονομούσας προγόνου βοὸς ἐξ ἐπιπνοίας
Ζηνός· ἔφαψιν ἐπωνυμίαν δ' ἐπεκραίνετο μόρσιμος αἰὼν 45
εὐλόχως, Ἔπαφον δ' ἐγέννασεν·

ὅν τ' ἐπιλεξαμένα [ἀντ. α
νῦν ἐν ποιονόμοις ματρὸς ἀρχαίας τόποις τῶν 50
πρόσθε πόνων μνασαμένα, τάδε νῦν ἐπιδείξω
πιστὰ τεκμήρια γαιονόμοισι δ' ἄελπτά περ ὄντα φανεῖται· 55
γνώσεται δὲ λόγου τις ἐν μάκει.

εἰ δὲ κυρεῖ τις πέλας οἰωνοπόλων [στρ. β
ἔγγαιος οἶκτον ἀίων,
δοξάσει τιν' ἀκούειν ὄπα τᾶς Τηρεΐας 60
†μήτιδος† οἰκτρᾶς ἀλόχου,
κιρκηλάτου γ' ἀηδόνος,

ἅ τ' ἀπὸ χώρων ποταμῶν τ' ἐργομένα [ἀντ. β
πενθεῖ μὲν οἶκτον ἠθέων,
ξυντίθησι δὲ παιδὸς μόρον, ὡς αὐτοφόνως 65
ὤλετο πρὸς χειρὸς ἕθεν
δυσμάτορος κότου τυχών·

bando transgressor nascido de Egito, 30
antes que ponham nesta costa limosa
os pés, com veículo de rápido remo,
mandai ao largo, onde tormenta
tempestuosa, trovão e relâmpago
e o vento chuvoso do selvagem 35
mar encontrem e pereçam,
antes que usurpem o poder do tio
e pisem não consentidos leitos
que a lei protege.

Agora é invocar EST. 1
o vitelo de Zeus, ultramarino defensor, filho 41
da florinutrida novilha avoenga, ao sopro
de Zeus: o tempo fatal cumpriu toque epônimo 45
em bom parto, e pariu Épafo,

e tendo-o invocado, ANT. 1
agora nos relvosos prados da prístina mãe, 50
a lembrar os antigos males, mostrarei estes
fiéis indícios: inesperados aos da terra serão claros, 55
e reconhecidos ao longo da fala.

Se há por perto algum áugure EST. 2
nativo a ouvir o lamento,
há de crer ouvir a voz da esposa 60
de Tereu, lamentosa de sua astúcia,
rouxinol perseguido por falcão.

Expulsa de campos e de rios, ANT. 2
pranteia o lamento da moradia
e assim compõe a sorte do filho: 65
morto por ela pereceu por sua mão
sob a cólera de áspera mãe.

τὼς καὶ ἐγὼ φιλόδυρτος Ἰαονίοισι νομοῖσι [στρ. γ
δάπτω τὰν ἁπαλὰν Νειλοθερῆ παρειὰν 70
ἀπειρόδακρύν τε καρδίαν,
γοεδνὰ δ' ἀνθεμίζομαι
δειμαίνουσα, φίλους τᾶσδε φυγᾶς
Ἀερίας ἀπὸ γᾶς 75
εἴ τις ἐστὶ κηδεμών.

ἀλλὰ θεοὶ γενέται, κλύετ' εὖ τὸ δίκαιον ἰδόντες [ἀντ. γ
ἥβαν μὴ τέλεον δόντες ἔχειν παρ' αἶσαν 80
ὕβριν δ' ἐτύμως στυγοῦντες
πέλοιτ' ἂν ἔνδικοι γάμοις.
ἔστιν κἀκ πολέμου τειρομένοις
βωμὸς ἀρῆς φυγάσιν
ῥῦμα, δαιμόνων σέβας. 85

εἴθ' εἴη 'κ Διὸς εὖ παναληθῶς [στρ. δ
Διὸς ἵμερος οὐκ εὐθήρατος ἐτύχθη·
δαυλοὶ γὰρ πραπίδων
δάσκιοί τε τείνουσιν πόροι κατιδεῖν ἄφραστοι. 90

πίπτει δ' ἀσφαλὲς οὐδ' ἐπὶ νώτωι, [ἀντ. δ
κορυφᾶι Διὸς εἰ κρανθῆι πρᾶγμα τέλειον·
παντᾶι τοι φλεγέθει
κἀν σκότωι μελαίναι ξὺν τύχαι μερόπεσσι λαοῖς. 95

ἰάπτει δ' ἐλπίδων [στρ. ε
ἀφ' ὑψιπύργων πανώλεις βροτούς,
βίαν δ' οὔτιν' ἐξοπλίζει.
πᾶν ἄπονον δαιμονίων· 100
ἥμενος ὃν φρόνημά πως
αὐτόθεν ἐξέπραξεν ἔμ-
πας ἑδράνων ἀφ' ἁγνῶν.

ἰδέσθω δ' εἰς ὕβριν [ἀντ. ε
βρότειον οἵαι νεάζει πυθμὴν 105
δι' ἁμὸν γάμον τεθαλὼς

Assim também eu lastimosa em cantos iônios EST. 3
lacero a tenra face tostada junto ao Nilo 70
e o coração copioso de lágrimas,
e colho lúgubres flores
temerosa se amigo há que cuide
destas exiladas 75
da terra brumosa.

Deuses pátrios, ouvi bem vigilantes da justiça, ANT. 3
se désseis frustrar juventude contra a sorte 80
por real horror a transgressão,
seríeis justos com as núpcias.
Até exauridos de guerra refugiados
têm o altar, majestade de Numes,
a defendê-los de praga. 85

Por Zeus, bem seja, deveras! EST. 4
O desejo de Zeus não se pode caçar:
as densas e sombrias sendas
do seu pensar se prolongam imperscrutáveis. 90

Cai firme, não de costas, ANT. 4
com o nuto de Zeus se o ato perfeito se cumpre:
por toda parte fulgura,
até nas trevas com negra sorte a homens mortais. 95

Precipita das altas torres EST. 5
das esperanças perdidos mortais,
e não arma nenhuma violência.
Todo imune a fadigas é o nume: 100
assentado em seu pensamento
age daí mesmo, entretanto,
desde santos assentamentos.

Contemple a transgressão ANT. 5
de mortais: o tronco se renova 105
por nossas núpcias, túrgido

δυσπαραβούλοισι φρεσίν,
καὶ διάνοιαν μαινόλιν
κέντρον ἔχων ἄφυκτον, ἄ- 110
ται δ' ἀπάταν μεταγνούς.

τοιαῦτα πάθεα μέλεα θρεομένα λέγω [στρ. ζ
λιγέα βαρέα δακρυοπετῆ,
ἰὴ ἰή, ἰηλέμοισιν ἐμπρεπῆ· 115
ζῶσα γόοις με τιμῶ.
ἱλέομαι μὲν Ἀπίαν βοῦνιν· [ἐφυμν. α
καρβᾶνα δ' αὐδὰν εὖ, γᾶ, κοννεῖς.
πολλάκι δ' ἐμπίτνω ξὺν λακίδι λινοσινεῖ 120
Σιδονίαι καλύπτραι.

†θεοῖς δ' ἐναγέα τέλεα πελομένων καλῶς [ἀντ. ζ
ἐπίδρομ' ὁπόθι θάνατος ἀπῆι†.
ἰὼ ἰώ, ἰὼ δυσάγκριτοι πόνοι, 125
ποῖ τόδε κῦμ' ἀπάξει;
ἱλέομαι μὲν Ἀπίαν βοῦνιν· [ἐφυμν. α
καρβᾶνα δ' αὐδὰν εὖ, γᾶ, κοννεῖς. 130
πολλάκι δ' ἐμπίτνω λακίδι σὺν λινοσινεῖ
Σιδονίαι καλύπτραι.

πλάτα μὲν οὖν λινορραφής [στρ. η
τε δόμος ἅλα στέγων δορὸς 135
ἀχείματόν μ' ἔπεμπε σὺν πνοαῖς, οὐδὲ μέμφομαι·
τελευτὰς δ' ἐν χρόνωι πατὴρ ὁ παντόπτας
πρευμενεῖς κτίσειεν· 140
σπέρμα σεμνᾶς μέγα ματρός εὐνὰς [ἐφυμν. β
ἀνδρῶν, ἒ ἔ,
ἄγαμον ἀδάματον ἐκφυγεῖν.

θέλουσα δ' αὖ θέλουσαν ἁ- [ἀντ. η
γνά μ' ἐπιδέτω Διὸς κόρα 145
ἔχουσα σέμν' †ἐνώπι' ἀσφαλέσ†, παντὶ δὲ σθένει
διωγμοῖς ἀσχαλῶσ' ἄδμητος ἀδμήται
ῥύσιος γενέσθω· 150

de espírito imprudente,
e com furioso intento
de inevitável aguilhão, 110
levado iludido a erronia.

Com lástima digo tão míseras dores EST. 6
estrídulas, graves, pranteadas,
iè, ié, próprias a cantos lúgubres: 115
viva com nênias me honro.
Imploro à alterosa Ápia; EFÍNIO 1
ó terra, bem conheces a voz peregrina.
Muitas vezes prorrompo a lacerar o linho 120
dos véus sidônios.

Aos Deuses os solenes ritos dos prósperos ANT. 6
são fartos, lá onde morte está ausente.
Iò, ió, iò, indiscerníveis dores, 125
aonde levará esta onda?
Imploro à alterosa Ápia; EFÍNIO 1
ó terra, bem conheces a voz peregrina. 130
Muitas vezes prorrompo a lacerar o linho
dos véus sidônios.

O remo e a encordoada casa EST. 7
de lenho, a proteger do mar, 135
sem procela me traziam com brisas, e não vitupero.
O Pai onividente torne em tempo
o término propício: 140
grande prole de augusta mãe EFÍNIO 2
escape — *è é* —
inupta, indômita, ao leito de varões.

Cuidadosa de meus cuidados, ANT. 7
veja-me a pura filha de Zeus, 145
bem instalada em sacro templo, e onipotente
virgem irada com perseguição a virgem
torne-se defensora. 150

σπέρμα σεμνᾶς μέγα ματρός εὐνὰς [ἐφυμν. β
ἀνδρῶν, ἒ ἕ,
ἄγαμον ἀδάματον ἐκφυγεῖν.

εἰ δὲ μή, μελανθὲς [στρ. θ
ἡλιόκτυπον γένος 155
τὸν γάιον,
τὸν πολυξενώτατον
Ζῆνα τῶν κεκμηκότων
ἱξόμεσθα σὺν κλάδοις
ἀρτάναις θανοῦσαι, 160
μὴ τυχοῦσαι θεῶν Ὀλυμπίων·
ἆ Ζήν, Ἰοῦς † ἰὼ μῆνις [ἐφυμν. γ
μάστειρ' † ἐκ θεῶν·
κοννῶ δ' ἄγαν
γαμετᾶς οὐρανόνικον· 165
χαλεποῦ γὰρ ἐκ πνεύματος εἶσι χειμών.

καὶ τότ' αὖ δικαίοις [ἀντ. θ
Ζεὺς ἐνέξεται ψόγοις,
τὸν τᾶς βοὸς 170
παῖδ' ἀτιμάσας, τὸν αὐ-
   τός ποτ' ἔκτισεν γόνωι,
νῦν ἔχων παλίντροπον
ὄψιν ἐν λιταῖσιν·
ὑψόθεν δ' εὖ κλύοι καλούμενος· 175
⟨ἆ Ζήν, Ἰοῦς † ἰὼ μῆνις [ἐφυμν. γ
μάστειρ' † ἐκ θεῶν.
κοννῶ δ' ἄγαν
γαμετᾶς οὐρανόνικον·
χαλεποῦ γὰρ ἐκ πνεύματος εἶσι χειμών.⟩

Grande prole de augusta mãe EFÍNIO 2
escape — *è é* —
inupta, indômita, ao leito de varões.

Se não, — gente de negra tez EST. 8
brunida de sol, 155
junto ao térreo
hospitaleiro de muitos
Zeus dos defuntos,
suplicaremos com ramos,
mortas nos laços, — 160
se não tocarmos Deuses Olímpios.
Â, Zeus! *Iò*, ira contra Io, EFÍNIO 3
víndice, vinda de Deuses!
Conheço a cólera
da esposa: no céu ela vence, 165
de áspero vento vem tempestade.

E assim com justa reserva ANT. 8
Zeus se terá
por não honrar 170
o filho da novilha,
que outrora gerou,
quando agora afasta
os olhos destas preces.
Do alto escute o meu clamor. 175
[*Â*, Zeus! *Iò*, ira contra Io, EFÍNIO 3
víndice, vinda de Deuses!
Conheço a cólera
da esposa: no céu ela vence,
de áspero vento vem tempestade.]

ΔΑΝΑΟΣ

παῖδες, φρονεῖν χρή· ξὺν φρονοῦντι δ' ἥκετε
πιστῶι γέροντι τῶιδε ναυκλήρωι πατρί.
καὶ τἀπὶ χέρσου νῦν προμηθίαν λαβὼν
αἰνῶ φυλάξαι τἄμ' ἔπη δελτουμένας.
ὁρῶ κόνιν, ἄναυδον ἄγγελον στρατοῦ· 180
σύριγγες οὐ σιγῶσιν ἀξονήλατοι·
ὄχλον δ' ὑπασπιστῆρα καὶ δορυσσόον
λεύσσω, ξὺν ἵπποις καμπύλοις τ' ὀχήμασιν.
τάχ' ἂν πρὸς ἡμᾶς τῆσδε γῆς ἀρχηγέται
ὀπτῆρας εἶεν ἀγγέλων πεπυσμένοι. 185
ἀλλ' εἴτ' ἀπήμων εἴτε καὶ τεθηγμένος
ὠμῆι ξὺν ὀργῆι τῶνδ' ἐπόρνυται στόλος,
ἄμεινόν ἐστι παντὸς οὕνεκ', ὦ κόραι,
πάγον προσίζειν τόνδ' ἀγωνίων θεῶν.
κρεῖσσον δὲ πύργου βωμός, ἄρρηκτον σάκος. 190
ἀλλ' ὡς τάχιστα βᾶτε καὶ λευκοστεφεῖς
ἱκτηρίας, ἀγάλματ' αἰδοίου Διός,
σεμνῶς ἔχουσαι διὰ χερῶν εὐωνύμων
αἰδοῖα καὶ γοεδνὰ καὶ ζαχρεῖ' ἔπη
ξένους ἀμείβεσθ' ὡς ἐπήλυδας πρέπει, 195
τορῶς λέγουσαι τάσδ' ἀναιμάκτους φυγάς.
φθογγῆι δ' ἑπέσθω πρῶτα μὲν τὸ μὴ θρασύ,
τὸ μὴ μάταιον δ' ἐκ μετωποσωφρόνων 198
ἴτω προσώπων ὄμματος παρ' ἡσύχου·
καὶ μὴ πρόλεσχος μηδ' ἐφολκὸς ἐν λόγωι 200
γένῃ· τὸ τῆιδε κάρτ' ἐπίφθονον γένος.
μέμνησο δ' εἴκειν· χρεῖος εἶ ξένη φυγάς·
θρασυστομεῖν γὰρ οὐ πρέπει τοὺς ἥσσονας.

Χο. πάτερ, φρονούντως πρὸς φρονοῦντας ἐννέπεις·
φυλάξομαι δὲ τάσδε μεμνῆσθαι σέθεν 205
κεδνὰς ἐφετμάς· Ζεὺς δὲ γεννήτωρ ἴδοι.

Δα. ἴδοιτο δῆτα πρευμενοῦς ἀπ' ὄμματος. [210]

Χο. κείνου θέλοντος εὖ τελευτήσει τάδε. [211]

PRIMEIRO EPISÓDIO (176-523)

1ª CENA: DÂNAO E CORIFEU (176-233)

D. Filhas, urge ser prudente. Com este prudente
pai, fiel veterano piloto, aqui chegastes,
e agora em terra firme, com previdência,
aconselho conservar gravadas minhas falas.
Vejo poeira, mensageiro sem voz do exército; 180
canas não se calam a rolarem nos eixos.
Avisto a multidão armada de escudo
e lança, com cavalos e curvos carros.
Talvez venham a nós os reis desta terra
observadores, cientes por mensageiros. 185
Mas quer esta tropa irrompa sem dano,
quer ainda aguçada com ira cruel,
melhor é, por conta de tudo, ó filhas,
ter assento nesta colina de Deuses juntos.
Altar pode mais que torre, infrágil escudo. 190
Eia, vinde o mais rápido, tendo solenes
súplices ornamentos de Zeus Reverente
coroados de alva lã na mão de bom nome,
respondei falas reverentes, ternas, úteis,
aos hóspedes, como convém a forasteiros, 195
a falar claro deste exílio limpo de sangue.
Soe em vossa voz primeiro a timidez,
e a modéstia nas frontes prudentes
dos rostos emane do olhar sereno.
Nem sejam vossas falas precipitadas, 200
nem prolixas; os daqui fácil dizem não.
Lembra-te de ceder, pobre hóspeda banida:
não convém aos mais fracos falar audaz.
C. Pai, falaste com prudência a prudentes.
Observarei estes probos conselhos 205
teus, a lembrá-los. Zeus Pátrio vele!
D. Vele, sim, com olhos favoráveis. [210]
C. Se ele quiser, isto terminará bem. [211]

Δα. μή νυν σχόλαζε, †μηχανῆς δ' ἔστω κράτος†.
Χο. θέλοιμ' ἂν ἤδη σοὶ πέλας θρόνους ἔχειν. 210
Δα. ⟨ ⟩ 210a
Χο. ὦ Ζεῦ, κόπων οἴκτιρε μὴπολωλότας. 211
Δα. καὶ Ζηνὸς ἶνιν τόνδε νῦν κικλήσκετε.
Χο. καλοῦμεν αὐγὰς ἡλίου σωτηρίους.
Δα. ἁγνόν γ' Ἀπόλλω, φυγάδ' ἀπ' οὐρανοῦ θεόν.
Χο. εἰδὼς ἂν αἶσαν τήνδε συγγνοίη βροτοῖς. 215
Δα. συγγνοῖτο δῆτα καὶ παρασταίη πρόφρων.
Χο. τίν' οὖν κικλήσκω τῶνδε δαιμόνων ἔτι;
Δα. ὁρῶ τρίαιναν τήνδε, σημεῖον θεοῦ.
Χο. ἀλλ' εὖ τ' ἔπεμψεν εὖ τε δεξάσθω χθονί.
Δα. Ἑρμῆς ὅδ' ἄλλος τοῖσιν Ἑλλήνων νόμοις. 220
Χο. ἐλευθέροις νυν ἐσθλὰ κηρυκευέτω.
Δα. πάντων δ' ἀνάκτων τῶνδε κοινοβωμίαν
σέβεσθ'· ἐν ἁγνῶι δ' ἑσμὸς ὣς πελειάδων
ἵζεσθε κίρκων τῶν ὁμοπτέρων φόβωι,
ἐχθρῶν ὁμαίμοις καὶ μιαινόντων γένος. 225
ὄρνιθος ὄρνις πῶς ἂν ἁγνεύοι φαγών;
πῶς δ' ἂν γαμῶν ἄκουσαν ἄκοντος πάρα
ἁγνὸς γένοιτ' ἄν; οὐδὲ μὴ 'ν Ἅιδου θανὼν
φύγηι ματαίων αἰτίας, πράξας τάδε.
κἀκεῖ δικάζει τἀμπλακήμαθ', ὡς λόγος, 230
Ζεὺς ἄλλος ἐν καμοῦσιν ὑστάτας δίκας.
σκοπεῖτε κἀμείβεσθε τόνδε τὸν τρόπον
ὅπως ἂν ὑμῖν πρᾶγος εὖ νικᾶι τόδε.

ΒΑΣΙΛΕΥΣ

ποδαπὸν ὅμιλον τόνδ' ἀνελληνόστολον
πέπλοισι βαρβάροισι κἀμπυκώμασι 235
χλίοντα προσφωνοῦμεν; οὐ γὰρ Ἀργολὶς
ἐσθὴς γυναικῶν οὐδ' ἀφ' Ἑλλάδος τόπων.
ὅπως δὲ χώραν οὔτε κηρύκων ὕπο
ἀπρόξενοί τε νόσφιν ἡγητῶν μολεῖν
ἔτλητ' ἀτρέστως, τοῦτο θαυμαστὸν πέλει. 240

D. Não tardes, haja meios de defesa.
C. Quisera já ter assento a teu lado. 210
D. < > 210a
C. Ó Zeus, apieda-te, não nos percas! 211
D. Invocai agora este filho de Zeus.
C. Invocamos raios de sol salvadores.
D. Puro Apolo, Deus exilado do céu.
C. Sabida esta sina, teria dó de mortais. 215
D. Teria, sim, e assistiria propício.
C. Qual destes Numes ainda invoco?
D. Vejo este tridente, o signo do Deus.
C. Bem conduziu, bem receba na terra.
D. Hermes, este outro, à maneira grega. 220
C. Anuncie boas notícias à gente livre.
D. O altar comum destes soberanos todos,
venerai; no santuário, qual bando de pombas,
pousai, por temor de gaviões também alados,
hostis a consanguíneos e poluentes da casa. 225
Como seria puro o pássaro voraz de pássaro?
Como, se desposa à força contra forçado pai,
seria puro? Nem morto, junto de Hades,
escape à acusação de lascívia, se assim age.
Também lá, outro Zeus, ao que se conta, 230
entre mortos, juiz póstumo, julga crimes.
Observai e respondei deste modo
para que vença este vosso interesse.

2ª CENA: O REI E O CORIFEU (234-347)

R. Donde é este bando de trajes não gregos,
com vestimentas e diademas bárbaros, 235
faustoso, com quem falamos? Não de Argos
são as vestes das mulheres, nem da Grécia.
Como ousastes, intrépidas, sem arautos,
nem patronos, nem guias, conduzir-vos
a esta região, isso é motivo de admirar. 240

κλάδοι γε μὲν δὴ κατὰ νόμους ἀφικτόρων
κεῖνται παρ' ὑμῶν πρὸς θεοῖς ἀγωνίοις·
μόνον τόδ' Ἑλλὰς χθὼν συνοίσεται †στόχωι
καὶ τἄλλα πόλλ' ἐπεικάσαι† δίκαιον ἦν,
εἰ μὴ παρόντι φθόγγος ἦν ὁ σημανῶν. 245

Χο. εἴρηκας ἀμφὶ κόσμον ἀψευδῆ λόγον·
ἐγὼ δὲ πρός σε πότερον ὡς ἔτην λέγω
ἢ τηρὸν ἱερόρραβδον ἢ πόλεως ἀγόν;

Βα. πρὸς ταῦτ' ἀμείβου καὶ λέγ' εὐθαρσὴς ἐμοί·
τοῦ γηγενοῦς γάρ εἰμ' ἐγὼ Παλαίχθονος 250
ἶνις Πελασγός, τῆσδε γῆς ἀρχηγέτης,
ἐμοῦ δ' ἄνακτος εὐλόγως ἐπώνυμον
γένος Πελασγῶν τήνδε καρποῦται χθόνα·
καὶ πᾶσαν αἶαν ἧς δί' ἁγνὸς ἔρχεται
Στρυμών, τὸ πρὸς δύνοντος ἡλίου, κρατῶ· 255
ὁρίζομαι δὲ τήν τε Περραιβῶν χθόνα
Πίνδου τε τἀπέκεινα, Παιόνων πέλας
ὄρη τε Δωδωναῖα· συντέμνει δ' ὅρος
ὑγρᾶς θαλάσσης. τῶνδε τἀπὶ τάδε κρατῶ.
αὐτῆς δὲ χώρας Ἀπίας πέδον τόδε 260
πάλαι κέκληται φωτὸς ἰατροῦ χάριν·
Ἆπις γὰρ ἐλθὼν ἐκ πέρας Ναυπακτίας
ἰατρόμαντις παῖς Ἀπόλλωνος χθόνα
τήνδ' ἐκκαθαίρει κνωδάλων βροτοφθόρων,
τὰ δὴ παλαιῶν αἱμάτων μιάσμασιν 265
χρανθεῖσ' ἀνῆκε γαῖα μηνίσασ' ἄχη,
δρακονθόμιλον δυσμενῆ ξυνοικίαν·
τούτων ἄκη τομαῖα καὶ λυτήρια
πράξας ἀμέμπτως Ἆπις Ἀργείαι χθονὶ
μνήμην ποτ' ἀντίμισθον ηὗρετ' ἐν λιταῖς. 270
ἔχουσα δ' ἤδη τἀπ' ἐμοῦ τεκμήρια
γένος τ' ἂν ἐξεύχοιο καὶ λέγοις πρόσω.
μακράν γε μὲν δὴ ῥῆσιν οὐ στέργει πόλις.

Χο. βραχὺς τορός θ' ὁ μῦθος· Ἀργεῖαι γένος
ἐξευχόμεσθα, σπέρματ' εὐτέκνου βοός· 275
καὶ τῶιδ' ἀληθῆ πάντα προσφύσω λόγωι.

Os ramos, segundo modos de suplicantes,
repousam, perto de vós, aos Deuses juntos.
Só nisso Grécia confere com a conjectura.
Ainda muito mais seria justo especular,
se, presente, quem explica fosse sem voz. 245

C. Falaste do adorno não falsa palavra;
mas eu falo contigo como com um cidadão,
ou guarda de cetro sacro, ou guia da cidade?

R. Isso me responde e fala com confiança,
pois sou o filho do terrígeno Paléctoni 250
Pelasgo, senhor soberano desta terra,
epônima com razão do rei que sou,
a nação dos pelasgos possui esta terra,
e domino toda a região, por onde corre
o puro Estrímon rumo ao sol poente. 255
Tenho nos limites a terra dos perrebos,
terras além do Pindo, perto dos péones,
e montes Dodoneus, e o limite confina
com o úmido mar; tudo isso domino.
Este solo da região Ápia mesma 260
outrora teve nome por um médico:
Ápis veio do lado de lá de Naupacto,
médico-adivinho filho de Apolo
limpou esta terra de feras homicidas,
que, pela poluência de antigos cruores 265
conspurcada, a terra produziu furiosa,
moradia de hostil multidão de serpentes.
Remédios cortantes e libertadores disso
Ápis sem vitupério deu à terra argiva
e em paga foi lembrado em preces. 270
Tendo já estes meus testemunhos,
podes proclamar origem e falar mais.
Longa fala, porém, não agrada à cidade.

C. Breve e clara palavra: origem argiva
proclamamos, prole de nobre novilha; 275
nesta fala darei a ver toda a verdade.

Βα. ἄπιστα μυθεῖσθ', ὦ ξέναι, κλύειν ἐμοί,
ὅπως τόδ' ὑμῖν ἐστιν Ἀργεῖον γένος.
Λιβυστικαῖς γὰρ μᾶλλον ἐμφερέστεραι
γυναιξίν ἐστε κοὐδαμῶς ἐγχωρίαις· 280
καὶ Νεῖλος ἂν θρέψειε τοιοῦτον φυτόν·
Κύπριος χαρακτὴρ τ' ἐν γυναικείοις τύποις
εἰκὼς πέπληκται τεκτόνων πρὸς ἀρσένων·
Ἰνδάς τ' ἀκούων νομάδας ἱπποβάμοσιν
†εἶναι καμήλοις ἀστραβιζούσας χθόνα† 285
παρ' Αἰθίοψιν ἀστυγειτονουμένας,
καὶ τὰς ἀνάνδρους κρεοβότους τ' Ἀμαζόνας,
εἰ τοξοτευχεῖς ἦτε, κάρτ' ἂν ᾔκασα
ὑμᾶς· διδαχθεὶς ⟨δ'⟩ ἂν τόδ' εἰδείην πλέον,
ὅπως γένεθλον σπέρμα τ' Ἀργεῖον τὸ σόν. 290
Χο. κληιδοῦχον Ἥρας φασὶ δωμάτων ποτὲ
Ἰὼ γενέσθαι τῆιδ' ἐν Ἀργείαι χθονί.
Βα. ἦν ὡς μάλιστα, καὶ φάτις πολλὴ κρατεῖ.
⟨Χο. ⟩
Βα. μὴ καὶ λόγος τις Ζῆνα μειχθῆναι βροτῶι; 295
Χο. κἄκρυπτά γ' Ἥρας ταῦτα τἀμπαλάγματ' ἦν. 296
Βα. πῶς οὖν τελευτᾶι βασιλέωιν νείκη τάδε; 298
Χο. βοῦν τὴν γυναῖκ' ἔθηκεν Ἀργεία θεός.
Βα. οὔκουν πελάζει Ζεὺς ἐπ' εὐκραίρωι βοΐ; 300
Χο. φασίν, πρέποντα βουθόρωι ταύρωι δέμας.
Βα. τί δῆτα πρὸς ταῦτ' ἄλοχος ἰσχυρὰ Διός;
Χο. τὸν πάνθ' ὁρῶντα φύλακ' ἐπέστησεν βοΐ.
Βα. ποῖον πανόπτην οἰοβουκόλον λέγεις;
Χο. Ἄργον, τὸν Ἑρμῆς παῖδα γῆς κατέκτανε. 305
Βα. τί οὖν ἔτευξ' ἔτ' ἄλλο δυσπότμωι βοΐ;
Χο. βοηλάτην μύωπα κινητήριον.
⟨Βα. ⟩ 307a
Χο. οἶστρον καλοῦσιν αὐτὸν οἱ Νείλου πέλας.
Βα. τῶι γάρ νιν ἐκ γῆς ἤλασεν μακρῶι δρόμωι;
Χο. καὶ ταῦτ' ἔλεξας πάντα συγκόλλως ἐμοί. 310
⟨Βα. ⟩ 310a
Χο. καὶ μὴν Κάνωβον κἀπὶ Μέμφιν ἵκετο.
⟨Βα. ⟩

R. Incríveis palavras me dizeis, hóspedes,
de que tendes esta origem argiva.
Sois bem mais parecidas com líbias
e não mesmo com mulheres nativas. 280
O Nilo poderia nutrir uma tal planta:
os varões artesãos forjam semelhante
caráter cipriota nas figuras femininas.
Ouço que as nômades indianas selam
e cavalgam camelos como a cavalo, 285
a viverem na vizinhança dos etíopes;
e se tivésseis arcos, comparar-vos-ia
a Amazonas, sem marido e carnívoras.
Instruído, eu poderia saber mais isto:
como é argiva a tua origem e família? 290
C. Dizem que outrora nesta terra argiva
Io foi guardiã do palácio de Hera.
R. Foi, com certeza, e vasta fama voga.
C. < >
R. Não dizem ainda Zeus ter amado mortal? 295
C. Não foi às ocultas de Hera esse amplexo. 296
R. Como termina essa rixa entre dois reis? 298
C. A Deusa argiva fez da mulher uma novilha.
R. Zeus não se achega à cornígera novilha? 300
C. Dizem, como touro que cobre novilha.
R. Diante disso, e a forte esposa de Zeus?
C. Pôs o que tudo vê a guardar a novilha.
R. Dizes que onividente pastor de única rês?
C. Argo, o filho da terra, morto por Hermes. 305
R. Que mais ainda fez à infeliz novilha?
C. Aguilhão móvel a perseguir novilha.
R. < > 307a
C. Estro os vizinhos do Nilo o chamam.
R. Perseguiu-a da terra em longa corrida?
C. E tudo isso falaste coincidente comigo. 310
R. < > 310a
C. E assim chegou a Canopo e a Mênfis.
R. < >

Χο. καὶ Ζεύς γ᾽ ἐφάπτωρ χειρὶ φιτύει γόνον.
Βα. τίς οὖν ὁ Δῖος πόρτις εὔχεται βοός;
Χο. Ἔπαφος, ἀληθῶς ῥυσίων ἐπώνυμος. 315
⟨Βα. ⟩
Χο. Λιβύη, μέγιστον γῆς † καρπουμένη.
Βα. τίν᾽ οὖν ἔτ᾽ ἄλλον τῆσδε βλαστημὸν λέγεις;
Χο. Βῆλον δίπαιδα, πατέρα τοῦδ᾽ ἐμοῦ πατρός.
Βα. τοῦ πανσόφου νῦν ὄνομα τούτου μοι φράσον. 320
Χο. Δαναός, ἀδελφὸς δ᾽ ἐστὶ πεντηκοντάπαις.
Βα. καὶ τοῦδ᾽ ἄνοιγε τοὔνομ᾽ ἀφθόνωι λόγωι.
Χο. Αἴγυπτος. εἰδὼς δ᾽ ἁμὸν ἀρχαῖον γένος
πράσσοις ἄν, ὡς Ἀργεῖον ἀντήσας στόλον.
Βα. δοκεῖτέ ⟨τοί⟩ μοι τῆσδε κοινωνεῖν χθονὸς 325
τἀρχαῖον· ἀλλὰ πῶς πατρῶια δώματα
λιπεῖν ἔτλητε; τίς κατέσκηψεν τύχη;
Χο. ἄναξ Πελασγῶν, αἰόλ᾽ ἀνθρώπων κακά,
πόνου δ᾽ ἴδοις ἂν οὐδαμοῦ ταὐτὸν πτερόν·
ἐπεὶ τίς ηὔχει τήνδ᾽ ἀνέλπιστον φυγὴν 330
κέλσειν ἐς Ἄργος κῆδος ἐγγενὲς τὸ πρὶν
ἔχθει μεταπτοοῦσαν εὐναίων γάμων;
Βα. τί φὴις ἱκνεῖσθαι τῶνδ᾽ ἀγωνίων θεῶν
λευκοστεφεῖς ἔχουσα νεοδρέπτους κλάδους;
Χο. ὡς μὴ γένωμαι δμωὶς Αἰγύπτου γένει. 335
Βα. πότερα κατ᾽ ἔχθραν, ἢ τὸ μὴ θέμις λέγεις;
Χο. τίς δ᾽ ἂν φιλους ὄνοιτο τοὺς κεκτημένους;
Βα. σθένος μὲν οὕτως μεῖζον αὔξεται βροτοῖς.
Χο. καὶ δυστυχούντων γ᾽ εὐμαρὴς ἀπαλλαγή.
Βα. πῶς οὖν πρὸς ὑμᾶς εὐσεβὴς ἐγὼ πέλω; 340
Χο. αἰτοῦσι μὴ ᾽κδοὺς παισὶν Αἰγύπτου πάλιν.
Βα. βαρέα σύ γ᾽ εἶπας, πόλεμον ἄρασθαι νέον.
Χο. ἀλλ᾽ ἡ Δίκη γε ξυμμάχων ὑπερστατεῖ.
Βα. εἴπερ γ᾽ ἀπ᾽ ἀρχῆς πραγμάτων κοινωνὸς ἦν.
Χο. αἰδοῦ σὺ πρύμναν πόλεος ὧδ᾽ ἐστεμμένην. 345
Βα. πέφρικα λεύσσων τάσδ᾽ ἕδρας κατασκίους.
Χο. βαρύς γε μέντοι Ζηνὸς ἱκεσίου κότος.

C. E Zeus Tangedor com a mão fez o filho.
R. Que vitelo de novilha se diz de Zeus?
C. Épafo, em verdade epônimo do toque. 315
R. < >
C. Líbia, que da terra mais colhe fruto.
R. Falas ainda de que outro rebento dela?
C. Belo, com dois filhos, pai deste meu pai.
R. Diz-me, agora, o nome deste grande sábio. 320
C. Dânao, e o irmão, pai de cinquenta filhos.
R. Abre o nome dele com fala sem recusa.
C. Egito. E ciente de minha antiga origem,
estarias como diante de gente argiva.
R. Parece-me que participais desta terra 325
em princípio. Mas como ousastes deixar
o palácio pátrio? Por que golpe de sorte?
C. Rei Pelasgo, variam os males humanos,
na dor nunca verias a mesma plumagem.
Quem diria que este inesperado exílio 330
aportaria em Argo parentela antiga,
ao fugir por ódio à união conjugal?
R. Que suplicas a estes Deuses juntos,
coroados de lã recém-colhidos ramos?
C. Que não seja serva na família de Egito. 335
R. Dizes por ódio ou por não ser lícito?
C. Quem vilipendiaria os amos amigos?
R. Assim se tem mais força entre mortais.
C. É bem fácil livrar-se dos infortunados.
R. Como serei piedoso para convosco? 340
C. Não nos dando aos filhos de Egito, se pedem.
R. Disseste algo grave, começar nova guerra.
C. Mas a Justiça defende os aliados.
R. Se participasse do princípio em causa.
C. Respeita a popa da cidade assim coroada. 345
R. Estremeço ao ver estes altares cobertos.
C. Grave, porém, é a ira de Zeus Suplicante.

Παλαίχθονος τέκος, κλῦθί μου [στρ. α
πρόφρονι καρδίαι, Πελασγῶν ἄναξ,
ἴδε με τὰν ἱκέτιν φυγάδα περίδρομον, 350
λυκοδίωκτον ὡς δάμαλιν ἀμ πέτραις
ἠλιβάτοις, ἵν' ἀλκᾶι πίσυνος μέμυ-
κε φράζουσα βοτῆρι μόχθους.

Βα. ὁρῶ κλάδοισι νεοδρόποις κατάσκιον
†νέονθ'† ὅμιλον τόνδ' ἀγωνίων θεῶν. 355
εἴη δ' ἄνατον πρᾶγμα τοῦτ' ἀστοξένων,
μηδ' ἐξ ἀέλπτων κἀπρομηθήτων πόλει
νεῖκος γένηται· τῶν γὰρ οὐ δεῖται πόλις.

Χο. ἴδοιτο δῆτ' ἄνατον φυγὰν [ἀντ. α
ἱκεσία Θέμις Διὸς κλαρίου. 360
σὺ δὲ παρ' ὀψιγόνου μάθε γεραιόφρων·
ποτιτρόπαιον αἰδόμενος οὐ λιπερ-
⟨νὴσ. . . . .⟩ ἱεροδόκα
θεῶν λήματ' ἀπ' ἀνδρὸς ἁγνοῦ.

Βα. οὔτοι κάθησθε δωμάτων ἐφέστιοι 365
ἐμῶν· τὸ κοινὸν δ' εἰ μιαίνεται πόλις,
ξυνῆι μελέσθω λαὸς ἐκπονεῖν ἄκη.
ἐγὼ δ' ἂν οὐ κραίνοιμ' ὑπόσχεσιν πάρος,
ἀστοῖς δὲ πᾶσι τῶνδε κοινώσας πέρι.

Χο. σύ τοι πόλις, σὺ δὲ τὸ δήμιον· [στρ. β
πρύτανις ἄκριτος ὢν 371
κρατύνεις βωμόν, ἑστίαν χθονός,
μονοψήφοισι νεύμασιν σέθεν,
μονοσκήπτροισι δ' ἐν θρόνοις χρέος
πᾶν ἐπικραίνεις· ἄγος φυλάσσου. 375

Βα. ἄγος μὲν εἴη τοῖς ἐμοῖς παλιγκότοις,
ὑμῖν δ' ἀρήγειν οὐκ ἔχω βλάβης ἄτερ·
οὐδ' αὖ τόδ' εὔφρον, τάσδ' ἀτιμάσαι λιτάς.
ἀμηχανῶ δὲ καὶ φόβος μ' ἔχει φρένας
δρᾶσαί τε μὴ δρᾶσαί τε καὶ τύχην ἑλεῖν. 380

Χο. τὸν ὑψόθεν σκοπὸν ἐπισκόπει [ἀντ. β
φύλακα πολυπόνων

3ª CENA: O REI E O CORO (348-437)

C. Filho de Palécton, ouve-me — EST. 1
de coração propício, rei Pelasgo,
vê-me: suplicante, exilada, erradia, — 350
qual novilha a fugir de lobos nas pedras
precípites, onde confiada no abrigo
muge avisando das fadigas o pastor.

R. Vejo sombreada de ramos recém-colhidos
esta companhia diante dos Deuses juntos. — 355
Seja sem dano esta situação de hóspedes,
nem venha de inesperados e imprevistos
dissídio à cidade, que disso não precisa.

C. Vele por exílio sem nenhum dano — ANT. 1
a súplice lei de Zeus Sorteador. — 360
Tu, sábio senhor, junto à jovem,
aprende, em respeito a suplicante.
A índole dos Deuses é receptiva
a sacrifícios vindos de varão puro.

R. Não suplicais junto à minha lareira. — 365
Se em comum a cidade se conspurca,
em conjunto cuide o povo de remediar.
Eu não cumpriria prévia promessa,
mas comunicado isso a todo o povo.

C. Tu és a cidade, tu és a população. — EST. 2
Por seres prítane não sujeito a juiz, — 371
és senhor do altar, lareira da terra,
com teus nutos de solitário voto.
No trono de solitário cetro, tens todo
poder necessário. Evita a poluência. — 375

R. Poluência tenham os meus inimigos.
Não posso defender-vos sem dano,
nem é prudente desprezar as preces.
Perplexo, e pavor me toma o espírito,
por agir e por não agir e pela sorte. — 380

C. Observa quem do alto observa, — ANT. 2
guardião de atribulados mortais

	βροτῶν οἳ τοῖς πέλας προσήμενοι	
	δίκας οὐ τυγχάνουσιν ἐννόμου·	
	μένει τοι Ζηνὸς ἱκταίου κότος	385
	δυσπαράθελκτος παθόντος οἴκτοις.	
Βα.	εἴ τοι κρατοῦσι παῖδες Αἰγύπτου σέθεν	
	νόμωι πόλεως, φάσκοντες ἐγγύτατα γένους	
	εἶναι, τίς ἂν τοῖσδ' ἀντιωθῆναι θέλοι;	
	δεῖ τοί σε φεύγειν κατὰ νόμους τοὺς οἴκοθεν,	390
	ὡς οὐκ ἔχουσι κῦρος οὐδὲν ἀμφὶ σοῦ.	
Χο.	μή τί ποτ' οὖν γενοίμαν ὑποχείριος	[στρ. γ
	κράτεσιν ἀρσένων· ὕπαστρωι δέ τοι	
	μῆχαρ ὁρίζομαι γάμου δύσφρονος	
	φυγᾶι· ξύμμαχον δ' ἑλόμενος Δίκαν	395
	κρῖνε σέβας τὸ πρὸς θεῶν.	
Βα.	οὐκ εὔκριτον τὸ κρῖμα· μή μ' αἱροῦ κριτήν.	
	εἶπον δὲ καὶ πρίν, οὐκ ἄνευ δήμου τάδε	
	πράξαιμ' ἄν, οὐδέ περ κρατῶν, μὴ καί ποτε	
	εἴπηι λεώς, εἴ πού τι μὴ τοῖον τύχοι,	400
	"ἐπήλυδας τιμῶν ἀπώλεσας πόλιν."	
Χο.	ἀμφοτέροις ὁμαίμων τάδ' ἐπισκοπεῖ	[ἀντ. γ
	Ζεὺς ἑτερορρεπής, νέμων εἰκότως	
	ἄδικα μὲν κακοῖς, ὅσια δ' ἐννόμοις·	
	τί τῶνδ' ἐξ ἴσου ῥεπομένων μεταλ-	405
	γὲς τὸ δίκαιον ἔρξαι;	
Βα.	δεῖ τοι βαθείας φροντίδος σωτηρίου	
	δίκην κολυμβητῆρος ἐς βυθὸν μολεῖν	
	δεδορκὸς ὄμμα, μηδ' ἄγαν ὠινωμένον,	
	ὅπως ἄνατα ταῦτα πρῶτα μὲν πόλει,	410
	αὐτοῖσί θ' ἡμῖν ἐκτελευτήσει καλῶς,	
	καὶ μήτε δῆρις ῥυσίων ἐφάψεται	
	μήτ' ἐν θεῶν ἕδραισιν ὧδ' ἱδρυμένας	
	ἐκδόντες ὑμᾶς τὸν πανώλεθρον θεὸν	
	βαρὺν ξύνοικον θησόμεσθ' ἀλάστορα,	415
	ὃς οὐδ' ἐν Ἅιδου τὸν θανόντ' ἐλευθεροῖ·	
	μῶν οὐ δοκεῖ δεῖν φροντίδος σωτηρίου;	
Χο.	φρόντισον καὶ γενοῦ	[στρ. δ
	πανδίκως εὐσεβὴς πρόξενος·	

que sentados diante dos vizinhos
não alcançam a legítima justiça.
A ira de Zeus Suplicante perdura — 385
implacável ao pranto do punido.

R. Se os filhos de Egito têm poder sobre ti,
por lei civil, como parentes próximos,
quem poderia contrapor-se a eles?
Deves alegar, conforme leis pátrias, — 390
que eles não têm autoridade sobre ti.

C. Não me torne nunca submetida — EST. 3
ao poder dos varões; sob os astros
considero remédio de tristes núpcias
o exílio. Toma a Justiça por aliada — 395
e decide pela veneração dos Deuses.

R. Difícil é decidir. Não me tomes por juiz.
Já disse antes: sem o povo não cumpriria
isso, nem se pudesse, para que o povo,
se houvesse infortúnio, nunca me diga: — 400
"ao honrar advindas, destruíste o país."

C. Consangüíneo de ambos, Zeus equânime — ANT.3
observa isto, distribuindo, ao que parece,
punição aos maus, e pureza aos legítimos.
Por que, equilibrada a balança, — 405
remorso por fazer o que é justo?

R. Do profundo pensamento salvador,
como mergulhador, deve ir ao fundo
o olhar arguto, sem demasiado vinho,
para que, antes, sem dano para a cidade — 410
e para nós mesmos, isto termine bem,
e nem deflagre um conflito por resgate,
nem, por vos trair, quando vos sentais
nas sedes de Deuses, tornemos grave
conviva sem oblívio o destrutivo Deus — 415
que nem no Hades deixa livre o morto.
Não parece pedir pensamento salvador?

C. Pensa e com toda justiça — EST.4
torna-te piedoso patrono.

τὰν φυγάδα μὴ προδῷς, 420
τὰν ἕκαθεν ἐκβολαῖς
δυσθέοις ὀρομέναν,

μηδ' ἴδῃς μ' ἐξ ἑδρᾶν [ἀντ. δ
πολυθέων ῥυσιασθεῖσαν, ὦ
πᾶν κράτος ἔχων χθονός· 425
γνῶθι δ' ὕβριν ἀνέρων
καὶ φύλαξαι κότον.

μή τι τλᾷς τὰν ἱκέτιν εἰσιδεῖν [στρ. ε
ἀπὸ βρετέων βίαι δίκας ἀγομέναν 430
ἱππαδὸν ἀμπύκων,
πολυμίτων πέπλων τ' ἐπιλαβὰς ἐμῶν.

ἴσθι γάρ, παισὶ τάδε καὶ δόμοις, [ἀντ. ε
ὁπότερ' ἂν κτίσῃς, μένει Ἄρει 'κτίνειν 435
ὁμοίαν θέμιν.
τάδε φράσαι. δίκαια Διόθεν κράτη.

Βα. καὶ δὴ πέφρασμαι, δεῦρο δ' ἐξοκέλλεται·
ἢ τοῖσιν ἢ τοῖς πόλεμον αἴρεσθαι μέγαν
πᾶσ' ἔστ' ἀνάγκη, καὶ γεγόμφωται σκάφος 440
στρέβλαισι ναυτικαῖσιν ὡς προσηγμένον.
ἄνευ δὲ λύπης οὐδαμοῦ καταστροφή.
καὶ χρήμασιν μὲν ἐκ δόμων πορθουμένοις
γένοιτ' ἂν ἄλλα κτησίου Διὸς χάριν [445]
†ἄτην γε μείζω καὶ μέγ' ἐμπλήσας γόμου†, [444] 445
καὶ γλῶσσα τοξεύσασα μὴ τὰ καίρια,
ἀλγεινά, θυμοῦ κάρτα κινητήρια, [448]
γένοιτο μύθου μῦθος ἂν θελκτήριος· [447]
ὅπως δ' ὅμαιμον αἷμα μὴ γενήσεται,
δεῖ κάρτα θύειν καὶ πεσεῖν χρηστήρια 450
θεοῖσι πολλοῖς πολλά, πημονῆς ἄκη.

Não traias a fugitiva 420
de longe compelida
com ímpio exílio.

Não me vejas resgatada ANT. 4
das sedes dos Deuses, ó tu
com todo o poder da terra. 425
Reconhece transgressão viril,
e guarda-te da cólera.

Não suportes ver a suplicante EST. 5
afastada dos ícones, contra justiça, 430
qual poldra, pelos arreios,
pega por meus densos mantos.

Sabe isto: aos filhos e ao palácio, ANT. 5
o que fizeres fica a resolver com Ares 435
pela mesma lei.
Pensa nisto. Justo poder é de Zeus.

4ª CENA: O REI, CORIFEU E DÂNAO (438-523)

R. Tenho pensado, e aqui se dá o encalhe:
com uns ou outros, travar grande guerra
é coercitivo, e encavilhado está o barco 440
com cabos náuticos, como se a caminho.
Sem aflição em nenhum lugar há refúgio.
Os recursos do palácio quando pilhados
seriam repostos graças a Zeus Caseiro;
carregada à grande de grande erronia, 445
se a língua dardeja as não oportunas,
dolorosas falas, a incitarem o ânimo, [448]
seria a palavra calmante da palavra; [447]
mas para não sangrar consanguíneo,
deve-se sacrificar muito, e muitas vítimas 450
caírem a muitos Deuses, curas de dores.

ἦ κάρτα νείκους τοῦδ' ἐγὼ παροίχομαι·
θέλω δ' ἄιδρις μᾶλλον ἢ σοφὸς κακῶν
εἶναι· γένοιτο δ' εὖ παρὰ γνώμην ἐμήν.
Χο. πολλῶν ἄκουσον τέρματ' αἰδοίων λόγων. 455
Βα. ἤκουσα, καὶ λέγοις ἄν· οὔ με φεύξεται.
Χο. ἔχω στρόφους ζώνας τε, συλλαβὰς πέπλων.
Βα. τάχ' ἂν γυναικῶν ταῦτα συμπρεπῆ πέλοι.
Χο. ἐκ τῶνδε τοίνυν, ἴσθι, μηχανὴ καλή.
Βα. λέξον τίν' αὐδὴν τήνδε γηρυθεῖσ' ἔσηι; 460
Χο. εἰ μή τι πιστὸν τῶιδ' ὑποστήσεις στόλωι
Βα. τί σοι περαίνει μηχανὴ συζωμάτων;
Χο. νέοις πίναξιν βρέτεα κοσμῆσαι τάδε.
Βα. αἰνιγματῶδες τοὖπος· ἀλλ' ἁπλῶς φράσον.
Χο. ἐκ τῶνδ' ὅπως τάχιστ' ἀπάγξασθαι θεῶν. 465
Βα. ἤκουσα μαστικτῆρα καρδίας λόγον.
Χο. ξυνῆκας· ὠμμάτωσα γὰρ σαφέστερον.
Βα. †καί μὴν πολλαχῆι γε† δυσπάλαιστα πράγματα,
κακῶν δὲ πλῆθος ποταμὸς ὣς ἐπέρχεται·
ἄτης δ' ἄβυσσον πέλαγος οὐ μάλ' εὔπορον 470
τόδ' ἐσβέβηκα, κοὐδαμοῦ λιμὴν κακῶν.
εἰ μὲν γὰρ ὑμῖν μὴ τόδ' ἐκπράξω χρέος,
μίασμ' ἔλεξας οὐχ ὑπερτοξεύσιμον,
εἰ δ' αὖθ' ὁμαίμοις παισὶν Αἰγύπτου σέθεν
σταθεὶς πρὸ τειχέων διὰ μάχης ἥξω τέλους, 475
πῶς οὐχὶ τἀνάλωμα γίγνεται πικρόν,
ἄνδρας γυναικῶν οὕνεχ' αἱμάξαι πέδον;
ὅμως δ' ἀνάγκη Ζηνὸς αἰδεῖσθαι κότον
ἱκτῆρος· ὕψιστος γὰρ ἐν βροτοῖς φόβος.
σὺ μέν, πάτερ γεραιὲ τῶνδε παρθένων, 480
κλάδους γε τούτους αἶψ' ἐν ἀγκάλαις λαβὼν
βωμοὺς ἐπ' ἄλλους δαιμόνων ἐγχωρίων
θές, ὡς ἴδωσι τῆσδ' ἀφίξεως τέκμαρ
πάντες πολῖται, μηδ' ἀπορριφθῆι λόγος
ἐμοῦ κατ' ἀρχῆς γὰρ φιλαίτιος λεώς. 485
καὶ γὰρ τάχ' ἄν τις οἰκτίσας ἰδὼν τάδε
ὕβριν μὲν ἐχθήρειεν ἄρσενος στόλου,
ὑμῖν δ' ἂν εἴη δῆμος εὐμενέστερος·
τοῖς ἥσσοσιν γὰρ πᾶς τις εὐνοίας φέρει.

Para muito longe desta rixa eu me afasto.
Quero mais ignorar que conhecer males.
Bem seja, contra a minha expectativa.

C. Ouve o termo de muitas falas reverentes. 455

R. Ouvi, e poderias falar, nada me escapará.

C. Tenho cintos e laços, atavios de mantos.

R. Talvez sejam convenientes às mulheres.

C. Desta situação, sabe, é um belo recurso.

R. Diz, que palavra aqui pronunciarás? 460

C. Se não prometeres algo fiel a este bando.

R. De que te serve o recurso dos cintos?

C. Adornar estas imagens com tábuas novas.

R. Enigmática palavra. Mas diz simples!

C. Destes Deuses, rápido, enforcar-nos. 465

R. Ouvi palavra fustigadora do coração.

C. Compreendeste, iluminei mais claro.

R. Muitas vezes são inelutáveis fatos,
a multidão de males corre como rio;
inviável neste mar abissal de erronia 470
estou, e nenhum refúgio há de males.
Se convosco não quitar esta dívida,
insuperável poluência vós dissestes;
mas se com teus consanguíneos Egipcíades
de pé ante muros na guerra chegar ao fim, 475
como esta destruição não se faz amarga,
varões por mulheres ensanguentarem chão?
Todavia é necessário temer a cólera de Zeus
Suplicante: entre mortais, pavor supremo.
Tu, ó pai ancião destas donzelas, 480
toma rápido nos braços esses ramos
e põe noutros altares de Numes nativos,
para que vejam o indício desta súplica
todos os cidadãos, e não rejeitem a fala
contra mim: povo ama acusar governo. 485
Por se apiedarem ao ver isso, talvez,
odeiem a transgressão do bando viril,
e convosco o povo seja mais benévolo:
com os mais fracos todos são benévolos.

Δα. πολλῶν τάδ' ἡμῖν ἐστιν ἠξιωμένα 490
αἰδοῖον εὑρεθέντα πρόξενον λαβεῖν.
ὀπάονας δὲ φράστοράς τ' ἐγχωρίων
ξύμπεμψον, ὡς ἂν τῶν πολισσούχων θεῶν
βωμοὺς προνάους καὶ †πολισσούχων ἕδρας
εὕρωμεν, ἀσφάλεια δ' ἦι δι' ἄστεως 495
στείχουσι· μορφῆς δ' οὐχ ὁμόστολος φύσις·
Νεῖλος γὰρ οὐχ ὁμοῖον Ἰνάχωι γένος
τρέφει. φύλαξαι μὴ θράσος τέκηι φόβον·
καὶ δὴ φίλον τις ἔκταν' ἀγνοίας ὕπο.

Βα. στείχοιτ' ἄν, ἄνδρες, εὖ γὰρ ὁ ξένος λέγει· 500
ἡγεῖσθε βωμοὺς ἀστικούς, θεῶν ἕδρας·
καὶ ξυμβολοῦσιν οὐ πολυστομεῖν χρεὼν
ναύτην ἄγοντας τόνδ' ἐφέστιον θεῶν.

Χο. τούτωι μὲν εἶπας καὶ τεταγμένος κίοι·
ἐγὼ δὲ πῶς δρῶ; ποῦ θράσος νέμεις ἐμοί; 505

Βα. κλάδους μὲν αὐτοῦ λεῖπε, σημεῖον πόνου.

Χο. καὶ δή σφε λείπω χειρία λόγοις σέθεν.

Βα. λευρὸν κατ' ἄλσος νῦν ἐπιστρέφου τόδε.

Χο. καὶ πῶς βέβηλον ἄλσος ἂν ῥύοιτό με;

Βα. οὔτοι πτερωτῶν ἁρπαγαῖς ⟨σ'⟩ ἐκδώσομεν. 510

Χο. ἀλλ' εἰ δρακόντων δυσφρόνων ἐχθίοσιν;

Βα. εὔφημον εἴη τοὔπος εὐφημουμένηι.

Χο. οὔτοι τι θαῦμα δυσφορεῖν φόβωι φρένας.

Βα. ἀεὶ δ' γυναικῶν ἐστι δεῖμ' ἐξαίσιον.

Χο. σὺ καὶ λέγων εὔφραινε καὶ πράσσων φρένα. 515

Βα. ἀλλ' οὔτι δαρὸν χρόνον ἐρημώσει πατήρ·
ἐγὼ δὲ λαοὺς συγκαλῶν ἐγχωρίους
σπεύσω, τὸ κοινὸν ὡς ἂν εὐμενὲς τιθῶ,
καὶ σὸν διδάξω πατέρα ποῖα χρὴ λέγειν.
πρὸς ταῦτα μίμνε καὶ θεοὺς ἐγχωρίους 520
λιταῖς παραιτοῦ τῶν σ' ἔρως ἔχει τυχεῖν.
ἐγὼ δὲ ταῦτα πορσυνῶν ἐλεύσομαι·
πειθὼ δ' ἕποιτο καὶ τύχη πρακτήριος.

D. Grande é nosso apreço por este fato, 490
ter descoberto um patrono reverente.
Escolta-nos com guias e condutores
nativos, para que encontremos altares
e sedes dos Deuses urbícolas defronte
dos templos, e haja segurança ao andar 495
pela cidade; a aparência não se parece:
o Nilo não cria família similar a Ínaco.
Cuida que audácia não produza pavor,
pois já se matou amigo por ignorância.

R. Andai, varões! O hóspede fala com acerto. 500
Guiai aos altares urbanos, sedes de Deuses.
Convém não falar muito com transeuntes
ao levar este marujo suplicante de Deuses.

C. Falaste-lhe, e ele, instruído, partiu.
Eu, como faço? Onde me darás força? 505

R. Deixa aqui os ramos, sinal de aflição.

C. Assim os deixo, submissa a tuas falas.

R. Volta-te agora a este bosque plano.

C. E como o bosque aberto me defenderia?

R. Não te daremos à rapinagem das aves. 510

C. Mas, se a piores que hostis serpentes?

R. Seja boa a palavra de quem bem diz.

C. Não admira que mal suporte o pavor.

R. Sempre as mulheres têm medo excessivo.

C. Tu, com palavras alegra-me e com atos. 515

R. Por não muito tempo ausentará o pai.
Eu me apresso a conclamar os varões
nativos, para propiciar a comunidade,
e instruirei teu pai como convém falar.
Entretanto, aguarda e com preces pede 520
aos Deuses locais que logres teu desejo.
Eu partirei, a fim de cuidar disso,
Persuasão e Sorte eficaz me sigam.

Χο. ἄναξ ἀνάκτων, μακάρων [στρ. α
μακάρτατε καὶ τελέων 525
τελειότατον κράτος, ὄλβιε Ζεῦ,
πιθοῦ τε καὶ γένει σῶι
ἄλευσον ἀνδρῶν ὕβριν εὖ στυγήσας,
λίμναι δ' ἔμβαλε πορφυροειδεῖ
τὰν μελανόζυγ' ἄταν. 530

τὸ πρὸς γυναικῶν ⟨δ'⟩ ἐπιδὼν [ἀντ. α
παλαίφατον ἁμέτερον
γένος φιλίας προγόνου γυναικὸς
νέωσον εὔφρον' αἶνον·
γενοῦ πολυμνήστωρ, ἔφαπτορ Ἰοῦς· 535
Δῖαί τοι γένος εὐχόμεθ' εἶναι
γᾶς ποτε τᾶσδ' ἔνοικοι.

παλαιὸν δ' εἰς ἴχνος μετέσταν, [στρ. β
ματέρος ἀνθονόμους ἐπωπάς,
λειμῶνα βούχιλον, ἔνθεν Ἰὼ 540
οἴστρωι ἐρεσσομένα
φεύγει ἁμαρτίνοος
πολλὰ βροτῶν διαμειβομένα
φῦλα, διχῆι δ' ἀντίπορον
γαῖαν ἐν αἴσαι διατέμνουσα πόρον 545
κυματίαν ὁρίζει.

ἰάπτει δ' Ἀσίδος δι' αἴας [ἀντ. β
μηλοβότου Φρυγίας διαμπάξ,
περᾶι δὲ Τεύθραντος ἄστυ Μυσὸν
Λύδιά τ' ἂν γύαλα, 550
καὶ δι' ὀρῶν Κιλίκων
Παμφύλων τε διορνυμένα
πὰρ ποταμοὺς τ' ἀενάους
καὶ βαθύπλουτον χθόνα καὶ τὰν Ἀφροδίτας πολύπυρον αἶαν. 555

PRIMEIRO ESTÁSIMO (524-99)

C. Rei dos reis, dos venturosos — EST. 1
o mais venturoso, e dos perfectivos — 525
o mais perfectivo poder, ó Zeus feliz,
persuade-te e de tua prole
repele viril transgressão com horror,
e lança ao mar purpúreo
a erronia de bancos negros. — 530

Em vista das mulheres, — ANT. 1
à nossa legendária família,
amigo da avoenga mulher
renova o benévolo louvor.
Sê memorioso, ó tangedor de Io. — 535
Prezamos ser prole de Zeus,
outrora habitamos esta terra.

Por antigo vestígio vim — EST. 2
ao vigiado florido pasto materno,
prado nutridor de tropas donde Io — 540
movida por aguilhão
foge desatinada
a transitar por muitas tribos de mortais
e por sorte ao cortar
em duas a undosa via — 545
atinge a terra defronte.

Precipita-se por terra asiática — ANT. 2
através da Frígia nutriz de ovelhas,
e passa pela cidade mísia de Teutras
e os vales da Lídia, — 550
a percorrer os montes cilícios
e panfílios, pelos rios
de correntes perenes,
o chão de profundas riquezas
e a trigaleira terra de Afrodite. — 555

ἱκνεῖται δ' †εἰσικνουμένου† βέλει [στρ. γ
βουκόλου πτερόεντος
Δῖον πάμβοτον ἄλσος,
λειμῶνα χιονόβοσκον ὅντ' ἐπέρχεται
Τυφῶ μένος 560
ὕδωρ τε Νείλου νόσοις ἄθικτον,
μαινομένα πόνοις ἀτί-
μοις ὀδύναις τε κεντροδα-
λήτισι θυιὰς Ἥρας·

βροτοὶ δ' οἳ γᾶς τότ' ἦσαν ἔννομοι [ἀντ. γ
χλωρῶι δείματι θυμὸν 566
πάλλοντ' ὄψιν ἀήθη,
βοτὸν ἐσορῶντες δυσχερὲς μειξόμβροτον,
τὰν μὲν βοός,
τὰν δ' αὖ γυναικός, τέρας δ' ἐθάμβουν. 570
καὶ τότε δὴ τίς ἦν ὁ θέλ-
ξας πολύπλαγκτον ἀθλίαν
οἰστροδόνητον Ἰώ;

⟨δι'⟩ αἰῶνος κρέων ἀπαύστου [στρ. δ
Ζεὺς ⟨..............................⟩ 575
†βία† δ' ἀπημάντωι σθένει
καὶ θείαις ἐπιπνοίαις
παύεται, δακρύων δ' ἀπο-
στάζει πένθιμον αἰδῶ·
λαβοῦσα δ' ἕρμα Δῖον ἀψευδεῖ λόγωι 580
γείνατο παῖδ' ἀμεμφῆ

δι' αἰῶνος μακροῦ πάνολβον· [ἀντ. δ
ἔνθεν πᾶσα βοᾶι χθὼν
"φυσιζόου γένος τόδε
Ζηνός ἐστιν ἀληθῶς." 585
τίς γὰρ ἂν κατέπαυσεν Ἥ-
ρας νόσους ἐπιβούλους;
Διὸς τόδ' ἔργον, καὶ τόδ' ἂν γένος λέγων
ἐξ Ἐπάφου κυρήσαις.

Chega, perseguida pelo dardo EST. 3
do vaqueiro alado,
ao nutriente bosque de Zeus,
prado nutrido de neve, que
a ira de Tífon invade, 560
e ao rio Nilo intangível a doenças,
enlouquecida por fadigas indignas
e por dores aguilhoadas,
possessa de Hera.

Mortais, então habitantes da terra, ANT. 3
tomados de verde medo 566
vibravam ante a insólita visão
da difícil rês mista de mortal,
meio novilha,
meio mulher, admirados do prodígio. 570
Quem foi então que encantou
a multívaga, mísera,
aguilhoada Io?

Rei por tempo incessante EST. 4
Zeus [...] 575
[...] com benéfica força
e com sopros divinos
fez cessar. Em prantos
destila o plangente pudor.
Apoiada por Zeus, à fala verídica, 580
gerou um filho irrepreensível

todo feliz por longo tempo; ANT. 4
donde toda a terra proclama
"eis a verdadeira prole
"de Zeus vivificante." 585
Quem mais faria cessar
doenças insidiosas de Hera?
Eis a obra de Zeus, e se dissesses:
"eis a prole de Épafo", acertarias.

τίν' ἂν θεῶν ἐνδικωτέροισιν [στρ. ε
κεκλοίμαν εὐλόγως ἐπ' ἔργοις; 591
⟨αὐτὸς ὁ⟩ πατὴρ φυτουργὸς αὐτόχειρ ἄναξ
γένους παλαιόφρων μέγας
τέκτων, τὸ πᾶν μῆχαρ, οὔριος Ζεύς.

ὑπ' ἀρχᾶι δ' οὔτινος θοάζων [ἀντ. ε
τὸ μεῖον κρεισσόνων κρατύνει· 596
οὔτινος ἄνωθεν ἡμένου σέβει κράτη,
πάρεστι δ' ἔργον ὡς ἔπος
σπεῦσαί τι τῶν βούλιος φέρει φρήν;

Δα. θαρσεῖτε, παῖδες· εὖ τὰ τῶν ἐγχωρίων 600
δήμου δέδοκται παντελῆ ψηφίσματα.
Χο. ὦ χαῖρε πρέσβυ, φίλτατ' ἀγγέλλων ἐμοί.
ἔνισπε δ' ἡμῖν ποῖ κεκύρωται τέλος,
δήμου κρατοῦσα χεὶρ ὅπηι πληθύνεται.
Δα. ἔδοξεν Ἀργείοισιν, οὐ διχορρόπως, 605
ἀλλ' ὥστ' ἀνηβῆσαί με γηραιᾶι φρενί·
πανδημίαι γὰρ χερσὶ δεξιωνύμοις
ἔφριξεν αἰθὴρ τόνδε κραινόντων λόγον,
ἡμᾶς μετοικεῖν τῆσδε γῆς ἐλευθέρους
κἀρρυσιάστους ξύν τ' ἀσυλίαι βροτῶν, 610
καὶ μήτ' ἐνοίκων μήτ' ἐπηλύδων τινὰ
ἄγειν· ἐὰν δὲ προστιθῆι τὸ καρτερόν,
τὸν μὴ βοηθήσαντα τῶνδε γαμόρων
ἄτιμον εἶναι ξὺν φυγῆι δημηλάτωι.
τοιάνδ' ἔπειθε ῥῆσιν ἀμφ' ἡμῶν λέγων 615
ἄναξ Πελασγῶν, ἱκεσίου Ζηνὸς κότον
μέγαν προφωνῶν μήποτ' εἰσόπιν χρόνου
πόλιν παχῦναι, ξενικὸν ἀστικόν θ' ἅμα
λέγων διπλοῦν μίασμα πρὸς πόλεως φανὲν
ἀμήχανον βόσκημα πημονῆς πέλειν. 620
τοιαῦτ' ἀκούων χερσὶν Ἀργεῖος λεὼς

Qual dos Deuses a bem dizer EST. 5
eu invocaria com mais justas obras? 591
O pai mesmo, criador, eficiente rei,
grande vetusto sábio artífice
da família, todo recurso, fausto Zeus.

Sob o domínio de ninguém, no trono, ANT. 5
pode não menos que os superiores: 596
poderes de ninguém acima venera,
e pode apressar ato como palavra.
O que o espírito de Zeus não produz?

SEGUNDO EPISÓDIO (600-629)

D. Ânimo, filhas! Os habitantes da região 600
bem decidiram o perficiente decreto.
C. Salve, ó ancião, meu mais caro núncio,
diz-nos: até onde tem eficácia o termo?
Quanto se fez majoritária a mão pública?
D. Votaram os argivos, não ambiguamente, 605
mas a rejuvenescer meu velho coração.
O céu eriçou mãos destras unânimes
dos que têm o poder desta palavra:
que nós residamos nesta terra, livres,
sem resgate, com o asilo de mortais, 610
e que nenhum nativo, nem forasteiro,
nos leve; mas, se houver prepotência,
quem dentre os nobres não socorrer,
seja desonrado com exílio desta região.
Com tal fala por nós podia persuadi-los 615
o rei Pelasgo, advertindo que nunca
no porvir a cidade criasse grande ira
de Zeus Súplice, e dizendo que no país
dupla poluência, hóspeda e cidadã,
seria insuperável pasto de sofrimento. 620
Ao ouvi-lo, o povo argivo com as mãos

ἔκραν' ἄνευ κλητῆρος ὣς εἶναι τάδε·
δημηγόρους δ' ἤκουσεν εὐπειθὴς στροφὰς
δῆμος Πελασγῶν, Ζεὺς δ' ἐπέκρανεν τέλος.

Χο. ἄγε δὴ λέξωμεν ἐπ' Ἀργείοις 625
εὐχὰς ἀγαθάς ἀγαθῶν ποινάς·
Ζεὺς δ' ἐφορεύοι ξένιος ξενίου
στόματος τιμὰς †ἐπ' ἀληθείαι
τέρμον' ἀμέμπτων πρὸς ἅπαντα†.

νῦν ἴτε καί, θεοὶ [στρ. α
Διογενεῖς, κλύοιτ' εὐκταῖα γένει χεούσας· 631
μήποτε πυρίφατον τάνδε Πελασγίαν
τὸν ἄκορον βοᾶν κτίσαι μάχλον Ἄρη, 635
τὸν ἀρότοις θερίζοντα βροτοὺς ἐναίμοις·
οὕνεκ' ᾤκτισαν ἡμᾶς,
ψῆφον δ' εὔφρον' ἔθεντο, 640
αἰδοῦνται δ' ἱκέτας Διός,
ποίμναν τάνδ' ἀμέγαρτον·

οὐδὲ μετ' ἀρσένων [ἀντ. α
ψῆφον ἔθεντ' ἀτιμώσαντες ἔριν γυναικῶν, 645
Δῖον ἐπιδόμενοι πράκτορ' ἐπίσκοπον
δυσπολέμητον, ὃν τίς ἂν δόμος ἔχων
ἐπ' ὀρόφων ἰαίνοιτο; βαρὺς δ' ἐφίζει. 650
ἅζονται γὰρ ὁμαίμους
Ζηνὸς ἵκτορας ἁγνοῦ·
τοιγάρ τοι καθαροῖσι βω-
μοῖς θεοὺς ἀρέσονται. 655

τοιγὰρ ὑποσκίων [στρ. β
ἐκ στομάτων ποτάσθω φιλότιμος εὐχά·
μήποτε λοιμὸς ἀνδρῶν
τάνδε πόλιν κενῶσαι, 660

decretou sem arauto que assim fosse.
O povo pelasgo ouviu dócil os volteios
da fala ao povo, e Zeus decretou o termo.

C. Eia! Pronunciemos pelos argivos 625
preces benéficas prêmios de benfeitores.
Zeus Hóspede observe o louvor
de hóspede boca — em verdade
termo de atos em tudo irrepreensíveis.

SEGUNDO ESTÁSIMO (630-709)

C. Eia, ainda agora, Deuses EST. 1
filhos de Zeus, ouvi-me verter votos pela nação: 631
nunca incendeie a terra pelásgia
lúbrico Ares insaciável de gritos, 635
ceifeiro de mortais nas lavras de sangue,
porque se apiedaram de nós
e deram-nos voto benévolo, 640
e acatam as suplicantes de Zeus,
este miserável rebanho.

Não com os varões ANT. 1
votaram a desonrar a rixa de mulheres, 645
por respeito a Zeus vingador vigilante
incombatível. Que casa se alegraria,
por tê-lo no telhado? Pesado pisa. 650
Acatam as consangüíneas
suplicantes de Zeus puro,
assim com altares puros
agradarão aos Deuses. 655

Das sombreadas EST. 2
bocas, voe laudatória prece:
nunca a pestilência esvazie
de varões esta cidade, 660

μηδ' ἐπιχωρίοις ⟨ἔρις⟩
πτώμασιν αἱματίσαι πέδον γᾶς·
ἥβας δ' ἄνθος ἄδρεπτον
ἔστω, μηδ' Ἀφροδίτας
εὐνάτωρ βροτολοιγὸς Ἄ- 665
ρης κέρσειεν ἄωτον.

καὶ γεραροῖσι †πρε- [ἀντ. β
σβυτοδόκοι γεμόντων θυμέλαι φλεγόντων†
τὼς πόλις εὖ νέμοιτο 670
Ζῆνα μέγαν σεβόντων,
τὸν ξένιον δ' ὑπερτάτως
ὃς πολιῶι νόμωι αἶσαν ὀρθοῖ.
τίκτεσθαι δὲ φόρους γᾶς
ἄλλους εὐχόμεθ' αεί, 675
Ἄρτεμιν δ' ἑκάταν γυναι-
κῶν λόχους ἐφορεύειν.

μηδέ τις ἀνδροκμὴς λοιγὸς ἐπελθέτω [στρ. γ
τάνδε πόλιν δαΐζων, 680
ἄχορον ἀκίθαριν δακρυογόνον Ἄρη
βίαν τ' ἔνδημον ἐξοπλίζων·
νούσων δ' ἑσμὸς ἀπ' ἀστῶν
ἵζοι κρατὸς ἀτερπής, 685
εὐμενὴς δ' ὁ Λύκειος ἔ-
στω πάσαι νεολαίαι·

καρποτελῆ δέ τοι Ζεὺς ἐπικραινέτω [ἀντ. γ
φέρματι γᾶν πανώρωι, 690
πρόνομα δὲ βότ' ἀγροῖς πολύγονα τελέθοι,
τὸ πᾶν δ' ἐκ δαιμόνων λάχοιεν.
εὔφημον δ' ἐπὶ βωμοῖς
μοῦσαν θείατ' ἀοιδοί, 695
ἁγνῶν τ' ἐκ στομάτων φερέ-
σθω φήμα φιλοφόρμιγξ.

nem rixa de nativos
com mortes sangre o chão da terra.
Não se colha a flor da juventude,
nem o amante de Afrodite
Ares funesto aos mortais — 665
devaste o velo.

Acolhedores — ANT. 2
aos anciãos altares plenos ardam.
Assim bem se governe a cidade — 670
dos que veneram o grande Zeus
e Zeus Hóspede sumamente,
que com grisalha lei dirige a sorte.
Rogamos que da terra nasçam
sempre novos frutos, — 675
e Ártemis Hécate vele
os partos de mulheres.

Nenhum massacre homicida sobrevenha — EST. 3
a dilacerar esta cidade, — 680
a armar lacrimoso Ares sem dança nem lira
e a violência na região.
O enxame de doenças pouse triste
longe da cabeça dos cidadãos. — 685
Benévolo seja o Deus Lupino
a toda gente nova.

Zeus torne a terra produtiva — ANT. 3
com os frutos sazonais, — 690
o gado a pastar no campo seja fértil,
e dos Numes tudo se obtenha.
Propícia junto de altares
os cantores tornem a Musa, — 695
provenha das bocas puras
a voz amiga da cítara.

φυλάσσοι τ' ἀτρεμαῖα τιμὰς [στρ. δ
τὸ δάμιον, τὸ πτόλιν κρατύνει,
προμαθὶς εὐκοινόμητις ἀρχά· 700
ξένοισί τ' εὐξυμβόλους,
πρὶν ἐξοπλίζειν Ἄρη,
δίκας ἄτερ πημάτων διδοῖεν·

θεοὺς δ' οἳ γᾶν ἔχουσιν αἰεὶ [ἀντ. δ
τίοιεν ἐγχωρίοις πατρῴαις 705
δαφνηφόροις βουθύτοισι τιμαῖς·
τὸ γὰρ τεκόντων σέβας
τρίτον τόδ' ἐν θεσμίοις
Δίκας γέγραπται μεγιστοτίμου.

Δα. εὐχὰς μὲν αἰνῶ τάσδε σώφρονας, φίλαι· 710
ὑμεῖς δὲ μὴ τρέσητ' ἀκούσασαι πατρὸς
ἀπροσδοκήτους τούσδε καὶ νέους λόγους.
ἱκεταδόκου γὰρ τῆσδ' ἀπὸ σκοπῆς ὁρῶ
τὸ πλοῖον· εὔσημον γάρ· οὔ με λανθάνει
στολμός τε λαίφους καὶ παραρρύσεις νεώς 715
καὶ πρῷρα πρόσθεν ὄμμασιν βλέπουσ' ὁδόν,
οἴακος εὐθυντῆρος ὑστάτου νεὼς
ἄγαν καλῶς κλύουσα τοῖσιν οὐ φίλη·
πρέπουσι δ' ἄνδρες νάιοι μελαγχίμοις
γυίοισι λευκῶν ἐκ πεπλωμάτων ἰδεῖν· 720
καὶ τἄλλα πλοῖα πᾶσά θ' ἡ 'πικουρία
εὔπρεπτος· αὐτὴ δ' ἡγεμὼν ὑπὸ χθόνα
στείλασα λαῖφος παγκρότως ἐρέσσεται.
ἀλλ' ἡσύχως χρὴ καὶ σεσωφρονισμένως
πρὸς πρᾶγμ' ὁρώσας τῶνδε μὴ ἀμελεῖν θεῶν· 725
ἐγὼ δ' ἀρωγοὺς ξυνδίκους θ' ἥξω λαβών.
ἴσως γὰρ ἂν κῆρύξ τις ἢ πρέσβη μόλοι
ἄγειν θέλοντες, ῥυσίων ἐφάπτορες·

Intrépido conserve os cargos EST. 4
o povo que governa a cidade,
prudente império de cuidados comuns. 700
Conciliadores com os forasteiros
antes que armem Ares
sem dores tenham justiça.

Aos Deuses sempre donos da terra ANT. 4
honrem com honras pátrias 705
nativas, laureadas, sacrificantes.
A veneração aos pais
inscreve-se terceira lei
de honradíssima Justiça.

TERCEIRO EPISÓDIO (710-775)
DÂNAO E O CORO

D. Louvo essas preces prudentes, queridas, 710
não temais, porém, ao ouvirdes do pai
estas inesperadas e novas palavras:
desta atalaia, acolhedora de suplicantes,
vejo o navio, bem visível, não me escapam
a armação de velas, os anteparos do navio 715
e a proa, a ver com olhos caminho adiante,
e a ouvir de lá trás do navio o piloto no leme,
demasiado bem, para quem não é grata.
Aparecem no navio varões com negros
braços, fora das túnicas alvas de ver, 720
e os outros navios e toda a milícia,
nítidos. A nau capitânia junto à terra
recolheu a vela e rema com estrépito.
Mas convém com serenidade e prudência
ver a situação e não ignorar estes Deuses. 725
Eu virei com auxiliares e defensores.
Talvez um arauto ou delegados venham
desejosos de levar, tocadores de reféns.

ἀλλ' οὐδὲν ἔσται τῶνδε, μὴ τρέσητέ νιν.
ὅμως ⟨δ'⟩ ἄμεινον, εἰ βραδύνοιμεν βοῆι, 730
ἀλκῆς λαθέσθαι τῆσδε μηδαμῶς ποτε.
θάρσει· χρόνωι τοι κυρίωι τ' ἐν ἡμέραι
θεοὺς ἀτίζων τις βροτῶν δώσει δίκην.

Χο. πάτερ, φοβοῦμαι, νῆες ὡς ὠκύπτεροι
ἥκουσι, μῆκος δ' οὐδὲν ἐν μέσωι χρόνου. 735

περίφοβόν μ' ἔχει τάρβος ἐτητύμως [στρ. α
πολυδρόμου φυγᾶς ὄφελος εἴ τί μοι·
παροίχομαι, πάτερ, δείματι.

Δα. ἐπεὶ τελεία ψῆφος Ἀργείων, τέκνα,
θάρσει· μαχοῦνται περὶ σέθεν, σάφ' οἶδ' ἐγώ. 740
Χο. ἐξῶλές ἐστι μάργον Αἰγύπτου γένος
μάχης τ' ἄπληστον. καὶ λέγω πρὸς εἰδότα.

δοριπαγεῖς δ' ἔχοντες κυανώπιδας [ἀντ. α
νῆας ἔπλευσαν ὧδ' ἐπιταχεῖ κότωι
πολεῖ μελαγχίμωι σὺν στρατῶι. 745

Δα. πολλοὺς δέ γ' εὑρήσουσιν ἐν μεσημβρίας
θάλπει βραχίον' εὖ κατερρινημένους.
Χο. μόνην δὲ μὴ πρόλειπε, λίσσομαι, πάτερ·
γυνὴ μονωθεῖσ' οὐδέν· οὐκ ἔνεστ' Ἄρης.

οὐλόφρονες δ' ἐκεῖνοι, δολομήτιδες [στρ. β
δυσάγνοις φρεσίν, κόρακες ὥστε, βω- 751
μῶν ἀλέγοντες οὐδέν.
Δα. καλῶς ἂν ἡμῖν ξυμφέροι τάδ', ὦ τέκνα,
εἰ σοί τε καὶ θεοῖσιν ἐχθαιροίατο.
Χο. οὐ μὴ τριαίνας τάσδε καὶ θεῶν σέβη 755
δείσαντες ἡμῶν χεῖρ' ἀπόσχωνται, πάτερ.

περίφρονες δ' ἄγαν ἀνιέρωι μένει [ἀντ. β
μεμαργωμένοι κυνοθρασεῖς, θεῶν
οὐδὲν ἐπαΐοντες.

Mas não será nada disso, não temais.
Se tardássemos socorrer, porém, melhor — 730
não vos esquecerdes nunca deste abrigo.
Coragem! Com o tempo e no dia próprio,
o mortal contemptor dos Deuses é punido.

C. Pai, tenho medo, navios vêm alígeros,
nada os retarda por metade do tempo. — 735

Apavorada me pega o temor se tenho — EST. 1
de fato algo útil na multívaga fuga.
Ó pai, morro de medo.

D. Por perficiente decreto argivo, filhas,
coragem! Lutarão por ti, bem sei. — 740
C. Funesta é a sórdida prole de Egisto,
e insaciável de luta; e digo a quem sabe.

Em lígneos navios de olhos cerúleos — ANT. 1
navegam para cá, com ira veloz,
com vasto exército negro. — 745

D. Encontrarão muitos braços fortalecidos
pelo calor do meio-dia.
C. Não me deixes só, peço-lhe, pai:
mulher a sós não é nada, ausente Ares.

Funestos são eles, cheios de dolos, — EST. 2
tão ímpios como corvos, — 751
não se importam com altares.
D. Muito nos valeria, se fossem, ó filhas,
odiados por ti e pelos Deuses.
C. Nem por temor deste tridente e da reverência — 755
dos Deuses, não afastam a mão de nós, ó pai.

Soberbos demais, com ímpio furor, — ANT. 2
sórdidos, com audácia de cão,
por nada ouvirem dos Deuses.

Δα. ἀλλ' ἔστι φήμη τοὺς λύκους κρείσσους κυνῶν 760
εἶναι· βύβλου δὲ καρπὸς οὐ κρατεῖ στάχυν.
Χο. ὡς αἱματηρῶν ἀνοσίων τε κνωδάλων
ἔχοντος ὀργὰς χρὴ φυλάσσεσθαι κράτος.

Δα. οὔτοι ταχεῖα ναυτικοῦ στρατοῦ στολὴ
οὐδ' ὅρμος, οὗ δεῖ πεισμάτων σωτήρια 765
ἐς γῆν ἐνεγκεῖν, οὐδ' ἐν ἀγκυρουχίαις
θαρσοῦσι ναῶν ποιμένες παραυτίκα,
ἄλλως τε καὶ μολόντες ἀλίμενον χθόνα
ἐς νύκτ' ἀποστείχοντος ἡλίου· φιλεῖ
ὠδῖνα τίκτειν νὺξ κυβερνήτηι σοφῶι. 770
οὕτω γένοιτ' ἂν οὐδ' ἂν ἔκβασις στρατοῦ
καλὴ πρὶν ὅρμωι ναῦν θρασυνθῆναι. σὺ δὲ
φρόνει μὲν ὡς ταρβοῦσα μὴ ἀμελεῖν θεῶν
⟨..⟩
πράξας ἀρωγήν· ἄγγελον δ' οὐ μέμψεται
πόλις γέρονθ', ἡβῶντα δ' εὐγλώσσωι φρενί. 775

Χο. ἰὼ γᾶ βοῦνι, πάνδικον σέβας, [στρ. α
τί πεισόμεσθα; ποῖ φύγωμεν Ἀπίας
χθονὸς κελαινὸν εἴ τι κεῦθός ἐστί που;
μέλας γενοίμαν καπνὸς
νέφεσσι γειτονῶν Διός, 780
τὸ πᾶν δ' ἄφαντος ἀμπετὴς ἄιστος ὡς
κόνις ἄτερθε πτερύγων ὀλοίμαν.

ἄφυκτος δ' οὐκέτ' ἂν πέλοιτο κήρ· [ἀντ. α
κελαινόχρως δὲ πάλλεταί μου καρδία· 785
πατρὸς σκοπαὶ δέ μ' εἷλον· οἴχομαι φόβωι·
θέλοιμι δ' ἂν μορσίμου
βρόχου τυχεῖν ἐν ἀρτάναις
πρὶν ἄνδρ' ἀπευκτὸν τωιδε χριμφθῆναι χροΐ· 790
πρόπαρ θανούσας δ' Ἀίδας ἀνάσσοι.

D. Mas dizem que os lobos superam cães. 760
O fruto do papiro não supera a espiga.
C. Por ter índole de feras cruentas e nefandas,
é preciso tomar cuidado com seu poder.

D. Não é rápida a manobra da armada,
nem atracar, onde convém levar à terra 765
cordames salvadores. Pastores de navios
não confiam de súbito nos ancoradouros,
sobretudo ao chegarem a importuária terra
quando a caminho da noite o sol se põe:
a noite ama gerar aflição em hábil piloto. 770
Nem é tão belo o desembarque da tropa
antes de confiar o navio no porto. E tu
trata de não ignorar os Deuses por temor.
< >
Dado o auxílio, a cidade não fará vitupério
ao velho núncio, jovem por espírito loquaz. 775

TERCEIRO ESTÁSIMO (776-824)

C. *Ió!* Terra alterosa, venerável por toda justiça, EST. 1
que sofreremos? Aonde fugirmos, por Ápia
terra, se há algum negro esconderijo algures?
Tornasse eu negro fumo
vizinho das nuvens de Zeus, 780
e de todo invisível evolado ignoto
qual poeira sem asas eu sumisse.

Sem fuga não mais lateje o coração. ANT. 1
Negro se turva o meu coração. 785
O que o pai viu pegou-me: morro de medo.
Quisera lucrar
laço fatal na forca,
antes que varão deprecado roce esta pele. 790
Antes comigo morta Hades reine.

πόθεν δέ μοι γένοιτ' ἂν αἰθέρος θρόνος, [στρ. β
πρὸς ὃν χιὼν ὑδρηλὰ γίγνεται νέφη,
ἢ λισσὰς αἰγίλιψ ἀπρόσ-
δεικτος οἰόφρων κρεμὰς 795
γυπιὰς πέτρα, βαθὺ
πτῶμα μαρτυροῦσά μοι,
πρὶν δαΐκτορος βίαι
καρδίας γάμου κυρῆσαι;

κυσὶν δ' ἔπειθ' ἕλωρα κἀπιχωρίοις [ἀντ. β
ὄρνισι δεῖπνον οὐκ ἀναίνομαι πέλειν· 801
τὸ γὰρ θανεῖν ἐλευθεροῦ-
ται φιλαιάκτων κακῶν.
ἐλθέτω μόρος πρὸ κοί-
τας γαμηλίου τυχών· 805
ἀμφυγᾶς τίν' ἔτι πόρον
τέμνω γάμου λυτῆρα;

ἰύζετ' ὀμφᾶν οὐράνια [στρ. γ
μέλη λιτανὰ θεοῖσι †καὶ
τέλεα δέ μοί πως πελόμενα μοι 810
λύσιμα μάχιμα δ'† ἔπιδε, πάτερ,
βίαια μὴ φίλ' εἰσοῶν
ὄμμασιν ἐκδίκοις·
σεβίζου δ' ἱκέτας σέθεν, 815
γαιάοχε παγκρατὲς Ζεῦ·

γένος γὰρ Αἰγύπτιον ὕβρει [ἀντ. γ
δύσφορον ⟨.........⟩ ἀρσενογενεῖ
μετά με δρόμοισι διόμενοι
φυγάδα μάταισι πολυθρόοις 820
βίαια δίζηνται λαβεῖν.
σὸν δ' ἐπίπαν ζυγὸν
ταλάντου· τί δ' ἄνευ σέθεν
θνατοῖσι τέλειόν ἐστιν;

Como eu teria um trono no céu, EST. 2
onde úmidas nuvens se tornam neve,
ou lisa, íngreme, indistinta,
solitária, precipitosa pedra
de abutres, a testemunhar-me 795
a profunda queda,
antes de ter acerbas núpcias
violentas ao coração?

Presa de cães e pasto de pássaros ANT. 2
locais, depois, não me lamento ser, 801
pois a morte liberta
dos lúgubres males.
Venha a morte antes
do leito nupcial, por sorte! 805
Que via de fuga ainda
corto, livre de núpcias?

Ululai ao céu os sonoros EST. 3
cantos precatórios aos Deuses,
perfectivos, que me sejam 810
libertadores. Pai, vê, contempla
belicosos, violentos inimigos,
com teus olhos víndices,
e venera tuas suplicantes, 815
ó telurígero onipotente Zeus.

A prole de Egito, intolerável ANT. 3
em sua transgressão viril,
em correria a perseguir-me,
banida, por clamorosa lascívia, 820
com violência, quer agarrar.
Todo teu é o travessão
da balança. Que perfectivo
os mortais têm, sem ti?

ΑΙΓΥΠΤΙΟΙ

ὄ ὄ ὄ, ἄ ἄ ἄ· 825
ὅδε μάρπτις [
νάϊος [826a
γάϊος [826b
⟨ ⟩

Χο. τῶν πρὸ μάρπτι κάμνοις, ἰοφ, [στρ. α
ὄμ αὖθι καββάς
νυ[ ]δυϊαν βοὰν ἀμφαίνω·
ὁρῶ τάδε πόνων βιαίων ἐμῶι φροίμια προξένωι. 830
ἠέ ἠέ·
βαῖνε φυγᾶι πρὸς ἀλκάν.
⟨ ⟩ βλοσυρόφρονα χλιδᾶι,
δύσφορα ναῒ κὰν γᾶι·
γάϊ' ἄναξ προτάσσου. 835

Αιγ. σοῦσθε σοῦσθ' ἐπὶ βᾶριν ὅπως ποδῶν
ούκουν ούκουν τιλμοὶ τιλμοὶ καὶ στιγμοί,
πολυαίμων φόνιος ἀποκοπὰ κρατός; 840
σοῦσθε σοῦσθ' ὀλόμεναι †ὀλόμεν' ἐπαμίδα†.

Χο. εἴθ' ἀνὰ πολύρυτον στρ. α
ἁλμάεντα πόρον
δεσποσίωι ξὺν ὕβρει 845
γομφοδέτωι τε δόρει διώλου.

Αιγ. ⟨δί⟩αιμον ἕσω σ' ἐπ' ἀμᾶδα·
ἤσυχ οὖν, ἔα τάπιτά.
κελεύω βοᾶς μεθέσθαι·
ἶχαρ †φρενί τ' ἄταν† 850
†ἰὼ ἰόν† ⟨. . .⟩
λεῖφ' ἕδρανα, κί' εἰς δόρυ,
ἀτίετ' ἀνὰ πόλιν εὐσεβῶν.

QUARTO EPISÓDIO (825-1017)

1ª. CENA: EGIPCÍADES, CORIFEU E ARAUTO (825-910)

E. *Ho ho ho, ha ha ha!* 825
Eis[-me] o raptor [das donzelas de Dânao,]
por navio [vindo através da onda marinha,] 826a
por terra [prossigo, e mimosa caça 826b
sem mais nenhuma demora caçarei.]

C. Antes disso, pereças, ó raptor,
[invisível] destruído aí [no mar!]
[Ciente da sorte,] ergo mísero clamor.
Vejo aqui proêmio de duros males a meu patrono. 830
Ee, ee!
Vai em fuga para o abrigo.
[Estas feras] horríveis vituperam,
insuportáveis ao navio e à terra:
por terra, protege, ó rei. 835

E. Ide! Ide ao navio, o mais rápido!
Não, não, então, puxões, puxões e ferrões,
sangrenta sanguinária decapitação? 840
Ide! Ide, míseras, míseras, para o navio!

C. Ah, se por multífluo EST. 1
marítimo percurso,
com a despótica transgressão 845
e encavilhada nave, perecesses!

E. Com sangue te levarei ao navio,
acalma-te: deixa ir o que se vai!
Ordeno calar o clamor. [Extingue]
o capricho, ruína do espírito. 850
Ió ió — [gritas, e não há remédio.]
Deixa os altares, vá ao navio,
ó desvalida em país de pios.

Χο. μήποτε πάλιν ἴδοι⟨ς⟩ αντ. α
ἀλφεσίβοιον ὕδωρ, 855
ἔνθεν ἀεξόμενον
ζώφυτον αἷμα βροτοῖσι θάλλει.

Αιγ. †ἄγειος ἐγὼ βαθυχαῖος
βαθρείας βαθρείας
γέρον· σὺ δὲ ναΐ ναΐ 860
βάσηι τάχα
θέλεος ἀθέλεος
βίαι βίαι τε πολλᾶι φροῦδα
βάτεαι βαθυμιτροκακὰ παθῶν
ὀλόμεναι παλάμαις†. 865

Χο. αἰαῖ αἰαῖ· [στρ. β
αἳ γὰρ δυσπαλάμως ὄλοιο
δι᾿ ἁλίρρυτον ἄλσος
κατὰ Σαρπηδόνιον
χῶμα πολύψαμμον ἀλαθεὶς 870
†εὐρείαις εἰν† αὔραις.

ΚΗΡΥΞ
ἴυζε καὶ λάκαζε καὶ κάλει θεούς·
Αἰγυπτίαν γὰρ βᾶριν οὐχ ὑπερθορῆι.
†ἴυζε καὶ βόα, πικρότερ᾿ ἀχέων οἰζύος ὄνομ᾿ ἔχων†. 875

Χο. οἰοῖ οἰοῖ· [ἀντ. β
λύμας, ἃι σὺ πρὸ γᾶς ὑλάσκων
περίκομπα βρυάζεις
ὃς ἐρωτᾶις† ὁ μέγας
Νεῖλος, ὑβρίζοντά σ᾿ ἀποτρέ- 880
ψειεν ἄιστον ὕβριν

Κη. βαίνειν κελεύω βᾶριν εἰς ἀμφίστροφον
ὅσον τάχιστα· μηδέ τις σχολαζέτω,
ὁλκὴ γὰρ οὔτοι πλόκαμον οὐδάμ᾿ ἅζεται.

C. Nunca mais revejas ANT. 1
a água nutriz de bois, 855
da qual vigoroso floresce
o sangue vital dos mortais.

E. Guerreiro sou de funda nobreza
do fundo, do fundo mais prisco.
Tu, porém, ao navio, ao navio 860
põe-te depressa a caminho,
se queres, ou se não queres.
À força, à força, a caminho,
põe-te a andar, ó mísero bando
de moças, à força, a caminho. 865

C. *Aiai aiai*! EST. 2
Ah, se abatido perecesses
no marítimo prado,
perto da tumba de Sarpédon
cheia de areia, levado 870
por vastos ventos.

A. Uiva, berra e invoca Deuses,
não escaparás ao navio egípcio.
Uiva e grita mais amargas misérias. 875

C. *Oioî oioî*! ANT. 2
Poluído como tu nesta terra a latir
és soberbo a blasonar.
O grande Nilo, que te vê
nessa transgressão, rejeite 880
destruída a transgressão.

A. Ordeno que ides ao versátil navio
o mais rápido, sem mais demora,
o puxão não respeita nenhuma trança.

Χο. οἰοῖ πάτερ, βρέτεος ἄρος [στρ. γ
⟨μ⟩ ατᾶι· ⟨βίαι δέ⟩ μ' ἅλαδ' ἄγει 886
ἄραχνος ὣς βάδην
ὄναρ ὄναρ μέλαν·
ὀτοτοτοτοῖ
μᾶ Γᾶ μᾶ Γᾶ †βοᾶν† 890
φοβερὸν ἀπότρεπε·
ὦ βᾶ Γᾶς παῖ Ζεῦ.

Κη. οὔτοι φοβοῦμαι δαίμονας τοὺς ἐνθάδε·
οὐ γάρ μ' ἔθρεψαν οὐδ' ἐγήρασαν τροφῆι.

Χο. μαιμᾶι πέλας δίπους ὄφις, [ἀντ. γ
ἔχιδνα δ' ὥς με[896
τί ποτ' ἔν [
δάκος ἀχ[
ὀτοτοτοτοῖ
μᾶ Γᾶ μᾶ Γᾶ †βοᾶν† 900
φοβερὸν ἀπότρεπε·
ὦ βᾶ Γᾶς παῖ Ζεῦ.

Κη. εἰ μή τις ἐς ναῦν εἶσιν αἰνέσας τάδε,
λακὶς χιτῶνος ἔργον οὐ κατοικτιεῖ.
Χο. ἰὼ πόλεως ἀγοὶ πρόμοι, δάμναμαι. 905
Κη. πολλοὺς ἄνακτας, παῖδας Αἰγύπτου, τάχα
ὄψεσθε. θαρσεῖτ', οὐκ ἐρεῖτ' ἀναρχίαν.
Χο. διωλόμεσθ'· ἄεπτ', ἄναξ, πάσχομεν.
Κη. ἕλξειν ἔοιχ' ὑμᾶς ἀπισπάσας κόμης,
ἐπεὶ οὐκ ἀκούετ' ὀξὺ τῶν ἐμῶν λόγων. 910

Βα. οὗτος τί ποιεῖς; ἐκ ποίου φρονήματος
ἀνδρῶν Πελασγῶν τήνδ' ἀτιμάζεις χθόνα;
ἀλλ' ἦ γυναικῶν ἐς πόλιν δοκεῖς μολεῖν;

C. *Oioî*! Ó pai! O auxílio do ícone — EST. 3
é vão. À força me leva ao mar, — 886
como aranha, passo a passo,
um sonho, um sonho negro.
Otototototoi!
Mãe Terra, mãe Terra, — 890
rejeite a voz terrível.
Ó rei, filho da Terra, ó Zeus!

A. Não temo os Numes desta terra:
não me criaram, nem velho nutriram.

C. Salta perto bípede serpente, — ANT. 3
víbora para mim (...) — 896
Por que afinal (...)
monstro (...)
Otototototoi!
Mãe Terra, mãe Terra, — 900
rejeite a voz terrível.
Ó rei, filho de Terra, ó Zeus!

A. Se ninguém contente vai ao navio,
a laceração não poupará túnicas.
C. *Ió*! Chefes guias da cidade, violam-me. — 905
A. Muitos reis, filhos de Egito, logo
vereis. Eia! Não vos direi sem reis.
C. Perecemos, ó rei, por dores nefandas.
A. Penso que vos arrastarei pelos cabelos,
por não bem ouvirdes minhas palavras. — 910

2ª CENA: REI PELASGO, ARAUTO E CORIFEU (911-979)

R. Ó tu, que fazes? Com que intenção
desonras esta terra de varões pelasgos?
Ou pensas vir a uma cidade de mulheres?

κάρβανος ὢν Ἕλλησιν ἐγχλίεις ἄγαν
καὶ πόλλ' ἁμαρτὼν οὐδὲν ὤρθωσας φρενα. 915
Κη. τί δ' ἠμπλάκηται τῶνδ' ἐμοὶ δίκης ἄτερ;
Βα. ξένος μὲν εἶναι πρῶτον οὐκ ἐπίστασαι.
Κη. πῶς δ' οὐχί; τἄμ' ὀλωλόθ' εὑρίσκων ἄγω.
Βα. ποίοισιν εἰπὼν προξένοις ἐγχωρίοις;
Κη. Ἑρμῆι, μεγίστωι †προξένωι† μαστηρίωι. 920
Βα. θεοῖσιν εἰπὼν τοὺς θεοὺς οὐδὲν σέβηι.
Κη. τοὺς ἀμφὶ Νεῖλον δαίμονας σεβίζομαι.
Βα. οἱ δ' ἐνθάδ' οὐδέν, ὡς ἐγὼ σέθεν κλύω.
Κη. ἄγοιμ' ἄν· οὔ τις τάσδε μὴ 'ξαιρήσεται.
Βα. κλαίοις ἄν, εἰ ψαύσειας οὐ μάλ' ἐς μακράν. 925
Κη. ἤκουσα, τοὔπος ⟨δ'⟩ οὐδαμῶς φιλόξενον.
Βα. οὐ γὰρ ξενοῦμαι τοὺς θεῶν συλήτορας.
Κη. λέγοιμ' ἂν ἐλθὼν παισὶν Αἰγύπτου τάδε.
Βα. ἀβουκόλητον τοῦτ' ἐμῶι φρονήματι.
Κη. ἀλλ' ὡς ἂν εἰδὼς ἐννέπω σαφέστερον· 930
καὶ γὰρ πρέπει κήρυκ' ἀπαγγέλλειν τορῶς
ἕκαστα· πῶς φῶ, πρὸς τίνος τ' ἀφαιρεθεὶς
ἥκειν γυναικῶν αὐτανέψιον στόλον;
οὔτοι δικάζει ταῦτα μαρτύρων ὕπο
Ἄρης, τὸ νεῖκος δ' οὐκ ἐν ἀργύρου λαβῆι 935
ἔλυσεν, ἀλλὰ πολλὰ γίγνεται πάρος
πεσήματ' ἀνδρῶν κἀπολακτισμοὶ βίου.
Βα. τί σοι λέγειν χρὴ τοὔνομ'; ἐν χρόνωι μαθὼν
εἴσηι σύ τ' αὐτὸς χοἰ ξυνέμποροι σέθεν.
ταύτας δ' ἑκούσας μὲν κατ' εὔνοιαν φρενῶν 940
ἄγοις ἄν, εἴπερ εὐσεβὴς πίθοι λόγος·
τοιάδε δημόπρακτος ἐκ πόλεως μία
ψῆφος κέκρανται, μήποτ' ἐκδοῦναι βίαι
στόλον γυναικῶν· τῶνδ' ἐφήλωται τορῶς
γόμφος διαμπὰξ ὡς μένειν ἀραρότως. 945
ταῦτ' οὐ πίναξίν ἐστιν ἐγγεγραμμένα
οὐδ' ἐν πτυχαῖς βύβλων κατεσφραγισμένα,
σαφῆ δ' ἀκούεις ἐξ ἐλευθεροστόμου
γλώσσης. κομίζου δ' ὡς τάχιστ' ἐξ ὀμμάτων.

Se és peregrino, debochas demais os gregos
e em grande erro não corrigiste o espírito. 915

A. Que erro cometi por faltar à justiça?
R. Primeiro, não sabes ser hóspede.
A. Como não? O que perdi achei e levo.
R. Tendo falado com que patrono local?
A. Com Hermes patrono máximo da busca. 920
R. Tendo falado com Deuses, não os veneras.
A. Venero os Numes que protegem o Nilo.
R. E os desta terra, não, como eu te ouço.
A. Eu levaria, ninguém assim se lesará.
R. Chorarias, se as tocasses, sem demora. 925
A. Ouvi, a palavra não é nada hospitaleira.
R. Não hospedo espoliadores de Deuses.
A. Eu iria e diria isso aos filhos de Egito.
R. Isso não é cuidado de meu pensamento.
A. Mas, ciente, eu proclamaria bem claro. 930
Convém que o arauto anuncie claramente
cada coisa. Que direi? Quem me tirou
o consobrinho bando de mulheres?
Ares não julga isso por testemunhas,
e a rixa não se resolve com pagamento 935
de prata, mas antes acontecem muitas
perdas de varões e extermínios de vida.
R. Por que te dizer o nome? Ciente a tempo,
saberás tu próprio e a tua companhia.
Tu as levarias, anuentes e concordes, 940
se reverente palavra as persuadisse.
Unânime o voto do povo da cidade
assim decretou: à força nunca entregar
o bando de mulheres. Fundo se crava
o cravo disto de modo a ficar firme. 945
Isto não está escrito nas pranchetas
nem consignado em dobras de papiros,
mas claro ouves de língua de livre fala.
Retira-te o mais rápido de minhas vistas.

Κη. ἔοιγμεν ἤδη πόλεμον ἀρεῖσθαι νέον· 950
εἴη δὲ νίκη καὶ κράτος τοῖς ἄρσεσιν.
Βα. ἀλλ᾽ ἄρσενάς τοι τῆσδε γῆς οἰκήτορας
εὑρήσετ᾽, οὐ πίνοντας ἐκ κριθῶν μέθυ.
ὑμεῖς δὲ πᾶσαι σὺν φίλαις ὀπάοσιν
θράσος λαβοῦσαι στείχετ᾽ εὐερκῆ πόλιν 955
πύργων βαθείαι μηχανῆι κεκλῃιμένην·
καὶ δώματ᾽ ἐστὶ πολλὰ μὲν τὰ δήμια,
δεδωμάτωμαι δ᾽ οὐδ᾽ ἐγὼ σμικρᾶι χερί,
ἔνθ᾽ ὑμὶν ἔστιν εὐτύκους ναίειν δόμους
πολλῶν μετ᾽ ἄλλων· εἰ δέ τις μείζων χάρις, 960
πάρεστιν οἰκεῖν καὶ μονορρύθμους δόμους.
τούτων τὰ λῶιστα καὶ τὰ θυμηδέστατα
πάρεστι· λωτίσασθε. προστάτης δ᾽ ἐγὼ
ἀστοί τε πάντες, ὧνπερ ἥδε κραίνεται
ψῆφος. τί τῶνδε κυριωτέρους μένεις; 965

Χο. ἀλλ᾽ ἀντ᾽ ἀγαθῶν ἀγαθοῖσι βρύοις,
δῖε Πελασγῶν·
πέμψον δὲ πρόφρων δεῦρ᾽ ἡμέτερον
πατέρ᾽ εὐθαρσῆ Δαναόν, πρόνοον
καὶ βούλαρχον· τοῦ γὰρ προτέρα 970
μῆτις, ὅπου χρὴ δώματα ναίειν
⟨ ⟩
καὶ τόπος εὔφρων· πᾶς τις ἐπειπεῖν
ψόγον ἀλλοθρόοις
εὔτυκος· εἴη δὲ τὰ λῶιστα·
σύν τ᾽ εὐκλείαι καὶ ἀμηνίτωι 975
βάξει λαῶν⟨τῶν⟩ ἐγχώρων
τάσσεσθε, φίλαι δμωίδες, οὕτως
ὡς ἐφ᾽ ἑκάστηι διεκλήρωσεν
Δαναὸς θεραποντίδα φερνήν.

A. Parece-nos já o início de nova guerra. 950
Sejam dos varões a vitória e o poder.
R. Mas encontrareis moradores desta terra
varões, sem beberem cerveja de cevada.
Vós outras todas, com o vosso séqüito,
animai-vos, e ide à bem murada cidade, 955
fechada por profunda máquina de torres.
As moradias públicas são numerosas,
casas eu não construí com mão parca.
Tendes lá domicílios prontos para morar
com muitos outros, mas, se agradar mais, 960
pode-se também habitar casa solitária.
Disso, o melhor e o mais grato ao ânimo
tendes, escolhei, o patrono sou eu
e todos os cidadãos de quem se cumpre
este voto. Por que poder maior esperas? 965

C. Pelos bens, com bens prosperes,
ó rei dos pelasgos.
Benévolo, envia para cá o nosso
pai corajoso Dânao, prudente
conselheiro: dele é o primeiro 970
conselho onde devo ter morada
< >
e lugar benévolo. Toda gente
está pronta para repreender
forasteiros. Seja o melhor.
Com gloriosas e sem ira 975
palavras de varões nativos,
disponde-vos, servas amigas,
tal como Dânao distribuiu
a cada uma o dote de servas.

Δα. ὦ παῖδες, Ἀργείοισιν εὔχεσθαι χρεών 980
θύειν τε λείβειν θ', ὡς θεοῖς Ὀλυμπίοις,
σπονδάς, ἐπεὶ σωτῆρες οὐ διχορρόπως.
καί μου τὰ μὲν πραχθέντα πρὸς τοὺς ἐγγενεῖς
φίλως, πικρῶς ⟨δ'⟩ ἤκουσαν αὐτανεψίοις·
ἐμοὶ δ' ὀπαδοὺς τούσδε καὶ δορυσσόους 985
ἔταξαν, ὡς ἔχοιμι τίμιον γέρας,
καὶ μήτ' ἀέλπτως δορικανεῖ μόρωι θανὼν
λάθοιμι, χώραι δ' ἄχθος ἀείζων πέλοι
⟨ ⟩
†τοιῶνδε τυγχάνοντας εὐπρυμνῆ φρενὸς
χάριν σέβεσθαι τιμιωτέραν ἐμοῦ.† 990
καὶ ταῦθ' ἅμ' ἐγγράψασθε πρὸς γεγραμμένοις
πολλοῖσιν ἄλλοις σωφρονίσμασιν πατρός,
ἀγνῶθ' ὅμιλόν, πως ἐλέγχεσθαι χρόνωι·
πᾶς δ' ἐν μετοίκωι γλῶσσαν εὔτυκον φέρει
κακήν, τό τ' εἰπεῖν εὐπετὲς μύσαγμά πως. 995
ὑμᾶς δ' ἐπαινῶ μὴ καταισχύνειν ἐμέ,
ὥραν ἐχούσας τήνδ' ἐπίστρεπτον βροτοῖς·
τέρειν' ὀπώρα δ' εὐφύλακτος οὐδαμῶς·
θῆρές σφε κηραίνουσι καὶ βροτοί· τί μήν;
καὶ κνώδαλα πτεροῦντα καὶ πεδοστιβῆ 1000
καρπώματα στάζοντα κηρύσσει Κύπρις,
κἄωρα μωλύουσ' ἅμ', ὡς μαίνειν ἔρωι,
καὶ παρθένων χλιδαῖσαν εὐμόρφοις ἔπι
πᾶς τις παρελθὼν ὄμματος θελκτήριον
τόξευμ' ἔπεμψεν ἱμέρου νικώμενος· 1005
πρὸς ταῦτα μὴ πάθωμεν ὧν πολὺς πόνος,
πολὺς δὲ πόντος οὕνεκ' ἠρόθη δορί,
μηδ' αἶσχος ἡμῖν, ἡδονὴν δ' ἐχθροῖς ἐμοῖς
πράξωμεν. οἴκησις δὲ καὶ διπλῆ πάρα·
τὴν μὲν Πελασγός, τὴν δὲ καὶ πόλις διδοῖ 1010
οἰκεῖν λάτρων ἄτερθεν. εὐπετῆ τάδε.
μόνον φύλαξαι τάσδ' ἐπιστολὰς πατρός,
τὸ σωφρονεῖν τιμῶσα τοῦ βίου πλέον.

3ª CENA: DÂNAO E CORIFEU (980-1017)

D. Ó filhas, aos argivos devemos agradecer, 980
sacrificar e verter, como a Deuses Olímpios,
libações, porque salvadores sem vacilo
ouviram de mim os fatos com amizade
por parentes e com aspereza pelos primos;
e deram-me esta companhia e lanceiros, 985
para que eu tenha honrosa prerrogativa,
e oculto não sucumba a inesperada morte
morto por lança, perene fardo para a região.
< >
Por tais favores, do fundo do coração,
devemos venerar a mui honrosa graça. 990
Escrevei estes conselhos paternos
junto aos muitos outros já escritos:
tropa ignota examina-se com tempo;
com estrangeiros, todos têm pronta
a má língua; é fácil dizer horrores. 995
Exorto-vos a não me envergonhardes
por terdes este viço notável aos mortais.
Nunca se guarda fácil o tenro fruto;
feras o lesam, e mortais; que fazer?
Entre os animais alados e terrestres 1000
Cípris proclama os frutos gotejantes,
e precoces maduram, loucos de amor.
E aos formosos encantos de virgens
todo transeunte lança o sedutor
dardo do olhar, vencido de desejo. 1005
Isso não soframos; vasto esforço,
vasto mar por isso lavrou-se de navio;
e vergonha a nós e prazer aos inimigos
não daremos. Aqui há duas moradas,
uma Pelasgo nos cede, a outra, a cidade, 1010
para morarmos sem despesa. Isso é fácil.
Apenas observai estas instruções paternas
e honrai a prudência mais do que a vida.

Χο. τἄλλ᾽ εὐτυχοῖμεν πρὸς θεῶν Ὀλυμπίων,
ἐμῆς δ᾽ ὀπώρας οὕνεκ᾽ εὖ θάρσει, πάτερ· 1015
εἰ γὰρ εἴ τι μὴ βεβούλευται νέον,
ἴχνος τὸ πρόσθεν οὐ διαστρέψω φρενός.

ἴτε μὰν ἀστυάνακτας [στρ. α
μάκαρας θεοὺς γανάοντες
πολιούχους τε καὶ οἳ χεῦμ᾽ Ἐρασίνου 1020
περιναίουσιν παλαιόν·
ὑποδέξασθε δ᾽ ὀπαδοὶ
μέλος, αἶνος δὲ πόλιν τάνδε Πελασγῶν
ἐχέτω, μηδ᾽ ἔτι Νείλου
προχοὰς σέβωμεν ὕμνοις, 1025

ποταμοὺς δ᾽ οἳ διὰ χώρας [ἀντ. α
θελεμὸν πῶμα χέουσιν
πολύτεκνοι λιπαροῖς χεύμασι γαίας
τόδε μειλίσσοντες οὖδας.
ἐπίδοι δ᾽ Ἄρτεμις ἁγνὰ 1030
στόλον οἰκτιζομένα, μηδ᾽ ὑπ᾽ ἀνάγκας
τέλος ἔλθοι Κυθερείας·
Στύγερὸν πέλοι τόδ᾽ ἆθλον.

⟨Χορὸς θεραπαίνων⟩

Κύπριδος ⟨δ᾽⟩ οὐκ ἀμελὴς ἑσμὸς ὅδ᾽ εὔφρων, [στρ. β
δύναται γὰρ Διὸς ἄγχιστα σὺν Ἥραι, 1035
τίεται δ᾽ αἰολόμητις
θεὸς ἔργοις ἐπὶ σεμνοῖς·
μετάκοινοι δὲ φίλαι ματρὶ πάρεισιν
Πόθος ἇι τ᾽ οὐδὲν ἄπαρνον
τελέθει θέλκτορι Πειθοῖ· 1040
δέδοται δ᾽ Ἁρμονίαι μοῖρ᾽ Ἀφροδίτας
ψεδυρα⟨ὶ⟩ τρίβοι τ᾽ ἐρώτων.

C. Dêem-nos boa sorte Deuses Olímpios,
e por meu fruto, tem confiança, ó pai. 1015
Se Deuses não tramaram algo novo,
não torcerei antigo traço do espírito.

ÊXODO (1018-1073)

Ide, celebrai os venturosos Deuses EST. 1
guardiães da cidade
urbícolas e habitantes 1020
do antigo curso do Erasino.
Aceitai o canto, ó companhia,
e louve-se esta cidade dos pelasgos,
não mais veneremos com hinos
as vertentes do Nilo, 1025

mas os rios, que na região ANT. 2
vertem espontânea poção,
prolíferos por límpidas libações da terra,
melífluos neste solo.
Ártemis pura vele 1030
compassiva pelo bando, não por coerção
venham núpcias de Citereia,
estígio seja este prêmio.

<CORO II>

De Cípris não descuida este canto prudente, EST. 2
ela tem poder junto a Zeus com Hera, 1035
é honrada a astuciosa
Deusa por atos veneráveis.
Convivas de sua mãe, presentes
Desejo e a quem nada se nega,
encantadora Persuasão. 1040
Harmonia tem parte de Afrodite,
múrmuros nexos de Amores têm.

φυγάδεσσιν δ' ἔτι ποινὰς κακά τ' ἄλγη [ἀντ. β
πολέμους θ' αἱματόεντας προφοβοῦμαι·
τί ποτ' εὔπλοιαν ἔπραξαν 1045
ταχυπόμποισι διωγμοῖς;
ὅ τί τοι μόρσιμόν ἐστιν, τὸ γένοιτ' ἄν·
Διὸς οὐ παρβατός ἐστιν
μεγάλα φρὴν ἀπέρατος.
μετὰ πολλᾶν δὲ γάμων ἅδε τελευτὰ 1050
προτερᾶν πέλει γυναικῶν.

⟨—⟩ ὁ μέγας Ζεὺς ἀπαλέξαι [στρ. γ
γάμον Αἰγυπτογενῆ μοι.
⟨—⟩ τὸ μὲν ἂν βέλτατον εἴη·
σὺ δὲ θέλγοις ἂν ἄθελκτον. 1055
⟨—⟩ σὺ δέ γ' οὐκ οἶσθα τὸ μέλλον.

⟨—⟩ τί δὲ μέλλω φρένα Δίαν [ἀντ. γ
καθορᾶν, ὄψιν ἄβυσσον;
μέτριον νῦν ἔπος εὔχου.
⟨—⟩ τίνα καιρόν με διδάσκεις; 1060
⟨—⟩ τὰ θεῶν μηδὲν ἀγάζειν.

Ζεὺς ἄναξ ἀποστεροί- [στρ. δ
η γάμον δυσάνορα
δάιον, ὅσπερ Ἰὼ
πημονᾶς ἐλύσατ' εὖ 1065
χειρὶ παιωνίαι κατασχεθών,
εὐμενῆ βίαν κτίσας,

καὶ κράτος νέμοι γυναι- [ἀντ. δ
ξίν. τὸ βέλτερον κακοῦ
καὶ τὸ δίμοιρον αἰνῶ 1070
καὶ δίκαι δίκας ἕπε-
σθαι ξὺν εὐχαῖς ἐμαῖς, λυτηρίοις
μηχαναῖς θεοῦ πάρα.

Que exiladas paguem cruéis dores ANT. 2
e guerras sangrentas, ainda receio.
Por que fizeram afinal feliz travessia, 1045
com perseguição veloz ao encalço?
O que é o teu quinhão, assim seria.
De Zeus não se transgride
o grande espírito impenetrável.
Este rito com muitas núpcias 1050
pertence às mulheres anteriores.

— O grande Zeus afaste-me EST. 3
as núpcias com Egipcíades.
— Isto poderia ser o melhor,
tu encantarias o sem encanto. 1055
— Tu não conheces o porvir.

— Por que o espírito de Zeus ANT. 3
verei — espetáculo abissal?
Faz agora prece comedida.
— Que me dizes comedido? 1060
— Com Deuses, sem excessos.

— Zeus soberano frustre essas EST. 4
núpcias cruéis com inimigos,
ele que libertou Io
do seu sofrimento, 1065
com a mão leniente
e benévola violência,

e vitória seja de mulheres.
— A melhor parte do mal
e o meio quinhão aprovo, 1070
e sentenças seguirem Justiça
com minhas preces por livres
meios vindos de Deus.

OBRAS CONSULTADAS

AESCHYLI. *Septem quae supersunt tragoedias*. Edidit Denys Page. Oxford: Oxford University Press, 1975.

AESCHYLVS. *The Suppliants*. Edited by H. Friis Johansen and Edward W. Whittle. Copenhagen: Gyldendalske, 1970. 3 v.

___________. *Supplices*. Edidit Martin L. West. Stuttgart: Teubner, 1992.

AISKHYLOU. *Hiketides. The "Supplices" of Aeschylus*. A revised text with introduction, critical notes, commentary and translation by T. G. Tucker. Londres: Macmillan, 1889.

ÉSQUILO. *As suplicantes*. Prefácio, introdução, tradução e notas de Ana Paula Quintela Ferreira Sottomayor. Coimbra: Faculdade de Letras da Universidade de Coimbra, 1968.

GARVIE, A. F. Aeschylus' *Supplices*. Play and Trilogy. 2. ed. Bristol: Phoenix, 2006.

VERDENIUS, W. J. "Notes on the parodos of Aeschylus' Suppliants", *Mnemosyne*, v. XXXVIII, fasc. 3-4 (1985), pp. 281-306.

WEST, M. L. *Studies in Aeschylus*. Stuttgart: Teubner, 1990.

PROMETEU CADEEIRO

ÉSQUILO — *PROMETHEÙS DESMÓTES*: *PROMETEU CADEEIRO*

Jaa Torano

Falando simples, odeio a todos os Deuses
que bem tratados afligem-me sem justiça.
(Ésquilo, *Pr.* 975-6)

PROLEGÔMENOS

A AUTORIA CONTESTADA

Em 1869, o helenista alemão R. Westphal, em seu estudo de métrica de Ésquilo, observou que várias peculiaridades, tanto nos metros líricos quanto nos trímetros falados, distinguiam o drama *Prometheùs Desmótes* das demais tragédias atribuídas a Ésquilo, e apresentou a hipótese, muito ao gosto de sua época, de que um escritor tardio tivesse reelaborado esse drama. A hipótese ganhou adeptos, que acrescentaram suas contribuições. Mas tais peculiaridades não se restringiam particularmente a alguma passagem do drama, e em 1911 A. Gercke rompeu com uma tradição de mais de dois mil anos, nunca antes contestada, negando a autenticidade da atribuição de *Prometheùs Desmótes* a Ésquilo.

Essa teoria prosperou com adesões e contribuições diversas, e em 1977 assumiu a forma mais lúcida e equilibrada com o livro de Mark Griffith *The authenticity of 'Prometheus Bound'* (Cambridge University). Com um estudo técnico e exaustivo dos dados externos ao texto e, no texto mesmo, dos metros líricos, anapestos, trímetros jâmbicos, estrutura e técnica dramática, encenação, vocabulário, estilo e sintaxe, e ainda comparando essa tragédia com as outras seis que nos restam de Ésquilo, e também com as de Sófocles e de Eurípides, Mark Griffith conclui que as características não esquilianas superam em número as esquilianas, mas deixou em suspenso a decisão definitiva quanto à atribuição da obra. Em 1983, ao publicar sua edição crítica e comentada de *Prometheus Bound*, manteve formalmente o nome de

Ésquilo como autor da obra, com esta justificativa explícita: visto que da obra mesma de Ésquilo dispomos de menos que um décimo e nada temos de seus rivais e sucessores, à parte Sófocles e Eurípides, não é possível no estado atual de nossos conhecimentos decidir num sentido ou noutro quanto à autenticidade da atribuição a Ésquilo.

Não é essa a posição de M. L. West, que em seus *Studies in Aeschylus* considera-se "bastante sanguíneo (*sanguine enough*) para supor que a batalha virou-se decisivamente a favor dos que negam a autoria esquiliana" ("The authorship of the Prometheus Trilogy", *Studies in Aeschylus*, Teubner: Stuttgart, 1990, p. 51). É interessante o estudo de M. L. West porque expõe não somente uma interpretação cristalizada dessa obra, mas também sanguíneas opiniões sobre a imperícia do dramaturgo que a produziu e o caráter tosco e canhestro da obra, indigno de Ésquilo, acrescentando assim aos argumentos técnicos e objetivos de Mark Griffith razões de ordem hermenêutica e juízos estéticos. Visto que juízos estéticos dependem em grande parte, senão totalmente, da interpretação, deixemos de lado esses juízos e detenhamo-nos nesses interessantes argumentos hermêuticos, que têm a inesperada virtude de nos mostrar que e quanto o drama lido pelo helenista inglês não é o mesmo drama que nós outros lemos.

M. L. West considera inorgânicas e inconsistentes as figuras de Oceano e de Io, não vendo razão suficiente nem propósito definido em suas intervenções. Considera também que a teologia de *Prometheus* é "irreligiosa", ou ainda que não é absolutamente teologia, e que os cantos corais, além de breves e simples em comparação com os das tragédias de Ésquilo, são notáveis pela banalidade de seu conteúdo. Sem poder concordar com essas opiniões do insigne helenista, decorrentes de uma interpretação cristalizada e banalizadora, propomo-nos mostrar nas páginas seguintes o sentido especial e específico do coro de Oceânides, a razão por que intervém Oceano e não quaisquer outros Deuses, a necessidade da intervenção de Io e, enfim, o caráter sublime da teologia — entendida como *theomythía* — que se pode contemplar nesse drama.

Quanto ao problema mesmo da atribuição da contestada autoria, mesmo sem entrar no mérito do conceito de autoria com que em geral trabalham os citados contestadores, melhor avaliaríamos o alcance dessa questão no que diz respeito ao nosso interesse nessa tragédia se recorrêssemos ao que aprendemos com Jean-Pierre Vernant sobre a questão das origens da tragédia: "Mesmo que, quanto a esse ponto, tivessem oferecido uma resposta decisiva, nem por isso o problema da tragédia estaria resolvido." (VERNANT, JEAN-PIERRE, E VIDAL-NAQUET, PIERRE. *Mito e tragédia na Grécia Antiga*. São Paulo: Perspectiva, 1999, p. 1)

Trilogia e datação

Se paira a incerteza entre a autenticidade e a inautenticidade da atribuição de *Prometheùs Desmótes* a Ésquilo, também nada sabemos ao certo quanto à possível trilogia *Prometeia*, que enfeixaria essa tragédia. Não há nenhuma prova de que essa trilogia existiu, mas sim hipóteses, mais ou menos sugestivas e persuasivas, que os estudiosos modernos construíram com parcos elementos. Um escólio ao verso 513 da tragédia supértite diz que Prometeu é libertado "no drama seguinte"; provavelmente a coleção do escoliasta estava em ordem alfabética, donde se pode concluir que "o drama seguinte" fosse *Prometheùs Lyómenos* ("Prometeu libertado"), que figura em catálogos antigos das obras de Ésquilo, e de que temos alguns versos fragmentários de procedência diversa. A isso se soma o título *Prometheùs Pyrphóros* ("Prometeu porta-fogo"), mencionado em catálogo antigo como de uma obra de Ésquilo. No entanto, nesse catálogo não consta o nome do drama satírico *Pyrkaeús* ("Acende-fogo"), que integra uma das tetralogias de Ésquilo a que pertencia também *Persas*, e não se sabe se *Pyrphóros* não seria outro nome do mesmo *Pyrkaeús*. Com esses parcos elementos, constroem-se fascinantes hipóteses, com as quais se vislumbra a hipotética trilogia *Prometeia* — de que não nos ocuparemos, porque o propósito deste nosso estudo não é trabalhar com os textos que se perderam nos desvãos da História, mas com os textos que nos chegaram e que nos interpelam.

Também se dá por incerta a data da composição e produção de *Prometheùs Desmótes*. Mark Griffith data a tragédia "entre 479 a.C. e 415 a.C., provavelmente antes de 424 a.C." (*The authenticity of 'Prometheus Bound'*, Cambridge University, p. 13), alegando que o texto mesmo forneceria o limite temporal mais antigo: os versos 365-74, ao descrever a figura mítica de Tífon, mencionam a erupção do Etna, ocorrida em 479 a.C. — em não se crendo que esses versos sejam uma interpolação posterior. O *terminus ante quem* seria dado pelas paródias de versos dessa tragédia nas comédias de Aristófanes *Cavaleiros*, datada de 424 a.C., e *Aves*, de 414 a.C. Se essas conjecturas de Mark Griffth estão corretas, a provável data da composição dessa tragédia coincide com os últimos vinte e quatro anos da vida de Ésquilo, cujas datas extremas são 525 a.C. e 455 a.C.

Problemas e hipótese hermenêuticos

Essa tragédia já colocou para os especialistas um grande problema, a saber: como conciliar a figura de Zeus, que nas outras seis tragédias supérstites de Ésquilo é o fundamento transcendente da justiça e da sabedoria, com a figura que nela aparece de um Zeus tirânico, prepotente e injusto? Essa contradição teológica, essa incompatibilidade entre o Zeus descrito sobretudo em *Oresteia* e em *As suplicantes* como fundamento da justiça — dita "Filha de Zeus" (*Diòs kóra, Co.* 949), e o Zeus invectivado como um tirano injusto e cruel em *Prometheús Desmótes,* tornou-se problemática para insignes estudiosos.

Trabalhando com a hipótese da homologia estrutural entre a noção mítica de Zeus e a noção filosófica platônica de idéia do bem, e assim entendendo Zeus como o fundamento dos fundamentos (ou melhor: como o Deus dos Deuses), temos necessariamente que considerar que todos os aspectos do exercício do poder concernem a Zeus, desde a figura do prítane, tão expressiva e emblemática da democracia ateniense, até a figura — tão temida e odiada por essa mesma democracia ateniense — do tirano.

Outro problema é o da coerência interna da tragédia: que motivação, que necessidade determinaria que essas personagens mesmas, e não outras quaisquer, desfilem diante do protagonista encadeado? Que vínculo as convoca e leva à interlocução com o Deus encadeado?

A aproximação e a sobreposição do texto desse drama trágico ao da *Teogonia* de Hesíodo (especialmente os versos 231-2, 383-403 e 755-806) suscitam a hipótese de que as circunstâncias desse drama trágico sejam as do "Grande Juramento dos Deuses" e, na perspectiva aberta por essa aproximação e sobreposição de ambos os textos, esclarecem-se e explicitam-se tanto a motivação e necessidade de cada uma das personagens que visitam o protagonista encadeado quanto os traços teológicos (melhor dizendo, teomíticos) comuns dessa e das outras tragédias supérstites de Ésquilo.

O TÍTULO INTRADUZÍVEL *PROMETHEÙS DESMÓTES* E O TRADUZIDO *PROMETEU CADEEIRO*.

O título da tragédia *Prometheùs Desmótes* parece colhido num verso da fala com que Prometeu conclama os Deuses testemunhas do Grande Juramento dos Deuses a contemplar a sua paradoxal situação:

> Vede-me: cadeeiro desditoso Deus.
> *Horâte desmóten me dyspótmon Theón.*
> (*Pr.* 119)

Nesse verso, parece-me que "cadeeiro" (*desmóten*) indica o rol de atribuições que constituem as honras de Prometeu, e "desditoso" (*dyspótmon*) a sua situação nesse momento de pedir que o contemplem.

O nome *desmótes* é formado do mesmo tema de *desmá* e do sufixo de nome de agente *-tes*. Com esses elementos, o sentido originário desse nome é "o encadeador" e aponta a competência técnica que faz de Prometeu um Deus congênere (*syggenés*, cf. *Pr.* 14 e 39) de Hefesto, a saber, a arte metalúrgica, com que se fabricam cadeias e todos os meios de encadear e de prender. *Desmótes*, portanto, significa "o senhor das cadeias".

A situação de Prometeu se diz "desditosa" (*dyspótmon*) no momento em que perde os poderes que lhe são conferidos, não por sua arte, mas por sua participação em Zeus. *Dyspótmon* descreve essa "difícil queda" que consiste na perda dos poderes imposta pela ausência da participação em Zeus, e assim pela exclusão da presença de Zeus. Mediante essa "difícil queda" o senhor das cadeias se vê encadeado pelas cadeias de que perde o domínio.

Ao dar título a esta tragédia, cujo tema central é a privação de poderes e a passividade em que se vê encadeado e imobilizado o Titã ao ser excluído de toda participação em Zeus, o nome *desmótes* sofre uma mutação de sentido, e adquire o sentido passivo que figura nos títulos das traduções tradicionais: "Prometeu encadeado", ou "acorrentado", ou "agrilhoado" etc.

Para indicar essa mutação e ambiguidade do título, é necessário um nome de fabricante de cadeias que tenha essa duplicidade de sentido ativo e passivo. Em dois textos diversos, numa página de *Memórias do cárcere* de Graciliano Ramos e no verbete do *Grande e novíssimo dicionário de língua portuguesa* de Laudelino Freire, pode-se verificar que a palavra "cadeeiro" tem essa duplicidade de sentido e ambiguidade procuradas.

Lê-se nas citadas *Memórias do cárcere*:

"Subimos uma escada, penetramos extensa galeria onde cárceres desembocavam. De quando em quando uma grade silenciosa se abria, algumas dezenas de companheiros mergulhavam na sombra, continuávamos a viagem. Na terceira ou quarta parada chegou a minha vez. A chave correu leve na fechadura, a porta de ferro se descerrou, achei-me num quadrângulo nu. Completa ausência de móveis. Tentei desembaraçar-me do chapéu e da valise, mas o chão vermelho estava molhado. Fiquei de pé, conversando com os vizinhos, experimentando pouco mais ou menos uma sensação de embriaguez. Apesar da confusão, devia aparentar calma, pois o carcereiro me indicou, largou uma frase que me feriu como uma chibatada:

> "–Este parece um cadeeiro velho.
> "Estremeci:
> "– Hem?
> "–Entra como se estivesse em sua casa."

(RAMOS, Graciliano. *Memórias do cárcere*. 4. ed. v. 1. São Paulo: Livraria Martins, 1960. cap. 32, p. 173.)

Lê-se no verbete "cadeeiro" do citado dicionário:

> "CADEEIRO, s. m. De *cadeia + eiro*. *Ant.* Carcereiro."

(FREIRE, Laudelino. *Grande e novíssimo dicionário da língua portuguesa*. 2. ed. v. II. Rio de Janeiro: José Olympio, 1954. p. 1146.)

TEOLOGIA (*THEOMYTHÍA*) DO CENÁRIO E DAS PERSONAGENS

Que sentido têm esse drama e suas personagens, na perspectiva da tradição mítica grega? O sentido do drama consubstancia-se no de cada uma delas e no de todas elas. Quais as personagens do drama e o que elas são? As personagens são Poder e Violência, Hefesto, Prometeu, Oceaninas, Oceano, Hermes, todos eles Deuses imortais, e a única mortal: Io, filha de Ínaco. E o que elas são? Que sentido têm dentro desse sistema de noções e imagens que constitui o pensamento mítico grego?

Nos poemas de Hesíodo *Teogonia* e *Os trabalhos e os dias*, um jogo de sinuosas intenções entre Prometeu e Zeus explica a origem da condição humana mortal e sexuada e da instituição do sacrifício cruento aos Deuses Olímpios; em ambos os poemas, o relato desse jogo conclui explicitando que não é possível furtar nem preterir "o sentido de Zeus" (*Diòs noon*), nem escapar dele, e aí se contam as consequências das tentativas por Prometeu de trapacear "o sentido de Zeus": a ambígua finitude para os homens mortais, na qual se contrapesam os quinhões de bens e de males (antes não se discerniam Deuses imortais e homens mortais) e "tormenta e tripla vaga de males" para Prometeu (primeiro — fulminado, lançado ao Tártaro, e — depois — a águia todo dia lhe devorava o fígado, que se restaurava à noite). No entanto, Prometeu não é uma figura hipotartária. É como Deus metalúrgico e artesão que Prometeu se associa a Hefesto e Atena. Cultuado em Atenas como patrono dos oleiros, era-lhe consagrado um festival com corrida de tochas chamado *Prométheia*.

A influência de Hesíodo sobre Ésquilo é marcante. Talvez mais que a influência direta de Hesíodo sobre Ésquilo, haja a confluência da participação comum de ambos os autores na tradição de um universo cultural e religioso comum. Por ordem de entrada, nesse drama, Poder (*Krátos*) e Violência (*Bía*, esta, muda, como convém à sua natureza) são as primeiras personagens a falar e a agir, na missão que Zeus lhe impôs de prender Prometeu à rocha precipitosa. Na *Teogonia* de Hesíodo, Poder e Violência são irmãos de Zelo (*Zêlos*) e Vitória (*Níke*), filhos de

Estige, a Oceanina que constitui o décimo braço de Oceano. Enquanto os outros nove braços circundam a terra e o vasto dorso do mar, ela se precipita na Noite negra (*T.* 789-792). Oceano, o rio circular, é a última fronteira entre a participação de ser e a privação de ser; a Noite imortal é o domínio da negação de ser e da privação de presença. Quando Zeus conclamava os imortais ao Olimpo, às vésperas da Titanomaquia, aconselhada por seu pai Oceano, Estige foi a primeira a apresentar-se com seus quatro filhos. Como recompensa dessa aliança de primeira hora, vencidos os Titãs, Zeus honrou-a, fazendo dela própria o "grande Juramento dos Deuses", e seus filhos residirem com ele para sempre. Na "descrição do Tártaro", na *Teogonia* de Hesíodo, no mitologema de Estige explica-se esta expressão "grande Juramento dos Deuses" (*Theôn mégas Hórkos, T.* 784): íngreme pedra donde fria água de muitos nomes se precipita na Noite negra. Cada vez que Rixa e Briga surgem entre os imortais, Zeus faz a mensageira Íris buscar a longínqua água de Estige. Quem a esparge pronunciando um perjúrio jaz sem fôlego um ano inteiro sob maligno torpor; depois, banido por nove anos, só no décimo frequenta de novo as reuniões dos Deuses Olímpios (*T.* 775-806).

Na *Ilíada* e na *Odisseia*, "grande Juramento dos Deuses" é uma expressão frequente, designa um poderoso juramento que em diversas circunstâncias obriga Deuses ao cumprimento da palavra dada. Ele em geral se formula pela tríplice invocação das águas de Oceano, Céu e Terra, como testemunhas de que fez ou não fez, fará ou não fará algo. O par primordial Céu e Terra abarca a totalidade cósmica, delimitada pelas últimas fronteiras dessa totalidade: as águas do rio Oceano. Diante dessas testemunhas absolutas, não há nenhum refúgio por onde quem falta à palavra pudesse lhes escapar; evadir-se delas é excluir-se do âmbito do ser, e ingressar no meôntico domínio da Noite. (Cf. BOLLAC, Jean. "Styx et serments". *Revue des Études Grecques*, t. LXXI, 1958.)

O drama de Prometeu se passa em "longe limitante chão da terra" (*Pr.* 1). O lugar é descrito como "pedras precípites" (*Pr.* 4-5), "precipício tempestuoso" (*Pr.* 15), "penedo longe dos homens" (*Pr.* 20), "penhasco extremo" (*Pr.* 117), "vígil alcantil deste precipício" (*Pr.* 142), etc. A ênfase no caráter pétreo e precipitoso de rocha cortada a pique marca tanto a descrição do lugar deste drama trágico quanto a da habitação de Estige nos versos da *Teogonia*, como se tratasse da mesma noção e da mesma imagem do mesmo lugar. Configurada no lugar mesmo do drama trágico, a presença de Estige se multiplica no coro de Oceânides, em seus filhos Poder e Violência, em seu pai Oceano, pois o sentido geral desse drama trágico é o do grande Juramento dos Deuses, a que nele Prometeu se submete.

Minuciosa ênfase recai sobre as diversas peias, cadeias, cravos, grilhões, pregos, cunhas, cilhas e freios com que se prende (*Pr.* 6, 20, 52, 54 etc.). Insiste-se na compaixão de Hefesto por Prometeu (*Pr.* 63, 66) e na afinidade e congeneridade que os unem (*Pr.* 15, 39): são Deuses aparentados e companheiros, têm as mesmas atribuições. *Desmótes* (*Pr.* 119): "cadeeiro", no sentido (ativo) de "o senhor das cadeias", nesse drama Prometeu se vê "cadeeiro", no sentido (passivo) de "preso nas cadeias". Por que o senhor das cadeias se vê preso nas cadeias? Porque se recusa a participar da realeza de Zeus. Essa recusa de Prometeu tem nesse drama a aparente justificativa de que essa exclusão se deva a que o poder exercido por Zeus se deixa descrever como "tirania" (*Pr.* 10 etc.). Poder é sempre e em toda parte o paredro de Zeus, eis o que dizem os versos da *Teogonia* sobre as honras e privilégios com que se aquinhoam Estige e seus filhos Poder, Violência, Zelo e Vitória. Para a piedade helênica, todo e qualquer exercício de poder, público ou privado, se exerce por participação em Zeus e na medida dessa participação. Perdidos os poderes que a participação em Zeus lhe dava, o senhor das cadeias se vê preso nas cadeias.

A tirania de Zeus e o filho de Têmis

Primeiro a falar, como convém a quem guia e dirige os que o acompanham, Poder descreve o lugar aonde chegaram como "longínquo limítrofe chão da terra" (*Pr.* 1), onde se há de cumprir a missão, imposta pelo Pai a Hefesto, de encadear Prometeu às pedras precipitosas, junto ao precipício em que o ser se limita e se confina com a privação de ser.

Poder é o primeiro a declarar Zeus *týrannos* (*tyrannída*, *Pr.*10; 49-50), depois Oceano o reitera (*týrannos*, *Pr.* 310), e ainda o descreve como "áspero monarca absoluto" (*trakhýs mónarkhos oud'hypeúthynos*, *Pr.* 324), e por fim Prometeu reconhece que Zeus é *týrannos* (*Pr.* 942, 996), ainda que sem reinvindicar por isso o título de *sophistés*, que lhe reconhecem Poder (*Pr.* 62) e Hermes (*Pr.* 944). Prometeu declara duas vezes esse seu reconhecimento de Zeus como *týrannos*, primeiro ao negar a Hermes a dignidade de ser livre e assim poder ser um interlocutor condigno (*Pr.* 941-20), e depois ao (per-)jurar — dadas as circunstâncias do grande juramento dos Deuses — que "ele deve cair da tirania" (*khréon nin ekpeseîn tyrannídos*, *Pr.* 996).

Nessas ocorrências, observa-se que *thýrannos* se diz do que efetivamente exerce o poder, e *sophistés* se diz do que se associa à mentira — filha da Deusa Noite, domínio da negação de ser e da privação de presença — e assim também ao domínio da privação de poder e de ser.

Hefesto interpela Prometeu como

> "filho de abrupto pensar da Lei de reto conselho"
> *tês orthoboúlou Thémidos aipymêta paî*
> (*Pr.* 18).

O epíteto "de abrupto pensar" (*aipymêta*) lembra a fórmula "abruptos fluxos" (*aipà rhéethra*, *Il.* 8, 369), que descreve a "água de Estige" (*Stygòs hýdatos aipà rhéethra*, *Il.* 8, 369). O epíteto "de reto conselho" (*tês orthoboúlou*), dito de *Thémis* ("Lei"), contrasta não só com o epíteto distintivo do "filho de abrupto pensar", mas também com o epíteto "de curvo pensar" (*agkylométes*), que na *Teogonia* de Hesíodo descreve em comum Prometeu e Crono. O contraste entre os epítetos *orthoboúlou* e *aipymêta* — ao descrever a mãe "de reto conselho" e o filho "de abrupto pensar" — surpreende por serem epítetos ostensivamente contrários, e esse contraste parece negar ao mesmo tempo que afirma o vínculo entre mãe e filho.

As testemunhas do Grande Juramento dos Deuses

Quando essa missão de Hefesto, Poder e Violência se cumpre, e Prometeu se encontra preso e a sós, ele que suportou em silêncio o longo agrilhoamento, primeiro diz:

> Ó divino Fulgor, velozes alados ventos,
> fontes de rios, inúmero brilho

de ondas marinhas, Terra mãe de todos
e o onividente círculo do Sol invoco.
(*Pr.* 88-91)

"Fulgor" (*Aithér*) é a luminosidade diurna e noturna do céu. Homero diz que os Deuses habitam o *Aithér* ("Fulgor"), o céu ou o Olimpo, sem que se note diferença entre esses três modos de se referir aos súperos como morada dos Deuses. "Velozes alados ventos e fontes de rios e inúmero brilho de ondas marinhas" remetem ao rio Oceano. Assim, Prometeu quebra o seu altivo silêncio pela invocação das mesmas testemunhas invocadas no grande juramento dos Deuses. Ele as invoca e descreve sua presente situação, deplorando-a. Como em resposta, entra o coro. Quem o constitui? As Oceaninas, essa multiplicação de Estige, já configurada pelo lugar mesmo do drama e pelos seus filhos Poder e Violência, como depois pelo seu pai Oceano.

Os termos do Juramento

As Oceaninas tratam Prometeu com uma certa reserva, uma certa discrição e uma certa solidariedade. A relação entre ambos é a mesma que em geral nas tragédias o coro tem para com os heróis-protagonistas. Se a personagem Prometeu não é um herói, no sentido religioso dessa palavra, mas um Deus, o coro não se compõe de figuras humanas, como em geral se compõe, mas de figuras divinas, que, no entanto, são marcadamente determinadas pela função que presidem, a do grande juramento. Prometeu, pois, tem ascendente sobre o coro de Oceânides, assim como em geral nas tragédias o herói-protagonista tem ascendente sobre o coro de mortais, mantendo-se entre o coro e o protagonista uma mesma escala na hierarquia do divino. Se nesta tragédia em questão o protagonista é um Deus-Titã (não é um herói), o coro é de Deuses subalternos, funcionais, identificados com a função que exercem (não é constituído nem de mortais, nem de grandes Deuses do Olimpo).

Inicialmente Prometeu deve declarar às Oceaninas por que está encadeado ali e, tendo-se lamentado a dolorosa situação, começa por anunciar sua linhagem. Essa é a grande diferença entre o Prometeu de

Ésquilo e o de Hesíodo, mas, a meu ver, o por que diferem se explica com o em que diferem.

Na *Teogonia*, Prometeu é filho de Jápeto e Clímene, aquele é filho de Céu e Terra, esta é filha de Oceano e Tétis, e os filhos de ambos, entre os quais Prometeu, têm em comum o destino de terem sido golpeados por Zeus e arremessados ao Tártaro. Nesse drama, Prometeu se declara filho de "Têmis ou Terra, forma única de muitos nomes". Por que assim se declara? A palavra *thémis* significa "lei", no sentido da lei ancestral de origem divina; o filho da Deusa Têmis tem por natureza a legitimidade e suas ações manifestam a essência de sua mãe. Ela é filha de Céu e Terra, essa filiação por sua vez possibilita identificá-la com a Terra mesma (como Prometeu o faz). Terra é a Deusa primordial, mãe de Céu, mãe de Mar, mãe de todos: seu ser abarca a totalidade cósmica, a totalidade de ser e de acontecer, e ela tem por isso a presciência de todos os acontecimentos. Quando Prometeu se diz filho de Têmis ou Terra, identificando-as, identifica-se a si mesmo com a liceidade e com o sumo saber divinatório; por conseguinte, ele se diz autor da vitória e realeza de Zeus, a quem acusa de desconfiança, crueldade e ingratidão.

Na *Teogonia*, a Deusa Terra está presente em todos os momentos decisivos da diacosmese, presidindo-a com seu saber oracular e determinando-lhe o sentido. Aconselha diretamente a Zeus, para que nenhum outro dos descendentes de Céu em vez dele tivesse honra de rei, porque em Zeus se consuma a essência ancestral de Céu, filho e parceiro de Terra (*T.* 891-3). Na lógica peculiar ao pensamento teogônico, em que a natureza e atribuições de cada Deus se definem por sua inserção em uma das linhagens divinas, a vitória e realeza de Zeus é a explicitação do ser de sua ascendência: filho de Crono, filho de Céu. Zeus é o fundamento dos fundamentos, o Deus dos Deuses: aos imortais bem distribuiu e indicou cada honra.

Na tragédia de Ésquilo, Prometeu, com a filiação por ele declarada, arroga a si os desígnios de Zeus (não pode arrogar-se a realeza dele, já que não a exerce), e acusa-o de tirania e da moléstia que a infesta: por todos os seus benefícios a Zeus e por sua defesa dos mortais, aí está encadeado. O coro tem para com Prometeu uma atitude compassiva, que discorda amenamente, que recua discretamente, porque essa é em geral a atitude do coro ante as personagens heroicas.

As palavras sob Juramento

Quando Prometeu pede às Oceaninas que desçam do carro alado em que vieram e pisem no chão para ouvi-lo e compadecer-se de seus sofrimentos, quem surge para atender a esse pedido é o Deus Oceano. A intercessão de Oceano mais bem se explica por sua função de testemunha do grande juramento dos Deuses. Oceano são as grandes fronteiras entre a terra e o vasto dorso do mar, por um lado, e, por outro, a Noite negra, isto é, entre o âmbito do ser e da presença e o âmbito da negação de ser e da privação de presença. Nesta situação se encontra Prometeu: perante Céu, Terra e Oceano, deve pronunciar solenemente o que apresenta como verdadeiro. Nessa situação, quem perjura, jaz sem fôlego e maligno torpor o cobre por um ano, depois, por nove anos é banido do convívio dos Deuses sempre vivos, como se diz na *Teogonia* de Hesíodo.

O diálogo entre Oceano e Prometeu é sereno e compassivo. O conselho daquele a este é o de cuidado com as palavras, condição para que se possa fazer algo pela libertação dessas fadigas. O conselho deste àquele é o de que desista e não se inquiete, pois não se persuadirá a quem não se deixa persuadir. Aparentemente, Prometeu diz de Zeus que não é persuadível, mas essa acusação se volta contra quem a faz. Oceano acolhe o conselho de Prometeu e desiste de tentar persuadir a um ou a outro, e deixa-o a sós com o coro que desde já canta o lamento universal pela funesta sorte de Prometeu.

A ostentação de um certo segredo

Dirigindo-se às Oceaninas, Prometeu enumera os diversos conhecimentos de que fez dom aos mortais e conclui essa enumeração afirmando que "todas as artes os mortais têm de Prometeu" (*Pr.* 506). Assim deixa transparecer a sua emulação com Zeus e insinua que detém um segredo de que depende a realeza de Zeus (*Pr.* 515-525).

A aparição de Io, filha de Ínaco, única mortal desse drama divino, redimensiona a grandeza dos dons prometeicos, ao apresentar concretamente na figura de Io a condição humana. Aqui como alhures, *nomen omen*. *Ió*, o nome da personagem, é, em grego e nessa peça, também uma interjeição de dor. *Iò iò pópoi*, exclama Io por seus sofrimentos (*Pr.* 576). *Ió moí moi eé*, exclama ainda ao ouvir o seu futuro revelado por Prometeu (*Pr.* 742).

A figura de Io é uma metonímia da condição humana. A metonímia consiste em representá-la pela condição feminina, pondo assim em relevo a precariedade e fragilidade da vida humana em face da vida divina. A princesa Io, ao chegar em idade de casar-se, sonha repetidas vezes que Zeus a deseja e que deve entregar-se a ele. Ínaco, seu pai, consulta oráculos a esse respeito, e o de Delfos lhe responde que deve expulsar a filha de casa e da pátria, para que Zeus não destruísse toda sua casa com o raio. Coagido, o pai assim procede. Transmutada em novilha e picada por um aguilhão, Io vagueia, e suas errâncias compõem um fabuloso catálogo geográfico. Nessa história como alhures, Zeus é o ideal de virilidade, e Io, todas as moças que, em idade de se casar, de acordo com os costumes gregos, tinham que deixar a casa paterna para morar com o marido em casa deste. Essa mudança de casa e de estado civil a conduz ao âmbito de Hera, a Deusa que preside o casamento e o patrimônio familiar, e cujo epíteto épico *boópis* ("de aspecto bovino") é emblemático de seu caráter maternal. A transmutação de Io em novilha fala de seu ingresso no âmbito de Hera, seus sofrimentos e delírios falam do esforço de integração à nova condição civil e social. O aguilhão (*oîstros*, "aguilhão", ainda que frequentemente entendido e traduzido como "moscardo", *Pr.* 567 e 879, também mencionado em *Su.* 306 e 541), que a lancina, é o "dardo do desejo", como diz outra metáfora do mesmo contexto (*Pr.* 649). Sua libertação dessa perseguição que os "ciúmes" de Hera lhe movem dá-se com o nascimento do primeiro filho, pois o filho assegura a continuidade da casa, a perpetuação da descendência. Assim se consumava a finalidade do casamento antigo: a casa de Ínaco não seria mais destruída com o raio de Zeus, e a jovem mãe se concilia com Hera. Io, portanto, põe em cena a contrapartida humana da figura filantrópica do Deus Prometeu: o esforço por assegurar ao gênero humano sua perenidade.

Perante Io, esvazia-se a pretensão prometéica de ter salvo o gênero humano: "Que me lucra viver?", pergunta-lhe Io (*Pr.* 747). O Deus encadeado a consola com a exposição de seu próprio sofrimento, cujo término não prevê "antes que Zeus caia da tirania" (*Pr.* 756), e brande então o segredo de como isso se daria: Zeus contrairia núpcias que gerariam um filho mais forte que o pai. O segredo consiste em que núpcias seriam essas, com que Deusa ou com que mulher mortal. O tema das núpcias funestas para a realeza de Zeus aparece também na *Teogonia* e na *VIII Ístmica* de Píndaro, naquele texto Zeus é prevenido pelos conselhos de Terra e Céu constelado, e neste, pelos oráculos de Têmis; ambos esses textos ressaltam a pertinência da realeza ao espírito de Zeus.

A interlocução com Hermes

Por ordem de entrada, a última personagem a aparecer é Hermes, mensageiro dos Deuses. Hermes vem cobrar a Prometeu o segredo por ele ostentado a respeito de eventual queda da tirania de Zeus. No diálogo entre ambos, retorna a palavra *sophistés* ("sofista") para caracterizar Prometeu, antes usada por Poder (*Pr.* 62) e agora retomada por Hermes (*Pr.* 544.); ressurge também a acusação de *authadía* ("obstinação"), feita por Hermes a Prometeu (*Pr.* 964), antes feita por este a Zeus (*Pr.* 907). *Authádes* ("obstinado") se diz quem se compraz em fazer o que lhe apraz sem mais cuidados que do prazer mesmo, donde a conotação de arrogância e orgulho. *Authadía* é o perverso prazer de se obstinar em algo que não corresponde a uma realidade mais ampla do que a própria obstinação.

Hermes proclama "que tormenta e tripla vaga de males" (*Pr.* 1015) aguardariam Prometeu inevitavelmente, se suas palavras não lograssem persuadi-lo. É notável que essas "tormenta e tripla vaga de males" se descrevem em duas fases, como a provação que se impõe a quem perjura perante o grande Juramento dos Deuses: uma primeira fase no Tártaro (*Pr.* 1016-9), correspondente ao maligno torpor de um ano inteiro (*T.* 795-9), e uma segunda fase, à luz do dia, com o suplício da águia a devorar-lhe todo dia o fígado, que à noite se regenera para que o suplício prossiga (*Pr.* 1020-5), correspondendo essa fase ao exílio do convívio com os Deuses (*T.* 800-40). A duração da provação anunciada se mede por uma temporalidade humana, já que ao todo se prevê prolongar-se por treze gerações humanas, e já que na segunda fase é marcada não só pela alternância entre dia e noite, mas sobretudo pela exclusão do convívio e do conselho dos Deuses. O encadeamento que o drama põe em cena não faz parte dessa provação anunciada, antes constitui a privação de ser e de poder sofrida pelo *Desmótes* ("Cadeeiro").

Êxodo para o Tártaro

Esta interpretação do sentido geral desse drama como o do grande Juramento dos Deuses explica por que o coro de Oceaninas, embora inocente de toda acusação que possa pesar sobre Prometeu, no entanto se precipita no abismo junto com ele: precipita-se porque assim é Estige. Essa precipitação demonstra que, nesse drama, bem como nos outros seis supérstites de Ésquilo, Zeus é o transcendente fundamento da justiça, da verdade e da prudência.

MITO E POLÍTICA NA TRAGÉDIA *PROMETEU CADEEIRO* DE ÉSQUILO

Prometeu Cadeeiro é, sob certo aspecto, a mais esquiliana das sete tragédias que hoje temos atribuídas a Ésquilo, porque nela se observam os traços mais característicos da dramaturgia esquiliana, a saber, 1) a reflexão — mediante o recurso a imagens e noções próprias do pensamento mítico grego arcaico homérico e hesiódico — a respeito dos limites inerentes a todo exercício do poder no horizonte da *pólis* de Atenas no século V a.C.; e 2) o tratamento da noção de Zeus como fundamento da verdade que se impõem contra os que resistem a reconhecê-la. Essa noção de verdade numinosa – numinosa porque implica tomar atitude perante uma interpelação que nos alcança apesar de todos os nossos esforços investidos na recusa a reconhecê-la — se descreve com palavras fulgurantes nos versos do hino a Zeus na *Oresteia* de Ésquilo:

> A dor que se lembra da chaga
> sangra insone ante o coração
> e a contragosto vem a prudência.
> (*Ag.* 179-81)

A meu ver, essa noção de verdade, que está no coração da *Oresteia* de Ésquilo, funda e orienta o tratamento que se dá à noção de Zeus na tragédia de Ésquilo *Prometeu Cadeeiro.* Trabalhando com a hipótese da homologia estrutural entre a noção mítica homérica e hesiódica de Zeus e a noção filosófica platônica de "ideia do bem" (*t'agathón*), verificamos que em toda essa tragédia, e especialmente na cena de Io, a noção de Zeus — entendida como o fundamento dos fundamentos, e especialmente o fundamento de todo e qualquer exercício de poder — é vista pelo lado esquerdo, e é nessa leitura sinistra da noção de Zeus que se impõe a perspectiva que se descortina pelo lado direito dessa mesma noção.

Assim se comparam essa tragédia de Ésquilo e o diálogo *Sofista* de Platão.

No prólogo desse diálogo, confrontam-se dois pontos de vista sobre a figura do sofista: 1) o de Sócrates, benevolente, disposto a considerar a possibilidade de que o sofista, o político e o filósofo constituam um único gênero, e 2) o do Estrangeiro de Eleia, hostil à figura em questão, e frequentemente depreciativo dela; no desenvolvimento do diálogo, porém, verifica-se que o ponto de vista inicial de Sócrates revela-se o mais verdadeiro e impõe-se à revelia do Estrangeiro de Eleia.

Nessa tragédia de Ésquilo, a análise dos limites inerentes a todo e qualquer exercício de poder se dá mediante o exame do jogo de múltiplos lances e contralances entre Prometeu e Zeus, jogo no qual se decide o que cabe a quem entre os Deuses imortais, e o que cabe a Io e, por metonímia, a todos os homens mortais. Em *Prometeu Cadeeiro*, ausente da cena, Zeus é apresentado sob o ponto de vista da supremacia que lhe confere poder, e essa apresentação de Zeus passa da fala de Poder — o aliado obstinado e inexorável que o apresenta como obstinado e inexorável — à fala do inimigo obstinado e inexorável que o acusa de ser obstinado e inexorável; no entanto, nessa apresentação em que Zeus passa de mal a pior, visto o tempo todo pelo lado sinistro, irrompe inequívoca no discurso inimigo a figura de Zeus que resgata Io com o simples toque, pai da descendência de Io e pai — por essa descendência e por novas núpcias, após muitas gerações — do libertador de Prometeu: a figura de Zeus salvador (*Sotér* — embora nesse trecho não apareça esse epíteto).

O nome da personagem Io nas tragédias *Prometeu Cadeeiro* e *As suplicantes* de Ésquilo é uma interjeição de dor, que salpica as falas dessa e de outras personagens dessas tragédias. Que necessidade convoca e leva Io à interlocução com o Deus encadeado? Que razão explica a aparição de Io no terceiro episódio de Prometeu (*Pr.* 561-886)?

Io tem uma relação dúplice e ambígua, tanto com Zeus quanto com Prometeu. A duplicidade reside na coexistência de bens e de males como condição de sua vida, e a ambiguidade consiste na dificuldade em distinguir entre o que são bens e o que são males e na dificuldade em determinar o que são uns e o que são outros. Em relação a Zeus, que são uns e outros? E em relação a Prometeu, que são uns e outros? Que sentido têm, no contexto dessas tragédias, essas mesmas noções de Zeus e de Prometeu?

Ainda que perguntas assim se multipliquem quando se explicitam, se considerarmos o que nos diz de ambas essas noções a cena de Io no terceiro episódio (*Pr.* 561-886) e a reflexão que ela motiva no terceiro estásimo (*Pr.* 887-906), verificaremos que a figura de Io integra o drama como o ponto de vista e o grau de verdade necessários à completa explicitação do sentido do jogo entre Zeus e Prometeu.

Zeus Pai entre tirano e prítane

O prólogo (*Pr.* 1-127) tem duas partes: o diálogo entre Poder e Hefesto, e o monólogo de Prometeu. Na primeira parte; o diálogo entre Poder e Hefesto se dá diante de dois personagens mudos, Violência e Prometeu. Violência é muda, porque se manifesta na voz e na ação de Poder. Prometeu está mudo, porque supostamente não reconhece a dignidade de interlocutores seus nesses que o coagem como agentes de seu inimigo: Zeus. Na segunda parte, Prometeu rompe o silêncio ao invocar as testemunhas primordiais e assim iniciar a sua fala como o pronunciamento do "grande juramento dos Deuses".

Primeiro fala Poder, que apresenta as ordens de Zeus a Hefesto e, ao mesmo tempo, o lugar onde se já se encontram e onde se devem cumprir as ordens:

> Chegamos a longínquo e limítrofe chão
> da terra, sendeiro cita, imortal solidão.
> (*Pr.* 1-2)

A expressão "sendeiro cita", reforçada por "imortal solidão", descreve como desolada vacuidade erma de mortais esse extremo limite da terra. Aceitemos aqui, como hipótese de trabalho, a tese — demonstrada alhures — de que esse extremo limite é a imagem mítica do lugar metafísico onde se distinguem a presença de ser e a privação de ser.

No prólogo, ao dirigir-se a Hefesto com as ordens de Zeus, Poder tem em vista ao mesmo tempo quatro personagens: a Oceanina Estige (não nomeada, mas configurada nessa imagem mesma do lugar em que estão), Zeus, de quem se têm ordens, Prometeu, sentenciado por Zeus a ser encadeado nesse lugar, e Hefesto, a quem ordena encadear. Ao anunciá-las, o ponto de vista estreito e rígido de Poder delineia e define os traços dessas personagens por ele apresentadas.

A relação entre Zeus e todos os outros Deuses — prefigurada no epíteto épico que descreve Zeus como "Pai dos Deuses imortais e dos homens mortais" — deixa-se mais bem descrever — sob o ponto de vista cirurgicamente preciso do exercício de Poder — como *tyrannída* ("tirania", *Pr.* 10). Na construção de uma imagem da tirania operam e colaboram os diversos pontos de vista — de Poder, de Prometeu e dos muitos interlocutores de Prometeu, dos quais, todavia, resulta consensualmente uma descrição negativa da tirania como forma de governo. Se a tirania é intrinsecamente negativa, e Zeus se descreve como tirânico, a condenação implícita da tirania, vista como iníqua e intratável, não comprometeria também a imagem de Zeus?

O exercício dessa "tirania" é que determina como se veem — sob o ponto de vista de Poder — as outras personagens do drama. Poder se dirige a Hefesto como o perito em cadeias, encarregado de cumprir essas ordens, e indica Prometeu como a ser encadeado, em punição por seu erro, que consiste no furto do fogo de Hefesto e na outorga do fogo aos mortais, o que se diz filantropia.

Pode-se dizer que, simplificado em "Pai" (*Patér*, Pr. 4) o epíteto épico "Pai dos Deuses imortais e dos homens mortais", dito de Zeus, com diversas fórmulas, nos poemas homéricos e hesiódicos, compõe em *Prometeu Cadeeiro* uma série abrangente, que engloba designações de diversas formas de exercícios de poder, a começar com "tirania de Zeus" (*Pr.* 10), de que se diz:

> Só não há ônus em ser rei de Deuses,
> pois ninguém é livre, além de Zeus.
> (*Pr.* 49-50)

A seguir, descrevem Zeus outras imagens de exercício de poder: "o novo chefe dos Venturosos" (*néos tágos makáron*, *Pr.* 96), onde "chefe" (*tágos*) designa o comandante militar, e conota estratégia e operação militar; assim — como convém a um estratego — se diz que tem "intocável caráter e coração impersuadível" (*Pr.* 184-5).

A imagem do piloto-rei e do navio-estado, associando a arte da navegação à da política, descreve o exercício do poder como tanto mais eficaz e benéfico quanto com mais competência se exerce:

> Novos timoneiros dominam o Olimpo,
> com novas normas
> Zeus sem posto exerce o poder
> e agora anula os antigos portentos.
>
> (*Pr.* 149-53)

A meu ver, ao dizer que "Zeus sem posto exerce o poder" (*Zeùs athétos kratýnei, Pr.* 49-50), é o advérbio "sem posto" (*athétos*) que — em face de outros Deuses ditos "novos timoneiros" — define a superioridade e transcendência de Zeus a todos os outros Deuses, uma vez que todos esses outros têm posto junto ao timão, como pilotos do navio, e junto ao poder, como dirigentes do estado. "Sem posto", a direção de Zeus dirige a todo dirigente em seu posto, e a esse grau acima de todo exercício do poder — onde se vê Zeus — corresponde um grau abaixo de todo exercício do poder, despojado e privado de todo poder — onde se vêem "os antigos portentos": inimigos vencidos de Zeus.

O termo "prítane dos venturosos" (*makáron prýtanis, Pr.* 169) evoca uma função própria da democracia ateniense, e assim associa à figura de Zeus a inesperada conotação de exercício de poder legitimamente compartilhado. Nesta imagem do "prítane dos venturosos", o "prítane" perfaz com os "venturosos" a unidade dinâmica da vida democrática, de que Prometeu está excluído — não só por Violência e Poder, mas também por seu ódio a todos os Deuses venturosos.

Como quem usa a palavra "prítane" com referência a Zeus é Prometeu, esse uso não constitui mais uma antífrase, mas áspera ironia.

A noção de Zeus Pai como fundamento de todo exercício de poder — público e privado — engloba amplo leque de sentidos, do pior ao melhor, de "tirano" a "prítane". A ironia, no entanto, dá às imagens aparentemente positivas de exercício do poder público — a saber, "chefe", "piloto" e "prítane" — o perverso sentido de poder usurpado pela tirania, definida como supressão de toda liberdade, exceto a do tirano.

Pode-se dizer que essa caracterização negativa e condenatória da tirania precede e prefigura a condenação da tirania como o mais cruel e o mais injusto dos regimes políticos, que décadas mais tarde se lê em Heródoto e um século mais tarde em Platão. Pode-se também dizer que é um traço constante nas tragédias de Ésquilo esse uso de imagens próprias do pensamento mítico na elaboração da reflexão sobre os limites inerentes ao exercício do poder político.

Pode-se ainda dizer que ao simplificar o epíteto épico de Zeus "Pai dos Deuses imortais e dos homens mortais" em "Pai" (*Pr.* 4) e ao descrever a superioridade e transcendência de Zeus a todos os outros Deuses em termos de tirania, não se afasta muito do uso, corrente nos *Diálogos* de Platão, dos termos "amo" e "escravo" para descrever a relação entre Deuses e homens (cf. Platão, *Fédon* e *Fedro*), onde a meu ver se usa a imagem da relação senhor-escravo meramente como expressão tradicional da piedade grega arcaica e clássica.

O sofista Prometeu

A malícia na caracterização de Prometeu como "sofista", primeiro na fala de Poder (*Pr.* 62), depois na de Hermes (*Pr.* 944), reside em que a conotação de competência técnica que há na palavra "sofista" é suplantada ao longo do drama pela conotação de embuste e de empulhação, visto que o cenário do drama é o do Grande Juramento dos Deuses, e visto que, ao proferir — sob o Grande Juramento dos Deuses — suas ameaças contra Zeus, Prometeu por fim é precipitado ao Tártaro, junto com o coro de Oceaninas, que são as águas de Estige — pois de tal precipitação se conclui que, de acordo com o mitologema do Grande Juramento dos Deuses, as alegações e ameaças de Prometeu contra Zeus são embuste e empulhação.

Na *Teogonia* de Hesíodo, Zeus conquista o poder tanto por violência quanto por astúcia, e um dos epítetos de Zeus é *metíeta* ("astuto"), que é explicado pelo mitologema das núpcias de Zeus e *Mêtis* ("Astúcia"). A vitória de Zeus sobre todos os seus inimigos inaugura o reinado de Zeus, que se torna insubvertível porque Zeus ao incorporar Astúcia se torna astuto de modo a não se deixar mais surpreender por nenhuma astúcia.

Em *Prometeu Cadeeiro*, essas atribuições de Zeus se refazem, pois atribuem-se a Zeus o poder e a violência, contrapondo-os à astúcia, agora atribuída a Prometeu. Poder manda que Hefesto pregue irresvalavelmente o braço de Prometeu à pedra, para que aprenda que é um "sofista" mais lento que Zeus. Na perspectiva de Poder, a sofística de Prometeu é insuficiente para superar Zeus, mas bastante para perceber nessa insuficiência a sua subalternidade a Zeus (*Pr.* 61-2).

Na *Teogonia* de Hesíodo, a vitória de Zeus não se deve só à violência e à astúcia de Zeus, mas antes se deve à interferência dos "conselhos da Terra e do Céu constelado", que lhe dão supremacia tanto por acréscimo de violência (na libertação dos Centímanos, tios e aliados de Zeus, *T.* 626), quanto por consolidar o consenso (na aclamação de Zeus rei dos Deuses, *T.* 884), e por superar Astúcia em astúcia (nas núpcias com Astúcia, *T.* 891).

Em *Prometeu Cadeeiro*, Prometeu se diz filho de *Thémis*, "Lei" (*Pr.* 18), e por isso mesmo também filho de *Gaîa*, "Terra" (*Pr.* 210). Essa alteração da genealogia de Prometeu, implica alterar também a natureza e as atribuições de Prometeu, que Poder primeiro apresenta como quem furtou o adorno de Hefesto, "brilho de artificioso fogo" (*Pr.* 7-8). Essa arte dolosa que furta o "fogo de todas as artes" não lhe basta para escapar ao poder e à violência de Zeus. No entanto, Prometeu se diz filho de Lei e Terra: há um paradoxo entre a alegada ascendência e a presente situação, o mesmo paradoxo que também se manifesta na interpelação de Hefesto a Prometeu:

> *Tês orthoboúlou Thémidos aipymêta pai.*
> Filho de abrupto pensar de Lei de reto conselho.
> (*Pr.* 18)

No epíteto *aipymêta*, "de abrupto pensar", ressoa esse traço comum às águas de Estige, descrita como "abruptas", *aipéa*, nos poemas homéricos. Ora essa afinidade com as águas de Estige parece negar — ao mesmo tempo que afirma — a filiação de Prometeu à Lei de reto conselho, pois a retidão e verdade do reto conselho consiste em afastar-se definitivamente dessas águas de Estige — que se precipitam na Noite, domínio da negação de ser e da privação de presença.

Na perspectiva de Poder, a falsidade do nome mesmo de Prometeu — *Prometheús* em grego soa como "Previdente" ou "Prudente" — se revela na necessidade, em que Prometeu se encontra, de um Prometeu que o desvencilhe da "arte" ou "artifício" (*tékhnes*, *Pr.* 87) de Hefesto a serviço de Zeus.

Falso nome os Numes te dão de Prometeu,
pois precisas tu mesmo de um Prometeu
com jeito que te desenrole deste artifício.
(*Pr.* 85-7)

Na segunda parte do prólogo, a fala de Prometeu completa a caracterização do lugar como a habitação de Estige, ao configurar a situação do Grande Juramento dos Deuses na invocação das grandes testemunhas da totalidade do ser e do acontecer:

Ó divino Fulgor e velozes alados ventos
e fontes de rios e inúmero brilho
de ondas marinhas e Terra mãe de todos,
e invoco o onividente círculo do Sol.
(*Pr.* 88-91)

A meu ver, "Fulgor" designa o fulgor diurno e noturno do firmamento como imagem da transcendência divina; a imagem de "fontes de rios e inúmero brilho de ondas marinhas" designa por metonímia as águas do rio Oceano, como a grande fronteira entre a presença de ser e a privação de presença; a imagem de "Terra, mãe de todos" designa o fundamento da totalidade de ser e de acontecer; e a invocação do "onividente círculo do Sol" reitera o sentido da primeira invocação ao "divino Fulgor".

Perante as grandes testemunhas, Prometeu fala de si mesmo e de seus feitos. — Fala verdade? Fala mentira? Que grau de verdade e que grau de mentira há em sua fala? No êxodo deste drama, a precipitação no Tártaro — segundo a lógica do mitologema do Grande Juramento dos Deuses — mostra que nas falas de Prometeu o grau de mentira pesa mais que o de verdade (a rigor, a precipitação de Prometeu no Tártaro se dá quando recusa revelar o suposto segredo da queda de Zeus). Pode-se ver — nessa consequência lógica da aplicação deste mitologema do

Grande Juramento dos Deuses à leitura dessa tragédia de Ésquilo — uma prefiguração do sentido pejorativo da noção de sofista nos *Diálogos* de Platão?

A descrição do sofista Prometeu da tragédia homônima de Ésquilo e a do policéfalo sofista do diálogo homônimo de Platão têm traços comuns. O mais evidente é a multiplicidade de saberes: o Prometeu do *Prometeu* de Ésquilo e o sofista do *Sofista* de Platão têm em comum um saber onímodo, que se aplica a todos os campos de atividade e a todos os casos de necessidade dos mortais. O saber múltiplo e onímodo do sofista se aplica às aparências, e constitui-se como um aparente saber de aparências: o sofista se descobre um *doxósophos* no duplo sentido de parecer conhecer e de conhecer aparências. Assim também, Prometeu se proclama a origem de todas as artes, e todas essas artes se mostram insuficientes na prova do Grande Juramento dos Deuses, na qual se distinguem os diversos graus de participação no ser e de privação de presença.

A polimatia do sofista se acusa nos diálogos *República* e *Sofista*, descrita como a atividade própria do gênero dos imitadores, que manipulam imagens do que realmente não podem criar, e do que realmente não têm conhecimento verdadeiro.

Tanto a polimatia quanto a presciência de Prometeu nesse drama se põem em relevo, e se mostram frustrantes e frustradas. Essa frustração se dá em dois níveis em que se exibem polimatia e presciência: no plano dos Deuses, a última cena do êxodo, quando Prometeu e Oceaninas se precipitam no Tártaro, e no plano dos mortais, a cena e o mitologema de Io, nos quais a condição feminina se torna metonímia da condição humana.

No prólogo do drama se prefigura o caráter frustrâneo tanto da polimatia quanto da presciência de Prometeu. Áspera ironia o sublinha nas falas de Poder, quando aponta a inadequação do nome de Prometeu, que significa "Previdente" (*Pr.* 85-7), e quando aponta o limite da polimatia sofística perante o poder de Zeus (*Pr.* 62). Na segunda parte do prólogo, Prometeu, ao invocar os Deuses configuradores da totalidade cósmica como testemunhas de sua presente situação, hesita entre perguntar a si mesmo e responder a si mesmo pelos seus padecimentos presentes e vindouros, e nessa hesitação prefigura a inanidade de sua presciência (*Pr.* 99-101); seguidamente, Prometeu vacila e alterna entre a perplexidade ante o porvir e a reafirmação de seu prévio saber. A condição mesma de encadeado confere paradoxal ressonância de ironia às proclamações que Prometeu faz de seu saber profético e divinatório como causa eficiente da vitória de Zeus na Titanomaquia.

A mudança na linhagem genealógica, que faz Têmis-Terra em vez Clímene a mãe de Prometeu, corresponde à redistribuição de poderes e de saberes entre Zeus e Prometeu, de modo a parecer que cabe a Zeus os poderes sem saberes e que cabe a Prometeu os saberes sem poderes.

Prometeu reivindica a autoria do conselho que deu a Zeus a vitória na titanomaquia (*Pr.* 219-21) e ostenta e esconde o pretenso conhecimento de modo a indicar com que nova decisão Zeus perderá cetro e poder (*Pr.* 169-70).

No plano dos mortais, Prometeu reivindica a autoria de todas as artes que viabilizam e preservam a vida e a viabilidade dos mortais. No inventário de suas dádivas aos mortais, Prometeu inclui "cegas esperanças", e nesse sentido pode-se dizer que a obstinação de Prometeu se nutre de "cegas esperanças". A obstinação (*authadía, Pr.* 79, 436, 1012, 1034, 1037; *authádes, Pr.* 64, 907) é um traço atribuído tanto a Zeus quanto a Prometeu; a diferença entre ambas as duas obstinações é que a de Prometeu se funda em "cegas esperanças".

A cena de Io põe à mostra os termos que delimitam a porção dos mortais tal como decidida e definida por inciativa de Prometeu. O nome mesmo de Io, que em grego soa como uma expressão de dor, anuncia a sorte desse lote que Prometeu outorga aos mortais. No entanto, a interlocução entre Prometeu e Io se dá como perguntas humanas e respostas proféticas a respeito do destino de Io. As falas de Prometeu sobre o passado e o futuro de Io apresentam-se como proféticas e soam como verdadeiras.

A presente situação de Io constitui a eloquente refutação de que feliz fosse o traço próprio à vida dos homens mortais, cuja definição enquanto gênero outro e distinto do gênero dos Deuses imortais se deve — a crer no que Prometeu declara — à sua iniciativa e às suas malas-artes. Entretanto, as falas de Prometeu a respeito do destino de Io e de sua libertação final dos sofrimentos, apresentam-se como proféticas e verdadeiras, quando descrevem caminhos percorridos e a percorrer e sofrimentos vividos e a viver, e quando revelam como Zeus resgatará a vida de Io, libertando-a de seus tormentos com o toque de que nascerá Épafo, o seu primeiro filho e fim de suas errâncias e de seus sofrimentos.

Ió! Condição feminina, humana e heroica: o itinerário de Io em cena e no mitologema

No terceiro episódio de *Prometeu Cadeeiro*, a cena de Io (*Pr.* 561-886) se abre com a monodia (*Pr.* 561-608) em que Io aturdida pergunta que terra, que gente ela vê, e quem ela vê atormentado nos grilhões de pedra. Lamenta a dor da picada do aguilhão — explicada pelo pavoroso espectro de Argo terrígeno: boiadeiro de mil olhos, andarilho de olhar doloso, que nem morto a terra oculta. Neste contexto da morte (*katthanónta / ex enéron perón, Pr.* 570-2) de Argo de mil olhos, a adormecedora canção ressoada por sonoros caniços moldados com cera remete ao recurso com que Hermes domina e mata o boiadeiro de mil olhos, criado por Hera para perseguir a bovicórnia virgem, cujos interlocutores são Terra (*Pr.* 568), Zeus Crônida (*Pr.* 577) e Prometeu (*Pr.* 593). Essa figura da bovicórnia virgem se encontra, pois, no domínio comum dos Deuses Hermes, Hades, Hera, Terra, Zeus e Prometeu. Que esses Deuses têm em comum que determina e define a situação dessa bovicórnia virgem?

Essa figura de bovicórnia virgem (*boúkero parthénou*, *Pr.* 588) mostra o vínculo da virgem com a Deusa Hera. O epíteto épico de Hera *boôpis* (*Il.* I, 551, 568 e ss.) significa "de olhos bovinos", mas também "de aparência bovina". O mitologema de Io (*Su.* 291-315) conta que por causa do abraço de Zeus Hera transforma a princesa argiva Io — sacerdotisa de seu palácio — em novilha — que Zeus cobre transmutado em touro — e por isso Hera pôs a guardá-la o onividente pastor Argo, filho da Terra, morto por Hermes. A transformação em novilha, tanto quanto a figura bovicórnia (*Pr.* 588) ou cornígera (*Su.* 300), significa o ingresso na condição de esposa, com tudo o que isso comporta para os usos e costumes da civilização grega antiga, a saber, o ingresso no domínio da Deusa Hera e as consequências disso.

Prometeu reconhece a filha de Ínaco, amada de Zeus e odiada de Hera. Io admira o reconhecimento de Prometeu, indaga quem ele é, e o que a ela lhe resta sofrer. Na esticomítia de Io e Prometeu (609-30),

Prometeu se diz o doador do fogo aos mortais, preso pela decisão de Zeus e pelo braço de Hefesto; e primeiro recusa, mas depois concorda em dizer o futuro de Io.

A narrativa de Io (631-86) atende ao pedido do coro, que revela ser irmã de seu pai. Io, antecipando-se a Prometeu, narra a sua vida já vivida: desde a irrupção das visões noturnas com Zeus e Cípris, que, por serem insistentes e repetitivas, a donzela contou a seu pai — o rei de Argos —, Ínaco, filho de Terra e Oceano. Consultado por Ínaco, o oráculo de Lóxias ordena-lhe que expulse a filha de casa e da pátria, solta a errar até os extremos limites da terra, ou o raio de Zeus lhe extinguiria toda a família. Obrigado pelo freio de Zeus, Ínaco a expulsa contra sua vontade e contra a vontade dela. Assim Io ingressa no domínio de Hera, e esse ingresso é assinalado pela transmutação da forma e do espírito sob o signo da novilha — cornígera, picada por aguilhão em louca dança, desde a fonte de Lerna em Cercneia, perseguida por Argo de inúmeros olhos, cujo morte súbita (por Hermes) não fez cessar a picada do aguilhão. A picada pungente que a impele às errâncias é a do boiadeiro onividente e doloso que Hera lhe enviou, mas quando a astúcia de Hermes suplanta à do boiadeiro vigilante e assim neutraliza o domínio de Hera, a picada do aguilhão continua a pungir. Por isso, a picada do aguilhão parece uma metáfora da mesma série que o dardo do desejo, com que Zeus arde por partilhar Cípris com Io (cf. *Pr*. 649-51, 681).

O canto do coro (687-95), cheio de admiração e de horror ante as pungentes dores produzidas pelas núpcias de Io e de Zeus, ao ecoar o lamento compungido de Io, ressalta a natureza das núpcias pelo contraste entre a condição de "filhas do pai" (*paîdes patrós*, *Pr.* 139-40) e a das núpcias consumadas.

Na primeira narrativa de Prometeu (*Pr.* 696-741), o itinerário das aflições de Io por Hera completa a parte circunscrita à Europa com a travessia do estreito Meótico (celebrada no nome de Bósforo) e a chegada à Ásia. Todo esse percurso é marcado pelo inóspito e pela rota do nascente, por campos incultos, citas nômades inóspitos, à esquerda Cálibes metalúrgicos inóspitos, rio Soberbo, que só se deixa transpor quando exala as suas forças junto aos cimos do Cáucaso vizinhos dos astro, onde ao tomar o caminho do meio-dia, Io tem por guias as Amazonas odiosas dos varões (futuras fundadoras de Temíscira junto ao Termodonte e Salmidéssia mandíbula do mar), até o istmo Cimério, onde se dá a passagem para a Ásia.

Na esticomítia de Io e Prometeu (*Pr.* 742-81), Io prefere a morte à vida com esses tormentos prenunciados; Prometeu consola-a com duas revelações, cujo vínculo não explica: os tormentos do Deus encadeado não terminariam antes de eventual queda de Zeus (após núpcias com quem lhe daria filho superior ao pai), e que sua libertação viria de um descendente de Io na décima terceira geração. Essa segunda revelação, feita a título de consolar Io da dor de ser quem ela é, dá à dor de Io um novo sentido que a transfigura em meio de libertação.

Na segunda narrativa de Prometeu (*Pr.* 782-822), a pedido do coro, Prometeu completa o itinerário das errâncias de Io do Bósforo ao Nilo. Esse percurso a caminho do nascente do sol é marcado pela proximidade do que deve ser evitado: o mar não múrmuro da planície de Cistene, onde habitam as três horrendas Velhas Fórcides, perto de suas irmãs Górgones aladas, e ainda os grifos — acutirrostros e imúrmures cães de Zeus — e a tropa dos caolhos cavaleiros arimaspos, habitantes junto ao aurífluo rio Plutão, todos devem ser evitados. Nesses confins em que os ínferos são contíguos com os súperos, a nação negra habita junto à fonte do Sol e do rio Etíope, de cujas bordas Io vai à catarata do Nilo nos montes Papiros e, por fim, concluída a travessia do que há de evitar, chega ao delta do Nilo.

Na terceira narrativa de Prometeu (*Pr.* 823-76), como prova de que Io não ouviu em vão todo o percurso, Prometeu conta que o oráculo de Zeus Tesproto em Dodona saudou Io como a futura ínclita esposa de Zeus, e que, atormentada por aguilhão, Io passou pelo grande golfo de Reia, cuja travessia será celebrada no nome do mar Iônio. Abonado pelo relato correto dos fatos recém-ocorridos, Prometeu declara que em Canopo, junto ao rio Nilo, Zeus fará Io "boa de espírito" (*émphrona*) com o só toque de intrépida mão, celebrado no nome do filho de Zeus — Épafo, e cinco gerações depois, as cinquenta Danaides encarnarão o fêmeo Ares em Argos, com a matança dos recém-casados maridos na mesma noite das núpcias, exceto Hipermnestra, a quem o desejo de ter filhos e o receio da infâmia (*Pr.* 865-8) farão poupar o marido e gerar a prole real de Argos, de que surgirá um ínclito arqueiro libertador de Prometeu. Assim, no final da tríplice narrativa oracular de Prometeu, irrompe não nomeada e não reconhecida a face benéfica da figura de Zeus Pai.

Ao despedir-se, a última fala de Io (*Pr.* 877-86) retoma, de sua fala inicial da cena, a descrição de si mesma e de sua situação, em termos de convulsão, delírio, a picada do aguilhão, pavor e as ondas de horrenda erronia (*átes*). Erronia nesse caso significa doloroso aturdimento e difícies errâncias.

No terceiro estásimo (*Pr.* 887-906), nas reflexões do coro a respeito de núpcias, confundem-se os pontos de vista: divino (das Oceaninas) e humano (de Io). Na estrofe (*Pr.* 887-93), o coro louva a sabedoria de quem considera melhor o casamento entre pares do mesmo nível social e econômico. Na antístrofe (894-900), suplica às Deusas Partes não compartilhar nunca o leito de Zeus ou de algum dos Deuses do céu, pois teme perante a sorte de Io imposta por Hera. No epodo (*Pr.* 901-6), declara que não teme o casamento entre iguais, e suplica que não suscite o amor dos Deuses superiores, por ser esse amor inevitável e inviável, pois não vê como pudesse escapar à astúcia de Zeus (cf. Hesíodo *T.* 613; *Tr.* 105).

Em *As suplicantes* de Ésquilo, a menção a Io se dá na identificação do lugar do drama como "terra argiva" (*Su.* 15). O mitologema de Io define a relação entre a personagem do coro e o lugar do drama situado em "terra argiva" (*Su.* 15) como uma relação complexa, que envolve tanto a noção de "terra pátria" quanto a de "Numes pátrios" (*Su.* 22a West); a figura de Io é o nexo que une a personagem do coro, a terra argiva, tida por pátria, e a noção de "pátrios Numes de Argos" (*Su.* 22a West)) que por sua vez envolve tanto "Deuses supremos" (*Su.* 24) quanto "subterrâneo ocupante de sepulcro" (*Su.* 25), e assim se associa à de "Zeus Salvador" (*Su.* 26).

Na segunda cena do primeiro episódio de *As suplicantes*, no diálogo entre o rei Pelasgo e o corifeu, a história de Io se conta como um *sýmbolon*, instrumento de identificação da personagem do coro junto ao rei da cidade-estado a que pedem asilo, e ao contar sua parte nessa história de Io, o corifeu põe sua relação com o rei (e consequentemente com a cidade-Estado do rei) sob o temor da cólera de Zeus Suplicante (*Zenòs Hikesíou*, *Su.* 347). Pode-se dizer que, nessa tragédia, as referèncias ao mitologema de Io estão a serviço da retórica a favor da obtenção do asilo solicitado pelas suplicantes, e assim estão a serviço da manipulação política.

SINOPSE DO ESTUDO DA TRAGÉDIA *PROMETEU CADEEIRO* DE ÉSQUILO

Delineamento dos principais problemas hermenêuticos da tragédia *Prometeu Cadeeiro*: 1) A figura de um Zeus tirânico e cruel, quando em todas as tragédias que hoje temos de Ésquilo, Zeus é o fundamento da justiça, da verdade e da prudência. 2) Por que as Oceaninas, e não qualquer outro Deus, e por que são engolfadas no abismo com Prometeu? 3) Por que Oceano, e não qualquer outro Deus, e o que significa a sua interlocução com Prometeu? 4) Por que Io, quando a figura feminina do mito de Prometeu em Hesíodo é Pandora? 5) A figura de um Deus que sofre, vistos os epítetos que nos poemas épicos descrevem os Deuses como *mákares* ("venturosos") e *rheîa zóontes* ("a viverem suavemente"). Hipóteses de trabalho: 1) o cenário do drama como o do Grande Juramento dos Deuses e 2) a homologia estrutural entre a noção mítica de Zeus Pai e a noção filosófica platônica de "ideia do bem", entendidas ambas as noções como o fundamento dos fundamentos.

Prólogo (1-127): Diálogo entre Poder e Hefesto, enquanto encadeiam Prometeu na pedra alcantilada (1-87), o cenário configurando a habitação de Estige (*Stýx*, não nomeada) e assim prefigurando o Grande Juramento dos Deuses (cf. Hesíodo, *Teogonia*, 231-2, 383-403, 775-806); o monólogo de Prometeu: invocação dos Deuses Fulgor, Oceano (não nomeado) e Terra como grandes testemunhas, segundo a fórmula do Grande Juramento dos Deuses, (cf. *Ilíada*; *Odisseia*), apresentação de si mesmo, e diálogo com o desconhecido (88-127).

Párodo (128-92): Filhas de Oceano e Tétis, como Estige, o coro é uma multiplicação da presença de Estige, e uma prefiguração da presença de Oceano, o mítico rio que envolve toda a terra com insone fluir como o extremo limite entre a presença de ser e a privação de presença. **Primeira estrofe** (128-35): O coro tranquiliza os temores de Prometeu. **Anapestos** (136-43): Prometeu convida o coro de Oceaninas a testemunhar sua tormentosa vigília de encadeado ao precipício. **Primeira antístrofe** (144-51): O coro responde com compaixão pelos sofrimentos de Prometeu, e descreve o governo de Zeus, que "agora anula os antigos portentos". **Anapestos** ((153-9): Prometeu prefere ser lançado ao Tártaro com cadeias insolúveis a ser joguete a céu aberto, para a alegria de seus inimigos. *Segunda estrofe* (160-6): o coro responde que nenhum dos Deuses se comprazeria com a dor de Prometeu, exceto Zeus, que parece rancoroso, infexível, insaciável e — apesar disso — imbatível. **Anapestos** (167-77): Prometeu declara que Zeus ainda precisará que Prometeu lhe indique que nova decisão lhe arrebatará o trono e o cetro, mas que não o dirá, não relaxadas as cadeias nem reparadas as afrontas. **Segunda antístrofe** (178-85): O coro teme pela audácia temerária e excessiva liberdade de palavra de Prometeu, dado o caráter inexorável e o coração impersuadível de Zeus. **Anapestos** (186-92): Prometeu responde que Zeus abrandará, quando precisar pactuar com Prometeu. Assim se delineiam dois temas centrais do drama: o suposto sigiloso saber de Prometeu de uma queda iminente de Zeus e o risco iminente de piorar a situação de Prometeu.

Primeiro episódio (193-396): **Primeira cena** (193-283): A pedido do coro, Prometeu conta em que circunstâncias e sob que acusação Zeus lhe inflige essas afrontas: na guerra contra Crono e seus aliados, Prometeu é o autor da estratégia que dá a vitória e o poder a Zeus [essa alteração tão drástica da versão hesiódica (cf. *Pr*. 219-20 x *T*. 617-720) só é possível mediante outra alteração, que faz Prometeu filho de Témis, identificada com a Deusa Terra, pois na *Teogonia* Prometeu é filho de Jápeto e da oceanina Clímene (*Pr*. 18, 209-10 x *T*. 507-12); ingrato e desconfiado dos amigos, o novo tirano quer destruir todo o gênero de mortais e semear outro novo e, impedido disso por Prometeu, inflige-lhe essas cadeias. Visto o furto de Prometeu contra Zeus como o dom de Prometeu aos mortais, a atenção se volta a que acontecerá ao encadeado, mas feito o convite ao coro que lhe ouça as "porvindouras sortes" e tendo o coro aceitado o convite, intervém Oceano. **Segunda cena** (284-396): Não anunciada nem intermediada pelo coro, nem por isso a presença de Oceano surpreende. Compassivo, solidário e solícito como suas filhas, Oceano é a grande testemunha invocada no Grande Juramento dos Deuses. Obstinado, Prometeu recusa o seu pedido de moderação da linguagem e a sua proposta de intercessão junto a Zeus, lembrando-lhe a sorte de Atlas e a de Tífon, inimigos de Zeus, vencidos sem ressalva e punidos sem apelação. A obstinação e a dupla recusa de Prometeu invalidam a disposição medianeira de

Oceano, que assim neutralizado abandona Prometeu à própria sorte e retorna ao seu leito.

Primeiro estásimo (397-435): O lamento por Prometeu se estende por afinidade e contiguidade. **Primeira estrofe** (397-405): O pranto do coro de Oceaninas pela funesta sorte de Prometeu confunde-se com sua natureza flutígena e fluida, o poder irrestrito e próprio de Zeus impõe-se e sobrepõe-se aos antigos Deuses. **Primeira antístrofe** (406-414): Toda a região e a vizinha Ásia e ainda os mortais aderem ao pranto em honra de Prometeu e de seus irmãos (os antigos Deuses, nascidos de Terra). **Segunda estrofe** (415-9): O pranto por Prometeu se espalha da Ásia para a Europa: a Cólquida, as amazonas (cf. *infra* 721), os citas os choram. **Segunda antístrofe** (520-4): Chora-os ainda belicosa Arábia, perto do Cáucaso. **Terceira estrofe** (425-30): O suplício de Prometeu se compara unicamente ao de Atlas, que para sempre suporta o firmamento. **Terceira antístrofe** (431-5): Choram-no a onda marinha, o fundo do mar e Hades sob a terra.

Segundo episódio (436-525): Prometeu nega que o motivo de seu anterior silêncio fosse luxo ou obstinação, pois tem o coração dilacerado, declara que definiu os privilégios entre os Deuses novos — com o recurso à preterição a insinuar a implícita anuência de quem o ouve — e enumera os dons que fez aos mortais: a passagem de trogloditas a construtores de casas ensolaradas, o conhecimento dos astros, dos números e das letras, a domesticação de bestas de carga e o adestramento de cavalos de carro, a construção de navios e a navegação, os unguentos e poções remédios de todas as doenças, as diversas artes divinatórias: a interpretação de sonhos, presságios, sinais, auspícios, haruspícios e sacrifícios, e ainda a metalurgia e — em suma — todas as artes. Provocado pela referência do coro a eventual equivalência entre os seus poderes e os de Zeus, Prometeu nega essa possibilidade, mas proclama a sua libertação das cadeias por Parte cumpridora e — interrogado pelo coro sobre o limite do poder de Zeus diante da parte concernida e da inerente necessidade — insinua ainda que, como garantia de sua libertação das cadeias, tem sigiloso conhecimento de suposta ameaça ao poder de Zeus.

Segundo estásimo (526-60): A felicidade possível e a prudência necessária. **Primeira estrofe** (526-35): A prece do coro enumera as condições de sua própria felicidade diante do poder de Zeus e dos Deuses em geral. **Primeira antístrofe** (536-44): Descreve a felicidade possível em contraste com as atitudes e a conseqüente situação de Prometeu. **Segunda estrofe** (545-56): Indaga a Prometeu que graça, abrigo e auxílio lhe advém dos mortais, indefesos e incapazes de ultrapassar a harmonia de Zeus. **Segunda antístrofe** (557-60): Contrasta o canto lamentoso da sorte funesta de Prometeu e o entoado nos ritos nupciais, quando Prometeu desposou a Oceanina Hesíone.

Terceiro episódio (561-886): A cena de Io se divide em nove partes: 1) **Monodia de Io** (561-608): Io pergunta onde ela está e quem ela vê, lamenta a dor da picada do aguilhão — espectro de Argo terrígeno, suplica a Zeus que ouça a voz da bovicórnia virgem. Prometeu reconhece a filha de Ínaco, amada de Zeus e odiada de Hera. Io admira o reconhecimento de Prometeu, indaga quem ele é, e o que a ela lhe resta sofrer. 2) **Esticomítia Io-Prometeu** (609-30): Prometeu se diz o doador do fogo aos mortais, preso pela decisão de Zeus e pelo braço de Hefesto; e primeiro recusa, mas depois concorda em dizer o futuro de Io. 3) **Narrativa de Io** (631-86): A pedido do coro, que se revela ser composto pelas irmãs de seu pai, Io, antecipando-se a Prometeu, narra a sua vida já vivida: as visões noturnas com Zeus e Cípris, os oráculos de Lóxias, a expulsão de casa, a transmutação da forma em cornígera, picada por aguilhão em louca dança, a fonte de Lerna em Cercneia, Argo de inúmeros olhos e sua súbita morte (Hermes). 4) **Canto coral** (687-95): Admiração e horror do coro ante o relato de Io. 5) **Primeira narrativa de Prometeu** (696-741): Itinerário das aflições de Io por Hera: rota do nascente, por campos incultos, citas nômades inóspitos, à esquerda Cálibes metalúrgicos inóspitos, rio Soberbo, transposto pelos cimos do Cáucaso vizinhos dos astro, a caminho do meio-dia, com as Amazonas odeia-varões por guias (futuras fundadoras de Temíscira junto ao Termodonte e Salmidéssia mandíbula do mar), istmo Cimério, travessia do estreito Meótico (etimologia de Bósforo), chegada à Ásia. 6) **Esticomítia Io-Prometeu** (742-81): Io prefere a morte à vida com esses tormentos prenunciados; Prometeu consola-a com duas revelações, cujo vínculo não explica: os tormentos do Deus encadeado não terminariam antes de eventual queda de Zeus (após núpcias com quem lhe daria filho superior ao pai), a libertação viria de um descendente de Io na décima terceira geração. 7) **Segunda narrativa de Prometeu** (782-822): A pedido do coro, Prometeu completa o itinerário das errâncias de Io do Bósforo ao Nilo: a caminho do nascente do sol, planície de Cistene, onde habitam as três horrendas Graias Fórcides, perto de suas irmãs Górgones aladas, os grifos e os cavaleiros arimaspos, junto ao aurífluo rio Plutão, todos a serem evitados; a nação negra, junto à fonte do Sol e do rio Etíope; a catarata do Nilo nos montes Papiros e, por fim, o delta do Nilo. 8) **Terceira narrativa de Prometeu** (823-76): Como prova de que Io não ouviu em vão todo o percurso, Prometeu descreve fatos recentes — a saudação do oráculo de Zeus Tesproto a Io em Dodona, a passagem do grande golfo de Reia (etimologia do Mar Iônio) — e futuros — em Canopo, junto ao rio Nilo, Zeus faz Io "boa de espírito" (*émphrona*) com o só toque de intrépida mão, Épafo (etimologia), cinco gerações depois, as cinquenta Danaides, o fêmeo Ares em Argos, Hipermnestra e a prole real de Argos de que surgirá ínclito arqueiro, libertador de Prometeu. 9) **A despedida de Io** (877-86): A última fala de Io retoma, de sua fala inicial da cena, a descrição de si mesma e de sua situação, em termos de convulsão, delírio, a picada do aguilhão, pavor e as ondas de horrenda erronia (*átes*).

Terceiro Estásimo (887-906): A respeito de núpcias, confundem-se os pontos de vista: divino (das Oceaninas) e humano (de Io). **Estrofe** (887-93): Louva a sabedoria de quem considera melhor o casamento entre pares do mesmo nível social e econômico. **Antístrofe** (894-900): Suplica às Deusas Partes não compartilhar nunca o leito de Zeus ou de algum dos Deuses do céu, pois teme perante a sorte de Io imposta por Hera. **Epodo** (901-6): Não teme o casamento entre iguais, e suplica que não suscite o amor dos Deuses superiores, por ser esse amor inevitável e inviável; não vê como pudesse escapar à astúcia de Zeus (cf. Hesíodo *T.* 613; *Tr.* 105).

Êxodo (907-1093): Compõem-se de duas cenas: 1) **Diálogo de Prometeu e o coro** (907-40): Prometeu declara que núpcias preparam a queda de Zeus, cumprindo a imprecação do pai Crono (cf. Hesíodo, *T.* 207-10, imprecação do pai Céu contra os Titãs), e que nada o obrigará a revelar o segredo de evitar a queda. 2) **Diálogo de Hermes, Prometeu e o coro** (941-1093): Anunciado por Prometeu como recadeiro de Zeus e servente do novo tirano, Hermes pede clara e completa revelação do segredo; Prometeu declara que verá a terceira queda, sem temor de Zeus e com ódio de todos os Deuses; Hermes anuncia tormenta e tripla vaga de males: o pétreo abraço, o banquete da águia, o Deus herdeiro das dores e da prisão no Tártaro, a palavra verídica de Zeus; a obstinação de Prometeu e a sua prece vista por Hermes como desvario e loucura; as advertências de Hermes ao coro e a reiteração da identidade das Oceaninas; Prometeu constata que a palavra de Zeus anunciada por Hermes já se cumpre.

PROMETEU CADEEIRO

Tradução segundo texto estabelecido por Mark Griffith.

As PERSONAGENS DO DRAMA:
Po(der).
V(iolência).
H(efesto).
C(oro de Oceaninas).
P(rometeu).
O(ceano).
H(ermes).
I(o, filha de Ínaco).

ΚΡΑΤΟΣ

Χθονὸς μὲν εἰς τηλουρὸν ἥκομεν πέδον,
Σκύθην ἐς οἶμον, ἄβατον εἰς ἐρημίαν.
Ἥφαιστε, σοὶ δὲ χρὴ μέλειν ἐπιστολὰς
ἅς σοι πατὴρ ἐφεῖτο, τόνδε πρὸς πέτραις
ὑψηλοκρήμνοις τὸν λεωργὸν ὀχμάσαι — 5
ἀδαμαντίνων δεσμῶν ἐν ἀρρήκτοις πέδαις.
τὸ σὸν γὰρ ἄνθος, παντέχνου πυρὸς σέλας,
θνητοῖσι κλέψας ὤπασεν. τοιᾶσδέ τοι
ἁμαρτίας σφε δεῖ θεοῖς δοῦναι δίκην,
ὡς ἂν διδαχθῆι τὴν Διὸς τυραννίδα — 10
στέργειν, φιλανθρώπου δὲ παύεσθαι τρόπου.

ΗΦΑΙΣΤΟΣ

Κράτος Βία τε, σφῷν μὲν ἐντολὴ Διὸς
ἔχει τέλος δὴ κοὐδὲν ἐμποδὼν ἔτι
ἐγὼ δ᾽ ἄτολμός εἰμι συγγενῆ θεὸν
δῆσαι βίαι φάραγγι πρὸς δυσχειμέρωι. — 15
πάντως δ᾽ ἀνάγκη τῶνδέ μοι τόλμαν σχεθεῖν·
εὐωριάζειν γὰρ πατρὸς λόγους βαρύ.
τῆς ὀρθοβούλου Θέμιδος αἰπυμῆτα παῖ,
ἄκοντά σ᾽ ἄκων δυσλύτοις χαλκεύμασι
προσπασσαλεύσω τῶιδ᾽ ἀπανθρώπωι πάγωι, — 20
ἵν᾽ οὔτε φωνὴν οὔτε του μορφὴν βροτῶν
ὄψηι, σταθευτὸς δ᾽ ἡλίου φοίβηι φλογὶ
χροιᾶς ἀμείψεις ἄνθος· ἀσμένωι δέ σοι
ἡ ποικιλείμων νὺξ ἀποκρύψει φάος
πάχνην θ᾽ ἑώιαν ἥλιος σκεδᾶι πάλιν· — 25
αἰεὶ δὲ τοῦ παρόντος ἀχθηδὼν κακοῦ
τρύσει σ᾽· ὁ λωφήσων γὰρ οὐ πέφυκέ πω.
τοιαῦτ᾽ ἐπηύρου τοῦ φιλανθρώπου τρόπου·
θεὸς θεῶν γὰρ οὐχ ὑποπτήσσων χόλον
βροτοῖσι τιμὰς ὤπασας πέρα δίκης· — 30

PRÓLOGO (1-127)

Po. Chegamos a longínquo e limítrofe chão
da terra, sendeiro cita, imortal solidão.
Hefesto, incumbe-te cuidar da missão
que o Pai te impôs: nestas pedras
precípites, dominar este facínora, 5
com infrágeis peias de cadeias de aço.
Teu adorno, brilho de artificioso fogo,
ele furtou e outorgou ao mortais. Por
um erro tal, ele deve pagar aos Deuses,
para aprender a anuir à tirania de Zeus 10
e a abster-se de ser amigo de humanos.

H. Poder e Violência, as ordens de Zeus
vós cumpristes, e nada mais vos retém,
mas eu não ouso prender, com Violência,
congênere Deus a precipício tempestuoso. 15
Mas isto é de toda necessidade que ouse,
pois descuidar das palavras do Pai é grave.
Filho de abrupto pensar da Lei de reto conselho,
contra mim e contra ti, com insolúveis bronzes
agrilhôo-te neste penedo longe dos homens, 20
onde nem voz nem forma de nenhum mortal
verás, e tostado por fúlgido fulgor do Sol
trocarás a flor da pele. E para teu júbilo
a Noite de variáveis vestes cobrirá a luz.
O Sol de manhã espalhará geada de novo. 25
Sempre o peso da presente miséria há de
esgotar-te, pois o libertador não ainda surgiu.
Tal é tua colheita da amizade por humanos.
Sem te esquivares à ira dos Deuses, Deus
outorgaste aos mortais honras além do justo, 30

ἀνθ' ὧν ἀτερπῆ τήνδε φρουρήσεις πέτραν
ὀρθοστάδην ἄυπνος, οὐ κάμπτων γόνυ·
πολλοὺς δ' ὀδυρμοὺς καὶ γόους ἀνωφελεῖς
φθέγξηι· Διὸς γὰρ δυσπαραίτητοι φρένες,
ἅπας δὲ τραχὺς ὅστις ἂν νέον κρατῆι. 35

Κρ. εἶεν, τί μέλλεις καὶ κατοικτίζηι μάτην;
τί τὸν θεοῖς ἔχθιστον οὐ στυγεῖς θεόν,
ὅστις τὸ σὸν θνητοῖσι προὔδωκεν γέρας;

Ηφ. τὸ συγγενές τοι δεινὸν ἥ θ' ὁμιλία.

Κρ. σύμφημ', ἀνηκουστεῖν δὲ τῶν πατρὸς λόγων 40
οἷόν τε πῶς; οὐ τοῦτο δειμαίνεις πλέον;

Ηφ. αἰεί γε δὴ νηλὴς σὺ καὶ θράσους πλέως.

Κρ. ἄκος γὰρ οὐδὲν τόνδε θρηνεῖσθαι· σὺ δὲ
τὰ μηδὲν ὠφελοῦντα μὴ πόνει μάτην.

Ηφ. ὦ πολλὰ μισηθεῖσα χειρωναξία. 45

Κρ. τί νιν στυγεῖς; πόνων γὰρ ὡς ἁπλῶι λόγωι
τῶν νῦν παρόντων οὐδὲν αἰτία τέχνη.

Ηφ. ἔμπας τις αὐτὴν ἄλλος ὤφελεν λαχεῖν.

Κρ. ἅπαντ' ἐπαχθῆ πλὴν θεοῖσι κοιρανεῖν·
ἐλεύθερος γὰρ οὔτις ἐστὶ πλὴν Διός. 50

Ηφ. ἔγνωκα τοῖσδε, κοὐδὲν ἀντειπεῖν ἔχω.

Κρ. οὔκουν ἐπείξηι τῶιδε δεσμὰ περιβαλεῖν,
ὡς μή σ' ἐλινύοντα προσδερχθῆι πατήρ;

Ηφ. καὶ δὴ πρόχειρα ψάλια δέρκεσθαι πάρα.

Κρ. βαλών νιν ἀμφὶ χερσὶν ἐγκρατεῖ σθένει 55
ῥαιστῆρι θεῖνε, πασσάλευε πρὸς πέτραις.

Ηφ. περαίνεται δὴ κοὐ ματᾶι τοὔργον τόδε.

Κρ. ἄρασσε μᾶλλον, σφίγγε, μηδαμῆι χάλα,
δεινὸς γὰρ εὑρεῖν κἀξ ἀμηχάνων πόρον.

Ηφ. ἄραρεν ἥδε γ' ὠλένη δυσεκλύτως. 60

Κρ. καὶ τήνδε νῦν πόρπασον ἀσφαλῶς, ἵνα
μάθηι σοφιστὴς ὢν Διὸς νωθέστερος.

Ηφ. πλὴν τοῦδ' ἂν οὐδεὶς ἐνδίκως μέμψαιτό μοι.

Κρ. ἀδαμαντίνου νῦν σφηνὸς αὐθάδη γνάθον
στέρνων διαμπὰξ πασσάλευ' ἐρρωμένως. 65

Ηφ. αἰαῖ Προμηθεῦ, σῶν ὕπερ στένω πόνων.

Κρ. σὺ δ' αὖ κατοκνεῖς τῶν Διός τ' ἐχθρῶν ὕπερ

pelas quais sem prazer vigiarás esta pedra,
de pé, insone e sem curvar os joelhos.
Muitos prantos e lamúrias inúteis
balbuciarás, inexorável o ânimo de Zeus.
Todo áspero é quem tem recente o poder. 35

Po. Eia! Por que demoras e lamurias em vão,
e não abominas ao Deus inimigo dos Deuses,
que entregou aos mortais o teu privilégio?

H. Terrível é o vínculo fraterno e o convívio.

Po. Concordo. E não ouvir as palavras do Pai 40
é possível? Não tens disso maior temor?

H. Sempre sem dó e cheio de ousadia és tu.

Po. Remédio nenhum é lamuriá-lo. Não te
fadigues em vão a serviço de nada.

H. Ó muitas vezes odiada perícia das mãos! 45

Po. Por que a abominas? Pois, a bem dizer,
a arte não é a causa dos presentes males.

H. Todavia, outro devesse tê-la no sorteio.

Po. Só não há ônus em ser rei de Deuses,
pois ninguém é livre, além de Zeus. 50

H. Estou ciente, e nada tenho a replicar.

Po. Apressa-te a lançar sobre ele cadeias,
para que o Pai não te veja em repouso.

H. Podem-se ver já prontos estes freios.

Po. Põe em volta dos punhos com potente força, 55
bate com martelo e crava nas pedras.

H. Conclui-se este trabalho, e não em vão.

Po. Bate mais forte, aperta, não afrouxes.
Ele sabe achar saída até do inextricável.

H. Está fixo este braço, sem que se solte. 60

Po. Agora prega o outro, irresvalável, que
sofista se perceba mais lerdo que Zeus.

H. Exceto ele, ninguém me faria justa censura.

Po. Agora, crava a mandíbula obstinada
da cunha de aço firme através do peito. 65

H. *Aiaî*, Prometeu, gemo por tuas dores!

Po. Tu hesitas e choras por inimigos de Zeus?

στένεις; ὅπως μὴ σαυτὸν οἰκτιεῖς ποτε.
Ηφ. ὁρᾶις θέαμα δυσθέατον ὄμμασιν.
Κρ. ὁρῶ κυροῦντα τόνδε τῶν ἐπαξίων. 70
ἀλλ' ἀμφὶ πλευραῖς μασχαλιστῆρας βάλε.
Ηφ. δρᾶν ταῦτ' ἀνάγκη· μηδὲν ἐγκέλευ' ἄγαν.
Κρ. ἦ μὴν κελεύσω κἀπιθωΰξω γε πρός.
χώρει κάτω, σκέλη δὲ κίρκωσον βίαι.
Ηφ. καὶ δὴ πέπρακται τοὖργον οὐ μακρῶι πόνωι. 75
Κρ. ἐρρωμένως νῦν θεῖνε διατόρους πέδας,
ὡς οὑπιτιμητής γε τῶν ἔργων βαρύς.
Ηφ. ὁμοῖα μορφῆι γλῶσσά σου γηρύεται.
Κρ. σὺ μαλθακίζου, τὴν δ' ἐμὴν αὐθαδίαν
ὀργῆς τε τραχυτῆτα μὴ 'πίπλησσέ μοι. 80
Ηφ. στείχωμεν, ὡς κώλοισιν ἀμφίβληστρ' ἔχει.
Κρ. ἐνταῦθα νῦν ὕβριζε καὶ θεῶν γέρα
συλῶν ἐφημέροισι προστίθει. τί σοι
οἷοί τε θνητοὶ τῶνδ' ἀπαντλῆσαι πόνων;
ψευδωνύμως σε δαίμονες Προμηθέα 85
καλοῦσιν· αὐτὸν γάρ σε δεῖ προμηθέως,
ὅτωι τρόπωι τῆσδ' ἐκκυλισθήσηι τέχνης.

ΠΡΟΜΗΘΕΥΣ
ὦ δῖος αἰθὴρ καὶ ταχύπτεροι πνοαί,
ποταμῶν τε πηγαί ποντίων τε κυμάτων
ἀνήριθμον γέλασμα παμμῆτόρ τε γῆ, 90
καὶ τὸν πανόπτην κύκλον ἡλίου καλῶ,
ἴδεσθέ μ' οἷα πρὸς θεῶν πάσχω θεός.
δέρχθηθ' οἵαις αἰκείαισιν
διακναιόμενος τὸν μυριετῆ
χρόνον ἀθλεύσω· 95
τοιόνδ' ὁ νέος ταγὸς μακάρων
ἐξηῦρ' ἐπ' ἐμοὶ δεσμὸν ἀεικῆ.
φεῦ φεῦ τὸ παρὸν τό τ' ἐπερχόμενον
πῆμα στενάχω, πῆι ποτε μόχθων
χρὴ τέρματα τῶνδ' ἐπιτεῖλαι. 100
καίτοι τί φημί; πάντα προυξεπίσταμαι
σκεθρῶς τὰ μέλλοντ', οὐδέ μοι ποταίνιον

Cuida que o teu pranto não seja por ti!
H. Vês esta visão insuportável aos olhos.
Po. Vejo que este alcança o merecimento. 70
Eia! Põe a cilha ao redor dos flancos.
H. Fazer isso é fatal, não mandes demais.
Po. Sim, quero mandar e açular a mais.
Desce e prende pernas com Violência.
H. Está feito o trabalho sem longo esforço. 75
Po. Agora bate com ímpeto perfurantes peias,
pois o supervisor do trabalho é severo.
H. Símil à tua forma soa a tua língua.
Po. Amolece-te, mas por minha obstinação
e áspera têmpera não me repreendas. 80
H. Vamos, que nos membros tem grilhões.
Po. Agora aí transgride, e privilégios de Deuses
Rouba e dá aos efêmeros. Que alívio
destas dores podem os mortais te trazer?
Falso nome os Numes te dão de Prometeu, 85
pois precisas tu mesmo de um Prometeu
com jeito que te desenrole deste artifício.

P. Ó divino Fulgor e velozes alados ventos
e fontes de rios e inúmero brilho
de ondas marinhas e Terra mãe de todos, 90
e invoco o onividente círculo do Sol.
Vede-me que dos Deuses padeço Deus.
Contemplai que afrontas
dilacerado sofrerei
durante miríade de anos. 95
O novo chefe dos Venturosos inventou
tal cadeia para mim aviltosa.
Pheû pheû, a presente e a vindoura
dor lamento! Como deve, afinal,
dar-se o termo destes tormentos? 100
Mas que digo? Bem sei de antemão
todo o futuro, nenhuma dor para mim

πῆμ' οὐδὲν ἥξει. τὴν πεπρωμένην δὲ χρὴ
αἶσαν φέρειν ὡς ῥᾷστα, γιγνώσκονθ' ὅτι
τὸ τῆς ἀνάγκης ἔστ' ἀδήριτον σθένος. 105
ἀλλ' οὔτε σιγᾶν οὔτε μὴ σιγᾶν τύχας
οἷόν τέ μοι τάσδ' ἐστί· θνητοῖς γὰρ γέρα
πορὼν ἀνάγκαις ταῖσδ' ἐνέζευγμαι τάλας.
ναρθηκοπλήρωτον δὲ θηρῶμαι πυρὸς
πηγὴν κλοπαίαν, ἣ διδάσκαλος τέχνης 110
πάσης βροτοῖς πέφηνε καὶ μέγας πόρος.
τοιῶνδε ποινὰς ἀμπλακημάτων τίνω
ὑπαίθριος δεσμοῖς πεπασσαλευμένος.
ἆ ἆ ἔα ἔα·
τίς ἀχώ, τίς ὀδμὰ προσέπτα μ' ἀφεγγής; 115
θεόσυτος, ἢ βρότειος, ἢ κεκραμένη
ἵκετο τερμόνιον ἐπὶ πάγον;
πόνων ἐμῶν θεωρός, ἢ τί δὴ θέλων;
ὁρᾶτε δεσμώτην με δύσποτμον θεόν,
τὸν Διὸς ἐχθρόν, τὸν πᾶσι θεοῖς 120
δι' ἀπεχθείας ἐλθόνθ', ὁπόσοι
τὴν Διὸς αὐλὴν εἰσοιχνεῦσιν,
διὰ τὴν λίαν φιλότητα βροτῶν.
φεῦ φεῦ, τί ποτ' αὖ κινάθισμα κλύω
πέλας οἰωνῶν; αἰθὴρ δ' ἐλαφραῖς 125
πτερύγων ῥιπαῖς ὑποσυρίζει·
πᾶν μοι φοβερὸν τὸ προσέρπον.

ΧΟΡΟΣ

μηδὲν φοβηθῇς· φιλία γὰρ ἥδε τά- [στρ. α
ξις πτερύγων θοαῖς ἁμίλ-
λαις προσέβα τόνδε πάγον, πατρῴας 130
μόγις παρειποῦσα φρένας·
κραιπνοφόροι δέ μ' ἔπεμψαν αὖραι·
κτύπου γὰρ ἀχὼ χάλυβος διῇξεν ἄντρων μυχόν, ἐκ δ' ἔπληξέ μου
τὰν θεμερῶπιν αἰδῶ·
σύθην δ' ἀπέδιλος ὄχωι πτερωτωι. 135

imprevista virá. A parte cabida se deve
suportar o mais bem, sabendo-se que
a força da Necessidade é inelutável. 105
Mas nem posso calar nem não calar
esta sorte: dei privilégios aos mortais
e atado tolero estas coerções.
Enchi a haste e furtada pilhei
a fonte do fogo, mestra de toda arte 110
e grande recurso esplendeu aos mortais.
Peno punições por tais errâncias
sob o céu pregado com cadeias.
Â â éa éa!
Que eco, que odor voa para mim, invisível? 115
De Deus ou de mortal ou da mescla,
vem ao penhasco extremo?
Visita às minhas dores, ou quer o quê?
Vede-me: cadeeiro desditoso Deus
inimigo de Zeus, a perpassar 120
a inimizade de todos os Deuses
que palmilham o palácio de Zeus,
por demasiada amizade aos mortais.
Pheû pheû! Que estrépito de pássaros
ouço próximo? O céu ressoa 125
com leves frêmitos de asas:
o vindouro me é todo terrível.

PÁRODO (128-192)

C. Não temas: amistoso este renque EST. 1
de asas em rápido ruflar
chega a este penedo, a custo 130
tendo persuadido o espírito paterno.
Brisas me fizeram célere séquito:
o eco das batidas do aço percorreu
o fundo da gruta, e expulsou de mim
o tímido pudor,
e sem sandália vim no veículo alado. 135

Πρ. αἰαῖ αἰαῖ,
τῆς πολυτέκνου Τηθύος ἔκγονα,
τοῦ περὶ πᾶσάν θ' εἱλισσομένου
χθόν' ἀκοιμήτωι ῥεύματι παῖδες
πατρὸς 'Ωκεανοῦ, δέρχθητ', ἐσίδεσθ' 140
οἵωι δεσμῶι προσπορπατὸς
τῆσδε φάραγγος σκοπέλοις ἐν ἄκροις
φρουρὰν ἄζηλον ὀχήσω.

Χο. λεύσσω, Προμηθεῦ· φοβερὰ δ' ἐμοῖσιν ὄσ- [ἀντ. α
σοις ὀμίχλα προσῆιξε πλή- 145
ρης δακρύων, σὸν δέμας εἰσιδούσαι
πέτραι προσαυαινόμενον
ταῖσδ' ἀδαμαντοδέτοισι λύμαις·
νέοι γὰρ οἰακονόμοι κρατοῦσ' 'Ολύμ-
που, νεοχμοῖς δὲ δὴ νόμοις 150
Ζεὺς ἀθέτως κρατύνει,
τὰ πρὶν δὲ πελώρια νῦν ἀιστοῖ.

Πρ. εἰ γάρ μ' ὑπὸ γῆν νέρθεν θ' Ἅιδου
τοῦ νεκροδέγμονος εἰς ἀπέραντον
Τάρταρον ἧκεν δεσμοῖς ἀλύτοις 155
ἀγρίως πελάσας, ὡς μήτε θεὸς
μήτε τις ἄλλος τοῖσδ' ἐπεγήθει.
νῦν δ' αἰθέριον κίνυγμ' ὁ τάλας
ἐχθροῖς ἐπίχαρτα πέπονθα.

Χο. τίς ὧδε τλησικάρδιος [στρ. β
θεῶν, ὅτωι τάδ' ἐπιχαρῆ; 161
τίς οὐ ξυνασχαλᾶι κακοῖς
τεοῖσι δίχα γε Διός; ὁ δ' ἐπικότως ἀεὶ
θέμενος ἄγναμπτον νόον
δάμναται Οὐρανίαν
γένναν, οὐδὲ λήξει 165
πρὶν ἂν ἢ κορέσηι κέαρ ἢ παλάμαι τινὶ
τὰν δυσάλωτον ἕληι τις ἀρχάν.

Πρ. ἦ μὴν ἔτ' ἐμοῦ καίπερ κρατεραῖς
ἐν γυιοπέδαις αἰκιζομένου
χρεῖαν ἕξει μακάρων πρύτανις,
δεῖξαι τὸ νέον βούλευμ', ὑφ' ὅτου 170

P. *Aiaî aiaî*,
crianças da prolífica Tétis,
e do que envolve toda a terra
com insone fluir, filhas
do Pai Oceano, contemplai, vede 140
com que cadeia pregado
no vígil alcantil deste precipício
não por zelo manterei guarda.

C. Vejo, Prometeu: pavoroso em meus olhos ANT. 1
o nevoeiro cresce cheio 145
de lágrimas, ao ver o teu porte
ressecar na pedra
insultado com liames de aço.
Novos timoneiros dominam o Olimpo,
com novas normas 150
Zeus sem posto exerce o poder
e agora anula os antigos portentos.

P. Que me lançasse, sob a terra e sob o Hades
acolhedor de mortos, ao inatravessável
Tártaro, com cadeias insolúveis, 155
num selvagem lance! Nenhum Deus
nem ninguém assim teria júbilo!
Mas, joguete a céu aberto, sofro,
mísero, a alegria de inimigos.

C. Qual dos Deuses é tão cruel EST. 2
que assim tenha alegria? 160
Quem não se aflige com tua dor,
exceto Zeus? Rancoroso sempre,
com inflexível espírito,
ele domina a família
celeste, nem cessará 165
antes que sacie o coração, ou por golpe
alguém tome o poder difícil de tomar.

P. Sim, de mim, ainda que peias
cruéis nos membros me aflijam
o prítane dos venturosos precisará
para indicar qual nova decisão 170

σκῆπτρον τιμάς τ' ἀποσυλᾶται·
καί μ' οὔτι μελιγλώσσοις πειθοῦς
ἐπαοιδαῖσιν θέλξει, στερεάς τ'
οὔποτ' ἀπειλὰς πτήξας τόδ' ἐγὼ
καταμηνύσω πρὶν ἂν ἐξ ἀγρίων 175
δεσμῶν χαλάσηι ποινάς τε τίνειν
τῆσδ' αἰκείας ἐθελήσηι.

Χο. σὺ μὲν θρασύς τε καὶ πικραῖς [ἀντ. β
δύαισιν οὐδὲν ἐπιχαλᾶις,
ἄγαν δ' ἐλευθεροστομεῖς. 180
ἐμὰς δὲ φρένας ἠρέθισε διάτορος φόβος,
δέδια δ' ἀμφὶ σαῖς τύχαις,
πᾶι ποτε τῶνδε πόνων
χρή σε τέρμα κέλσαντ'
ἐσιδεῖν· ἀκίχητα γὰρ ἤθεα καὶ κέαρ
ἀπαράμυθον ἔχει Κρόνου παῖς. 185

Πρ. οἶδ' ὅτι τραχὺς καὶ παρ' ἑαυτωι
τὸ δίκαιον ἔχων ἔμπας δ', ὀίω,
μαλακογνώμων
ἔσται ποθ', ὅταν ταύτηι ῥαισθῆι·
τὴν δ' ἀτέραμνον στορέσας ὀργὴν 190
εἰς ἀρθμὸν ἐμοὶ καὶ φιλότητα
σπεύδων σπεύδοντί ποθ' ἥξει.

Χο. πάντ' ἐκκάλυψον καὶ γέγων' ἡμῖν λόγον,
ποίωι λαβών σε Ζεὺς ἐπ' αἰτιάματι
οὕτως ἀτίμως καὶ πικρῶς αἰκίζεται. 195
δίδαξον ἡμᾶς, εἴ τι μὴ βλάπτηι λόγωι.

Πρ. ἀλγεινὰ μέν μοι καὶ λέγειν ἐστὶν τάδε,
ἄλγος δὲ σιγᾶν, πανταχῆι δὲ δύσποτμα.
ἐπεὶ τάχιστ' ἤρξαντο δαίμονες χόλου
στάσις τ' ἐν ἀλλήλοισιν ὠροθύνετο, 200
οἱ μὲν θέλοντες ἐκβαλεῖν ἕδρας Κρόνον
ὡς Ζεὺς ἀνάσσοι δῆθεν, οἱ δὲ τοὔμπαλιν

lhe arrebatará cetro e honra.
Nem melífluas persuasivas cantigas
me encantarão, nem por temor de
duras ameaças, farei esta declaração,
antes que relaxe as ferozes 175
cadeias, e aceite pagar
por estas afrontas.

C. Tu, temerário, com amargos ANT. 2
tormentos em nada recuas,
e livre demais tens a boca. 180
Toca minhas entranhas cortante pavor.
Temo por tua sorte.
Quando afinal tens que ver
aportar o termo destas dores?
O Crônida tem intocável
caráter e coração impersuadível. 185

P. Sei que é áspero e tem a justiça
junto a si. Todavia penso
que abrandará a mente
quando assim ruir,
e, atenuada a implacável têmpera, 190
para o pacto comigo e amizade,
vier depressa ao apressado.

PRIMEIRO EPISÓDIO (193-396)

C. Tudo desvela e anuncia-nos a palavra,
com que acusação Zeus te prendeu
tão sem honra, e faz amargas afrontas? 195
Instrui-nos, se não te fere a palavra.

P. Doloroso para mim é dizer isso,
dor é calar, em tudo difícil sina.
Quando Numes principiaram a ira
e a sedição entre eles se levantava, 200
uns querendo expulsar da sede Crono
para Zeus reinar doravante, outros ao inverso

σπεύδοντες ὡς Ζεὺς μήποτ' ἄρξειεν θεῶν,
ἐνταῦθ' ἐγὼ τὰ λῷστα βουλεύων πιθεῖν
Τιτᾶνας, Οὐρανοῦ τε καὶ Χθονὸς τέκνα, 205
οὐκ ἠδυνήθην· αἱμύλας δὲ μηχανὰς
ἀτιμάσαντες καρτεροῖς φρονήμασιν
ᾤιοντ' ἀμοχθὶ πρὸς βίαν τε δεσπόσειν·
ἐμοὶ δὲ μήτηρ οὐχ ἅπαξ μόνον Θέμις
καὶ Γαῖα, πολλῶν ὀνομάτων μορφὴ μία, 210
τὸ μέλλον ἧι κραίνοιτο προυτεθεσπίκει,
ὡς οὐ κατ' ἰσχὺν οὐδὲ πρὸς τὸ καρτερὸν
χρείη, δόλωι δὲ τοὺς ὑπερέχοντας κρατεῖν.
τοιαῦτ' ἐμοῦ λόγοισιν ἐξηγουμένου
οὐκ ἠξίωσαν οὐδὲ προσβλέψαι τὸ πᾶν. 215
κράτιστα δή μοι τῶν παρεστώτων τότε
ἐφαίνετ' εἶναι προσλαβόντα μητέρα
ἑκόνθ' ἑκόντι Ζηνὶ συμπαραστατεῖν·
ἐμαῖς δὲ βουλαῖς Ταρτάρου μελαμβαθὴς
κευθμὼν καλύπτει τὸν παλαιγενῆ Κρόνον 220
αὐτοῖσι συμμάχοισι. τοιάδ' ἐξ ἐμοῦ
ὁ τῶν θεῶν τύραννος ὠφελημένος
κακαῖσι τιμαῖς ταῖσδέ μ' ἐξημείψατο·
ἔνεστι γάρ πως τοῦτο τῆι τυραννίδι
νόσημα, τοῖς φίλοισι μὴ πεποιθέναι. 225
ὃ δ' οὖν ἐρωτᾶτ', αἰτίαν καθ' ἥντινα
αἰκίζεταί με, τοῦτο δὴ σαφηνιῶ.
ὅπως τάχιστα τὸν πατρῷιον ἐς θρόνον
καθέζετ', εὐθὺς δαίμοσιν νέμει γέρα
ἄλλοισιν ἄλλα καὶ διεστοιχίζετο 230
ἀρχήν, βροτῶν δὲ τῶν ταλαιπώρων λόγον
οὐκ ἔσχεν οὐδέν', ἀλλ' ἀιστώσας γένος
τὸ πᾶν ἔχρηιζεν ἄλλο φιτῦσαι νέον.
καὶ τοῖσιν οὐδεὶς ἀντέβαινε πλὴν ἐμοῦ,
ἐγὼ δ' ἐτόλμησ'· ἐξελυσάμην βροτοὺς 235
τὸ μὴ διαρραισθέντας εἰς Ἅιδου μολεῖν.
τῶι τοι τοιαῖσδε πημοναῖσι κάμπτομαι,
πάσχειν μὲν ἀλγειναῖσιν, οἰκτραῖσιν δ' ἰδεῖν.
θνητοὺς δ' ἐν οἴκτωι προθέμενος τούτου τυχεῖν

cuidando que Zeus nunca fosse rei dos Deuses,
eu, com os melhores conselhos, não pude
persuadir Titãs, filhos do Céu e da Terra, 205
mas, desprezando astutas maquinações,
com cruéis pensamentos, acreditavam
dominar sem esforço por Violência.
Não uma só vez, minha mãe Lei
e Terra, de muitos nomes forma única, 210
profetizava como se cumpriria o porvir,
que não por força nem por crueldade
mas por dolo os superiores teriam poder.
Tais oráculos eu com palavras interpretava:
não se dignaram nem mesmo olhar. 215
Parecia-me naquelas circunstâncias
ter mais valor compreender a Mãe
e aliar-me anuente ao anuente Zeus.
Por meus conselhos o negrifundo covil
do Tártaro oculta o antigo Crono 220
com seus aliados. Tais dívidas a mim
o tirano dos Deuses estando a dever
com malignas penas assim me pagou.
Há de algum modo dentro da tirania
esta doença: não confiar nos amigos. 225
O que perguntais, a causa pela qual
afrontas me faz, eis que esclareço:
ele tão logo sentou no trono paterno
distribuiu privilégios entre os Numes,
a cada qual o seu, e constituiu 230
o império. Dos mortais coitados
não fez conta, mas queria destruir
o gênero todo e semear outro novo.
Ninguém foi contra isso, exceto eu,
eu ousei: livrei os mortais 235
de dilacerados irem ao Hades.
Por isso com tais penas me curvo,
dolorosas de sofrer, miseráveis de ver.
Protegi mortais na miséria, sorte esta

οὐκ ἠξιώθην αὐτός, ἀλλὰ νηλεῶς 240
ὧδ' ἐρρύθμισμαι, Ζηνὶ δυσκλεὴς θέα.
Χο. σιδηρόφρων τε κἀκ πέτρας εἰργασμένος
ὅστις, Προμηθεῦ, σοῖσιν οὐ συνασχαλᾶι
μόχθοις· ἐγὼ γὰρ οὔτ' ἂν εἰσιδεῖν τάδε
ἔχρηιζον εἰσιδοῦσά τ' ἠλγύνθην κέαρ. 245
Πρ. καὶ μὴν φίλοις ἐλεινὸς εἰσορᾶν ἐγώ.
Χο. μή πού τι προύβης τῶνδε καὶ περαιτέρω;
Πρ. θνητούς γ' ἔπαυσα μὴ προδέρκεσθαι μόρον.
Χο. τὸ ποῖον εὑρὼν τῆσδε φάρμακον νόσου;
Πρ. τυφλὰς ἐν αὐτοῖς ἐλπίδας κατώικισα. 250
Χο. μέγ' ὠφέλημα τοῦτ' ἐδωρήσω βροτοῖς.
Πρ. πρὸς τοῖσδε μέντοι πῦρ ἐγώ σφιν ὤπασα.
Χο. καὶ νῦν φλογωπὸν πῦρ ἔχουσ' ἐφήμεροι;
Πρ. ἀφ' οὗ γε πολλὰς ἐκμαθήσονται τέχνας.
Χο. τοιοῖσδε δή σε Ζεὺς ἐπ' αἰτιάμασιν 255
Πρ. αἰκίζεταί γε κοὐδαμῆι χαλᾶι κακῶν.
Χο. οὐδ' ἔστιν ἄθλου τέρμα σοι προκείμενον;
Πρ. οὐκ ἄλλο γ' οὐδέν πλὴν ὅταν κείνωι δοκῆι.
Χο. δόξει δὲ πῶς; τίς ἐλπίς; οὐχ ὁρᾶις ὅτι
ἥμαρτες; ὡς δ' ἥμαρτες, οὔτ' ἐμοὶ λέγειν 260
καθ' ἡδονὴν σοί τ' ἄλγος. ἀλλὰ ταῦτα μὲν
μεθῶμεν, ἄθλου δ' ἔκλυσιν ζήτει τινά.
Πρ. ἐλαφρόν, ὅστις πημάτων ἔξω πόδα
ἔχει, παραινεῖν νουθετεῖν τε τοὺς κακῶς
πράσσοντας· εὖ δὲ ταῦθ' ἅπαντ' ἠπιστάμην. 265
ἑκὼν ἑκὼν ἥμαρτον, οὐκ ἀρνήσομαι·
θνητοῖς ἀρήγων αὐτὸς ηὑρόμην πόνους.
οὐ μήν τι ποιναῖς γ' ὠιόμην τοίαισί με
κατισχνανεῖσθαι πρὸς πέτραις πεδαρσίοις
τυχόντ' ἐρήμου τοῦδ' ἀγείτονος πάγου. 270
καί μοι τὰ μὲν παρόντα μὴ δύρεσθ' ἄχη,
πέδοι δὲ βᾶσαι τὰς προσερπούσας τύχας
ἀκούσαθ', ὡς μάθητε διὰ τέλους τὸ πᾶν.
πίθεσθέ μοι πίθεσθε, συμπονήσατε
τῶι νῦν μογοῦντι ταῦτ', ἐπεὶ πλανωμένη 275
πρὸς ἄλλοτ' ἄλλον πημονὴ προσιζάνει.

	não obtive eu mesmo, mas sem piedade	240
	assim me tratam, para Zeus inglória visão.	
C.	Tem o ânimo férreo e é feito de pedra	
	quem não se aflige com tuas fadigas,	
	Prometeu, pois eu não queria vê-las,	
	e quando as vejo dói-me o coração.	245
P.	Sim, para amigos sou mísera visão.	
C.	Talvez avançaste mais além destes fatos.	
P.	Impedi os mortais de prever a morte.	
C.	Que remédio descobriste desta doença?	
P.	Cegas esperanças entre eles instalei.	250
C.	Útil dom assim fizeste aos mortais.	
P.	Além disso, eu ainda lhes dei o fogo.	
C.	E agora mortais têm fúlgido fogo?	
P.	Do qual aprenderão muitas artes.	
C.	Com tais acusações é que Zeus te...	255
P.	...maltrata e nunca afrouxa os males.	
C.	Não tens adiante o fim das provações?	
P.	Nenhum senão quando ele decidir.	
C.	Decidir como? Que esperança? Não vês	
	que erraste? Como erraste, não me apraz	260
	dizer, e a ti te dói. Mas deixemos isso,	
	busca uma libertação das provações.	
P.	Fácil, para quem está livre de dores,	
	é admoestar e aconselhar quem mal	
	está. Tudo isso eu bem conhecia,	
	Ciente, ciente errei, não quero negar:	265
	ao socorrer mortais, descobri males.	
	Não supunha que com tais castigos	
	ressecaria junto a pedras alcantiladas	
	obtendo este ermo solitário penedo.	270
	Não me lamenteis presentes aflições,	
	pisai no chão, e as porvindouras sortes	
	ouvi, para saberdes inteiramente tudo.	
	Crede-me, crede, compadecei-vos	
	de quem agora sofre, pois errante	275
	o mal vai ora a um, ora a outro.	

Χο. οὐκ ἀκούσαις ἐπεθώυξας
τοῦτο, Προμηθεῦ. καὶ νῦν ἐλαφρῶι
ποδὶ κραιπνόσυτον θᾶκον προλιποῦσ'
αἰθέρα θ' ἁγνὸν πόρον οἰωνῶν 280
ὀκριοέσσηι χθονὶ τῆιδε πελῶ·
τοὺς σοὺς δὲ πόνους
χρήιζω διὰ παντὸς ἀκοῦσαι.

ΩΚΕΑΝΟΣ

ἥκω δολιχῆς τέρμα κελεύθου
διαμειψάμενος πρὸς σέ, Προμηθεῦ, 285
τὸν πτερυγωκῆ τόνδ' οἰωνὸν
γνώμηι στομίων ἄτερ εὐθύνων.
ταῖς σαῖς δὲ τύχαις, ἴσθι, συναλγῶ·
τό τε γάρ με, δοκῶ, ξυγγενὲς οὕτως
ἐσαναγκάζει, χωρίς τε γένους 290
οὐκ ἔστιν ὅτωι μείζονα μοῖραν
νείμαιμ' ἢ σοί.
γνώσηι δὲ τάδ' ὡς ἔτυμ', οὐδὲ μάτην
χαριτογλωσσεῖν ἔνι μοι· φέρε γὰρ
σήμαιν' ὅ τι χρή σοι συμπράσσειν· 295
οὐ γάρ ποτ' ἐρεῖς ὡς Ὠκεανοῦ
φίλος ἐστὶ βεβαιότερός σοι.

Πρ. ἔα· τί χρῆμα; καὶ σὺ δὴ πόνων ἐμῶν
ἥκεις ἐπόπτης; πῶς ἐτόλμησας, λιπὼν
ἐπώνυμόν τε ῥεῦμα καὶ πετρηρεφῆ 300
αὐτόκτιτ' ἄντρα, τὴν σιδηρομήτορα
ἐλθεῖν ἐς αἶαν; ἢ θεωρήσων τύχας
ἐμὰς ἀφῖξαι καὶ συνασχαλῶν κακοῖς;
δέρκου θέαμα, τόνδε τὸν Διὸς φίλον,
τὸν συγκαταστήσαντα τὴν τυραννίδα, 305
οἵαις ὑπ' αὐτοῦ πημοναῖσι κάμπτομαι.

Ωκ. ὁρῶ, Προμηθεῦ, καὶ παραινέσαι γέ σοι
θέλω τὰ λῶιστα καίπερ ὄντι ποικίλωι.
γίγνωσκε σαυτὸν καὶ μεθάρμοσαι τρόπους
νέους· νέος γὰρ καὶ τύραννος ἐν θεοῖς. 310
εἰ δ' ὧδε τραχεῖς καὶ τεθηγμένους λόγους
ῥίψεις, τάχ' ἄν σου καὶ μακρὰν ἀνωτέρω

C. Não nos incitastes contrariadas,
Prometeu. E agora, com leve pé,
deixo o rápido veículo e o céu,
santa passagem de pássaros, 280
e toco neste áspero chão;
os teus sofrimentos
quero ouvi-los todos.

O. Chego ao termo de longo caminho
percorrido por ti, Prometeu, 285
dirigindo este aliveloz pássaro
com o pensamento, sem rédeas.
Por tua sorte, sabe, compadeço;
o vínculo fraterno, penso,
assim me obriga e, família à parte, 290
não há a quem eu tenha
maior estima do que a ti.
Saberás que real, e não vão,
dom da palavra há em mim.
Eia! Diz que devo fazer por ti, 295
pois nunca dirás que tens
amigo mais firme que Oceano.

P. *Ea*! Que é? Também tu vens visitar
meus males? Como ousaste sair
da epônima fluência e das grutas recobertas 300
de pedra, feitas por si mesmas, e vir
à férrea mãe Terra? Para ver minha sorte
vieste, e compadecer-te de meus males?
Contempla a visão, este amigo de Zeus,
que com ele constituiu a tirania, 305
com que dores sob ele me curvo.

O. Vejo, Prometeu, e quero aconselhar-te
o mais útil, ainda que tu sejas solerte.
Conhece-te, e harmoniza com novos
modos, novo é o tirano entre os Deuses. 310
Se lanças tão ásperas e acres palavras,
ainda que sentado muito acima de ti,

θακῶν κλύοι Ζεύς, ὥστε σοι τὸν νῦν ὄχλον
παρόντα μόχθων παιδιὰν εἶναι δοκεῖν.
ἀλλ', ὦ ταλαίπωρ', ἃς ἔχεις ὀργὰς ἄφες, 315
ζήτει δὲ τῶνδε πημάτων ἀπαλλαγάς.
ἀρχαῖ' ἴσως σοι φαίνομαι λέγειν τάδε·
τοιαῦτα μέντοι τῆς ἄγαν ὑψηγόρου
γλώσσης, Προμηθεῦ, τἀπίχειρα γίγνεται.
σὺ δ' οὐδέπω ταπεινὸς, οὐδ' εἴκεις κακοῖς, 320
πρὸς τοῖς παροῦσι δ' ἄλλα προσλαβεῖν θέλεις.
οὔκουν ἔμοιγε χρώμενος διδασκάλωι
πρὸς κέντρα κῶλον ἐκτενεῖς, ὁρῶν ὅτι
τραχὺς μόναρχος οὐδ' ὑπεύθυνος κρατεῖ.
καὶ νῦν ἐγὼ μὲν εἶμι καὶ πειράσομαι 325
ἐὰν δύνωμαι τῶνδέ σ' ἐκλῦσαι πόνων·
σὺ δ' ἡσύχαζε, μηδ' ἄγαν λαβροστόμει.
ἢ οὐκ οἶσθ' ἀκριβῶς ὢν περισσόφρων ὅτι
γλώσσηι ματαίαι ζημία προστρίβεται;
Πρ. ζηλῶ σ' ὁθούνεκ' ἐκτὸς αἰτίας κυρεῖς 330
πάντων μετασχεῖν καὶ τετολμηκὼς ἐμοί·
καὶ νῦν ἔασον μηδέ σοι μελησάτω,
πάντως γὰρ οὐ πείσεις νιν· οὐ γὰρ εὐπιθής.
πάπταινε δ' αὐτὸς μή τι πημανθῇις ὁδῶι.
Ωκ. πολλῶι γ' ἀμείνων τοὺς πέλας φρενοῦν ἔφυς 335
ἢ σαυτόν· ἔργωι κοὐ λόγωι τεκμαίρομαι.
ὁρμώμενον δὲ μηδαμῶς ἀντισπάσηις·
αὐχῶ γὰρ αὐχῶ τήνδε δωρειὰν ἐμοὶ
δώσειν Δί', ὥστε τῶνδέ σ' ἐκλῦσαι πόνων.
Πρ. τὰ μὲν σ' ἐπαινῶ κοὐδαμῆι λήξω ποτέ, 340
προθυμίας γὰρ οὐδὲν ἐλλείπεις· ἀτὰρ
μηδὲν πόνει. μάτην γὰρ οὐδὲν ὠφελῶν
ἐμοὶ πονήσεις, εἴ τι καὶ πονεῖν θέλεις.
ἀλλ' ἡσύχαζε σαυτὸν ἐκποδὼν ἔχων·
ἐγὼ γὰρ οὐκ, εἰ δυστυχῶ, τοῦδ' εἵνεκα 345
θέλοιμ' ἂν ὡς πλείστοισι πημονὰς τυχεῖν.
οὐ δῆτ', ἐπεί με καὶ κασιγνήτου τύχαι
τείρουσ' Ἄτλαντος, ὃς πρὸς ἑσπέρους τόπους
ἕστηκε κίον' οὐρανοῦ τε καὶ χθονὸς

Zeus talvez ouça, e o presente tropel
de tormentos te parecerá brincadeira.
Ó sofredor, relaxa a cólera que tens, 315
e procura a libertação dessas dores.
Antigo talvez te pareça ao dizer isto;
tais, porém, são os prêmios, Prometeu,
da língua por demais altissonante.
Tu não és humilde nem cedes aos males 320
e, além dos presentes, queres ter outros.
Se não me tomas como instrutor,
darás soco em aguilhão, ao ver que
áspero monarca absoluto domina.
Agora eu irei e tentarei livrar-te, 325
se me for possível, dessas fadigas.
Acalma-te, não vociferes demais.
Ou, tão sábio, não sabes bem que
a punição se aplica à língua vã?

P. Estimo que estejas fora de causa, 330
audaz até participar de tudo comigo.
Desista ainda agora, não te inquietes:
nunca o persuadirás, é impersuasível.
Cuida que não te percas no percurso.

O. Muito mais bem pensas no próximo 335
que em ti, atesto com atos e não palavras.
Não te contraponhas ao meu impulso,
pois creio, creio que Zeus me dará
esta dádiva de livrar-te dessas fadigas.

P. Por isso te louvo e nunca esquecerei, 340
não omites nenhuma diligência, mas
não te fadigues, não me servem nada
tuas fadigas, se ainda queres fatigar-te.
Ora, acalma-te, e fica fora disto,
pois, se tive má sorte, eu não por isso 345
gostaria que o maior número tivesse dores.
Não mesmo, porque já me aflige a sorte
de Atlas, meu irmão, que no ocidente
suporta de pé a coluna do Céu e da Terra

ὤμοιν ἐρείδων, ἄχθος οὐκ εὐάγκαλον. 350
τὸν γηγενῆ τε Κιλικίων οἰκήτορα
ἄντρων ἰδὼν ὤικτιρα, δάιον τέρας,
ἑκατογκάρανον πρὸς βίαν χειρούμενον,
Τυφῶνα θοῦρον· πᾶσιν ἀντέστη θεοῖς
σμερδναῖσι γαμφηλαῖσι συρίζων φόβον, 355
ἐξ ὀμμάτων δ' ἤστραπτε γοργωπὸν σέλας,
ὡς τὴν Διὸς τυραννίδ' ἐκπέρσων βίαι.
ἀλλ' ἦλθεν αὐτῶι Ζηνὸς ἄγρυπνον βέλος,
καταιβάτης κεραυνὸς ἐκπνέων φλόγα,
ὃς αὐτὸν ἐξέπληξε τῶν ὑψηγόρων 360
κομπασμάτων· φρένας γὰρ εἰς αὐτὰς τυπεὶς
ἐφεψαλώθη κἀξεβροντήθη σθένος.
καὶ νῦν ἀχρεῖον καὶ παράορον δέμας
κεῖται στενωποῦ πλησίον θαλασσίου
ἰπούμενος ῥίζαισιν Αἰτναίαις ὕπο. 365
κορυφαῖς δ' ἐν ἄκραις ἥμενος μυδροκτυπεῖ
Ἥφαιστος, ἔνθεν ἐκραγήσονταί ποτε
ποταμοὶ πυρὸς δάπτοντες ἀγρίαις γνάθοις
τῆς καλλικάρπου Σικελίας λευροὺς γύας.
τοιόνδε Τυφὼς ἐξαναζέσει χόλον 370
θερμοῖς ἀπλάτου βέλεσι πυρπνόου ζάλης,
καίπερ κεραυνῶι Ζηνὸς ἠνθρακωμένος.
σὺ δ' οὐκ ἄπειρος, οὐδ' ἐμοῦ διδασκάλου
χρήιζεις· σεαυτὸν σῶιζ' ὅπως ἐπίστασαι.
ἐγὼ δὲ τὴν παροῦσαν ἀντλήσω τύχην 375
ἔστ' ἂν Διὸς φρόνημα λωφήσηι χόλου.

Ωκ. οὔκουν, Προμηθεῦ, τοῦτο γιγνώσκεις, ὅτι
ὀργῆς νοσούσης εἰσὶν ἰατροὶ λόγοι;

Πρ. ἐάν τις ἐν καιρῶι γε μαλθάσσηι κέαρ
καὶ μὴ σφριγῶντα θυμὸν ἰσχναίνηι βίαι. 380

Ωκ. ἐν τῶι προθυμεῖσθαι δὲ καὶ τολμᾶν τίνα
ὁρᾶις ἐνοῦσαν ζημίαν; δίδασκέ με.

Πρ. μόχθον περισσὸν κουφόνουν τ' εὐηθίαν.

Ωκ. ἔα με τῆιδε τῆι νόσωι νοσεῖν, ἐπεὶ
κέρδιστον εὖ φρονοῦντα μὴ φρονεῖν δοκεῖν. 385

Πρ. ἐμὸν δοκήσει τἀμπλάκημ' εἶναι τόδε.

nos ombros, fardo de não fácil abraço. 350
Ao ver o terrígeno habitante das grutas
Cilícias, compadeci-me, terrível prodígio
de cem cabeças, vencido com Violência,
feroz Tífon, aos Deuses todos se opôs
com hórridas mandíbulas a silvar pavor, 355
dos olhos relampejava gorgôneo brilho,
querendo pilhar a tirania de Zeus à força,
mas partiu de Zeus um insone dardo,
descendente raio a respirar fogo,
que o golpeou por seus altissonantes 360
alardes; ferido no coração mesmo,
virou cinzas, fulminado em seu vigor,
e agora inerme e estendido corpo
repousa perto do estreito do mar
sob o peso das raízes do Etna. 365
Sentado nos altos cimos, Hefesto
malha ferro. Daí romperão um dia
rios de fogo a devorar com ferozes queixos
os lisos alqueires da frutífera Sicília,
tão colérico Tífon ferverá com dardos 370
ardentes de inabordáveis ígneos ventos,
ainda que abrasado pelo raio de Zeus.
Tu não és inexperiente, nem careces
de minha instrução. Salva-te como sabes.
Eu suportarei a presente sorte 375
até a mente de Zeus amainar a ira.

O. Não conheces, Prometeu, este fato:
Palavras são médicos da doente raiva?

P. Se na oportunidade abrandam o coração
e não suprimem à força o túrgido ânimo. 380

O. Na diligência e na ousadia, estás vendo
a punição ter domicílio? Ensina-me.

P. Vejo fadiga supérflua e estultícia vã.

O. Deixa-me padecer desta doença, pois
lucra mais o prudente parecer não pensar. 385

P. Parecerá que este é o meu desacerto.

Ωκ. σαφῶς μ' ἐς οἶκον σὸς λόγος στέλλει πάλιν.
Πρ. μὴ γάρ σε θρῆνος οὑμὸς εἰς ἔχθραν βάλῃ.
Ωκ. ἦ τῶι νέον θακοῦντι παγκρατεῖς ἕδρας;
Πρ. τούτου φυλάσσου μή ποτ' ἀχθεσθῆι κέαρ. 390
Ωκ. ἡ σή, Προμηθεῦ, συμφορὰ διδάσκαλος.
Πρ. στέλλου, κομίζου, σῶιζε τὸν παρόντα νοῦν.
Ωκ. ὁρμωμένωι μοι τόνδ' ἐθώυξας λόγον·
λευρὸν γὰρ οἶμον αἰθέρος ψαίρει πτεροῖς
τετρασκελὴς οἰωνός· ἄσμενος δέ τἂν 395
σταθμοῖς ἐν οἰκείοισι κάμψειεν γόνυ.

Χο. στένω σε τᾶς οὐλομένας τύχας, Προμη- [στρ. α
θεῦ δακρυσίστακτον ἀπ' ὄσ-
σων ῥαδινῶν λειβομένα
ῥέος παρειὰν νοτίοις ἔτεγξα πα- 400
γαῖς· ἀμέγαρτα γὰρ τάδε
Ζεὺς ἰδίοις νόμοις κρατύ-
νων ὑπερήφανον θεοῖς
τοῖς πάρος ἐνδείκνυσιν αἰχμάν. 405

πρόπασα δ' ἤδη στονόεν λέλακε χώ- [ἀντ. α
ρα, μεγαλοσχήμονά τ' ἀρ-
χαιοπρεπῆ ⟨ – ⏖ – ⟩
στένουσι τὰν σὰν ξυνομαιμόνων τε τι- 410
μάν· ὁπόσοι τ' ἔποικον ἁγ-
νᾶς Ἀσίας ἕδος νέμον-
ται, μεγαλοστόνοισι σοῖς
πήμασι συγκάμνουσι θνατοί.

Κολχίδος τε γᾶς ἔνοικοι [στρ. β
παρθένοι μάχας ἄτρεστοι 416
καὶ Σκύθης ὅμιλος, οἳ γᾶς
ἔσχατον τόπον ἀμφὶ Μαι-
ῶτιν ἔχουσι λίμναν,

O. Às claras tua fala me reenvia para casa.
P. O lamento por mim não te torne odioso.
O. A quem tem recente onipresente trono?
P. Guarda-te de irritar o coração dele. 390
O. A tua conjuntura, Prometeu, ensina.
P. Vai, parte, conserva o presente intento.
O. A mim, já indo, disseste esta palavra;
o quadrúpede pássaro roça com asas
o liso caminho pelo céu, contente se 395
no estábulo em casa curvasse o joelho.

PRIMEIRO ESTÁSIMO (397-435)

Choro-te a funesta sorte, Prometeu, EST. 1
ao verter dos olhos gráceis
a fluência de destiladas lágrimas
molhei a face com úmidas gotas: 400
ao ter poderes irrestritos
com as suas próprias leis
Zeus mostra soberba lança
aos antigos Deuses. 405

Toda a região já clama chorosa, ANT. 1
em tua honra magnífica
e primordial, e em honra
dos teus consanguíneos, 410
choram quantos residem
no vizinho lar de Ásia pura,
os mortais se compadecem
de tuas magníssonas dores.

Habitantes da terra Cólquida EST. 2
virgens sem temor da guerra, 416
a horda cita que ocupa
o lugar extremo da terra
ao redor da lagoa Meótida,

Ἀραβίας τ' ἄρειον ἄνθος [ἀντ. β
ὑψίκρημνον οἳ πόλισμα 421
Καυκάσου πέλας νέμονται,
δάιος στρατὸς, ὀξυπρώι-
ροισι βρέμων ἐν αἰχμαῖς.

† μόνον δὴ πρόσθεν ἄλλον ἐν πόνοις [?στρ. γ
δαμέντ' ἀκαμαντοδέτοις 426
Τιτᾶνα λύμαις εἰσιδόμαν θεόν
Ἄτλανθ' ὃς αἰὲν ὑπέροχον σθένος κραταιὸν
οὐράνιόν τε πόλον
νώτοις ὑποστεγάζει†. 430

βοᾶι δὲ πόντιος κλύδων [?ἀντ. γ
ξυμπίτνων, στένει βυθός,
κελαινὸς Ἄιδος ὑποβρέμει μυχὸς γᾶς,
παγαί θ' ἁγνορύτων ποταμῶν
στένουσιν ἄλγος οἰκτρόν. 435

Πρ. μή τοι χλιδῆι δοκεῖτε μηδ' αὐθαδίαι
σιγᾶν με· συννοίαι δὲ δάπτομαι κέαρ
ὁρῶν ἐμαυτὸν ὧδε προυσελούμενον.
καίτοι θεοῖσι τοῖς νέοις τούτοις γέρα
τίς ἄλλος ἢ 'γὼ παντελῶς διώρισεν; 440
ἀλλ' αὐτὰ σιγῶ· καὶ γὰρ εἰδυίαισιν ἂν
ὑμῖν λέγοιμι. τἀν βροτοῖς δὲ πήματα
ἀκούσαθ', ὥς σφας νηπίους ὄντας τὸ πρὶν
ἔννους ἔθηκα καὶ φρενῶν ἐπηβόλους.
λέξω δέ μέμψιν οὔτιν' ἀνθρώποις ἔχων, 445
ἀλλ' ὧν δέδωκ' εὔνοιαν ἐξηγούμενος·
οἳ πρῶτα μὲν βλέποντες ἔβλεπον μάτην,
κλύοντες οὐκ ἤκουον, ἀλλ' ὀνειράτων
ἀλίγκιοι μορφαῖσι τὸν μακρὸν βίον

a belicosa flor da Arábia ANT. 2
que habita alcantilado 421
forte perto do Cáucaso,
terrível exército fremente
com lanças de aguda proa.

Antes vi só outro entre males EST. 3?
batido por infatigáveis cadeias 426
torturantes: o Deus Titã Atlas
que sempre suporta no dorso
a poderosa força superior
e a abóbada celeste. 430

Estronda a onda marinha ANT. 3?
ao cair, chora o fundo do mar,
freme o negro recesso de Hades subtérreo,
e as fontes dos rios sacrifluentes
choram a dor miseranda. 435

SEGUNDO EPISÓDIO (436-525)

P. Nem debochado nem obstinado vos pareça
que me calo, e a cismar devoro o coração,
ao me ver a mim mesmo assim ultrajado.
Todavia, a esses novos Deuses, privilégios,
quem mais senão eu de todo os definiu? 440
Mas isso calo, pois a quem já sabe, a vós,
eu o diria; as dores dos mortais, porém,
ouvi: a eles, que antes eram infantis,
lúcidos os fiz e tocados pelo espírito.
Digo-o não para repreender os homens, 445
mas explicar o bom sentido do que doei.
Eles, antes, o que viam, viam em vão,
ouvindo, não ouviam, mas confundiam
tudo ao acaso, ao longo da vida, como

ἔφυρον εἰκῆι πάντα, κοὔτε πλινθυφεῖς 450
δόμους προσείλους ἦισαν, οὐ ξυλουργίαν,
κατώρυχες δ' ἔναιον ὥστ' ἀήσυροι
μύρμηκες ἄντρων ἐν μυχοῖς ἀνηλίοις.
ἦν δ' οὐδὲν αὐτοῖς οὔτε χείματος τέκμαρ
οὔτ' ἀνθεμώδους ἦρος οὔτε καρπίμου 455
θέρους βέβαιον, ἀλλ' ἄτερ γνώμης τὸ πᾶν
ἔπρασσον, ἔστε δή σφιν ἀντολὰς ἐγὼ
ἄστρων ἔδειξα τάς τε δυσκρίτους δύσεις.
καὶ μὴν ἀριθμόν, ἔξοχον σοφισμάτων,
ἐξηῦρον αὐτοῖς, γραμμάτων τε συνθέσεις, 460
μνήμην ἁπάντων, μουσομήτορ' ἐργάνην·
κἄζευξα πρῶτος ἐν ζυγοῖσι κνώδαλα
ζεύγλαισι δουλεύοντα σάγμασὶν θ', ὅπως
θνητοῖς μεγίστων διάδοχοι μοχθημάτων
γένοινθ', ὑφ' ἅρμα τ' ἤγαγον φιληνίους 465
ἵππους, ἄγαλμα τῆς ὑπερπλούτου χλιδῆς·
θαλασσόπλαγκτα δ' οὔτις ἄλλος ἀντ' ἐμοῦ
λινόπτερ' ηὗρε ναυτίλων ὀχήματα.
τοιαῦτα μηχανήματ' ἐξευρὼν τάλας
βροτοῖσιν αὐτὸς οὐκ ἔχω σόφισμ' ὅτωι 470
τῆς νῦν παρούσης πημονῆς ἀπαλλαγῶ.

Χο. πέπονθας αἰκὲς πῆμ'· ἀποσφαλεὶς φρενῶν
πλανᾶι, κακὸς δ' ἰατρὸς ὥς τις ἐς νόσον
πεσὼν ἀθυμεῖς, καὶ σεαυτὸν οὐκ ἔχεις
εὑρεῖν ὁποίοις φαρμάκοις ἰάσιμος. 475

Πρ. τὰ λοιπά μου κλύουσα θαυμάσηι πλέον,
οἵας τέχνας τε καὶ πόρους ἐμησάμην·
τὸ μὲν μέγιστον, εἴ τις ἐς νόσον πέσοι,
οὐκ ἦν ἀλέξημ' οὐδέν, οὔτε βρώσιμον
οὐ χριστὸν οὐδὲ πιστόν, ἀλλὰ φαρμάκων 480
χρείαι κατεσκέλλοντο, πρίν γ' ἐγώ σφισιν
ἔδειξα κράσεις ἠπίων ἀκεσμάτων,
αἷς τὰς ἁπάσας ἐξαμύνονται νόσους·
τρόπους δὲ πολλοὺς μαντικῆς ἐστοίχισα,
κἄκρινα πρῶτος ἐξ ὀνειράτων ἃ χρὴ 485
ὕπαρ γενέσθαι, κληδόνας τε δυσκρίτους

as formas de sonhos, nem as ensolaradas 450
casas de tijolos conheciam, nem carpintaria,
e moravam em cavernas, tal como ágeis
formigas, no interior sem sol das grutas.
Não tinham sinal certo nem do inverno,
nem da flórida primavera, nem do verão 455
frutífero, mas tudo sem entendimento
faziam, até que eu lhes indiquei
os ascensos de astros e ocasos, difíceis.
Ainda o número, excelente artifício,
eu lhes inventei, e a composição de letras, 460
memória de tudo, obreira mãe de Musas.
Primeiro submeti os animais ao jugo,
serventes da canga e da sela, para que
herdem dos mortais as maiores fadigas,
e conduzi cavalos, dóceis às rédeas, 465
sob o carro, adornos do opulento luxo.
Ninguém em meu lugar inventou veículos
navais de asas de linho, errantes no mar.
Tais engenhos inventei para os mortais,
mísero eu mesmo não tenho o artifício 470
com que escapar à pena agora presente.

C. Sofres indigna dor. Perdido pelo espírito,
erras e, mau médico ao cair doente,
desanimas, e não podes por ti mesmo
inventar remédios com que obter cura. 475

P. Mais te espantarás ao ouvir o resto:
que artes e que recursos engendrei.
Este sobretudo: quando se caía doente
não havia defesa alguma, nem comida,
nem unguento, nem poção, mas carentes 480
de drogas pereciam, antes que eu lhes
indicasse mesclas de benignos remédios,
com que repelem todas as moléstias.
Distingui muitos modos de adivinhação,
e primeiro discerni dentre os sonhos 485
quais se verificam, e dei a conhecer

ἐγνώρισ' αὐτοῖς ἐνοδίους τε συμβόλους,
γαμψωνύχων τε πτῆσιν οἰωνῶν σκεθρῶς
διώρισ', οἵτινές τε δεξιοὶ φύσιν
εὐωνύμους τε, καὶ δίαιταν ἥντινα 490
ἔχουσ' ἕκαστοι καὶ πρὸς ἀλλήλους τίνες
ἔχθραι τε καὶ στέργηθρα καὶ συνεδρίαι·
σπλάγχνων τε λειότητα, καὶ χροιὰν τίνα
ἔχουσ' ἂν εἴη δαίμοσιν πρὸς ἡδονὴν
χολή, λοβοῦ τε ποικίλην εὐμορφίαν· 495
κνίσηι τε κῶλα συγκαλυπτὰ καὶ μακρὰν
ὀσφῦν πυρώσας δυστέκμαρτον εἰς τέχνην
ὥδωσα θνητούς, καὶ φλογωπὰ σήματα
ἐξωμμάτωσα πρόσθεν ὄντ' ἐπάργεμα.
τοιαῦτα μὲν δὴ ταῦτ'· ἔνερθε δὲ χθονὸς 500
κεκρυμμέν' ἀνθρώποισιν ὠφελήματα,
χαλκόν σίδηρον ἄργυρον χρυσόν τε, τίς
φήσειεν ἂν πάροιθεν ἐξευρεῖν ἐμοῦ;
οὐδείς, σάφ' οἶδα, μὴ μάτην φλῦσαι θέλων.
βραχεῖ δὲ μύθωι πάντα συλλήβδην μάθε· 505
πᾶσαι τέχναι βροτοῖσιν ἐκ Προμηθέως.

Χο. μή νυν βροτοὺς μὲν ὠφέλει καιροῦ πέρα,
σαυτοῦ δ' ἀκήδει δυστυχοῦντος· ὡς ἐγὼ
εὔελπίς εἰμι τῶνδέ σ' ἐκ δεσμῶν ἔτι
λυθέντα μηδὲν μεῖον ἰσχύσειν Διός. 510

Πρ. οὐ ταῦτα ταύτηι μοῖρά πω τελεσφόρος
κρᾶναι πέπρωται, μυρίαις δὲ πημοναῖς
δύαις τε καμφθεὶς ὧδε δεσμὰ φυγγάνω.
τέχνη δ' ἀνάγκης ἀσθενεστέρα μακρῶι.

Χο. τίς οὖν ἀνάγκης ἐστὶν οἰακοστρόφος; 515

Πρ. Μοῖραι τρίμορφοι μνήμονές τ' Ἐρινύες.

Χο. τούτων ἄρα Ζεύς ἐστιν ἀσθενέστερος;

Πρ. οὔκουν ἂν ἐκφύγοι γε τὴν πεπρωμένην.

Χο. τί γὰρ πέπρωται Ζηνὶ πλὴν ἀεὶ κρατεῖν;

Πρ. τοῦτ' οὐκέτ' ἂν πύθοιο, μηδὲ λιπάρει. 520

Χο. ἦ πού τι σεμνόν ἐστιν ὃ ξυναμπέχεις;

Πρ. ἄλλου λόγου μέμνησθε, τόνδε δ' οὐδαμῶς
καιρὸς γεγωνεῖν, ἀλλὰ συγκαλυπτέος

pressságios difíceis e sinais itinerários.
O voo dos pássaros de curvas garras
defini exato: os destros por natureza
e os de bom nome, quais seus hábitos, 490
ódios, amores e assentos comuns;
a lisura das vísceras, e com que cor
a vesícula seria por prazer de Numes,

e a variável formosura do fígado; 495
a queimar coxas cobertas de gordura
e largo lombo por arte de difíceis signos
guiei os mortais, e tornei visíveis
flamejantes signos, antes obscuros.
Assim é isso. Debaixo da terra, 500
utilidades escondidas dos homens,
bronze, ferro, prata e outro, quem
diria, antes que eu descobrisse?
Ninguém, bem sei, sem falar em vão.
Brevemente, em suma, tudo aprende: 505
de Prometeu todas as artes aos mortais.

C. Não socorras os mortais fora de hora,
e não descures a tua má sorte. Estou
esperançosa de que, livre dessas cadeias,
ainda terás não menos força que Zeus. 510

P. Não ainda isso assim Parte cumpridora
dá a cumprir-se, mas curvado por miríades
de dores e males, assim escapo das cadeias.
A arte pode bem menos que a necessidade.

C. Quem é o timoneiro da necessidade? 515

P. Partes triformes e mêmores Erínies.

C. Ora, Zeus pode menos do que elas?

P. Não escaparia à parte que lhe cabe.

C. Que cabe a Zeus além de poder sempre?

P. Isso não ainda saberias, nem insistas. 520

C. Talvez seja algo solene o que ocultas?

P. Lembrai outra palavra. Essa nunca
é hora de dizer, mas deve-se ocultar

ὅσον μάλιστα. τόνδε γὰρ σώιζων ἐγὼ
δεσμοὺς ἀεικεῖς καὶ δύας ἐκφυγγάνω. 525

Χο. μηδάμ' ὁ πάντα νέμων [στρ. α
θεῖτ' ἐμᾶι γνώμαι κράτος ἀντίπαλον Ζεύς,
μηδ' ἐλινύσαιμι θεοὺς ὁσίαις
θοίναις ποτινισομένα 530
βουφόνοις παρ' Ὠκεανοῦ πατρὸς ἄσβεστον πόρον,
μηδ' ἀλίτοιμι λόγοις,
ἀλλά μοι τόδ' ἐμμένοι καὶ μήποτ' ἐκτακείη. 535

ἡδύ τι θαρσαλέαις [ἀντ. α
τὸν μακρὸν τείνειν βίον ἐλπίσι, φαναῖς
θυμὸν ἀλδαίνουσαν ἐν εὐφροσύναις·
φρίσσω δέ σε δερκομένα 540
μυρίοις μόχθοις διακναιόμενον ⟨.................⟩.
Ζῆνα γὰρ οὐ τρομέων
†ἰδίαι γνώμαι† σέβηι θνατοὺς ἄγαν, Προμηθεῦ.

φέρ' ὅπως χάρις ἁ χάρις, ὦ φίλος, [στρ. β
εἰπέ, ποῦ τις ἀλκά; 546
τίς ἐφαμερίων ἄρηξις; οὐδ' ἐδέρχθης
ὀλιγοδρανίαν ἄκικυν, ἰσόνειρον, ἆι τὸ φωτῶν
ἀλαὸν γένος ἐμπεποδισμένον; οὔποτε 550
τὰν Διὸς ἁρμονίαν θνατῶν παρεξίασι βουλαί.

ἔμαθον τάδε σὰς προσιδοῦσ' ὀλο- [ἀντ. β
ὰς τύχας, Προμηθεῦ,
τὸ διαμφίδιον δέ μοι μέλος προσέπτα 555
τόδ' ἐκεῖνό θ' ὅ τ' ἀμφὶ λουτρὰ καὶ λέχος σὸν ὑμεναίουν
ἰότατι γάμων, ὅτε τὰν ὁμοπάτριον
ἄγαγες Ἡσιόναν πιθὼν δάμαρτα κοινόλεκτρον. 560

o mais possível. Conservando-a, eu
escapo de cadeias indignas e de males. 525

SEGUNDO ESTÁSIMO (526-560)

Nunca Zeus que tudo conduz EST. 1
contraponha poder ao meu sentimento,
nem eu deixe de dirigir-me aos Deuses
em festas sagradas de matar bois, 530
junto ao curso sem-fim de pai Oceano,
nem eu delinque por palavras,
mas firme-se isto em mim, e não se desfaça. 535

É doce estender a longa vida ANT. 2
com ousadas esperanças, nas claras
alegrias alimentando o ânimo.
Estremeço ao te ver 540
dilacerado por mil fadigas,
pois sem temor a Zeus, por sentimento
próprio, veneras demais os mortais, Prometeu.

Eia, amigo, que graça é a graça? EST. 2
Diz onde algum abrigo? 546
Que auxílio tens de mortais? Não viste
a inércia inerme símil a sonhos
que peia o ser cego dos homens? Nunca 550
tramas mortais transgridem a harmonia de Zeus.

Isto aprendi ao contemplar a tua ANT. 2
funesta sorte, Prometeu.
Esta minha melodia voou diversa 555
daquela que entoei no banho e leito
por tuas núpcias, quando persuadida
desposaste minha irmã Hesíona em leito comum. 560

ΙΩ

τίς γῆ; τί γένος; τίνα φῶ λεύσσειν
τόνδε χαλινοῖς ἐν πετρίνοισιν
χειμαζόμενον; τίνος ἀμπλακίας
ποινὰς ὀλέκηι; σήμηνον ὅποι
γῆς ἡ μογερὰ πεπλάνημαι. 565

ἆ ἆ ἒ ἒ·
χρίει τις αὖ με τὰν τάλαιναν οἶστρος,
εἴδωλον Ἄργου γηγενοῦς.
ἄλευ', ἆ δᾶ, φοβοῦμαι
τὸν μυριωπὸν εἰσορῶσα βούταν·
ὁ δὲ πορεύεται δόλιον ὄμμ' ἔχων,
ὃν οὐδὲ κατθανόντα γαῖα κεύθει· 570
ἀλλά με τὰν τάλαιναν
ἐξ ἐνέρων περῶν κυνηγετεῖ πλανᾶι
τε νῆστιν ἀνὰ τὰν παραλίαν ψάμμον.

ὑπὸ δὲ κηρόπλαστος ὀτοβεῖ δόναξ [στρ. α
ἀχέτας ὑπνοδόταν νόμον· 575
ἰὼ ἰὼ πόποι, ποῖ μ' ἄγουσι τηλέπλαγκτοι πλάναι;
τί ποτέ μ', ὦ Κρόνιε παῖ, τί ποτε ταῖσδ'
ἐνέζευξας εὑρὼν ἁμαρτοῦσαν ἐν πημοναῖσιν,
ἒ ἔ, οἰστρηλάτωι δὲ δείματι δειλαίαν 580
παράκοπον ὧδε τείρεις;
πυρί ⟨με⟩ φλέξον, ἢ χθονὶ κάλυψον, ἢ ποντίοις δάκεσι δὸς
βοράν·
μηδέ μοι φθονήσηις
εὐγμάτων, ἄναξ ἄδην με πολύπλανοι πλάναι 585
γεγυμνάκασιν, οὐδ' ἔχω μαθεῖν ὅπαι
πημονὰς ἀλύξω.
κλύεις φθέγμα τᾶς βούκερω παρθένου;
Πρ. πῶς δ' οὐ κλύω τῆς οἰστροδινήτου κόρης
τῆς Ἰναχείας, ἣ Διὸς θάλπει κέαρ 590
ἔρωτι, καὶ νῦν τοὺς ὑπερμήκεις δρόμους
Ἥραι στυγητὸς πρὸς βίαν γυμνάζεται;

TERCEIRO EPISÓDIO (561-886)

I. Que terra? Que gente? Quem devo dizer
que vejo nestes pétreos grilhões
atormentado? Que erros
punido expias? Indica-me
em que terra estou errante, mísera. 565

Â â hè hé!
Pica-me ainda mísera um aguilhão,
espectro de Argo nascido da terra.
Vai! Ó Terra, apavora-me
ver o boiadeiro de mil olhos
andarilho com enganoso olhar,
que nem morto a terra cobre, 570
mas a mim, mísera, dá-me caça,
vindo dos ínferos, e vagueia
faminto pelas areias beira-mar.

Moldado com cera, sonoro caniço EST. 1
ressoa adormecedora canção. 575
Iò iò pópoi! Aonde me levam longínquas errâncias?
Que erro, afinal, que erro, ó Crônida,
descobriste para subjugar-me a tais dores?
Hè hé! Com o medo tangido por aguilhão 580
tímida aturdida assim me afliges?
Queima-me com fogo, ou cobre-me com terra,
ou dá-me de comer às feras do mar;
não me recuses
as súplicas, Senhor. Múltiplas errâncias 585
fadigaram-me demais, nem posso saber
como escapo de sofrer.
Ouves a voz da bovicórnia virgem?

P. Como não ouço a moça de aferroados volteios,
filha de Ínaco? Ela aquece o coração de Zeus 590
de amor, e agora em prolongadas corridas
odiada de Hera à força se fadiga.

Ιω πόθεν ἐμοῦ σὺ πατρὸς ὄνομ' ἀπύεις; [ἀντ. α
εἰπέ μοι τᾶι μογερᾶι, τίς ὤν.
τίς ἄρα μ', ὦ τάλας τὰν τάλαιναν ὧδ' ἔτυμα προσθροεῖς 595
θεόσυτόν τε νόσον ὠνόμασας, ἃ
μαραίνει με χρίουσα κέντροισι φοιταλέοισιν;
ἒ ἔ·
σκιρτημάτων δὲ νήστισιν αἰκείαις

λαβρόσυτος ἦλθον ‹Ἥρας› 600
ἐπικότοισι μήδεσι δαμεῖσα. δυσδαιμόνων δὲ τίνες, οἳ ἒ ἔ,
οἷ' ἐγὼ μογοῦσιν;
ἀλλά μοι τορῶς τέκμηρον ὅ τι μ' ἐπαμμένει 605
παθεῖν· τί μῆχαρ ἢ τί φάρμακον νόσου;
δεῖξον, εἴπερ οἶσθα,
θρόει, φράζε τᾶι δυσπλάνωι παρθένωι.
Πρ. λέξω τορῶς σοι πᾶν ὅπερ χρήιζεις μαθεῖν,
οὐκ ἐμπλέκων αἰνίγματ', ἀλλ' ἁπλῶι λόγωι 610
ὥσπερ δίκαιον πρὸς φίλους οἴγειν στόμα·
πυρὸς βροτοῖς δοτῆρ' ὁρᾶις Προμηθέα.
Ιω ὦ κοινὸν ὠφέλημα θνητοῖσιν φανείς,
τλῆμον Προμηθεῦ, τοῦ δίκην πάσχεις τάδε;
Πρ. ἁρμοῖ πέπαυμαι τοὺς ἐμοὺς θρηνῶν πόνους. 615
Ιω οὔκουν πόροις ἂν τήνδε δωρειὰν ἐμοί;
Πρ. λέγ' ἥντιν' αἰτῆι· πᾶν γὰρ ἂν πύθοιό μου.
Ιω σήμηνον ὅστις ἐν φάραγγί σ' ὤχμασεν.
Πρ. βούλευμα μὲν τὸ Δῖον, Ἡφαίστου δὲ χείρ.
Ιω ποινὰς δὲ ποίων ἀμπλακημάτων τίνεις; 620
Πρ. τοσοῦτον ἀρκῶ σοι σαφηνίσας μόνον.
Ιω καὶ πρός γε τούτοις τέρμα τῆς ἐμῆς πλάνης
δεῖξον, τίς ἔσται τῆι ταλαιπώρωι χρόνος.
Πρ. τὸ μὴ μαθεῖν σοι κρεῖσσον ἢ μαθεῖν τάδε.
Ιω μή τοί με κρύψηις τοῦθ', ὅπερ μέλλω παθεῖν. 625
Πρ. ἀλλ' οὐ μεγαίρω τοῦδέ τοῦ δωρήματος.
Ιω τί δῆτα μέλλεις μὴ οὐ γεγωνίσκειν τὸ πᾶν;
Πρ. φθόνος μὲν οὐδείς, σὰς δ' ὀκνῶ θράξαι φρένας.
Ιω μή μου προκήδου μᾶσσον, ὡς ἐμοὶ γλυκύ.
Πρ. ἐπεὶ προθυμῆι, χρὴ λέγειν· ἄκουε δή. 630

I. Donde tu ressoas o nome de meu pai? ANT. 1
Diz-me a mim, mísera, quem és.
Quem és tu, infeliz, que tão verdadeiro proferes 595
o nome desta infeliz e da doença vinda de Deus
que me pica e consome
com aguilhões errantes?
È é!
Sob golpes famintos de saltos
vim desabalada, batida 600
por rancorosos propósitos de Hera.
Hè hé! Quem por mau Nume sofre tal qual sofro?
Eia! Diz-me claramente o que me resta padecer. 605
Qual o recurso, ou qual o remédio da doença?
Indica, se sabes.
Brada, fala à multívaga virgem.
P. Direi claramente tudo o que queres saber,
sem urdir enigmas, e com simples palavra 610
tal como é justo a amigos abrir a boca;
vês o doador de fogo a mortais: Prometeu.
I. Ó benfeitor comum aos mortais surgido,
paciente Prometeu, por que sofres isso?
P. Bem cessei já de lamentar os meus males. 615
I. Não me concederias esta doação?
P. Diz o que pedes, tudo saberias de mim.
I. Indica quem te prendeu neste precipício.
P. A decisão de Zeus, e o braço de Hefesto.
I. De quais erros cumpres a punição? 620
P. Só este tanto basta para te esclarecer.
I. E, além disso, o termo das errâncias,
indica qual será o tempo para a coitada.
P. Mais te vale não saber que saber isso.
I. Não me ocultes o que devo padecer. 625
P. Mas não te recuso este donativo.
I. Por que então tardas a anunciar tudo?
P. Não recuso, mas temo atordoar-te.
I. Não receies por mim, que me é doce.
P. Visto que desejas, devo dizer. Ouve! 630

Χο. μήπω γε, μοῖραν δ' ἡδονῆς κἀμοὶ πόρε·
τὴν τῆσδε πρῶτον ἱστορήσωμεν νόσον
αὐτῆς λεγούσης τὰς πολυφθόρους τύχας,
τὰ λοιπὰ δ' ἄθλων σοῦ διδαχθήτω πάρα.

Πρ. σὸν ἔργον, Ἰοῖ, ταῖσδ' ὑπουργῆσαι χάριν, 635
ἄλλως τε πάντως καὶ κασιγνήταις πατρός·
ὡς τἀποκλαῦσαι κἀποδύρασθαι τύχας
ἐνταῦθ', ὅπου μέλλοι τις οἴσεσθαι δάκρυ
πρὸς τῶν κλυόντων, ἀξίαν τριβὴν ἔχει.

Ιω οὐκ οἶδ' ὅπως ὑμῖν ἀπιστῆσαί με χρή, 640
σαφεῖ δὲ μύθωι πᾶν ὅπερ προσχρήιζετε
πεύσεσθε· καίτοι καὶ λέγουσ' ὀδύρομαι
θεόσσυτον χειμῶνα καὶ διαφθορὰν
μορφῆς, ὅθεν μοι σχετλίαι προσέπτατο.
αἰεὶ γὰρ ὄψεις ἔννυχοι πωλεύμεναι 645
ἐς παρθενῶνας τοὺς ἐμοὺς παρηγόρουν
λείοισι μύθοις· 'ὦ μέγ' εὔδαιμον κόρη,
τί παρθενεύηι δαρόν, ἐξόν σοι γάμου
τυχεῖν μεγίστου; Ζεὺς γὰρ ἱμέρου βέλει
πρὸς σοῦ τέθαλπται καὶ συναίρεσθαι Κύπριν 650
θέλει· σὺ δ', ὦ παῖ, μὴ 'πολακτίσηις λέχος
τὸ Ζηνός, ἀλλ' ἔξελθε πρὸς Λέρνης βαθὺν
λειμῶνα, ποίμνας βουστάσεις τε πρὸς πατρός,
ὡς ἂν τὸ Δῖον ὄμμα λωφήσηι πόθου.'
τοιοῖσδε πάσας εὐφρόνας ὀνείρασι 655
ξυνειχόμην δύστηνος, ἔστε δὴ πατρὶ
ἔτλην γεγωνεῖν νυκτίφοιτ' ὀνείρατα·
ὁ δ' ἔς τε Πυθὼ κἀπὶ Δωδώνης πυκνοὺς
θεοπρόπους ἴαλλεν, ὡς μάθοι τί χρὴ
δρῶντ' ἢ λέγοντα δαίμοσιν πράσσειν φίλα. 660
ἧκον δ' ἀναγγέλλοντες αἰολοστόμους
χρησμούς, ἀσήμους δυσκρίτως τ' εἰρημένους.
τέλος δ' ἐναργὴς βάξις ἦλθεν Ἰνάχωι
σαφῶς ἐπισκήπτουσα καὶ μυθουμένη
ἔξω δόμων τε καὶ πάτρας ὠθεῖν ἐμέ 665
ἄφετον ἀλᾶσθαι γῆς ἐπ' ἐσχάτοις ὅροις·
κεἰ μὴ θέλοι, πυρωπὸν ἐκ Διὸς μολεῖν

C. Ainda não! Dá-nos parte do prazer;
primeiro a interroguemos de sua doença
e conte-nos ela mesma a ruinosa sorte,
e saiba de ti as porvindouras provações.
P. Tua tarefa, Io, é fazer-lhes o favor, 635
além de tudo mais, irmãs de teu pai,
porque deplorar e lamentar a sorte,
lá onde se poderia colher o pranto
dos que ouvem, é digna ocupação.
I. Não sei como não vos deva atender. 640
Com palavra clara, tudo que desejais
perguntai, todavia ao contar deploro
tormenta vinda de Deus e destruição
da forma, caída sobre mim, mísera.
Sempre visões noturnas, a visitarem 645
minha virgindade, aconselhavam-me
com lisas palavras: "Ó moça de bom Nume,
por que alongas a virgindade, se podes ter
núpcias máximas? No dardo do desejo
Zeus arde por ti, e quer partilhar Cípris 650
contigo. Ó filha, não rejeites o leito
de Zeus, mas vá ao profundo prado
de Lerna, às tropas e estábulos do pai,
para a visão de Zeus aliviar o desejo."
De sonhos assim, todas as noites, 655
eu era presa infeliz, até que ao pai
ousei revelar os noctívagos sonhos.
Ele fazia frequentes consultas a Deus
em Delfos e Dodona, para saber o que
devia fazer ou dizer grato aos Numes. 660
Voltavam mensageiros de variegados
oráculos obscuros e ditos indistintos.
Por fim, nítida voz veio a Ínaco
a incumbir e a dizer claramente
que me expulsasse de casa e da pátria, 665
solta a errar até extremos limites da terra,
e se não anuísse, de Zeus viria o raio

κεραυνὸν ὃς πᾶν ἐξαιστώσει γένος.
τοιοῖσδε πεισθεὶς Λοξίου μαντεύμασιν
ἐξήλασέν με κἀπέκλῃσε δωμάτων 670
ἄκουσαν ἄκων· ἀλλ' ἐπηνάγκαζέ νιν
Διὸς χαλινὸς πρὸς βίαν πράσσειν τάδε.
εὐθὺς δὲ μορφὴ καὶ φρένες διάστροφοι
ἦσαν, κεραστὶς δ', ὡς ὁρᾶτ', ὀξυστόμωι
μύωπι χρισθεῖσ' ἐμμανεῖ σκιρτήματι 675
ᾖσσον πρὸς εὔποτόν τε Κερχνείας ῥέος
Λέρνης τε κρήνην· βουκόλος δὲ γηγενὴς
ἄκρατος ὀργὴν Ἄργος ὡμάρτει πυκνοῖς
ὄσσοις δεδορκὼς τοὺς ἐμοὺς κατὰ στίβους.
ἀπροσδοκήτως δ' αἰφνίδιος αὐτὸν μόρος 680
τοῦ ζῆν ἀπεστέρησεν, οἰστροπλὴξ δ' ἐγὼ
μάστιγι θείᾳ γῆν πρὸ γῆς ἐλαύνομαι.
κλύεις τὰ πραχθέντ'· εἰ δ' ἔχεις εἰπεῖν ὅ τι
λοιπὸν πόνων, σήμαινε, μηδέ μ' οἰκτίσας
ξύνθαλπε μύθοις ψευδέσιν· νόσημα γὰρ 685
αἴσχιστον εἶναί φημι συνθέτους λόγους.

Χο. ἔα ἔα· ἄπεχε, φεῦ·
οὔποθ' ⟨ὧδ'⟩ οὔποτ' ηὔχουν ξένους
μολεῖσθαι λόγους ἐς ἀκοὰν ἐμάν,
οὐδ' ὧδε δυσθέατα καὶ δύσοιστα 690
†πήματα λύματα δείματ'
ἀμφήκει κέντρωι ψύχειν ψυχὰν ἐμάν†.
ἰὼ ἰὼ μοῖρα μοῖρα,
πέφρικ' εἰσιδοῦσα πρᾶξιν Ἰοῦς. 695

Πρ. πρώι γε στενάζεις καὶ φόβου πλέα τις εἶ·
ἐπίσχες ἔστ' ἂν καὶ τὰ λοιπὰ προσμάθῃς.

Χο. λέγ', ἐκδίδασκε· τοῖς νοσοῦσί τοι γλυκὺ
τὸ λοιπὸν ἄλγος προυξεπίστασθαι τορῶς.

Πρ. τὴν πρίν γε χρείαν ἠνύσασθ' ἐμοῦ πάρα 700
κούφως· μαθεῖν γὰρ τῆσδε πρῶτ' ἐχρῄζετε
τὸν ἀμφ' ἑαυτῆς ἆθλον ἐξηγουμένης·
τὰ λοιπὰ νῦν ἀκούσαθ' οἷα χρὴ πάθη
τλῆναι πρὸς Ἥρας τήνδε τὴν νεάνιδα.
σύ τ', Ἰνάχειον σπέρμα, τοὺς ἐμοὺς λόγους 705

ígneo, que destruiria toda a família.
Persuadido de tais oráculos de Lóxias,
expulsou-me e interditou o palácio, 670
contra si e contra mim, mas obrigava-o
o freio de Zeus por força a fazer isso.
Logo, forma e espírito transmutavam,
e cornígera, como vedes, picada
por agudo aguilhão em louca dança 675
saltei ao potável curso de Cercneia
e à fonte de Lerna. Boieiro terrígeno,
iracundo Argo com inúmeros olhos
espreitava e seguia minhas pegadas.
Sem que se esperasse, súbita morte 680
tirou-lhe a vida, e a golpe de aguilhão
fui sob açoite divino terra após terra.
Sabes os fatos, e se podes dizer os
males vindouros, diz, e não por dó
aqueça-me a falar falso, pois digo 685
ser péssima doença palavras fingidas.

C. *Éa éa*! Afasta! *Pheû*!
Nunca, nunca, tão estranhas falas
eu diria chegar aos meus ouvidos,
nem tão difíceis de ver e de suportar 690
dores horrores temores
com bigúmeo aguilhão gelar minha alma.

Estremeço ao ver a situação de Io. 695

P. Choras cedo e estás cheia de pavor.
Espera até que saibas o porvir.

C. Fala, explica, é doce aos doentes
a clara presciência de vindouras dores.

P. O pedido anterior conseguiste de mim 700
fácil, pois queríeis primeiro saber dela
as suas provações contadas por ela.
Ouvi agora o porvir: que sofrimentos
por Hera esta menina deve suportar.
Tu, semente de Ínaco, acolhe minhas 705

θυμῶι βάλ', ὡς ἂν τέρματ' ἐκμάθηις ὁδοῦ.
πρῶτον μὲν ἐνθένδ' ἡλίου πρὸς ἀντολὰς
στρέψασα σαυτὴν στεῖχ' ἀνηρότους γύας·
Σκύθας δ' ἀφίξηι νομάδας, οἳ πλεκτὰς στέγας
πεδάρσιοι ναίουσ' ἐπ' εὐκύκλοις ὄχοις, 710
ἑκηβόλοις τόξοισιν ἐξηρτυμένοι·
οἷς μὴ πελάζειν, ἀλλ' ἁλιστόνοις πόδας
χρίμπτουσα ῥαχίαισιν ἐκπερᾶν χθόνα.
λαιᾶς δὲ χειρὸς οἱ σιδηροτέκτονες
οἰκοῦσι Χάλυβες, οὓς φυλάξασθαί σε χρή, 715
ἀνήμεροι γὰρ οὐδὲ πρόσπλατοι ξένοις.
ἥξεις δ' Ὑβριστὴν ποταμὸν οὐ ψευδώνυμον·
ὃν μὴ περάσηις, οὐ γὰρ εὔβατος περᾶν,
πρὶν ἂν πρὸς αὐτὸν Καύκασον μόληις, ὀρῶν
ὕψιστον, ἔνθα ποταμὸς ἐκφυσᾶι μένος 720
κροτάφων ἀπ' αὐτῶν· ἀστρογείτονας δὲ χρὴ
κορυφὰς ὑπερβάλλουσαν ἐς μεσημβρινὴν
βῆναι κέλευθον, ἔνθ' Ἀμαζόνων στρατὸν
ἥξεις στυγάνορ', αἳ Θεμίσκυράν ποτε
κατοικιοῦσιν ἀμφὶ Θερμώδονθ', ἵνα 725
τραχεῖα πόντου Σαλμυδησσία γνάθος
ἐχθρόξενος ναύτησι, μητρυιὰ νεῶν·
αὗταί σ' ὁδηγήσουσι καὶ μάλ' ἀσμένως.
ἰσθμὸν δ' ἐπ' αὐταῖς στενοπόροις λίμνης πύλαις
Κιμμερικὸν ἥξεις, ὃν θρασυσπλάγχνως σε χρὴ 730
λιποῦσαν αὐλῶν' ἐκπερᾶν Μαιωτικόν.
ἔσται δὲ θνητοῖς εἰσαεὶ λόγος μέγας
τῆς σῆς πορείας, Βόσπορος δ' ἐπώνυμος
κεκλήσεται. λιποῦσα δ' Εὐρώπης πέδον
ἤπειρον ἥξεις Ἀσιάδ'. ἆρ' ὑμῖν δοκεῖ 735
ὁ τῶν θεῶν τύραννος ἐς τὰ πάνθ' ὁμῶς
βίαιος εἶναι; τῆιδε γὰρ θνητῆι θεὸς
χρήιζων μιγῆναι τάσδ' ἐπέρριψεν πλάνας.
πικροῦ δ' ἔκυρσας, ὦ κόρη, τῶν σῶν γάμων
μνηστῆρος· οὓς γὰρ νῦν ἀκήκοας λόγους 740
εἶναι δόκει σοι μηδέπω 'ν προοιμίοις.

Ιω ἰώ μοί μοι· ἒ ἕ.

Πρ. σὺ δ' αὖ κέκραγας κἀναμυχθίζηι· τί που

palavras, que saberás o fim da viagem.
Primeiro daqui para o nascente do sol
volta-te e vá aos campos não lavrados;
chegarás aos citas nômades, que no alto
habitam tetos urdidos em carros com rodas, 710
armados de arcos de longo alcance; deles
não te aproximes, mas atravessa a terra
a roçar os pés nas pedras marulhosas.
À esquerda, os trabalhadores do ferro
Cálibes habitam, a quem deves evitar, 715
ferozes e inabordáveis aos hóspedes.
Irás ao rio Soberbo, de não falso nome,
que não transporás, difícil de transpor,
antes que vás ao Cáucaso, o mais alto
dos montes, onde o rio exala a força 720
dos próprios cimos. Deves ultrapassar
picos vizinhos de astros e ir a caminho
do meio-dia, onde chegarás ao povo
das Amazonas, que odeia varões, elas
fundarão Temíscira junto ao Termodonte, 725
onde áspera Salmidéssia, mandíbula do mar,
é hostil a marinheiros, madrasta de navios;
e elas mesmas te guiarão muito contentes.
Nas estreitas portas da lagoa, chegarás
ao istmo Cimério, que audazmente deves 730
deixar e transpor o estreito Meótico.
Os mortais sempre terão grande fala
de tua passagem, e de nome Bósforo
se chamará. Depois do chão da Europa
chegarás à terra da Ásia. Parece-vos 735
o tirano dos Deuses em tudo por igual
violento? Desejoso de unir-se a esta
mortal, o Deus lançou-a nestas errâncias.
Ó moça, obtiveste cruel pretendente
a tuas núpcias, pois o que agora ouviste 740
— crê — ainda não é nem o proêmio.

I. *Ió moi moi*! *Hè hé*!

P. Tu gritas e mugis. Que será que farás,

δράσεις ὅταν τὰ λοιπὰ πυνθάνηι κακά;
Χο. ἦ γάρ τι λοιπὸν τῆιδε πημάτων ἐρεῖς; 745
Πρ. δυσχείμερόν γε πέλαγος ἀτηρᾶς δύης.
Ιω τί δῆτ' ἐμοὶ ζῆν κέρδος, ἀλλ' οὐκ ἐν τάχει
ἔρρ ψ' ἐμαυτὴν τῆσδ' ἀπὸ στύφλου πέτρας,
ὅπως πέδοι σκήψασα τῶν πάντων πόνων
ἀπηλλάγην; κρεῖσσον γὰρ εἰσάπαξ θανεῖν 750
ἢ τὰς ἁπάσας ἡμέρας πάσχειν κακῶς.
Πρ. ἦ δυσπετῶς ἂν τοὺς ἐμοὺς ἄθλους φέροις,
ὅτωι θανεῖν μέν ἐστιν οὐ πεπρωμένον·
αὕτη γὰρ ἦν ἂν πημάτων ἀπαλλαγή·
νῦν δ' οὐδέν ἐστι τέρμα μοι προκείμενον 755
μόχθων πρὶν ἂν Ζεὺς ἐκπέσηι τυραννίδος.
Ιω ἦ γάρ ποτ' ἔστιν ἐκπεσεῖν ἀρχῆς Δία;
Πρ. ἥδοι' ἄν, οἶμαι, τήνδ' ἰδοῦσα συμφοράν.
Ιω πῶς δ' οὐκ ἄν, ἥτις ἐκ Διὸς πάσχω κακῶς;
Πρ. ὡς τοίνυν ὄντων τῶνδε γαθεῖν σοι πάρα. 760
Ιω πρὸς τοῦ τύραννα σκῆπτρα συληθήσεται;
Πρ. πρὸς αὐτὸς αὑτοῦ κενοφρόνων βουλευμάτων.
Ιω ποίωι τρόπωι; σήμηνον, εἰ μή τις βλάβη.
Πρ. γαμεῖ γάμον τοιοῦτον ὧι ποτ' ἀσχαλᾶι.
Ιω θέορτον ἢ βρότειον; εἰ ῥητόν, φράσον. 765
Πρ. τί δ' ὅντιν'; οὐ γὰρ ῥητὸν αὐδᾶσθαι τόδε.
Ιω ἦ πρὸς δάμαρτος ἐξανίσταται θρόνων;
Πρ. ἢ τέξεταί γε παῖδα φέρτερον πατρός.
Ιω οὐδ' ἔστιν αὐτῶι τῆσδ' ἀποστροφὴ τύχης;
Πρ. οὐ δῆτα, πλὴν ἔγωγ' ἂν ἐκ δεσμῶν λυθείς. 770
Ιω τίς οὖν ὁ λύσων ἐστὶν ἄκοντος Διός;
Πρ. τῶν σῶν τιν' αὐτὸν ἐκγόνων εἶναι χρεών.
Ιω πῶς εἶπας; ἦ 'μὸς παῖς σ' ἀπαλλάξει κακῶν;
Πρ. τρίτος γε γένναν πρὸς δέκ' ἄλλαισιν γοναῖς.
Ιω ἥδ' οὐκέτ' εὐξύμβλητος ἡ χρησμωιδία. 775
Πρ. καὶ μηδὲ σαυτῆς γ' ἐκμαθεῖν ζήτει πόνους.
Ιω μή μοι προτείνων κέρδος εἶτ' ἀποστέρει.
Πρ. δυοῖν λόγοιν σε θατέρωι δωρήσομαι.
Ιω ποίοιν; πρόδειξον αἵρεσίν τ' ἐμοὶ δίδου.
Πρ. δίδωμ'· ἑλοῦ γάρ· ἢ πόνων τὰ λοιπά σοι 780

quando souberes os vindouros males?
C. Ainda dirás que ela terá mais dores? 745
P. Tormentoso mar de cegas misérias.
I. Que me lucra viver, que não me lancei
deste áspero rochedo com rapidez
para mergulhar no chão e livrar-me
de todos os males. Mais vale morrer 750
de uma vez que sofrer todos os dias.
P. Dificilmente suportarias meus males,
morrer não é a porção que me cabe,
pois isso seria livrar-me dos males,
mas nenhum termo se propôs a minhas 755
dores, antes que Zeus caia da tirania.
I. Mas há a vez de Zeus cair do poder?
P. Com prazer, creio, verias isto se dar.
I. Como não, eu que por Zeus padeço?
P. Podes regozijar-te de que assim é. 760
I. Por quem o régio cetro será roubado?
P. Por ele mesmo, por vãs decisões.
I. De que modo? Diz, se não há mal.
P. Contrai núpcias tais que se aflija.
I. Divinas ou mortais? Se dizível, diz. 765
P. Por que com quem? Isto não se diz.
I. Ele é pela esposa expulso do trono?
P. Parirá um filho mais forte que o pai.
I. Ele não tem um refúgio dessa sorte?
P. Não, além de mim, livre das cadeias. 770
I. Quem o livrará, contrariando Zeus?
P. Será alguém dos teus descendentes.
I. Que dizes? Meu filho te livrará dos males?
P. Na terceira geração, além de mais dez.
I. Este oráculo ainda não é conjeturável. 775
P. Nem procures conhecer teus males.
I. Se me prometes lucro, não frustres.
P. Eu te darei um dos dois informes.
I. Quais dois? Propõe e dá-me opção.
P. Dou, escolhe: digo claro teus males 780

φράσω σαφηνῶς ἣ τὸν ἐκλύσοντ' ἐμέ.

Χο. τούτων σὺ τὴν μὲν τῇδε, τὴν δ' ἐμοὶ χάριν
θέσθαι θέλησον, μηδ' ἀτιμάσῃς λόγου,
καὶ τῇδε μὲν γέγωνε τὴν λοιπὴν πλάνην,
ἐμοὶ δὲ τὸν λύσοντα· τοῦτο γὰρ ποθῶ. 785

Πρ. ἐπεὶ προθυμεῖσθ', οὐκ ἐναντιώσομαι
τὸ μὴ οὐ γεγωνεῖν πᾶν ὅσον προσχρῄζετε.
σοὶ πρῶτον, Ἰοῖ, πολύδονον πλάνην φράσω,
ἣν ἐγγράφου σὺ μνήμοσιν δέλτοις φρενῶν.
ὅταν περάσῃς ῥεῖθρον ἠπείρων ὅρον, 790
πρὸς ἀντολὰς φλογῶπας ἡλίου στιβεῖ,
πόντον περῶσ' ἄφλοισβον, ἔστ' ἂν ἐξίκῃ
πρὸς Γοργόνεια πεδία Κισθήνης, ἵνα
αἱ Φορκίδες ναίουσι, δηναιαὶ κόραι
τρεῖς κυκνόμορφοι, κοινὸν ὄμμ' ἐκτημέναι, 795
μονόδοντες, ἃς οὔθ' ἥλιος προσδέρκεται
ἀκτῖσιν οὔθ' ἡ νύκτερος μήνη ποτέ·
πέλας δ' ἀδελφαὶ τῶνδε τρεῖς κατάπτεροι,
δρακοντόμαλλοι Γοργόνες βροτοστυγεῖς,
ἃς θνητὸς οὐδεὶς εἰσιδὼν ἕξει πνοάς. 800
τοιοῦτο μέν σοι τοῦτο φρούριον λέγω,
ἄλλην δ' ἄκουσον δυσχερῆ θεωρίαν·
ὀξυστόμους γὰρ Ζηνὸς ἀκραγεῖς κύνας
γρῦπας φύλαξαι, τόν τε μουνῶπα στρατὸν
Ἀριμασπὸν ἱπποβάμον', οἳ χρυσόρρυτον 805
οἰκοῦσιν ἀμφὶ νᾶμα Πλούτωνος πόρου·
τούτοις σὺ μὴ πέλαζε· τηλουρὸν δὲ γῆν
ἥξεις, κελαινὸν φῦλον, οἳ πρὸς ἡλίου
ναίουσι πηγαῖς, ἔνθα ποταμὸς Αἰθίοψ·
τούτου παρ' ὄχθας ἕρφ' ἕως ἂν ἐξίκῃ 810
καταβασμόν, ἔνθα Βυβλίνων ὀρῶν ἄπο
ἵησι σεπτὸν Νεῖλος εὔποτον ῥέος.
οὗτός σ' ὁδώσει τὴν τρίγωνον ἐς χθόνα
Νειλῶτιν, οὗ δὴ τὴν μακρὰν ἀποικίαν,
Ἰοῖ, πέπρωται σοί τε καὶ τέκνοις κτίσαι. 815
τῶνδ' εἴ τί σοι ψελλόν τε καὶ δυσεύρετον,
ἐπανδίπλαζε καὶ σαφῶς ἐκμάνθανε·

vindouros, ou quem há de me libertar?
C. Concede-nos uma a ela, outra a mim,
dessas graças, e não nos desmereças.
Anuncia-lhe a sua vindoura errância,
e a mim, quem o libertará. Isso desejo. 785
P. Visto que o desejais, não me oporei
a anunciar tudo que me demandastes.
Primeiro te direi, Io, a multívaga errância,
escreve-a nas mêmores tábuas da mente.
Ao transpores o rio limite de continentes, 790
persegue o fulgurante nascente do sol,
após o mar não múrmuro, até chegares
à planície Gorgónia de Cistene, onde
habitam as Fórcidas, três velhas virgens,
símeis a cisne, donas de um olho comum, 795
com um só dente, nem o Sol as contempla
com os raios, nem a noturna Lua jamais;
perto, suas três irmãs aladas Górgones
hirtas de serpentes, horror dos mortais:
nenhum mortal que as veja terá alento. 800
Assim eu te descrevo essa fortaleza.
Escuta outro espetáculo impraticável:
cães de Zeus, de bico agudo, sem grito,
os grifos, e a tropa caolha de cavaleiros
arimaspos, que habitam às margens 805
do aurífluo rio Plutão — toma cuidado!
Não te aproximes. Chegarás a uma terra
longínqua, à nação negra, que reside
na fonte do Sol, onde há o rio Etíope.
Por suas bordas, segue, até chegares 810
à catarata, onde dos montes Papiros
o Nilo lança venerável água potável.
Ele te conduzirá ao triângulo de terra
nilota, lá onde cabe a ti e a teus filhos,
ó Io, fundar a duradoura colônia. 815
Se algo te ficou gago e indecifrável,
indaga de novo e sabe com clareza;

σχολὴ δὲ πλείων ἢ θέλω πάρεστί μοι.

Χο. εἰ μέν τι τῆιδε λοιπὸν ἢ παρειμένον
ἔχεις γεγωνεῖν τῆς πολυφθόρου πλάνης, 820
λέγ᾽· εἰ δὲ πάντ᾽ εἴρηκας ἡμὶν αὖ χάριν
δὸς ἥνπερ αἰτούμεσθα· μέμνησαι δέ που.

Πρ. τὸ πᾶν πορείας ἥδε τέρμ᾽ ἀκήκοεν·
ὅπως δ᾽ ἂν εἰδῆι μὴ μάτην κλύουσά μου,
ἃ πρὶν μολεῖν δεῦρ᾽ ἐκμεμόχθηκεν φράσω, 825
τεκμήριον τοῦτ᾽ αὐτὸ δοὺς μύθων ἐμῶν.
ὄχλον μὲν οὖν τὸν πλεῖστον ἐκλείψω λόγων,
πρὸς αὐτὸ δ᾽ εἶμι τέρμα σῶν πλανημάτων.
ἐπεὶ γὰρ ἦλθες πρὸς Μολοσσὰ γάπεδα
τὴν αἰπύνωτόν τ᾽ ἀμφὶ Δωδώνην, ἵνα 830
μαντεῖα θᾶκός τ᾽ ἐστὶ Θεσπρωτοῦ Διός
τέρας τ᾽ ἄπιστον, αἱ προσήγοροι δρύες,
ὑφ᾽ ὧν σὺ λαμπρῶς κοὐδὲν αἰνικτηρίως
προσηγορεύθης ἡ Διὸς κλεινὴ δάμαρ
μέλλουσ᾽ ἔσεσθαι — τῶνδε προσσαίνει σέ τι; — 835
ἐντεῦθεν οἰστρήσασα τὴν παρακτίαν
κέλευθον ἦιξας πρὸς μέγαν κόλπον ῾Ρέας,
ἀφ᾽ οὗ παλιμπλάγκτοισι χειμάζηι δρόμοις·
χρόνον δὲ τὸν μέλλοντα πόντιος μυχός,
σαφῶς ἐπίστασ᾽, Ἰόνιος κεκλήσεται, 840
τῆς σῆς πορείας μνῆμα τοῖς πᾶσιν βροτοῖς.
σημεῖά σοι τάδ᾽ ἐστὶ τῆς ἐμῆς φρενός,
ὡς δέρκεται πλέον τι τοῦ πεφασμένου.
τὰ λοιπὰ δ᾽ ὑμῖν τηιδέ τ᾽ ἐς κοινὸν φράσω,
ἐς ταὐτὸν ἐλθὼν τῶν πάλαι λόγων ἴχνος. 845
ἔστιν πόλις Κάνωβος, ἐσχάτη χθονὸς
Νείλου πρὸς αὐτῶι στόματι καὶ προσχώματι·
ἐνταῦθα δή σε Ζεὺς τίθησιν ἔμφρονα
ἐπαφῶν ἀταρβεῖ χειρὶ καὶ θιγὼν μόνον·
ἐπώνυμον δὲ τῶν Διὸς γεννημάτων 850
τέξεις κελαινὸν Ἔπαφον, ὃς καρπώσεται
ὅσην πλατύρρους Νεῖλος ἀρδεύει χθόνα·
πέμπτη δ᾽ ἀπ᾽ αὐτοῦ γέννα πεντηκοντάπαις
πάλιν πρὸς Ἄργος οὐχ ἑκοῦσ᾽ ἐλεύσεται

disponho de mais ócio que gostaria.

C. Se podes anunciar-lhe algo vindouro,
ou omitido, de suas ruinosas errâncias, 820
diz! Se tudo está dito, dá-nos a graça
que pedimos. Estás lembrado, talvez.

P. Ela ouviu todo o termo do percurso;
para saber que não me ouvia em vão,
direi o que suportou antes de vir aqui, 825
dando-o por prova de minhas palavras.
Omitirei a grossa turba de relatos,
irei ao termo mesmo de teus errores.
Quando chegaste à planície molóssia,
junto à escarpada Dodona, onde há 830
o oráculo e templo de Zeus Tesproto
e, incrível prodígio, os carvalhos falantes,
pelos quais claramente e sem enigmas
foste saudada a ínclita esposa de Zeus
futura — de tudo isto algo te afaga? — 835
daí, sob aguilhão, por litorânea via,
alcançaste o grande golfo de Reia,
donde tormenta te faz vagar de volta;
e em tempo futuro, o recinto marinho,
sabe-o claro, Iônio se chamará, por 840
lembrar teu passo a todos os mortais.
Tens estes sinais que meu espírito
enxerga algo mais que o proferido.
Direi o porvir a vós e a ela junto,
seguindo a trilha das falas anteriores. 845
Canopo é a cidade extrema da terra,
junto à foz mesma e aluvião do Nilo,
aí é que Zeus te faz boa de espírito,
ao tocar com intrépida mão e só tocar.
Nomeado pela paternidade de Zeus, 850
terás o negro Épafo, que colherá
quanto o largífluo Nilo rega a terra.
Cinco gerações depois, cinquenta filhas
virão outra vez a Argos, a contragosto,

θηλύσπορος, φεύγουσα συγγενῆ γάμον 855
ἀνεψιῶν· οἱ δ' ἐπτοημένοι φρένας,
κίρκοι πελειῶν οὐ μακρὰν λελειμμένοι,
ἥξουσι θηρεύοντες οὐ θηρασίμους
γάμους, φθόνον δὲ σωμάτων ἕξει θεός·
Πελασγία δὲ δεύσεται θηλυκτόνωι 860
Ἄρει δαμέντων νυκτιφρουρήτωι θράσει·
γυνὴ γὰρ ἄνδρ' ἕκαστον αἰῶνος στερεῖ
δίθηκτον ἐν σφαγαῖσι βάψασα ξίφος.
τοιάδ' ἐπ' ἐχθροὺς τοὺς ἐμοὺς ἔλθοι Κύπρις.
μίαν δὲ παίδων ἵμερος θέλξει τὸ μὴ 865
κτεῖναι σύνευνον, ἀλλ' ἀπαμβλυνθήσεται
γνώμην· δυοῖν δὲ θάτερον βουλήσεται,
κλύειν ἄναλκις μᾶλλον ἢ μιαιφόνος·
αὕτη κατ' Ἄργος βασιλικὸν τέξει γένος.
μακροῦ λόγου δεῖ ταῦτ' ἐπεξελθεῖν τορῶς· 870
σπορᾶς γε μὴν ἐκ τῆσδε φύσεται θρασύς,
τόξοισι κλεινός, ὃς πόνων ἐκ τῶνδ' ἐμὲ
λύσει. τοιόνδε χρησμὸν ἡ παλαιγενὴς
μήτηρ ἐμοὶ διῆλθε Τιτανὶς Θέμις·
ὅπως δὲ χὤπηι, ταῦτα δεῖ μακροῦ λόγου 875
εἰπεῖν, σύ τ' οὐδὲν ἐκμαθοῦσα κερδανεῖς.

Ιω ἐλελεῦ ἐλελεῦ·
ὑπό μ' αὖ σφάκελος καὶ φρενοπληγεῖς
μανίαι θάλπουσ', οἴστρου δ' ἄρδις
χρίει μ' ἄπυρος, 880
κραδία δὲ φόβωι φρένα λακτίζει.
τροχοδινεῖται δ' ὄμμαθ' ἑλίγδην,
ἔξω δὲ δρόμου φέρομαι λύσσης
πνεύματι μάργωι γλώσσης ἀκρατής,
θολεροὶ δὲ λόγοι παίουσ' εἰκῆι 885
στυγνῆς πρὸς κύμασιν ἄτης.

fêmeas sementes a fugir de congêneres 855
núpcias com primos; mas eles, aturdidos,
falcões deixados não longe das pombas,
chegarão, caçadores de não caçáveis
núpcias. Deus terá ciúmes dos corpos.
Fêmeo Ares letal molhará terra pelásgia 860
com os mortos por noctivígil audácia,
pois cada mulher massacrará o marido,
tingindo na garganta a bigúmea espada.
Assim seja Cípris para meus inimigos.
O desejo de filhos seduzirá só uma 865
a não matar o marido, mas abrandará
a sua mente, e ela preferirá a fama
de inerme à de poluída por sangue.
Ela dará à luz a prole real de Argos.
A explicação completa pede longa fala. 870
Desta semente é que surgirá ousado,
ínclito arqueiro, que me libertará
destas provações. A prístina mãe
Titânide Têmis explicou-me tal oráculo.
Contar como é que isso se dará pede 875
longa fala, e sabendo-o nada lucrarás.

I. *Eleleû, eleleû*!
Convulsão e atordoantes delírios
acendem, a ponta do aguilhão
pica-me sem fogo, 880
o coração de pavor golpeia o peito,
os olhos se reviram em giros,
fora da trilha me leva o louco sopro
da fúria, sem o domínio da língua,
turvas palavras ao acaso colidem 885
com as ondas de horrenda erronia.

Χο. ἦ σοφὸς ἦ σοφὸς ἦν [στρ.
ὃς πρῶτος ἐν γνώμαι τόδ' ἐβάστασε καὶ
γλώσσαι διεμυθολόγησεν,
ὡς τὸ κηδεῦσαι καθ' ἑαυτὸν ἀριστεύει μακρῶι, 890
καὶ μήτε τῶν πλούτωι διαθρυπτομένων
μήτε τῶν γένναι μεγαλυνομένων
ὄντα χερνήταν ἐραστεῦσαι γάμων.

μήποτε μήποτέ μ', ὦ [ἀντ.
Μοῖραι ⟨.............⟩ λεχέων Διὸς εὐ- 895
νάτειραν ἴδοισθε πέλουσαν,
μηδὲ πλαθείην γαμέται τινὶ τῶν ἐξ οὐρανοῦ·
ταρβῶ γὰρ ἀστεργάνορα παρθενίαν
εἰσορῶσ' Ἰοῦς ἀμαλαπτομέναν
δυσπλάνοις †Ἥρας ἀλατείαις πόνων.† 900

ἐμοὶ δ' ὅτε μὲν ὁμαλὸς ὁ γάμος, [ἐπωιδ.
†ἄφοβος· οὐ δέδια·†
μηδὲ κρεισσόνων θεῶν
ἔρως ἄφυκτον ὄμμα προσδράκοι με.
ἀπόλεμος ὅδε γ' ὁ πόλεμος, ἄπορ-
α πόριμος· οὐδ' ἔχω τίς ἂν γενοίμαν· 905
τὰν Διὸς γὰρ οὐχ ὁρῶ
μῆτιν ὅπαι φύγοιμ' ἄν.

Πρ. ἦ μὴν ἔτι Ζεύς, καίπερ αὐθάδης φρενῶν,
ἔσται ταπεινός, οἷον ἐξαρτύεται
γάμον γαμεῖν, ὃς αὐτὸν ἐκ τυραννίδος
θρόνων τ' ἄϊστον ἐκβαλεῖ· πατρὸς δ' ἀρὰ 910
Κρόνου τότ' ἤδη παντελῶς κρανθήσεται,
ἣν ἐκπίτνων ἠρᾶτο δηναιῶν θρόνων.
τοιῶνδε μόχθων ἐκτροπὴν οὐδεὶς θεῶν

TERCEIRO ESTÁSIMO (887-906)

Sábio, sim, sábio foi — EST.
quem primeiro pesou no espírito
e na língua pôs em palavra
que é muito melhor casar-se com seu par, — 890
e não desejar núpcias, quando é pobre,
nem com quem se esmorece na riqueza,
nem com quem se exalta de sua origem.

Nunca, nunca, ó Deusas — ANT.
Partes, pudésseis vós me ver — 895
ir ao leito cônjuge de Zeus,
nem me case com marido vindo do céu.
Temo ao ver extenuada de fadigas
a virgem Io desgostosa do varão
nas difíceis errâncias de Hera. — 900

Quando as núpcias são entre símeis, — EPO.
não me dão pavor, não temo.
Possa o amor dos Deuses superiores
não me avistar com olhar inevitável.
É incombatível este combate, impasse
o passo, nem tenho quem me tornasse. — 905
Não vejo como pudesse
escapar à astúcia de Zeus.

ÊXODO (907-1093)

P. Sim, Zeus ainda, apesar de obstinado,
será humilde, tais núpcias se preparam
que o lançarão destruído fora da tirania
e do trono. A imprecação do pai Crono — 910
nesse dia já inteiramente se cumprirá,
imprecada ao cair do longevo trono.
Nenhum Deus, senão eu, lhe indicaria

δύναιτ’ ἂν αὐτῶι πλὴν ἐμοῦ δεῖξαι σαφῶς·
ἐγὼ τάδ’ οἶδα χὧι τρόπωι. πρὸς ταῦτά νυν 915
θαρσῶν καθήσθω τοῖς πεδαρσίοις κτύποις
πιστός τινάσσων τ’ ἐν χεροῖν πύρπνουν βέλος·
οὐδὲν γὰρ αὐτῶι ταῦτ’ ἐπαρκέσει τὸ μὴ οὐ
πεσεῖν ἀτίμως πτώματ’ οὐκ ἀνασχετά.
τοῖον παλαιστὴν νῦνk παρασκευάζεται 920
ἐπ’ αὐτὸς αὐτῶι, δυσμαχώτατον τέρας,
ὃς δὴ κεραυνοῦ κρείσσον’ εὑρήσει φλόγα
βροντῆς θ’ ὑπερβάλλοντα καρτερὸν κτύπον,
θαλασσίαν τε γῆς τινάκτειραν †νόσον†
τρίαιναν, αἰχμὴν τὴν Ποσειδῶνος, σκεδᾶι. 925
πταίσας δὲ τῶιδε πρὸς κακῶι μαθήσεται
ὅσον τό τ’ ἄρχειν καὶ τὸ δουλεύειν δίχα.

Χο. σύ θην ἃ χρήιζεις, ταῦτ’ ἐπιγλωσσᾶι Διός.
Πρ. ἅπερ τελεῖται, πρὸς δ’ ἃ βούλομαι λέγω.
Χο. καὶ προσδοκᾶν χρὴ δεσπόσειν Ζηνός τινα; 930
Πρ. καὶ τῶνδέ γ’ ἕξει δυσλοφωτέρους πόνους.
Χο. πῶς οὐχὶ ταρβεῖς τοιάδ’ ἐκρίπτων ἔπη;
Πρ. τί δ’ ἂν φοβοίμην ὧι θανεῖν οὐ μόρσιμον;
Χο. ἀλλ’ ἆθλον ἄν σοι τοῦδ’ ἔτ’ ἀλγίω πόροι.
Πρ. ὁ δ’ οὖν ποείτω· πάντα προσδοκητά μοι. 935
Χο. οἱ προσκυνοῦντες τὴν Ἀδράστειαν σοφοί.
Πρ. σέβου, προσεύχου, θῶπτε τὸν κρατοῦντ’ ἀεί·
ἐμοὶ δ’ ἔλασσον Ζηνὸς ἢ μηδὲν μέλει.
δράτω, κρατείτω τόνδε τὸν βραχὺν χρόνον
ὅπως θέλει· δαρὸν γὰρ οὐκ ἄρξει θεοῖς. 940
ἀλλ’ εἰσορῶ γὰρ τόνδε τὸν Διὸς τρόχιν,
τὸν τοῦ τυράννου τοῦ νέου διάκονον·
πάντως τι καινὸν ἀγγελῶν ἐλήλυθεν.

ΕΡΜΗΣ

σὲ τὸν σοφιστήν, τὸν πικρῶς ὑπέρπικρον,
τὸν ἐξαμαρτόντ’ εἰς θεοὺς ἐφημέροις 945
πορόντα τιμάς, τὸν πυρὸς κλέπτην λέγω·
πατὴρ ἄνωγέ σ’ οὕστινας κομπεῖς γάμους
αὐδᾶν, πρὸς ὧν ἐκεῖνος ἐκπίπτει κράτους·
καὶ ταῦτα μέντοι μηδὲν αἰνικτηρίως,

com clareza como escapar a tais penas;
eu bem sei de que modo. Quanto a isso, 915
trone resoluto, confiante nos trovões
do alto, a vibrar nas mãos ígneo dardo;
isso não lhe bastará para que não caia
desonrosamente a insuportável queda.
Tal adversário agora ele mesmo prepara 920
contra si mesmo, incombatível prodígio,
que descobrirá um fogo superior ao raio,
e um potente troar triunfante do trovão,
e dissipará a terremoteira moléstia
marinha, tridente lança de Posídon. 925
Ao colidir contra esse mal, aprenderá
quanto diferem ser rei e ser escravo.

C. Contra Zeus imprecas o que desejas.
P. Além do que desejo, digo o que será.
C. E devo esperar que submetam Zeus. 930
P. E terá dores mais graves do que estas.
C. Como não temes ao lançar tais palavras?
P. O que temeria, se não me cabe morrer?
C. Mas ainda te daria prova mais cruel.
P. Ele o faça, tudo para mim é previsto. 935
C. É sábio prosternar-se ante Adrásteia.
P. Venera, implora, adula ao rei da vez.
Eu de Zeus cuido menos que de nada.
Faça, domine, por este breve tempo,
como queira. Não terão longo poder 940
os Deuses. Mas vejo este recadeiro
de Zeus, o servente do novo tirano,
veio decerto para anunciar algo novo.

H. A ti, ao sofista, ao assaz acerbo,
a quem lesa os Deuses ao dar honras 945
aos efêmeros, ao furta-fogo, digo:
o Pai te exorta a dizer que núpcias
anuncias, por que ele cai do poder;
e nada disso, todavia, por enigmas,

ἀλλ' αὔθ' ἕκαστα φράζε, μηδέ μοι διπλᾶς 950
ὁδούς, Προμηθεῦ, προσβάληις. ὁρᾶις δ' ὅτι
Ζεὺς τοῖς τοιούτοις οὐχὶ μαλθακίζεται.
Πρ. σεμνόστομός γε καὶ φρονήματος πλέως
ὁ μῦθός ἐστιν, ὡς θεῶν ὑπηρέτου.
νέον νέοι κρατεῖτε, καὶ δοκεῖτε δὴ 955
ναίειν ἀπενθῆ πέργαμ'· οὐκ ἐκ τῶνδ' ἐγὼ
δισσοὺς τυράννους ἐκπεσόντας ἠισθόμην;
τρίτον δὲ τὸν νῦν κοιρανοῦντ ἐπόψομαι
αἴσχιστα καὶ τάχιστα. μή τί σοι δοκῶ
ταρβεῖν ὑποπτήσσειν τε τοὺς νέους θεούς; 960
πολλοῦ γε καὶ τοῦ παντὸς ἐλλείπω. σὺ δὲ
κέλευθον ἥνπερ ἦλθες ἐγκόνει πάλιν·
πεύσηι γὰρ οὐδὲν ὧν ἀνιστορεῖς ἐμέ.
Ερ. τοιοῖσδε μέντοι καὶ πρὶν αὐθαδίσμασιν
ἐς τάσδε σαυτὸν πημονὰς καθώρμισας. 965
Πρ. τῆς σῆς λατρείας τὴν ἐμὴν δυσπραξίαν,
σαφῶς ἐπίστασ', οὐκ ἂν ἀλλάξαιμ' ἐγώ.
Ερ. κρεῖσσον γὰρ οἶμαι τῆιδε λατρεύειν πέτραι
ἢ πατρὶ φῦναι Ζηνὶ πιστὸν ἄγγελον.
Πρ. ⟨..⟩
οὕτως ὑβρίζειν τοὺς ὑβρίζοντας χρεών 970
Ερ. χλιδᾶν ἔοικας τοῖς παροῦσι πράγμασιν.
Πρ. χλιδῶ; χλιδῶντας ὧδε τοὺς ἐμοὺς ἐγὼ
ἐχθροὺς ἴδοιμι· καὶ σὲ δ' ἐν τούτοις λέγω.
Ερ. ἦ κἀμὲ γάρ τι συμφορᾶς ἐπαιτιᾶι;
Πρ. ἁπλῶι λόγωι τοὺς πάντας ἐχθαίρω θεούς, 975
ὅσοι παθόντες εὖ κακοῦσί μ' ἐκδίκως.
Ερ. κλύω σ' ἐγὼ μεμηνότ' οὐ σμικρὰν νόσον.
Πρ. νοσοῖμ' ἄν, εἰ νόσημα τοὺς ἐχθροὺς στυγεῖν.
Ερ. εἴης φορητὸς οὐκ ἄν, εἰ πράσσοις καλῶς.
Πρ. ὤμοι.
Ερ. τόδε Ζεὺς τοὖπος οὐκ ἐπίσταται. 980
Πρ. ἀλλ' ἐκδιδάσκει πάνθ' ὁ γηράσκων χρόνος.
Ερ. καὶ μὴν σύ γ' οὔπω σωφρονεῖν ἐπίστασαι.
Πρ. σὲ γὰρ προσηύδων οὐκ ἂν ὄνθ' ὑπηρέτην.
Ερ. ἐρεῖν ἔοικας οὐδὲν ὧν χρήιζει πατήρ.

mas diz cada item, e não dupliques 950
meus percursos, Prometeu; vês que
Zeus assim não se deixa abrandar.

P. Grandiloquente e cheia de soberba,
a fala é como de um servo dos Deuses.
Tendes, novos, novo poder, e credes 955
habitar incólume fortaleza. Não é que
pude ver caírem dela dois tiranos?
Verei o terceiro, o que agora reina,
o mais baixo, o mais breve. Pareço-te
tímido e pávido ante os Deuses novos? 960
Estou longe disso, bem longe. Mas tu
faz de volta o caminho por que vieste,
nada saberás do que me interrogas.

H. Todavia, ainda antes, tão obstinado,
tu te aportaste a esses padecimentos. 965

P. Eu não trocaria, sabe-o claramente,
minha dificuldade por tua servidão.

H. Vale mais, creio, servir a essa pedra,
que ser o fiel mensageiro de Zeus pai.

P. ....
Assim se deve insultar os insultantes. 970

H. Parece que debochas esta situação.

P. Debocho? Debocharem assim visse eu
os meus inimigos e entre eles te incluo.

H. Até a mim me acusas pelo infortúnio?

P. Falando simples, odeio a todos os Deuses 975
que bem tratados afligem-me sem justiça.

H. Ouço que deliras de não leve doença.

P. Seria doente, se doença odiar inimigos.

H. Não serias tolerável, se estivesses bem.

P. *Ómoi*!

H. Essa palavra Zeus não conhece. 980

P. Mas a envelhecer o tempo ensina tudo.

H. E tu ainda não conheces a prudência.

P. Pois não te ouviria, sendo tu servente.

H. Pensas não dizer nada que o pai quer.

Πρ. καὶ μὴν ὀφείλων γ' ἂν τίνοιμ' αὐτῶι χάριν. 985
Ερ. ἐκερτόμησας δῆθεν ὥστε παῖδά με.
Πρ. οὐ γὰρ σὺ παῖς τε κἄτι τοῦδ' ἀνούστερος,
εἰ προσδοκᾶις ἐμοῦ τι πεύσεσθαι πάρα;
οὐκ ἔστιν αἴκισμ' οὐδὲ μηχάνημ', ὅτωι
προτρέψεταί με Ζεὺς γεγωνῆσαι τάδε 990
πρὶν ἂν χαλασθῆι δεσμὰ λυμαντήρια.
πρὸς ταῦτα ῥιπτέσθω μὲν αἰθαλοῦσσα φλόξ,
λευκοπτέρωι δὲ νιφάδι καὶ βροντήμασι
χθονίοις κυκάτω πάντα καὶ ταρασσέτω·
γνάμψει γὰρ οὐδὲν τῶνδέ μ', ὥστε καὶ φράσαι 995
πρὸς οὗ χρεών νιν ἐκπεσεῖν τυραννίδος.
Ερ. ὅρα νυν εἴ σοι ταῦτ' ἀρωγὰ φαίνεται.
Πρ. ὦπται πάλαι δὴ καὶ βεβούλευται τάδε.
Ερ. τόλμησον, ὦ μάταιε, τόλμησόν ποτε
πρὸς τὰς παρούσας πημονὰς ὀρθῶς φρονεῖν, 1000
Πρ. ὀχλεῖς μάτην με κῦμ' ὅπως παρηγορῶν.
εἰσελθέτω σε μήποθ' ὡς ἐγὼ Διὸς
γνώμην φοβηθεὶς θηλύνους γενήσομαι
καὶ λιπαρήσω τὸν μέγα στυγούμενον
γυναικομίμοις ὑπτιάσμασιν χερῶν 1005
λῦσαί με δεσμῶν τῶνδε· τοῦ παντὸς δέω.
Ερ. λέγων ἔοικα πολλὰ καὶ μάτην ἐρεῖν·
τέγγηι γὰρ οὐδὲν οὐδὲ μαλθάσσηι λιταῖς
ἐμαῖς, δακὼν δὲ στόμιον ὡς νεοζυγὴς
πῶλος βιάζηι καὶ πρὸς ἡνίας μάχηι. 1010
ἀτὰρ σφοδρύνηι γ' ἀσθενεῖ σοφίσματι·
αὐθαδία γὰρ τῶι φρονοῦντι μὴ καλῶς
αὐτὴ κατ' αὐτὴν οὐδενὸς μεῖζον σθένει.
σκέψαι δ', ἐὰν μὴ τοῖς ἐμοῖς πεισθῆις λόγοις,
οἷός σε χειμὼν καὶ κακῶν τρικυμία 1015
ἔπεισ' ἄφυκτος. πρῶτα μὲν γὰρ ὀκρίδα
φάραγγα βροντῆι καὶ κεραυνίαι φλογὶ
πατὴρ σπαράξει τήνδε καὶ κρύψει δέμας
τὸ σόν, πετραία δ' ἀγκάλη σε βαστάσει.
μακρὸν δὲ μῆκος ἐκτελευτήσας χρόνου 1020
ἄψορρον ἥξεις εἰς φάος· Διὸς δέ τοί

P. Sim, em dívida eu lhe pagaria o favor. 985
H. Escarneces, como se eu fosse criança.
P. Não és tu criança, e ainda mais tolo,
se esperas de mim obter informação?
Não há tortura nem ardil, pelo qual
Zeus me persuadirá a anunciar isso, 990
antes que relaxe as ultrajantes cadeias.
Quanto a isso, lance flamejante fogo,
e com neve alva e alada e com trovões
subterrâneos, revolva tudo e perturbe;
pois nada disso me curvará tanto que 995
diga por que ele deve cair da tirania.
H. Vê se isso te parece prestar auxílio.
P. Está visto há muito e está decidido.
H. Ousa, ó vaidoso, ousa finalmente,
nas presentes dores, pensar de verdade. 1000
P. Bulhas em vão a falar-me como à onda.
Entenda-se que eu nunca por temer
ânimo de Zeus me tornarei feminino
nem suplicarei ao detestado inimigo,
imitando mulher, com mãos supinas, 1005
livrar-me destas cadeias. Longe disso!
H. Ao falar, pareço falar muito e em vão.
Não te tocam nem te abrandam minhas
preces, mas mordes o freio como potro
novo no jugo, infringes e rejeitas rédeas. 1010
Prevaleces, porém, com frágil sofisma:
a obstinação do imprudente tem força
por si mesma não maior que nada.
Examina, se não te deixas persuadir,
que tormenta e tripla vaga de males 1015
vir-te-ão inevitáveis. Primeiro, o pai
partirá este áspero precipício, com
trovão e fulminante raio, e cobrirá
teu corpo, e pétreo abraço te pesará.
Cumprida longa longura de tempo, 1020
voltarás à luz, e o cão alado de Zeus,

πτηνὸς κύων, δαφοινὸς αἰετός, λάβρως
διαρταμήσει σώματος μέγα ῥάκος,
ἄκλητος ἕρπων δαιταλεὺς πανήμερος,
κελαινόβρωτον δ' ἧπαρ ἐκθοινήσεται. 1025
τοιοῦδε μόχθου τέρμα μή τι προσδόκα
πρὶν ἂν θεῶν τις διάδοχος τῶν σῶν πόνων
φανῆι, θελήσῆι τ' εἰς ἀναύγητον μολεῖν
Ἅιδην κνεφαῖά τ' ἀμφὶ Ταρτάρου βάθη.
πρὸς ταῦτα βούλευ', ὡς ὅδ' οὐ πεπλασμένος 1030
ὁ κόμπος ἀλλὰ καὶ λίαν ἐτήτυμος·
ψευδηγορεῖν γὰρ οὐκ ἐπίσταται στόμα
τὸ Δῖον, ἀλλὰ πᾶν ἔπος τελεῖ. σὺ δὲ
πάπταινε καὶ φρόντιζε, μηδ' αὐθαδίαν
εὐβουλίας ἀμείνον' ἡγήσηι ποτέ. 1035

Χο. ἡμῖν μὲν Ἑρμῆς οὐκ ἄκαιρα φαίνεται
λέγειν. ἄνωγε γάρ σε τὴν αὐθαδίαν
μεθέντ' ἐρευνᾶν τὴν σοφὴν εὐβουλίαν.
πιθοῦ, σοφῶι γὰρ αἰσχρὸν ἐξαμαρτάνειν.

Πρ. εἰδότι τοί μοι τάσδ' ἀγγελίας 1040
ὅδ' ἐθώυξεν, πάσχειν δὲ κακῶς
ἐχθρὸν ὑπ' ἐχθρῶν οὐδὲν ἀεικές.
πρὸς ταῦτ' ἐπ' ἐμοὶ ῥιπτέσθω μὲν
πυρὸς ἀμφήκης βόστρυχος, αἰθὴρ δ'
ἐρεθιζέσθω βροντῆι σφακέλωι τ' 1045
ἀγρίων ἀνέμων, χθόνα δ' ἐκ πυθμένων
αὐταῖς ῥίζαις πνεῦμα κραδαίνοι,
κῦμα δὲ πόντου τραχεῖ ῥοθίωι
συγχώσειεν τῶν οὐρανίων
ἄστρων διόδους ἔς τε κελαινὸν 1050
Τάρταρον ἄρδην ῥίψειε δέμας
τοὐμὸν ἀνάγκης στερραῖς δίναις·
πάντως ἐμέ γ' οὐ θανατώσει.

Ερ. τοιάδε μέντοι τῶν φρενοπλήκτων
βουλεύματ' ἔπη τ' ἔστιν ἀκοῦσαι· 1055
τί γὰρ ἐλλείπει μὴ ⟨οὐ⟩ παραπαίειν
ἡ τοῦδ' εὐχή; τί χαλᾶι μανιῶν;
ἀλλ' οὖν ὑμεῖς γ', αἱ πημοσύναις

sangrenta águia, retalhará, voraz,
grande lasca do teu corpo, ao vir
não convidado conviva do dia todo,
e fará banquete do negro roído fígado. 1025
Não esperes o termo de tal provação
antes que surja um Deus herdeiro
de tuas dores e queira ir ao infúlgido
Hades, nos trevosos fundos do Tártaro.
Portanto, reflete: isto não é fictício 1030
alarde, mas demasiado verdadeiro.
A boca de Zeus não sabe mentir,
mas cumpre toda palavra; e tu
observa e reflete, e não consideres
a obstinação melhor que a prudência. 1035

C. Parece-nos próprio o que Hermes
diz: pede que, pondo a obstinação
à parte, procures a sábia prudência.
Crê, opróbrio para o sábio é errar.

P. A mim, já ciente dessas notícias, 1040
ele falou; mas inimigo, de inimigo,
sofrer maus-tratos não é torpe.
Quanto a isso, lance sobre mim
ígnea mecha bigúmea, agite-se
o céu com trovão e convulsão 1045
de selvagens sopros; desde a base,
o vento vibre a terra com as raízes,
onda marinha com áspero estrépito
confunda os percursos dos astros
celestes, e precipite o meu corpo 1050
arrebatado ao negro Tártaro
com árduos vórtices da coerção:
de todo modo não me matará.

H. Tais decisões e palavras se podem
mesmo ouvir de espíritos aturdidos. 1055
O que falta para ser um desvario
a prece dele? Amaina a loucura?
Mas vós, que vos compadeceis

συγκάμνουσαι ταῖς τοῦδε, τόπων
μετά ποι χωρεῖτ' ἐκ τῶνδε θοῶς, 1060
μὴ φρένας ὑμῶν ἠλιθιώσηι
βροντῆς μύκημ' ἀτέραμνον.

Χο. ἄλλο τι φώνει καὶ παραμυθοῦ μ'
ὅ τι καὶ πείσεις· οὐ γὰρ δή που
τοῦτό γε τλητὸν παρέσυρας ἔπος. 1065
πῶς με κελεύεις κακότητ' ἀσκεῖν;
μετὰ τοῦδ' ὅ τι χρὴ πάσχειν ἐθέλω·
τοὺς προδότας γὰρ μισεῖν ἔμαθον,
κοὐκ ἔστι νόσος
τῆσδ' ἥντιν' ἀπέπτυσα μᾶλλον. 1070

Ερ. ἀλλ' οὖν μέμνησθ' ἅ γ' ἐγὼ προλέγω,
μηδὲ πρὸς ἄτης θηραθεῖσαι
μέμψησθε τύχην, μηδέ ποτ' εἴπηθ'
ὡς Ζεὺς ὑμᾶς εἰς ἀπρόοπτον
πῆμ' εἰσέβαλεν, μὴ δῆτ', αὐταὶ δ' 1075
ὑμᾶς αὐτάς· εἰδυῖαι γὰρ
κοὐκ ἐξαίφνης οὐδὲ λαθραίως
εἰς ἀπέραντον δίκτυον ἄτης
ἐμπλεχθήσεσθ' ὑπ' ἀνοίας.

Πρ. καὶ μὴν ἔργωι κοὐκέτι μύθωι 1080
χθὼν σεσάλευται,
βρυχία δ' ἠχὼ παραμυκᾶται
βροντῆς, ἕλικες δ' ἐκλάμπουσι
στεροπῆς ζάπυροι, στρόμβοι δὲ κόνιν
εἱλίσσουσι, σκιρτᾶι δ' ἀνέμων 1085
πνεύματα πάντων εἰς ἄλληλα
στάσιν ἀντίπνουν ἀποδεικνύμενα,
ξυντετάρακται δ' αἰθὴρ πόντωι·
τοιάδ' ἐπ' ἐμοὶ ῥιπὴ Διόθεν
τεύχουσα φόβον στείχει φανερῶς. 1090
ὦ μητρὸς ἐμῆς σέβας, ὦ πάντων
αἰθὴρ κοινὸν φάος εἱλίσσων,
ἐσορᾶις μ' ὡς ἔκδικα πάσχω.

de seus sofrimentos, afastai-vos
destes lugares para alhures, rápido, 1060
para que não vos atordoe o espírito
o implacável fragor do trovão.

C. Diz outra coisa e aconselha-me
o que ainda persuadirás, pois
insinuaste intolerável palavra. 1065
Como me pedes que seja vil?
Aceito sofrer o devido com ele:
aprendi a odiar os traidores,
e não há doença
que despreze mais que essa. 1070

H. Mas lembrai o meu prenúncio,
e nem capturadas por erronia
deploreis a sorte, nem digais
jamais que Zeus vos lançou
a imprevisível dor, não, mas 1075
vós por vós mesmas: cientes,
e nem de súbito nem às ocultas
em inextricável rede de erronia
sereis apanhadas por demência.

P. Por obra e não mais palavra, 1080
a terra teve um tremor,
subterrâneo eco de trovão
retumba, ígneos raios fulgem
fulminantes, vórtices revolvem
pó, saltam os sopros de todos 1085
os ventos uns contra os outros,
sedição se vê de ventos opostos,
o céu se confunde com o mar:
tal tempestade pavorosa se vê
sobre mim vindo de Zeus. 1090
Ó minha mãe venerável, ó céu,
luz comum a todos envolvente,
vês que injustiça eu padeço?

OBRAS CONSULTADAS

[AESCHYLVS]. *Prometheus*. Edidit Martin L. West. Stuttgart: Teubner, 1992.

AESCHYLI. *Septem quae supersunt tragoedias*. Edidit Denys Page. Oxford: Clarendon, 1975.

AESCHYLUS. *Prometheus Bound*. Edited by Mark Griffith. Cambridge: Cambridge University Press, 1983.

____________. *Prometheus Bound*. Edited with an introduction, translation and commentary by A. J. Podlecki. Oxford: Aris & Phillips, 2005.

BOLLAC, Jean. "Styx et serments". *Révue des Études Grecques*, 71, 1958. pp. 1-35.

ESCHYLE. *Les Suppliantes, Les Perses, Les Sept contre Thèbes, Prométhée Enchainé*. Tome I. Texte établi et traduit par Paul Mazon. Paris: Les Belles Lettres, 1963.

ÉSQUILO. *Prometeu agrilhoado*. Introdução, tradução do grego e notas de Ana Paula Quintela Sottomayor. Lisboa: Edições 70, 1992.

FREIRE, Laudelino. *Grande e novíssimo dicionário da língua portuguesa*, v. II. 2. ed. Rio de Janeiro: José Olympio, 1954.

GOLDSCHMIDT, Victor. Théologia. *Révue des Études Grecques*, LXIII, 1950. pp. 20-31. / *Questions Platonniciennes*. Paris: J. Vrin, 1970. pp. 141-72.

GRIFFITH, Mark. *The Authenticity of 'Prometheus Bound'*. Cambridge: Cambridge University Press, 1981.

RAMOS, Graciliano. *Memórias do cárcere*, v. 1. 4. ed. São Paulo: Livraria Martins, 1960.

SAÏD, Suzanne. *Sophiste et tyran ou le problème du Prométhée enchainé*. Paris: Klincksieck, 1985.

TORRANO, Jaa. "O grande juramento dos deuses", *O sentido de Zeus*. São Paulo: Roswitha Kempf, 1988. pp. 51-65 (Iluminuras, 1996, pp. 56-69).

VERNANT, Jean-Pierre e VIDAL-NAQUET, Pierre. *Mito e tragédia na Grécia Antiga*. São Paulo: Perspectiva, 1999.

WEST, Martin L. *Studies in Aeschylus*. Stuttgart: Teubner, 1990.

WHITE, Stephen. "Io's World: Intimations of Theodicy in *Prometheus Bound*", *Journal of Hellenic Studies* 121 (2001), pp. 107-140.

POSFÁCIO

ÉSQUILO - *TRAGÉDIAS*. POR QUE ESTUDO E TRADUZO?

Jaa Torrano

Durante a incessante, imperiosa e coercitiva busca de identidade espiritual, descobri com surpresa que o traço espiritual com que tendo a me identificar com mais frequência é uma atitude diante da vida que se poderia descrever como "uma fímbria de *hýbris*" (essa expressão não é minha, mas de um amigo, em quem se tem reconhecido o dom de proferir oráculos).

Hýbris é um nome e uma noção fundamentais nas reflexões do coro nas tragédias de Ésquilo, e em geral traduzi por "transgressão".

Essa descoberta de que com frequência se toma "uma fímbria de transgressão" por um traço distintivo da própria identidade espiritual dispara o alarme, põe em estado de alerta, e impõe a necessidade do exame se é "uma fímbria de transgressão" ou se é o fascínio da *áte*.

Áte é outro nome e outra noção fundamentais na teologia trágica de Ésquilo, que se podem explicar como "cegueira moral", e que em geral traduzi por "erronia", mas também por "ruína", e que André Malta, em sua tese de doutorado, traduziu por "perdição". Não só nas tragédias de Ésquilo, mas também nas de Sófocles e de Eurípides, *áte* se associa a *hýbris* tanto como sua causa quanto como sua consequência.

Nesse dilema entre "uma fímbria de transgressão" e o fascínio da "cegueira moral", tornam-se atuais e necessárias as reflexões que, nas tragédias de Ésquilo, o coro faz ao distinguir entre — por um lado — o sentido de justiça no convívio do herói com os Deuses imortais e — por outro lado — o sentido que convém aos mortais na perspectiva de seus horizontes políticos, na cidade-estado histórica dos atenienses do século V a.C.

A compreensão histórica dessas tragédias — isto é, a leitura dessas tragédias como um documento da permanência e transformação do pensamento mítico arcaico no horizonte político de Atenas do século V a.C. — demanda que tomemos conhecimento do repertório de imagens e de noções próprio do pensamento mítico, e que tornemos nosso próprio pensamento afinado com a estrutura e a dinâmica próprias do pensamento mítico.

A compreensão dessas reflexões requer não só conhecimento, mas ainda afinidade com os recursos próprios da poesia, donde se explicam a utilidade e a eficácia do conhecimento e da experiência da poesia, para a compreensão das tragédias não só de Ésquilo, mas também de Sófocles e de Eurípides.

O que hoje entendemos por arte da poesia tem um núcleo comum com o pensamento mítico, a saber, a imagem.

A imagem — neste sentido platônico de todo e qualquer objeto de uma percepção sensorial — constitui a matéria-prima tanto da poesia como do pensamento mítico. Ambos, poesia e pensamento mítico, trabalham única e exclusivamente com imagens, e mediante a elaboração de imagens constroem uma visão perspicaz, luminosamente válida e penetrante, do mundo, do ser e da vida.

Enquanto a arte hodierna da poesia tende a se voltar a si mesma, remeter a si mesma e falar de si mesma, a arte clássica da tragédia tem o compromisso público e institucional de pensar as relações de poder na perspectiva da cidade-estado de Atenas do século V a.C.

Essas relações de poder incluem não só o poder que organiza a cidade-estado e que nela entre os cidadãos se compartilha, mas ainda o poder que organiza o mundo e que impõe os limites que determinam e definem o ser e a ação de cada homem, de cada herói, de cada Nume e de cada Deus.

A tragédia grega, antes da invenção da teoria política filosófica, pensou a política, ao refletir a respeito de como pode e deve ser o convívio entre os homens nos horizontes políticos da cidade-estado de modo ser viável a vida na cidade-estado. E bem antes da criação da teologia filosófica, a tragédia grega refletiu em que termos os homens mortais poderiam conviver e dialogar com os Deuses imortais, de modo a contornar os impasses e impossibilidades desse convívio e a preservar-se deles.

COLEÇÃO DIONÍSIAS

ORESTÉIA I

AGAMÊMNON

ORESTÉIA II

COÉFORAS

ORESTÉIA III

EUMÊNIDES

DE JAA TORRANO
NESTA EDITORA

O SENTIDO DE ZEUS

TEOGONIA
Hesíodo

BIBLIOTECA PÓLEN

ANTROPOLOGIA DE UM PONTO
DE VISTA PRAGMÁTICO
Immanuel Kant

O CONCEITO DE CRÍTICA DE ARTE
NO ROMANTISMO ALEMÃO
Walter Benjamin

CONTRIBUIÇÃO À HISTÓRIA DA RELIGIÃO
E FILOSOFIA NA ALEMANHA
Heinrich Heine

CONVERSA SOBRE A POESIA
Friedrich Schlegel

DA INTERPRETAÇÃO DA NATUREZA
Denis Diderot

DEFESAS DA POESIA
Sir Philip Sidney & Percy Bysshe Shelley

OS DEUSES NO EXÍLIO
Heinrich [Henri] Heine

DIALETO DOS FRAGMENTOS
Friedrich Schlegel

DUAS INTRODUÇÕES À CRÍTICA DO JUÍZO
Immanuel Kant

A EDUCAÇÃO ESTÉTICA DO HOMEM
Friedrich Schiller

A ARTE DE ESCREVER ENSAIO E OUTROS ENSAIOS
David Hume

A FARMÁCIA DE PLATÃO
Jacques Derrida

FRAGMENTOS PARA A HISTÓRIA DA FILOSOFIA
Arthur Schopenhauer

LAOCOONTE
G.E. Lessing

MEDITAÇÕES
Marco Aurélio

A MORTE DE EMPÉDOCLES
Friedrich Hölderlin

POESIA INGÊNUA E SENTIMENTAL
Friedrich Schiller

PÓLEN
Novalis

PREFÁCIO A SHAKESPEARE
Samuel Johnson

SOBRE KANT
Gérard Lebrun

SOBRE O HOMEM E SUAS RELAÇÕES
Franz Hemsterhuis

TEOGONIA
Hesíodo

OS TRABALHOS E OS DIAS
Hesíodo

Este livro foi composto em *Times* e *Cardo* pela *Iluminuras* e terminou de ser impresso nas oficinas da *Meta Brasil Gráfica*, em Cotia, SP, em papel off-white 80g.